COLLECTION OPUS

LES RELATIONS AMOUREUSES ENTRE LES FEMMES DU XVIe AU XXe SIÈCLE

MARIE-JO BONNET

LES RELATIONS AMOUREUSES ENTRE LES FEMMES DU XVIe AU XXe SIÈCLE

Essai historique

Nouvelle édition

Avertissement : Une première version de ce livre, directement issue de ma thèse de doctorat, a paru en 1981 sous le titre *Un choix sans équivoque*. La présente édition a été totalement refondue, revue et corrigée, et enrichie de plusieurs chapitres inédits. (M.-J. B.)

ISSN 1258-3030
ISBN 2-7381-0319-7

à Charlotte Calmis (1913-1982)
J'ai commencé à me nommer désir, désir d'être.

Remerciements

Merci à Michèle Brun, amie attentive, brillante interlocutrice, à qui cette nouvelle édition doit beaucoup, tant par son regard éclairé sur l'Histoire que par les encouragements qu'elle m'a prodigués.

Une pensée aussi à la mémoire de mon père, qui a su prévoir les moments difficiles en m'assurant une aide matérielle grâce à laquelle j'ai pu travailler paisiblement.

Merci à Élisabeth Badinter, Odile Jacob et Christophe Guias dont le courage intellectuel a permis la réalisation de ce livre.

M.-J. Bonnet, 1er juin 1995

Introduction

Il faut se rendre à l'évidence : l'amour entre femmes sent le soufre. Qu'il soit nié, toléré, voilé, méprisé, combattu, aujourd'hui comme hier il dérange un certain ordre patriarcal fondé sur la famille et la reproduction. Même la grande et sublime Sappho [1], qui pourtant vécut il y a plus de vingt-six siècles, sent le soufre. On l'admire comme poétesse, on la condamne pour ses amours. Que n'a-t-on écrit sur elle, manipulant sa biographie afin de la rendre acceptable ! On lui a inventé une passion pour un homme à la fin de sa vie, un suicide, dans la mer, de désespoir ; on l'a qualifiée de chaste, de *mascula*, d'Homère féminin ; on a inventé une deuxième Sappho qui cadrait mieux avec le contenu de ses poèmes ; on l'a calomniée parce que ses vers amoureux s'adressaient à des femmes ; on a même occulté une dimension importante de son rôle historique : son rapport à la cité. Dans l'île de Lesbos, en effet, dans ce monde grec oriental du VIe siècle avant J.-C., Sappho était prêtresse d'Aphrodite, c'est-à-dire partie prenante de la vie de la cité à son plus haut niveau : l'éducation des filles à travers la célébration du culte

1. L'orthographe de Sappho a beaucoup varié, à commencer chez les Grecs, qui l'ont parfois écrit « Psappho » ou « Psappha ». En France, l'écriture simplifiée de « Sapho », avec un seul p, fut utilisée du XVIIe à la fin du XIXe siècle. Nous écrirons donc *Sappho* lorsque nous parlerons de la poétesse de Lesbos et *Sapho* quand nous citerons les textes qui l'orthographiaient ainsi.

de la grande déesse. Par ce rite d'initiation qui engageait la survie de la cité, Sappho avait un impact social et un pouvoir reconnu – lequel se transformera en contre-pouvoir au siècle suivant, quand les femmes seront exclues de la cité pour être enfermées dans le gynécée.

Dès le ve siècle avant J.-C., donc, la lesbienne est mise au secret parce qu'elle représente un danger pour la cohésion du patriarcat. Qu'a-t-elle de commun avec le pédéraste dont la place est reconnue dans la cité à travers l'éducation des garçons ? La pédérastie est un rite d'initiation sociale qui inscrit les garçons dans le patriarcat. L'adulte, c'est-à-dire l'homme libre actif, initie le jeune homme à la société telle qu'elle est, orientant une pulsion considérée comme incontrôlable vers des buts sociaux masculins. À Rome, la passivité était statutairement réservée aux femmes, aux enfants et aux esclaves. Le pédéraste actif a le même statut que l'hétérosexuel actif, car si « le désir est assaut de l'animalité en nous », comme l'écrit Pascal Quignard [2], il peut se satisfaire tout aussi bien d'un garçon que d'une fille.

Sappho est plus distante envers Éros. Elle sait qu'il fait souffrir, il est donc le « briseur de membres », le « doux-blessant », le « sinueux », celui qui « tresse les fables », « l'invincible serpent ». « Elle voit en *lui* le principe mâle, écrit Édith Mora, l'être brutal, bestial, qui déchire, brise, écrase, utilise tous les moyens pour vaincre, la force comme la ruse et le piège [3] », et qui, au lieu de servir la déesse Aphrodite, agit de manière autonome. Aphrodite, en revanche, est la grande et seule divinité de Sappho. Déesse de l'Amour, elle est « la seule qui ne soit pas vertigineusement placée hors de toute rencontre affective avec les humains [4] ». Elle est celle que Sappho peut aimer, implorer, appeler à son aide quand la tourmente Éros :

2. Pascal Quignard, *Le Sexe et l'Effroi*, Paris, Gallimard, 1994.
3. Édith Mora, *Sappho, histoire d'un poète et traduction intégrale de l'œuvre*, Paris, Flammarion, 1966, p. 320.
4. *Ibid.*, p. 323.

Ode à Aphrodite[5]

Au trône d'arc-en-ciel immortelle Aphrodite
fille de Zeus, tissant l'intrigue, je t'en supplie
n'accable pas sous l'angoisse et sous la douleur
ô vénérée, mon cœur

mais viens, si jamais si une autre fois
entendant tout au loin ma voix tu l'as écoutée,
quittant le palais doré de ton père
alors tu es venue

sur ton char attelé. Qu'ils étaient beaux te conduisant
les passereaux rapides autour de la terre assombrie
en dense tournoiement d'ailes du haut du ciel
à travers l'éther

Très vite ils furent là et toi, ô Bienheureuse,
souriant de ton visage immortel tu me demandais
ce qui me rendait alors malheureuse et la raison
alors de mon appel

et ce que je voulais plus que tout dans mon cœur
fou. Qui encore supplies-tu Peithô
d'amener jusqu'à ton amour ? de qui, ô
Sappho, te plains-tu ?

car si elle te fuit aussitôt elle te poursuivra
si elle refuse tes présents c'est elle qui t'en offrira
et si elle ne t'aime pas aussitôt elle t'aimera
même contre son gré !

Viens donc à moi cette fois encore ! Délivre-moi
de ce tourment trop lourd et réalise tout

5. Traduction d'Édith Mora, *op. cit.*, p. 372.

ce que mon cœur désire. Ah viens toi-même
m'aider à lutter !

Puis, quand le désir d'aimer survient, c'est le corps entier qui participe, comme elle le chante dans son ode la plus célèbre, « À une aimée » :

[...]
Un spasme étreint mon cœur dans ma poitrine,
Car si je te regarde un instant, je ne puis plus parler,
mais d'abord ma langue est brisée, voici qu'un feu
subtil soudain, a couru en frissons sous ma peau.
Mes yeux ne me laissent plus voir, un sifflement
tournoie dans mes oreilles.
Une sueur glacée couvre mon corps, et je tremble
tout entière possédée, et je suis
plus verte que l'herbe. D'une morte j'ai presque l'apparence.
Mais il faut tout risquer[6]*...*

Pour la lesbienne, l'amour est un risque et une conquête, non une pulsion. C'est un acte gratuit, conscient de ne déboucher sur rien socialement. C'est un acte fondateur d'une individualité, le vecteur d'une liberté qui se conquiert en échappant aux schémas collectifs.

D'où ce regard tolérant, amusé, paternaliste que l'homme porte sur l'amour entre femmes depuis la Renaissance et qui cache à peine son souci de désamorcer ce danger en réduisant la relation amoureuse à une simple recherche de plaisir. Par exemple, c'est au cours de la Renaissance, au moment même où l'homme découvre son individualité et se représente au centre du monde, qu'il nomme la lesbienne d'un mot qui lui dénie sa dimension d'individu. Sappho est une tribade, écrit-on alors. Une tribade est une femme qui « contrefait » l'homme, autrement dit un monstre. « Tribade » vient du grec *tribein*, qui signifie « frotter, s'entrefrotter ». La peur de

6. Sappho, *Le Cycle des Amies*, traduit du grec par Yves Battistini, Michel Chandeigne Éditeur, 1991, p. 1.

perdre son pouvoir d'homme sur l'individu femme éclate ainsi au cœur même de la dénomination retenue. Elles se frottent, elles ne se pénètrent pas (avec un pénis). La menace que fait peser toute liberté de femme sur la pureté de la lignée spermatique se trouve ainsi conjurée. Voilà comment Sappho est éliminée comme référence identitaire de l'amour entre femmes au profit de Martial, poète latin du premier siècle de notre ère qui fut le premier à qualifier de tribade la courtisane Philaenis, rencontrée dans un bordel.

Pendant trois siècles, ce nom de « tribade » sera le seul mot d'usage courant utilisé dans la langue française pour désigner la lesbienne. Quand au XIXe siècle une meilleure connaissance de l'œuvre de Sappho rendra légitime l'emploi du mot « lesbienne », le terme d'« homosexuelle », forgé par les psychiatres, neutralisera cette évolution en inféodant de nouveau la lesbienne à la norme masculine doublée d'une référence à la pathologie.

C'est un fait ! Les lesbiennes sentent le soufre et rares sont les historiens qui ont le courage de ne pas les exclure de l'histoire. Ainsi, dans *Amour et Sexualité en Occident* [7], les lesbiennes n'existent que par procuration poétique : si l'on excepte l'article de Claude Mossé sur la poésie de Sappho, aucune étude ne leur est consacrée alors que trois articles traitent de l'homosexualité en Grèce, à Rome et au XVIIIe siècle, sans préciser qu'il s'agit de l'homosexualité masculine. De même, dans la récente *Histoire des femmes* en quatre volumes dirigée par Georges Duby et Michelle Perrot [8], nous devons nous contenter de deux ou trois allusions à Sappho dans le tome sur l'Antiquité ; et rien sur les autres siècles. Quant à l'*Histoire de la vie privée*, il est difficile d'être d'accord avec Alain Corbin lorsqu'il affirme : « Il est pour l'heure impossible de faire l'histoire de l'homosexualité féminine. En dehors d'une pratique mondaine qui court des " anandrynes " de la fin du XVIIIe siècle aux riches Américaines installées dans le Paris de la

7. *Amour et Sexualité en Occident*, introduction de Georges Duby, Paris, Éd. du Seuil, 1991.

8. *Histoire des femmes*, sous la direction de Georges Duby et Michelle Perrot, 4 vol., Paris, Plon, 1990-1992.

Belle Époque, nous ne connaissons guère que les interminables propos des médecins et des magistrats sur la prolifération des tribades dans les bordels et les prisons [9]. »

L'histoire des relations amoureuses entre les femmes est possible. Elle est même nécessaire pour que l'histoire des femmes remplisse sa fonction dynamique qui est de donner le courage de se libérer des prétendues « fatalités » de la condition féminine en nous reliant dans le temps et l'espace à des consciences de femmes individualisées. Actuellement, la faiblesse de l'histoire des femmes est liée au patriarcat. Elle est devenue un lobby qui n'ose pas aborder les sujets brûlants, ni faire l'effort synthétique dont nous avons plus que jamais besoin. Il faut réécrire l'histoire des femmes en y intégrant toutes ses dimensions, à commencer par celles qui gênent le plus les carrières universitaires : l'amour entre femmes et, oserons-nous ajouter, le rapport au spirituel. L'histoire des femmes est avec celle du socialisme l'une des plus manipulée qui soit, car elle nous confronte à un problème social et politique, voire à un choix de civilisation.

En 1963, Édith Thomas écrivait dans la préface des *Pétroleuses*, livre désormais classique : « Il faut donc convenir que l'histoire des mouvements de femmes va à contre-courant et qu'elle réunit tout le monde contre elle. [...] Je n'ai d'autre ambition que de déblayer un peu un terrain encore couvert de broussailles, de poursuivre un travail d'analyse, afin que l'on puisse, par la suite, tenter de véritables synthèses [10]... » Il faut bien admettre que ce travail de synthèse n'a pas encore été accompli. Est-ce par manque d'études historiques ou parce qu'il exige une réelle volonté politique qui ose aller à contre-courant ? Plus loin, Édith Thomas ajoutait : « Ce qui me permet peut-être de comprendre les femmes de la Commune, c'est d'avoir participé dans la Résistance au comité directeur de l'Union des Femmes Françaises, d'avoir rédigé leurs tracts, d'avoir préparé avec elles les manifestations [11]... »

9. Alain Corbin, « Cris et chuchotements », dans *Histoire de la vie privée*, t. 4, *De la Révolution à la Grande Guerre*, ouvrage collectif sous la direction de Georges Duby et Philippe Ariès, Paris, Éd. du Seuil, coll. L'Univers historique, 1987, p. 589.

10. Édith Thomas, *Les « Pétroleuses »*, Paris, Gallimard, 1963, p. 9.

11. *Ibid.*, p. 13.

Je pourrais en dire autant : ce qui me permet de comprendre les lesbiennes du XVIIIe siècle, les Rosa Bonheur, Suzy Solidor et autres Natalie Clifford Barney, c'est d'avoir participé au Mouvement de libération des femmes depuis ses premières manifestations, puis à la fondation du Front homosexuel d'action révolutionnaire – pour le quitter bientôt parce que ma place était parmi les femmes. Et, quelques années plus tard, d'avoir tout naturellement choisi comme sujet de thèse d'histoire l'étude des relations amoureuses entre les femmes du XVIe siècle au XXe siècle et de l'avoir soutenue à l'université de Paris-VII, à une époque où ce sujet cessait d'être tabou. Cette thèse, légèrement remaniée, fut publiée en 1981 dans la collection « Femmes » chez Denoël-Gonthier, mais la crise économique et la chute des idéologies libératrices allaient bientôt isoler ce genre de sujet tant à l'université que dans le débat intellectuel et collectif. Les femmes disparues de la scène politique, qui se soucie de la liberté des lesbiennes ? Il fallut donc presque quinze ans pour que l'on prenne conscience de l'existence de ce vide et qu'il soit décidé de reprendre ce travail.

C'est presque un livre nouveau qui est né à l'occasion de sa réédition. Des chapitres entiers ont été refondus, d'autres ajoutés (XVIIe et XIXe siècles), mais surtout la perspective d'ensemble s'est complètement renouvelée, radicalisée diront certains, au contact de la difficile réalité sociale des temps présents. Quand une société, la quatrième puissance du monde, se replie sur des valeurs de respectabilité, de concurrence, de compétition, et accepte de sacrifier trois millions de chômeurs à la rentabilité économique, la réflexion sur l'exclusion devient une nécessité politique vitale.

De nouvelles questions ont surgi.

Dans quelles conditions les lesbiennes s'affirment-elles dans l'histoire ? Quand existent-elles dans le temps ? N'est-ce pas au moment des crises et des révolutions qu'elles émergent et deviennent le vecteur de valeurs humaines socialement réprimées ?

Au XVIIIe siècle, la lesbienne surgit au grand jour, portée par la philosophie des Lumières qui valorise l'individu sur son appartenance au groupe. Et ce n'est pas le seul milieu des artistes qui est concerné à travers la comédienne Françoise Raucourt. La monarchie doit faire face à la passion de la Comtesse de Provence, Madame, pour Marguerite de Gourbillon ; sans parler de la bourgeoisie avec Madame Demailly et des milieux populaires plus anonymes mais tout aussi présents.

Après la Révolution, c'est dans le sillage de Fourier et du saint-simonisme que la lesbienne conquiert son autonomie. Elle devient une figure archétypique de la femme émancipée, comme l'incarneront Rosa Bonheur et, dans une autre mesure, George Sand. La Révolution de 1848 puis la IIIe République accélèrent l'identification de la lesbienne à la femme sexuellement libre et socialement indépendante. Puis l'arrivée à Paris de peintres, poétesses, écrivaines venues du monde entier trouver, comme le dira Louise Breslau, « place au soleil », en fait bientôt une spécificité française. Renée Vivien, Gertrude Stein, Natalie Clifford Barney, pour ne citer que les plus connues, n'ont-elles pas donné par leur présence active dans la vie culturelle sa pleine légitimité au pays des Droits de l'Homme ?

Car ce qui nous a semblé bien plus clair lors de la réévaluation des données historiques, c'est le parallélisme entre l'émergence de la lesbienne et le développement de l'individualité dont la Déclaration des Droits de l'Homme et du Citoyen en constitue l'avènement historique. Si l'*Habeas Corpus* a marqué une date dans l'histoire de la liberté individuelle, la Déclaration constitue un point de non-retour de toute réflexion politique sur l'individu. L'article 1, malgré l'ambiguïté de sa formulation, brise un pacte multimillénaire en ce qu'il reconnaît à l'homme comme à la femme la liberté et l'égalité en droit. Sans doute les révolutionnaires de 1789 n'avaient-ils pas conscience de la portée pratique d'une telle Déclaration universelle, mais le processus était en marche. L'*Habeas Corpus* rendait leur corps aux victimes de l'arbitraire (*habeas corpus* : que tu aies le corps), la Déclaration des Droits de l'Homme et du Citoyen mettait les lesbiennes en position de conquérir leurs droits.

Une crise profonde des modèles sexuels s'ensuivit, car la contradiction entre les principes et la pratique ne pouvait échapper aux forces émancipatrices qui s'appuyèrent sur les principes pour changer la réalité opprimante. La crise des modèles sexuels structurant l'organisation sociale et l'attribution des rôles toucha tous les domaines, du social au culturel, du psychique au religieux en passant par le sexuel. De même que la crise d'identité juive était inscrite dans les textes affranchissant les Juifs [12], celle de l'identité féminine était contenue dans la proclamation des Droits de l'Homme. Reconnue théoriquement comme individu, la femme était définie pratiquement, dans le Code civil, comme genre, enfermée dans la famille et réduite à une fonction sociale déterminée par la biologie (la maternité) et le service de l'homme (le mariage). Longtemps contenue par une bourgeoisie avide d'entreprendre et qui orienta les énergies masculines vers la production de richesses matérielles, la contradiction éclata au XXe siècle sous la triple poussée du féminisme, de l'affirmation culturelle des lesbiennes et des deux guerres mondiales.

L'ampleur de la catastrophe engendrée par la Deuxième Guerre mondiale, où l'on n'a pas seulement vu le déchaînement des volontés destructrices tuer aveuglément les populations civiles, emprisonner dans des camps de concentration des homosexuels, mais aussi programmer scientifiquement l'extermination de l'Autre comme but de guerre, oblige à prendre un peu plus au sérieux la question de l'altérité. Sans doute Simone de Beauvoir a-t-elle défriché le terrain en montrant dans *Le Deuxième Sexe* comment la femme était pour l'homme son Autre. Mais il faut aller plus loin qu'un appel à la fraternité, car l'homme est aussi l'Autre de la femme, et de cela il n'en est jamais question.

Dans ce processus exploratoire de nouvelles alternatives au patriarcat, les lesbiennes sont de par la force des choses placées dans une position d'altérité qui pourrait être précieuse pour l'avenir. Ce sont elles déjà qui mènent la contestation la plus radicale des modèles sexuels. En ne donnant pas leur ventre à la reproduction, elles s'isolent socialement. S'isolant, elles peuvent démonter le

12. « Le paradoxe français veut que les crises d'identité juives furent implicitement inscrites dans les textes qui proclamaient leur affranchissement », écrit Léon Poliakov dans *L'Impossible Choix. Histoire des crises d'identité juives* (Paris, Austral, 1994, p. 59). Il écrit aussi : « L'identité religieuse devient problématique avec la laïcisation de l'État français. »

jeu sexuel et social qui se joue quotidiennement sur la scène patriarcale et voir les potentialités de renouvellement d'une civilisation en pleine mutation.

L'histoire montre que les lesbiennes ont toujours participé aux mouvements progressistes. Leur visibilité est à cette condition et peut-être aussi leur accomplissement personnel, qui passe par le refus de faire ce que la société demande. Le cocon familial ne métamorphose pas la femme en individu, bien au contraire, il la maintient rivée à une identité archaïque, à cette mère primitive dont l'homme réanime l'archétype à chaque crise grave pour éviter de devenir adulte, c'est-à-dire capable d'aimer en sa compagne une égale.

L'amour entre femmes renvoie à une conscience identitaire basée sur un retour, non pas à la mère, comme le prône la psychanalyse, mais aux valeurs fondées sur l'individualité, dont Sappho a constitué un point d'incarnation historiquement décisif. Car Sappho fut le seul moment de liberté où le désir de la femme pour la femme a pu se dire. Et si nous revenons à Sappho, si l'histoire y revient sans cesse en France depuis le XVIe siècle, c'est parce que son talent a impulsé un puissant élan de liberté conscient de contenir à la fois la douleur, le bonheur et l'audace révolutionnaire qui constituent toute liberté.

Souhaitons que le présent livre rende mieux perceptible la présence des lesbiennes dans la cité en apportant les fondements historiques nécessaires à la théorisation de l'amour entre femmes.

Peut-être alors cet amour sera-t-il enfin reconnu comme l'un des leviers de la libération des femmes.

Première partie

TE NOMMER CORPS LESBIEN
(XVIe-XVIIe SIÈCLE)

Te nommer corps lesbien   temps du désir multiple
poulpe   porc-épic   aux antennes électriques
corps   lesbien   entonnoir secret où l'infra-rouge
l'ultra-violet   s'infusent quand
brame en toi aussi rauques les brontosaures à
l'origine

Corps   lesbien à naître sans engendrer   paupières
closes où les trous de certaines étoiles là-bas ne
sont plus énigme
Oui te nommer corps lesbien ne vois-tu rien venir dans ta
chair promise   la jouissance
osera de l'amour toutes les métamorphoses

Charlotte Calmis, *Gaïa* [1]

1. Charlotte Calmis, *Gaïa*, psaumes d'incarnation, *Les Cahiers du Nouveau Commerce*, 36-37, printemps 1977, p. 58.

CHAPITRE 1

L'habit fait la femme

C'est au cours du grand mouvement de découverte des Anciens que les hommes de la Renaissance éprouvèrent la nécessité, pour la première fois en France, de donner un nom aux femmes qui s'aiment. Car le Moyen Âge ne semble pas avoir utilisé de mot spécifique et, si la curiosité en éveil de Christine de Pisan découvre chez Boccace l'existence de Sappho, « femme de haut génie, poétesse et philosophe », elle peut tout juste dire qu'elle « inventa [...] de curieux chants d'amour désespérés [2] ».

L'amour entre femmes a donc pris corps dans la société patriarcale du XVIe siècle sous l'impulsion des nouvelles interrogations sur l'homme et sa place dans le monde provoquées par la confrontation entre le monde chrétien, issu du Moyen Âge, et le monde païen gréco-romain pour lequel l'Homme est la mesure de toute chose et le centre du monde, comme le représenta Léonard de Vinci en inscrivant l'homme dans un cercle [3]. Le groupe, la famille, la repro-

2. Christine de Pisan, *La Cité des dames*, texte traduit et présenté par Thérèse Moreau et Éric Hicks, Paris, Stock, 1986, p. 96.

3. Notons que quatre siècles avant Vinci, la mystique rhénane Hildegarde de Bingen avait eu cette vision d'un homme inscrit dans un cercle qu'elle dessinera dans son *Livre des œuvres divines*. Voir Régine Pernoud, *Hildegarde de Bingen, conscience inspirée du XIIe siècle*, Éd. du Rocher, 1994, fig. 4. Ce qui montre qu'à un certain niveau de conscience, les deux visions se rejoignent dans la même quête de l'unité de l'être avec le cosmos.

duction passèrent au second plan. Par ce retour à l'Un, la lesbienne pouvait exister.

Car le fait est là : pour la culture chrétienne, elle n'existe pas, puisque Gomorrhe, associée à Sodome dans la Bible, disparaît complètement de l'horizon du Moyen Âge, à la différence de Sodome, qui est reconnu, identifié, décrit et combattu par l'Église, qui voit en lui un « péché ou crime contre nature ». Mais si la Renaissance constitue une chance pour la lesbienne d'exister, elle est aussi le moment où se met en place un discours qui l'efface comme individu au moyen précisément de ce qui l'identifie.

Pourquoi avoir choisi « tribade » plutôt que « lesbienne » ? Pourquoi ce mot a-t-il tenu trois siècles ? Et pourquoi le nom et la patrie de Sappho ont-ils désigné si tardivement en France les amours féminines ?

Est-ce parce que Sappho est restée en marge du mouvement de découverte des Anciens ? Ou du moins, si les humanistes connaissaient son nom, ne serait-ce que par l'intermédiaire des nombreuses citations de ses vers faites par les Anciens, est-ce parce que sa liberté était incompatible avec le statut des femmes de la Renaissance ?

En fait, comme le démontre Édith Mora dans l'un des plus beaux livres qui lui ait été consacré [4], sa gloire poétique éclipsa très vite sa réalité historique et le contenu de son œuvre au profit du mythe.

Un siècle après sa mort, Platon la qualifie de « Dixième Muse », montrant à quel point elle est déjà devenue une « idée ». Pour d'autres, elle est « l'Homère féminin » ou la *mascula* Sappho (Horace, qui lui laisse cependant une réputation sans tache), la *vates lesbia* (poète inspiré de Lesbos, Ovide), « une véritable merveille » (Strabon), et un texte gravé au IIᵉ siècle avant J.-C. sur le socle d'une statue de la bibliothèque de Pergame, en Italie, proclame sa gloire en ces termes : « Mon nom est Sappho ; j'ai autant surpassé en poésie les femmes que le méonide les hommes. »

Son œuvre sera maintes fois imitée, blâmée, condamnée, brûlée

4. Édith Mora, *Sappho. Histoire d'un poète et traduction intégrale de l'œuvre*, Paris, Flammarion, 1966.

même par des chrétiens en lutte contre le paganisme. Mais le plus étrange, peut-être, pour une poétesse qui dérange tant parce que ses vers amoureux sont adressés à des femmes, est que malgré ces vingt-six siècles d'histoire patriarcale son nom demeure si présent. L'œuvre a transcendé la femme, mais ô combien a-t-elle été occultée par le mythe !

D'abord, fait sans comparaison avec les œuvres des autres auteurs grecs, aucun des neuf livres composant l'œuvre poétique de Sappho ne nous est parvenu complet, qu'il s'agisse des volumes originaux ou des éditions sur papyrus ou parchemins réalisées par les hellénistes de la grande bibliothèque d'Alexandrie au IIIe siècle de notre ère, et plus tard à Byzance.

De plus, aucun volume de son œuvre ne fut sauvé de la destruction de la merveilleuse bibliothèque de Byzance, incendiée lors de l'invasion turque de 1453. Cependant, les érudits grecs qui avaient réussi à s'échapper vers l'Italie emportaient avec eux d'autres trésors, dont les nombreux traités de grammairiens, métriciens et historiens grecs qui citaient un vers ou un poème de Sappho en exemple de beau style. Grâce à ces intermédiaires, une édition de Sappho put être réalisée à la fin du XVe siècle par les imprimeurs humanistes de Venise, Rome et Florence.

En France, c'est l'imprimeur Henri Estienne qui entreprend en 1554 la première édition grecque de Sappho à la suite des *Odes* du « grand » Anacréon. Elle comprend deux poèmes, « La lune a fui... » et la célèbre ode « À Aphrodite » qui était citée intégralement par Denys d'Halicarnasse (Ier siècle avant J.-C.) dans son *Traité sur la disposition des mots*, lequel fut publié quatre ans plus tôt par Robert Estienne.

En 1566, Henri Estienne ajoute pour une troisième édition gréco-latine plus accessible au public lettré, près de quarante fragments comprenant ceux cités par Pindare, deux poèmes publiés en 1531 par Josse Bade dans *L'Anthologie grecque*, et l'ode intitulée apocryphement « À une aimée » qui était citée par le rhéteur Longin dans son *Traité du sublime* que Boileau rendra célèbre, au XVIIe siècle, par son analyse enthousiaste et sa traduction (1674).

Jusqu'aux découvertes archéologiques des XVIIIe et XIXe siècles [5], cette édition servira de référence à toutes les rééditions et traductions des œuvres de Sappho, sans que l'on songe à réunir la totalité des quatre-vingt-dix fragments dispersés chez ses admirateurs antiques ou à traduire les nouveaux fragments déchiffrés et publiés en Allemagne par Neue en 1824 et par Bergk en 1882.

Peu de documents, donc, mais suffisamment, tout de même, pour connaître Sappho, puisque l'« Ode à Aphrodite » évoque sans ambiguïté possible son désir pour une femme. Or, comme l'écrit Joan Dejean dans un livre récent consacré à la réception de l'œuvre de Sappho en France, « le XVIe siècle ne se préoccupe que d'adapter à un protagoniste masculin tous les scénarios érotiques proposés par le premier poète du désir féminin [6] ». Et de citer des exemples de traduction de cette « Ode à Aphrodite » où le pronom personnel « elle » se transforme tout à coup en « il ». Ainsi le vers : « Car si elle te fuit, bientôt elle sera chasseresse [7] » devient-il, dans la traduction Jean de la Gessé réalisée en 1583 : « S'il te fuit ore, il te suivra pour vivre [8]. »

Mais ce n'est pas le seul poème travesti par les traducteurs. Si Catulle a donné l'exemple en traduisant en latin l'ode « À une aimée » sans dire qu'il s'agissait d'une femme [9], Ronsard va plus loin dans l'adaptation en s'identifiant sans remords au jeune homme assis près de la jeune fille désirée par Sappho :

Je suis un demi-dieu, quand assis vis-à-vis,
De toy, mon cher soucy, j'écoute les devis

5. Fouilles réalisées en Égypte à la fin du XVIIIe siècle, au début du XIXe et, surtout, en 1897 dans la nécropole gréco-égyptienne d'Oxyrrhynchos. B. P. Grenfell et A. S. Hunt découvrirent que le matériau utilisé pour confectionner les cercueils était composé de petits morceaux de papyrus, volontairement déchirés, sur lesquels ils purent déchiffrer et reconstituer des fragments de vers de Sappho.

6. Joan Dejean, *Sapho. Les fictions du Désir : 1546-1937*, traduit de l'anglais (américain) par François Lecercle, Paris, Hachette Supérieur, 1994, p. 34.

7. Traduction de Yves Battistini, Éd. Michel Chandeigne, 1992.

8. Cité par Joan Dejean, *op. cit.*, p. 34.

9. Voir Édith Mora, *op. cit.*, p. 137.

Devis interrompus d'un gracieux sourire,
Souris qui me tient le cœur emprisonné [10]

Inspiré de :

il égale les dieux je crois
l'homme qui devant toi vient s'asseoir
et qui tout près de toi entend
ta voix tendre [11]

Pourtant, Rémy Belleau, le premier traducteur en vers français de l'ode de Sappho (1556), avait respecté les pronoms personnels. Faut-il croire que la liberté avec laquelle Sappho exprime ses désirs représente un danger politique pour les humanistes de la Renaissance, qui préfèrent nommer les femmes qui s'aiment des « tribades » ?

La question s'impose d'autant plus que c'est sous la plume du premier éditeur de Sappho, l'humaniste Henri Estienne, qu'apparaît pour la première fois dans la langue française le mot « tribade ». Or, loin d'être innocente, cette apparition s'inscrit dans un contexte bien particulier, comme le montre le récit suivant, extrait d'un des chapitres de son *Apologie pour Hérodote* consacré au « péché de sodomie et péché contre nature en nostre temps » : « Je viens de réciter un forfaict merveilleusement estrange : mais j'en vay réciter un autre qui l'est encore d'avantage (non pas toutefois si vilain), advenu aussi de nostre temps, il y a environ tren'ans. C'est qu'une fille native de Fontaines, qui est entre Blois et Romorantin, s'estant desguisée en homme, servit de valet d'estable environ sept ans en une hostellerie du faux-bourg du Foye, puis se maria à une fille du lieu, avec laquelle elle fut environ deux ans, exerçant le mestier de vigneron. Aprés lequel temps estant descouverte la meschanceté de laquelle elle usait pour contrefaire l'office du mari, fut

10. « Chanson », in *Nouvelle continuation des Amours* (1556). Pour toute cette question, voir aussi Robert Aulotte, quelques traductions d'une ode de Sappho, *Bulletin de l'Association Guillaume Budé,* t. XVII, déc. 1958, p. 107-122.

11. Traduction d'Édith Mora.

prise, et ayant confessé fut là brûlée toute vive. Voici comment nostre siècle se peut vanter qu'outre toutes les meschancetez des précédents, il en ha qui luy sont propres et particulières. Car cest acte n'ha rien de commun avec celuy de quelques vilaines qu'on apellait anciennement tribades [12]. »

1566. « Tribade » s'engendre dans la langue française du corps brûlé vif d'une femme découverte en flagrant délit de « meschanceté ». Car cet acte, écrit Henri Estienne, n'a rien de commun avec celui de quelques « vilaines » qu'on appelait anciennement tribades. Il a lu Martial. Il sait qu'il ne faut pas confondre le jeu social et le jeu sexuel, les « meschantes » et les « vilaines », la « dépravation » et la « bassesse ». À défaut d'une doctrine chrétienne condamnant les gomorrhéennes, la langue patriarcale sait distinguer ce qui s'inscrit dans la hiérarchie sexuelle de ce qui la transgresse.

Une « vilaine », écrit Pierre Richelet dans son *Dictionnaire françois tiré de l'usage et des meilleurs auteurs de la langue* (1680), est une « fille ou femme de mauvaise vie, sotte, impertinente, peu civile, peu honnête », bref, une de ces « putains » abondamment citées par Brantôme, auxquelles n'était pas attaché comme aujourd'hui le sens infamant de « prostituée », mais une femme qui fait l'amour pour le plaisir. Au XVIe siècle, en effet, la femme honnête est opposée à la putain comme le comportement des époux l'est à celui des amoureux [13]. La « meschanceté », en revanche, ne recouvre pas du tout le même registre et se trouve associée par Richelet à des termes que nous connaissons bien aujourd'hui :

« Perversité : mot écorché du latin qui signifie meschanceté.

« Dépravation : ce mot est un peu vieux, mais comme il se trouve dans des auteurs assez approuvés on ne peut pas le rejeter ; il signifie meschanceté, crime. »

L'acte de se « vestir en masle » serait-il, dans l'ancien droit fran-

12. Henri Estienne, *L'Introduction au traité de la conformité des merveilles anciennes avec les modernes ou Traité préparatif à l'apologie pour Hérodote*, Genève, 1566, t. 1, ch. XIII : « Du péché de sodomie et du péché contre nature en nostre temps. »

13. Jean-Louis Flandrin, « Contraception, mariage et relations amoureuses dans l'Occident chrétien », *Annales ESC*, nov.-déc. 1972, p. 1381.

çais, d'ordre criminel, pour que lui soit appliqué le châtiment des hérétiques, des sorcières et des sodomites : le bûcher ?

Est-il codifié sous le registre du « péché de sodomie et du péché contre nature », comme le laisserait entendre H. Estienne, puisqu'il clôt ce chapitre de l'*Apologie* par l'histoire de « la fille native des Fontaines » ? Il semble en tout cas que, dans son souci de dénoncer toutes les « meschancetés » du siècle, il ne sache pas très bien lui-même, car cette histoire fait suite à un autre « forfaict » qui, pour n'être toutefois si vilain, n'en est pas pour autant plus « estrange » : « C'est d'une femme qui fut brûlée à Thoulouse (comme on m'a assuré), il y a environ vingt-sept ans, pour s'estre prostituée à un chien, lequel aussi fut brûlé avec elle. Je tien cest acte pour plus estrange, ayant esguard au sexe. Or ay-je nommé ceste sorte de péché, le péché contre nature, m'accommodant à la façon de parler ordinaire, non pas ayant esguard à ce qu'emporte ce mot. Car suyvant cela, il est certain que la Sodomie doit être comprise sous ce titre : et sans autrement en disputer, les bestes brutes nous en rendent convaincus [14]. »

À partir du XVIe siècle, le vocabulaire de l'hérésie sexuelle se transforme progressivement. Alors que le parler ordinaire (et théologien) distingue la bestialité, c'est-à-dire le péché contre nature par excellence, de la sodomie, il va de plus en plus associer la sodomie à la contre nature en rejetant la bestialité au nombre des étrangetés du passé. Au XVIIIe siècle, par exemple, seule la sodomie est un crime contre nature et puni comme tel, ainsi que le souligne *L'Encyclopédie* de Diderot et d'Alembert : « Sodomie : est le crime de ceux qui commettent des impuretés contraires même à l'ordre de la nature ; ce crime a pris son nom de la ville de Sodome [...]. La justice divine a prononcé la peine de mort contre ceux qui se souillent de ce crime [...]. Cette peine a été adoptée dans notre jurisprudence : il y en a eu encore un exemple en exécution d'un arrêt du 5 juin 1750, contre deux particuliers qui furent brûlés vifs en place de Grève. »

L'événement est raconté par Barbier, avocat à Paris, dans son

14. Henri Estienne, *op. cit.*, p. 107.

Journal anecdotique, où il montre bien que cette répression « pour l'exemple » ne vise que des ouvriers dépourvus de relations haut placées : « Aujourd'hui, lundi 6 juillet, on a brûlé en place de Grève publiquement, à 5 heures du soir, ces 2 ouvriers, savoir un garçon menuisier et un charcutier, âgés de 18 et 20 ans, que le guet a trouvés en flagrant délit, le soir, commettant le crime de S. [...]. Comme il s'est passé quelque temps sans faire l'exécution après le jugement, on a cru que la peine avait été commuée à cause de l'indécence de ces sortes d'exemples qui apprennent à bien de la jeunesse ce qu'elle ne sait pas [...]. Bref, l'exécution a été faite pour faire un exemple ; d'autant que l'on dit que ce crime devient très commun, et qu'il y a beaucoup de gens à Bicêtre pour ce fait. Comme ces deux ouvriers n'avaient point de relations avec des personnes de distinction, soit de la cour, soit de la ville, et qu'ils n'ont apparemment déclaré personne, cet exemple s'est fait sans aucune conséquence pour les suites [...]. On n'a point crié de jugement pour s'épargner apparemment le nom et la qualification du crime. On en avait crié en 1726 pour le sieur Deschaufours pour crime de S... [15]. »

D'après Louis Hernandez [16], une dizaine d'hommes auraient été condamnés à mort pour viol et/ou sodomie entre 1540 et 1726, dont huit entre 1650 et 1680 [17].

Or c'est un siècle plus tôt que fut « brûlée toute vive » la « fille native de Fontaines » et nous verrons par la suite que la répression visant les femmes qui s'habillent en homme s'abat surtout au XVIe siècle, c'est-à-dire en pleine Renaissance.

Porter l'habit d'homme, pour une femme, est-il donc un crime aussi grave que la sodomie ou la bestialité, puisque le châtiment est le même ? Si nous nous référons au Moyen Âge, nous trouvons le cas de plusieurs condamnations à mort prononcées par des tribunaux d'inquisition pour les motifs suivants : « porter l'habit

15. Barbier, *Journal anecdotique d'un parisien sous Louis XV (1727 à 1751)*. Daté de juillet 1750. Textes choisis et présentés par Hubert Juin. Le livre club du libraire.

16. Pseudonyme de Louis Perceau, auteur avec Apollinaire et F. Fleuret d'une bibliographie des livres de l'Enfer de la Bibliothèque nationale.

17. Louis Hernandez, *Les Procès de sodomie aux XVIe, XVIIe, XVIIIe siècles*, publiés d'après les documents judiciaires conservés à la Bibliothèque nationale, Paris, Bibliothèque des curieux, 1920.

d'homme », « dissimulation de l'état de femme », « utilisation de l'état d'homme ». Au XIIIe siècle, deux femmes furent brûlées à Péronne par Robert le Bougre à l'issue d'un procès en sorcellerie pour avoir « porté l'habit d'homme[18] ». Mais l'exemple le plus connu demeure celui de Jeanne d'Arc, accusée de la même « erreur » et inculpée du même délit dans le cinquième des douze articles « tels qu'ils furent lus à la Pucelle dans la séance du cimetière de Saint-Ouen » : « *Item*, tu as dict que du commandement de Dieu, tu as porté continuellement l'habit d'homme... que tu portais aussi cheveux courts... sans laisser sur toi aucune chose qui demonstrast que tu estoys femme, et que plusieurs fois tu as reçu le corps de Notre-Seigneur en cet habit, combien que plusieurs fois tu as esté admonestée de le laisser ; de quoi tu n'as rien voulu faire, en disant que tu aimerais mieux mourir que de laisser ledit habit... Et tu as dit que pour nulle chose tu ne ferois serment de ne porter point ledit habit et les armes, et en toutes lesdites choses tu dis avoir bien faict et du commandement de Dieu... Quant à ces points, les clercs disent que tu blasmes Dieu... tu transgresses la loi divine... tu condamnes toi-même de ne vouloir porter l'habit selon ton sexe, et en suivant la coutume des Gentils et des Sarrasins[19]. »

La ténacité, la ruse, le chantage déployés par les geôliers de Jeanne pour la forcer à porter l'habit selon son sexe, montrent que ce n'était pas une simple question de parure qui était en jeu, mais les fondements mêmes de la division sexuelle de la société. Chaque sexe à sa place et chaque vêtement pour l'identifier. Dans une société divisée en Ordres et États comme elle l'était, l'habit fait le moine, la femme, le juge, le vilain et le roi. Le paraître maintient chacun dans son état de naissance. D'ailleurs, ne fallut-il pas pour « oter les doubtes du peuple », croire encore aux « secrets » de la différence sexuelle, voir Jeanne exposée nue sur le bûcher comme le raconte un témoin, bourgeois de Paris : « [...] mais aussi tost

18. Entre 1235 et 1238, me précise Michèle Bordeaux, professeur de Droit à l'université de Nantes, que je remercie ici de m'avoir transmis ces informations... il y a dix ans.

19. Michaud et Poujoulat, nouvelle collection des *Mémoires pour servir à l'histoire de France depuis le* XIIIe *s. jusqu'à la fin du* XVIIIe *s.* Indications analytiques des documents pour servir à l'histoire de Jeanne d'Arc sur le procès, Paris, 1837, 1re série, L. III, p. 167.

qu'elle se vit en tel estat elle recommença son erreur comme devant, demandant son habit d'homme et tantost fut jugée à mourir, et fut liée à une estache qui estoit sur l'eschaffault qui estoit fait de plastra, et le feu sous luy, et puis sur le feu tiré arrière, et fut vue de tout le peuple toute nue, et tous les secrets qui povent estre ou doivent en femme, pour oter les doubtes du peuple, et quand ils eurent assez et à leur gré vue toute morte liée à l'estache, le bourreau remist le feu sur sa pauvre charogne... [20]. »

On se demande, devant ces exemples, si l'absence de doctrine chrétienne à l'encontre de Gomorrhe ne vient pas de ce que, pour l'Église, le danger féminin est avant tout social et non sexuel. Certes, le silence auquel furent réduits Sodome et Gomorrhe après leur destruction est de règle, et certains théologiens, saisis par une sainte pudeur, n'hésiteront pas à rebaptiser le péché de sodomie, « péché muet ». Mais le Moyen Âge n'utilisera pas d'autre terme pour les femmes que celui, très vague, de « péché de luxure », qui se rapporte d'une manière générale au plaisir hors mariage et à toute la question de l'adultère, ou celui d'« infamen », mot venu tout droit de l'*Épître aux Romains* où saint Paul condamne les « infâmes amours romaines ». L'un des plus anciens exemples est contenu dans le *Doctrinal de sapience* de Guy de Roye, archevêque de Sens, qui écrit en 1388, au chapitre « péché de luxure » : « Toutes les autres branches sont si abominables et si horribles qu'on ne les doit nommer ; et pour ce je me passeray de les escrire : car ceux et celles qui en sont entachez sont dignes de mort comme dit saint Paul, et seront muez au jour du jugement devant Dieu, ainsi que bestes mues, s'ils ne s'amendent pas par confession [21]. »

On remarquera que si le sort des sodomites est ici solidaire de celui de Gomorrhe, c'est parce que saint Paul les avait associés dans sa célèbre *Épître aux Romains* en disant : « C'est pourquoi Dieu les a livrés à des passions infâmes : car leurs femmes ont changé l'usage naturel en celui qui est contre nature ; de même les

20. Michaud et Poujoulat, *op. cit.*, p. 264.

21. *Le Doctrinal de sapience, jadis composé par Mgr Guy de Roye, Archevêque de Sens, et maintenant revu et corrigé en beaucoup d'endroits, au profit de tout bon chrétien*, Lyon, Jean Pillehotte, 1585.

hommes, abandonnant l'usage naturel de la femme, se sont enflammés de désirs les uns pour les autres, commettant homme avec homme des choses infâmes, et recevant en eux-mêmes le salaire que méritait leur égarement [22]. »

Très vite, cependant, la sodomie captive l'attention des théologiens au mépris de Gomorrhe, qui ne tarde pas à sombrer aux oubliettes. Dans les manuels de confesseurs, d'ordinaire si prolixes sur ces questions, nous n'avons trouvé qu'une seule allusion à la luxure entre femmes : chez Jean Gerson, l'un des plus célèbres théologiens du XVe siècle, recteur de l'université de Paris, qui paraphrase en réalité le texte de saint Paul : « La quarte partie du péché contre nature est avoir les uns hommes compaignés les uns les autres en fondement ou ailleurs, ou les femmes des autres par détestables et horribles façons qui ne doivent ni nommer ni escrire, ou les hommes des femmes en lieu non naturel, etc. [23]. »

Malgré des bibliothèques entières de livres pieux, des centaines d'éditions et rééditions de manuels de confesseurs, les statuts synodaux des diocèses, les instructions pour les curés, malgré les lettres de saint Paul, les *Sommes des péchés*, et jusqu'au *Grand Dictionnaire de théologie catholique* publié dans les années 1920, la doctrine chrétienne est restée totalement muette sur la luxure entre femmes. Non que ce soit le fait d'une ignorance bien légitime de la part d'hommes d'Église voués au célibat, mais parce qu'elle ne peut s'inscrire dans la logique divine. Les femmes n'émettent pas de semence. Or c'est la semence qui est porteuse de vie, non la femme, considérée par les théologiens comme un simple réceptacle. C'est donc elle qui donne sens et valeur à l'acte sexuel, qu'il soit effectué dans un but procréateur, comme il se doit pour un couple marié, ou dans la luxure, c'est-à-dire dans tout acte ayant pour finalité le plaisir. Le désintérêt de la religion chrétienne pour cette branche féminine de la luxure est cohérent. En effet, pourquoi condamnerait-elle un plaisir insignifiant ? D'ailleurs, peut-on parler de plaisir quand il y manque l'instrument essentiel ? Il ne porte atteinte ni à

22. Saint Paul, *Épître aux Romains*, I, 26. L'école biblique de Jérusalem (Desclée de Brouwer, 1955) traduit *infamen* par « passions avilissantes ».

23. Jean Gerson, *Confessionnal ou directoire des confesseurs*, Poitiers, s.d. (vers 1470).

Dieu ni au mariage (deux femmes couchant ensemble ne commettent pas l'adultère, expliquera Brantôme au XVIe siècle), ni au régime partiarcal de la filiation qui gère la transmission du patrimoine.

En revanche, la femme qui s'habille en homme représente un danger. Un danger d'ordre social et non sexuel, comme c'est le cas pour les sodomites, parce que la séparation entre les sexes est le fondement de la cohésion sociale, qui est elle-même garantie par la religion du Père, du Fils et du Saint-Esprit. Cette cohésion est si importante pour la permanence du patriarcat que, pendant la Renaissance, la justice civile prendra le relais de la justice religieuse, condamnant plusieurs femmes au bûcher avec la même férocité que celle qu'elle déploiera vis-à-vis des sodomites.

Montaigne, l'un des écrivains les plus connus du XVIe siècle, raconte ainsi dans son *Voyage en Italie*, effectué en 1580, l'« histoire mémorable » suivante entendue à Vitry-le-François : « L'autre, que depuis peu de jours, il avait esté pendu à un lieu nommé Montirandet voisin de là, pour telle occasion. Sept ou huit filles d'autour de Chaumont en Bassigni complotèrent, il y a quelques années, de se vestir en masles et continuer ainsi leur vie de par le monde. Entre les autres, l'une vint en ce lieu de Vitry sous le nom de Mary, guaignant sa vie à estre tisseran, jeune homme bien conditionné et qui se rendait à un chacun amy. Il fiança audit Vitry une femme, qui est encore vivante ; mais pour quelque désacord qui survint entre eux, leur marché ne passa plus outre. Depuis, estant allé audit Montirandet, guaignant toujours sa vie audit mestier, il devint amoureux d'une fame laquelle il avait espousée et vescu quatre ou cinq mois avecque elle avec son consentement, à ce qu'on dit, mais ayant esté reconnu par quelqu'un dudit Chaumont et la chose mise en avant à la justice, elle avait esté condamnée à estre pendue : ce qu'elle disoit aymer mieux souffrir que de se remettre en estat de fille. Et fut pendue pour des inventions illicites à suppléer au défaut de son sexe [24]. »

24. Montaigne, *Journal de voyage en Italie (1580-1581)*, Éd. M. Rat. Classique Garnier, p. 4-5.

Pendue, nous dit Montaigne, « pour des inventions illicites à suppléer au défaut de son sexe ». Pendue pour avoir trompé les hommes, car la femme, avec le consentement de laquelle, « à ce qu'on dit », elle a vécu quatre ou cinq mois, ne s'y était pas trompée. Pendue pour s'être fait passer dans le monde des hommes pour le sexe qu'elle n'était pas.

Au nom de quel droit la chose fut-elle mise en avant à la justice ? Au nom de quelle loi fut-elle condamnée à mort ?

Dans l'ancien droit français, la liste des crimes passibles de la peine de mort était longue et pouvait varier d'une région à l'autre [25]. D'une manière générale, constate G. Lepointe, il n'existe pas de Code pénal. Le droit pénal est fragmentaire. Les délits comme les peines sont arbitraires. Ils découlent de la jurisprudence, grande source du droit à partir du XVIe siècle, et de la doctrine issue du droit romain et du droit canon. Il n'y a pas de définition précise ni de liste arrêtée [26].

Par exemple, L. T. Maes a recensé pour la ville de Malines, aux Pays-Bas, à la fin du Moyen Âge : meurtre, homicide, viol, sodomie, incendie criminel, rapine, vol qualifié, sédition, conspiration, trahison, empoisonnement, faux en écriture, faux monnayage, rupture de la paix et rupture de ban. Au XVIe siècle, il faut ajouter l'hérésie et la sorcellerie [27].

Aucune trace du crime de se « vestir en masle ». En revanche, Maes a trouvé l'exemple d'une « femme qui parcourait les rues de la ville en habits d'hommes et avait fait certaines " indécences " en cet apparat ; elle fut envoyée en pèlerinage à Milan en 1484 et bannie un an hors la ville [28] ».

Le pèlerinage était alors un châtiment fréquent. Par exemple, le célèbre anatomiste André Vésale, médecin de Charles Quint et

25. Jean Imbert, *La Peine de mort*, Paris, Armand Colin, coll. Histoire Actualité, 1967.

26. G. Lepointe, *Petit précis des sources de l'histoire du droit français*, Paris, Domat-Monchrestien, 1937, p. 186.

27. L. T. Maes, « La peine de mort dans le droit criminel de Malines », *Revue historique de droit français et étranger*, 1950, p. 372-401.

28. L. T. Maes, « Les délits de mœurs dans le droit pénal coutumier de Malines », *Revue du Nord*, t. XXX, n° 117, Lille, 1948, p. 5-25.

de Philippe II, condamné à mort par l'Inquisition, eut sa peine commuée en pèlerinage à Jérusalem.

Nous n'avons pas trouvé d'autres cas de condamnation en France, mais Havelock Ellis en cite un survenu en Allemagne, au début du XVIIIe siècle : « Catherine-Marguerite Lincken épousa une autre femme un peu de la même manière que de nos jours la comtesse V., c'est-à-dire en s'affublant d'un pénis postiche. Elle fut condamnée à mort pour sodomie et exécutée en 1727 à vingt-sept ans [29]. »

Comment se fait-il qu'il n'existe aucune trace de ces condamnations dans les écrits des juristes, que ce soit dans les recueils d'arrêts de jurisprudence ou les coutumiers, pas même dans celui de Jean Papon, publié en 1566, où un paragraphe est pourtant consacré à la « luxure abominable » entre femmes à propos d'un arrêt du Parlement de Toulouse : « Femmes luxuriant avec une autre doit mourir. Deux femmes se corrompans l'une l'autre ensemble sans masle, sont punissables à la mort : et est ce delict bougrerie, et contre nature, *L. foedissiman in princip.* selon l'une des lectures d'Accurse. *C. de adult. Cyn.* tient cette interprétation, dit qu'il se trouve femmes tant abominables, qu'elles suyvent de chaleur autres femmes, tout ainsi ou plus, que l'homme la femme. Et de ce furent accusées Françoise de l'Estage et Catherine de La Manière. Contre elles y eut tesmoins : mais pour autant qu'ils étaient valablement raprochez, l'on ne peut sur leur déposition les condamner à mort. Et seulement pour la gravité du délit furent prises les dépositions à la question par le sénéchal des Landes, et par arrest depuis eslargies [30]. »

À notre connaissance, il s'agit là du seul exemple de poursuite intentée par la justice contre des femmes « luxuriant ensemble ». Cet arrêt n'a pas fait jurisprudence. Cent cinquante ans plus tard, quand Me Brillon entreprend de rédiger l'article « Femme, luxure »

29. Havelock Ellis, *L'Inversion sexuelle*, Paris, Mercure de France, 1909, p. 162.

30. *Recueil d'arrests notables des cours souveraines de France, ordonnez par tiltres, en 24 livres, par Jean Papon, Conseiller du Roy et Lieutenant général au Baillage de Forest*. À Paris, chez N. Chesneau, 1565, p. 447.

de son *Dictionnaire des arrests ou jurisprudence universelle*, il ne cite que celui de Papon [31], alors que l'article « Sodomie » est nettement plus fourni.

S'il existait des juristes pour édicter la mort des femmes luxuriant ensemble, on se rend compte que dans les faits aucune n'a été condamnée à mort pour ce motif. En revanche, il leur était interdit dans les faits de tromper les hommes sur le « défaut » de leur sexe, de brouiller les pistes de l'identification sexuelle, de changer d'état sexuel.

Pourquoi leur mort ne fut-elle racontée que par des écrivains ? L'interdit était-il si fort dans la société rurale d'Ancien Régime qu'il n'avait pas besoin d'être codifié dans le droit ?

Brantôme, l'auteur des *Vies des dames galantes*, y fait à peine allusion à propos de Jeanne d'Arc et préfère donner un avis esthétique : « Ce desguisement est démentir le sexe ; outre qu'il n'est beau et bienséant, il n'est permis, et porte plus grand préjudice qu'on ne pense : ainsi que mal en pris à cette gente pucelle d'Orléans, laquelle en son procès fut calomniée de cela, et en partie cause de son sort et sa mort. Voilà pourquoi je ne veux ny n'estime trop tel garçonnement [32]. »

Le problème posé par les hermaphrodites au XVIe siècle nous donne une idée de la panique qui s'empare des autorités quand, confrontées aux « monstres et aux prodiges » de la nature, elles ne peuvent déterminer le sexe exact d'une personne.

Le célèbre chirurgien Ambroise Paré y consacre un livre entier et nous prévient sans ménagement : « Nous ne trouvons jamais en histoire véritable que l'homme aucun soit devenu femme pour ce que Nature tend toujours à ce qui est le plus parfait et non au contraire faire ce qui est parfait devienne imparfait [33]. »

Il cite plusieurs cas de passage du sexe féminin au sexe masculin,

31. *Dictionnaire des arrest ou jurisprudence universelle des parlemens de France et autres tribunaux..., par Me Pierre-Jacques Brillon, avocat au Parlement.* À Paris, chez G. Cavelier, 1711, 3 vol., t. II, p. 185.

32. Brantôme, *Vies des dames galantes*, texte établi et annoté par Maurice Rat, Paris, Le Livre de Poche, 1962, p. 249.

33. A. Paré, *Des monstres et des prodiges*, Genève, Droz, 1971, p. 30.

comme celui de Germain, qui connut un certain retentissement puisque Montaigne en avait également entendu parler à Vitry-le-François. Ces changements de sexe doivent se faire en bonne et due forme : « Et ayant assemblé des médecins et des chirurgiens, pour là-dessus avoir advis, on trouva qu'elle était homme, et non plus fille ; et tantost après avoir rapporté à l'évesque [...], par son autorité et assemblée du peuple, il receut le nom d'homme [34]. »

Le passage comporte deux rites essentiels : donner un nom et des vêtements d'homme. G. Bouchet rapporte, toujours au XVIe siècle, que « du temps de Ferdinand, premier du nom, Roy de Naples, deux filles, Françoise et Charlotte, furent muées en hommes, en l'âge de quinze ans, et lors changeans de nom et d'habillement, on les tint pour masles et furent nommés François et Charles [35]. »

La chose se complique avec les hermaphrodites parfaits. Lorsqu'il est impossible de trancher en faveur de l'un ou l'autre sexe, « les lois anciennes et modernes font élires le sexe » : « Les hermaphrodites masles et femelles, ce sont ceux qui ont les deux sexes bien formés et s'en peuvent aider et servir à la génération : et à ceux-cy les lois anciennes et modernes ont fait et font encore élire du quel sexe ils veulent user, avec défense, sur peine de perdre la vie, de ne se servir que de celuy duquel ils auront fait élection, pour les inconvénients qui pourroyent advenir. Car aucuns en ont abusé de telle sorte que, par un usage mutuel et réciproque paillardoyent de l'un et l'autre sexe, tantost d'homme, tantost de femme, proportionnée à tel acte, voire, comme descript Aristote leur tétin droit est ainsi comme celuy d'un homme et le gauche comme celuy d'une femme [36]. »

L'ambivalence sexuelle était non seulement source d'angoisse identitaire, mais plus encore de désordre social. L'habit a la fonction de protéger le sexe masculin de tout passage d'un état à l'autre. « Dans un monde où la domination du masculin s'étend au domaine vestimentaire par le biais du monopole de la culotte, remarque Nicole Pellegrin, le port par les hommes de vêtements

34. *Ibid.*, p. 31.
35. Guillaume Boucher, *Les Serrées*, Paris, A. Lemerre, 1873, t. I, p. 95.
36. A. Paré, *op. cit.*, p. 24.

féminins semble avoir été une infraction beaucoup plus rare [37]. » Cela se fait d'ailleurs dans un cadre privé lié à la parade de séduction et nous n'avons pas trouvé d'exemples, dans l'aristocratie comme dans le monde paysan, d'hommes qui se soient habillés en femme pour épouser un autre homme. Les femmes qui se marièrent ainsi avec leur bien-aimée paraissent avoir été guidées par des motivations sociales plus que sexuelles, contrairement à ce que pense Nicole Pellegrin qui parle d'« un fort besoin d'(auto)légitimation », contredisant là ses remarques précédentes. « Admettre son amour pour une autre femme, quand on n'est pas une privilégiée, écrit-elle, semble avoir impliqué un fort besoin d'(auto)légitimation, passant et par la conviction d'être un homme manqué, et par le désir d'un mariage dans la norme [38]. »

Outre qu'il n'est pas prouvé que ces porteuses de culotte aient intériorisé le mépris des savants pour le sexe féminin, on voit mal comment Mary, « gagnant sa vie à être tiseran » et « tombant amoureuse » d'une femme, aurait pu partager son existence sans l'épouser dans le cadre si rigide de la société paysanne d'Ancien Régime. Quand on connaît la rigueur du code de fréquentation prénuptiale, censé protéger la vertu des filles, « capital d'honneur » des familles, il était difficile de faire autrement. D'ailleurs, ce genre de mariage d'amour est plutôt atypique dans le contexte de la société paysanne, où le mariage est une institution régie par code de conduite entre les sexes et dont les sentiments sont la plupart du temps exclus. « Ciment de la société humaine, écrit Jean-Louis Flandrin, le mariage était fondé sur tout autre chose que l'amour : c'était une association grâce à laquelle deux individus, ou plus encore deux familles, espéraient résoudre une partie de leurs difficultés économiques et sociales. Cette conception du mariage, nous l'avons trouvée dans tous les milieux [...] chez tous ceux qui avaient un patrimoine, si petit soit-il [39]. »

37. Nicole Pellegrin, « L'androgyne au XVIe siècle : pour une relecture des savoirs », dans : Danielle Haase-Dubosc et Éliane Viennot (dir.), *Femmes et pouvoirs sous l'Ancien Régime*, Rivages/Histoire, 1991, p. 33.

38. Nicole Pellegrin, *op. cit.*, p. 34.

39. *Les Amours paysannes XVIe-XIXe siècle*, présentées par Jean-Louis Flandrin, Paris, Julliard-Gallimard, coll. Archives, 1975, p. 74.

La situation diffère cependant entre les milieux lorsque l'amour intervient. Du temps de Brantôme, par exemple, il existait de « fort grandes dames » qui « aimoient aucunes dames, les honoroient et les servoient plus que les hommes, et leur faisoient l'amour comme homme à sa maîtresse ; et si les prenoient avec elles, les entretenoient à pot et à feu, et leur donnoient ce qu'elles vouloient [40] ». Elles pouvaient même se permettre de décourager un gentilhomme de « pourchasser » en mariage celle qu'elles aimaient : « Je scay un honneste gentilhomme, lequel, désirant un jour à la cour pourchasser en mariage une fort honneste damoiselle, en demanda l'advis à une sienne parente. Elle luy dit franchement qu'il y perdoit son temps ; d'autant, me dit-elle, qu'une telle dame, qu'elle me nomma, et de qui j'en savais des nouvelles, ne permettra jamais qu'elle se marie. J'en cogneus soudain l'enclœure [l'obstacle], parce que je sçavais bien qu'elle tenoit cette demoiselle en ses délices à pot et à feu, et la gardoit précieusement pour sa bouche. Le gentilhomme en remercia la dite cousine de ce bon advis, non sans lui faire la guerre en riant, qu'elle parloit ainsi en cela pour elle comme pour l'autre ; car elle en tiroit quelques coups en rode [à la dérobée] quelquesfois : ce qu'elle me nia pourtant [41]. »

Imagine-t-on Mary entretenir sa bien-aimée « à pot et à feu » sans encourir l'ostracisme de la communauté villageoise et risquer, en plus, de perdre son travail ? Les femmes célibataires, qui pouvaient atteindre 20 % dans certaines régions [42], vivaient la plupart du temps dans leur famille, et, dans un monde où l'insécurité étaient une donnée permanente de l'existence, la culotte constituait plutôt une protection pour la femme révoltée qu'une expression de ses « manques ». Quant au mariage d'amour, n'était-il pas une stratégie de survie déployée par des femmes qui voulaient « vivre leur vie de par le monde », préférant « mourir plutôt que de se remettre en état de fille » ?

La charge de révolte contenue dans un tel passage à l'acte peut

40. Brantôme, *op. cit.*, p. 122.

41. *Ibid.*, p. 124.

42. Voir les travaux de J.-C. Perrot sur la ville de Caen au XVIIIe siècle. Entre 1760 et 1789, il y dénombre 22,5 % de femmes célibataires.

s'avérer explosive dans une société en pleine restructuration patriarcale, comme c'était le cas à la Renaissance ; aussi forte et éloquente, assurément, que la fameuse « Épître à AMCDBL » de Louise Labé, où la poétesse lyonnaise priait « les vertueuses Dames d'eslever un peu leurs esprits par dessus leurs quenouilles et fuseaus...[43] ».

Mais ce qu'une société tolère de la part d'une poétesse renommée, elle ne peut l'admettre de femmes qui attaquent ouvertement le sacrement du mariage. Les faits se passent en pleine période de restructuration de la doctrine chrétienne du mariage menée par le Concile de Trente. En 1563, un ensemble de textes doctrinaux définissent clairement le droit matrimonial canonique. Le mariage est un sacrement (canon 1) ; il est monogamique (canon 2), indissoluble (canons 5 et 7), et l'Église a compétence exclusive en matière de causes matrimoniales[44]. L'État, qui cherche à établir son propre contrôle pour protéger les patrimoines et dynamiser la vie économique, interdit les mariages clandestins tout en revendiquant la gestion du mariage civil. Dans ce processus, les juges royaux s'attribuent de nouvelles compétences, comme la question des séparations qui a une incidence directe sur la vie économique. Au cours des XVIe et XVIIe siècles s'effectue donc un transfert de compétences entre le tribunal ecclésiastique et civil. Les femmes en font les frais, puisque le principe de « l'incapacité juridique » les infériorise[45].

43. « À Mademoiselle Clémence de Bourges, Lyonnaise », in Louise Labé, *Œuvres complètes*, préface et notes par François Rigolot, Paris, Garnier-Flammarion, 1984, p. 41. Signalons que dans l'« Élégie » 1, Louise Labé évoque « l'Amour Lesbienne » (p. X), ce qui a fait supposer à F. Rigolot qu'elle avait dû lire l'ode *À une Aimée* de Sappho au moment où elle mettait la dernière main à ses œuvres qui paraîtront l'année suivant l'édition d'H. Estienne. Malheureusement, son argumentation pèche par un aspect essentiel : « Phaon ». « Il ne fait aucun doute que cette " Amour Lesbienne " se réfère à la fois à l'antiquité de la passion (celle de Sappho pour Phaon) et à la modernité de son expression (l'œuvre en vers de la " Sappho Lyonnaise " », écrit-il dans « Quel genre d'amour pour Louise Labé ? ». *Poétique*, 55, sept. 1983, p. 315. Si Louise Labé avait lu l'ode *À une Aimée*, on voit mal comment une poétesse comme elle ne se serait pas rendu compte qu'il s'agissait d'un poème d'amour d'une femme adressé à une autre femme.

44. Voir l'article de François Lebrun, « Le contrôle de la famille par les Églises et par les États », *in* A. Burguière, C. Klapisch-Zuber, M. Segalen et F. Zonabend (dir.), *Histoire mondiale de la famille*, t. III, Paris, Le Livre de Poche, 1986, p. 124-147.

45. Voir l'excellente thèse de Josiane Moutet, *Femmes, droit et changement social : enjeux et stratégies dans la Normandie coutumière (XVIe-XVIIIe siècle)*, thèse de 3e Cycle d'histoire et civilisation, Paris, EHESS, 1986.

Faute d'études spécifiques sur la question des mariages entre femmes dans la France paysanne du XVIe siècle, nous ne pouvons déterminer si leur répression féroce s'inscrit dans ce jeu de transfert de compétences entre juridictions ecclésiastiques et civiles. Fallait-il faire un exemple en cette période de troubles politiques et religieux violents où se posait la question de la souveraineté féminine à l'occasion de la succession d'Henri III ? S'agissait-il de protéger l'honneur des familles, bafoué par ces « inventions illicites », et, plus encore les valeurs viriles sévèrement menacées par cette « contrefaçon » clandestine ? S'il suffit en effet aux femmes de porter l'habit d'homme pour exprimer leur valeur guerrière, politique (la Grande Mademoiselle, Catherine de Médicis...), économique (la « fille native de Fontaines » est vigneronne, Mary est tisserande, et nous trouverons au XIXe siècle des femmes qui s'habillent en homme pour toucher le même salaire que les hommes), symbolique (la culotte, signe de force virile temporelle, la robe étant portée par les hommes d'Église), l'incontestable perfection du sexe masculin risque d'y perdre sa légitimation. Dans la société ancienne, le paraître est quasiment identifié à l'être et chacun doit vivre en conformité à son « état ». Le paraître acquiert ainsi une force de conviction réelle dans laquelle le pouvoir politique puise sa force. L'(auto)légitimation d'un acte atypique comme celui de Mary ne peut donc reposer sur un manque (la culotte) ou sur un désir d'entrer dans la norme (le mariage), mais sur une plénitude qui seule permet le choix. « Ce qu'elle disait aimer mieux souffrir que de se remettre en état de fille », écrit Montaigne.

Était-elle sorcière, tribade, lesbienne, garçon manqué, féministe avant la lettre ? Nul ne l'a dit. Pourtant, en la condamnant à mort, le tribunal du patriarcat assumait non seulement l'héritage répressif du Moyen Âge, mais poursuivait son action en désignant dans le mariage la raison d'être du patriarcat.

« Car cet acte n'a rien de commun avec celui de quelques vilaines qu'on appelait anciennement tribades », écrit Henri Estienne. Et cela est vrai, cela est si vrai que la découverte des Anciens insufflera à ce monde en mutation une énergie quasi inconnue. Pour ces hommes modelés par la religion chrétienne depuis des siècles, les

Anciens constituent une authentique ouverture sur un monde nouveau, un monde laïque qui s'exprime franchement sur des questions aussi vitales que le plaisir et le comportement amoureux. De plus, leurs écrits sont riches en détails et anecdotes diverses qui leur donnent une allure de nouveauté qu'a perdu le discours religieux. La langue est elle aussi en complet bouleversement. Les clercs et les gens cultivés abandonnent le latin pour écrire en français. Peut-être allons-nous maintenant comprendre un peu mieux pourquoi Sappho est laissée de côté par cette « Renaissance », telle une énigme digne du « silence sacré »...

CHAPITRE 2

« Tribade » : les raisons d'un choix

Le choix du mot « tribade » pour désigner l'amour entre femmes ne fut pourtant pas si évident qu'il y paraît, si l'on en juge par les hésitations entre « lesbienne » et « tribade » exprimées par Brantôme dans ses *Vies des dames galantes*.

Mémorialiste de cette France du XVIe siècle où « il fait bon faire l'amour », Messire Pierre de Bourdeille, seigneur de Brantôme, s'intéressa fort aux « dames amoureuses l'une de l'autre ». Il leur consacra plusieurs pages de ses Mémoires, qui constituent la plus vivante et certainement la plus fidèle source d'information sur les mœurs de l'époque. Élevé à la cour de la reine de Navarre, Brantôme mena une vie très représentative des hommes de la Renaissance. Après des études peu poussées à l'université, il s'en fut, à l'âge de vingt ans, en Italie ; militaire, il soutint des sièges, dont celui de La Rochelle contre les protestants ; mais surtout, homme de cour, il fréquenta celle de Catherine de Médicis, où il puisa la plupart de ses anecdotes. Immobilisé en 1587, à quarante-sept ans, par un accident de cheval, il entreprit la rédaction de ses *Mémoires contenant la vie des dames illustres de son temps*, qui furent oubliés pendant près d'un siècle par ses héritiers avant d'être publiés en 1666. Or, malgré une vie riche d'expérience, le fait d'aborder les « dames lesbiennes » de son temps qu'il dit avoir « cogneu ou ouy parler », semble tellement l'intimider qu'il commence par faire étalage de son érudition : « On dit que Sapho de Lesbos a esté fort bonne maitresse en ce mestier, voire, dit-on, qu'elle l'a inventé, et que depuis les dames lesbiennes l'ont imitée en cela et continué jusques aujourd'huy ; ainsi que dit Lucian : que telles femmes sont les femmes de Lesbos, qui ne veulent pas souffrir les hommes, mais s'approchent des autres femmes ainsi que les hommes eux-mesmes. Et telles femmes qui ayment cet exercice ne veulent souffrir les hommes, mais s'adonnent à d'autres femmes, ainsi que les hommes mesmes, s'appellent *tribades*, mot grec dérivé, ainsi que j'ay appris des Grecs, de *tribo*, *tribein* qui est autant à dire que *fricare*, freyer, ou friquer, ou s'entrefrotter ; et tribades se disent *fricatrices*, en français fricatrices, ou qui font la fricarelle en mestier de *donna con donna*, comme l'a trouvé ainsi aujourd'huy [1]. »

Pourquoi, après avoir parlé de Sappho et des « dames lesbiennes », Brantôme déclare-t-il que « telles femmes s'appellent tribades » ? Aurait-il trouvé ce mot chez Lucien, ce Grec né à Samosate au IIe siècle de notre ère qui rédigea, au retour d'un voyage à Lesbos, les *Dialogues des courtisanes* dont l'un d'eux met en scène Cléonarion et Lionne ? La traduction française des *Dialogues* fut mise à la disposition du public non helléniste dès 1583 – c'est-à-dire à l'époque où Brantôme écrit ses *Mémoires* – par Filbert Bretin [2]. On pouvait y lire :

« CLONARION : Nous avons ouy choses nouvelles de toy, Lionne, à sçavoir que cette riche lesbienne Megille estoit amoureuse de toy comme d'un homme et que vous cohabitiez ensemble, faisans je ne sçais quoy l'une avec l'autre. Qu'est-cecy ? Tu rougis ? Mais dy moy ces choses sont-elles vrayes ?

LIONNE : Elles sont vrayes Clonarion, mais j'ay honte de le dire veu que cela est estrange.

CLONARION : Quelle affaire est-cecy de par Ceres, que veut dire

1. Brantôme, *Les Dames galantes*, texte établi et annoté par Maurice Rat, Paris, Le Livre de Poche, 1962, p. 121.

2. Notons qu'aucun éditeur en France n'a jugé bon de publier une édition bilingue des *Dialogues* de Lucien, pas même G. Budé.

ceste femme ? Tu ne m'aymes point : car tu ne me celerois point de telles choses.

LIONNE : Certainement, je t'ayme autant qu'autre qui soit : mais ceste femme-là est du tout hommace.

CLONARION : Je n'entens point ce que tu veux dire : si d'aventure ce n'est quelque fricarelle. Car l'on dit que telle sont les femmes de Lesbos, qui ne veulent pas souffrir les hommes : mais s'approchent des autres femmes ainsi que les hommes mesmes.

LIONNE : C'est cela.

CLONARION : Raconte moy donc Lionne, comment elle te sollicita premièrement : et comment tu fus convertie à luy obtempérer : et ce qui s'en est ensuivy [3]. »

De toute évidence, Brantôme a suivi la traduction à la lettre... ou presque, car Filbert Bretin n'emploie pas le mot « tribade » mais « fricarelle ». Sachant, comme l'annonce le titre, que les *Œuvres de Lucien* sont « répurgées de paroles impudiques et profanes », faut-il croire que « tribade » ait été rendu à la pudeur par une traduction plus latinisante, avec ce mot de « fricarelle » que Brantôme emploie d'ailleurs abondamment sous ses différentes formes grammaticales ?

Pour le vérifier, reportons-nous à une autre traduction du texte de Lucien, due à Nicolas Perrot, sieur d'Ablancourt ; elle connut un tel succès qu'elle fut non seulement rééditée une douzaine de fois entre 1654, date de la première édition, et 1733, mais qu'elle fut en quelque sorte immortalisée par le lexicographe Pierre Richelet, qui la donne en référence de sa définition du mot « tribade » :

« CLEONARIUN : On dit d'étranges choses de toy Leena ; que Megilla, cette riche dame de Lesbos, te caresse comme ferait un homme. Qu'en est-il ? Tu rougis ; cela est-il vray ?

LEENA : Il en est quelque chose.

3. *Les Œuvres de Lucien de Samosate, philosophe excellent, non moins utiles que plaisantes* : traduites du grec par Filbert Bretin Aussonois, docteur en médecine, répurgées de paroles impudiques et profanes. À Paris, pour Abel Augelier, 1583, p. 702.

CLEONARIUN : Mais à quoy aboutissent tes caresses, je ne le puis comprendre. Tu ne m'aimes point ; car tu ne me le célerais pas.

LEENA : Je t'aime plus que personne mais j'ai honte de le dire ; c'est une étrange femelle.

CLEONARIUN : Pensez que c'est quelque tribade, comme on dit qu'il y en a beaucoup en cette île, qui n'aiment pas les hommes, et qui caressent les femmes [4]. »

On ne peut qu'être d'accord avec Pierre Louÿs quand il constate, au début du XXe siècle : « Ce petit dialogue a effarouché tous les hellénistes. [...] Perrot d'Ablancourt en retranche cent détails et y ajoute des politesses. » Toujours est-il que le mot « tribade » y figure. Peut-être l'auteur des *Chansons de Bilitis*, dédiées « respectueusement aux jeunes filles de la société future », pourra-t-il trancher pour nous en se montrant plus fidèle à l'original ?

« CLONARION : Nous apprenons du nouveau sur toi Leaina ; la riche lesbienne Megilla est amoureuse de toi, comme un homme ? Et vous vous unissez je ne sais comment l'une avec l'autre ? [...] Mais par la déesse comment vous y prenez-vous ? que te veut cette femme ? qu'est-ce que vous pratiquez quand vous faites l'amour ensemble ? [...]

LEAINA : Cette femme est terriblement mâle.

CLONARION : Je ne comprends pas ce que tu dis... À moins que... Serait-ce une de ces tribades comme on dit qu'il y en a dans Lesbos ; de ces femmes viriles qui ne peuvent rien souffrir des hommes mais jouissent elles-mêmes des femmes, comme si elles étaient des hommes [5] ? »

De fait, Pierre Louÿs a traduit par le mot « tribade ». Notons que la suite de la phrase est passée de « qui n'aiment pas les hommes et qui caressent les femmes » à « de ces femmes viriles qui ne

4. *Lucien*, de la traduction de Nicolas Perrot, Sieur d'Ablancourt. À Paris, chez Augustin Courbé, 1654, t. II, p. 385.

5. Pierre Louÿs, « Mimes des courtisanes, " Les lesbiennes " », in *Œuvres complètes*, Genève, Slatkine Reprints, 1973, t. I, p. 199.

peuvent rien souffrir des hommes mais jouissent elles-mêmes des femmes, comme si elles étaient des hommes ». Les mots « viriles », « comme si », étaient effectivement des « détails » qui s'imposaient dans la compréhension de la chose ! Mais laissons cela, quittons Pierre Louÿs et terminons notre petite enquête avec F. K. Forberg, l'auteur, au début du XIXe siècle, de la plus complète anthologie érotique de l'Antiquité.

Traduit en 1880 par Alcide Bonneau sous le titre réaliste de *Manuel d'érotologie classique*, le *De figuris veneris* de Forberg classe chaque « fantaisie amoureuse » par thème. À côté du « cunnilingus », de la « fututio » ou de la « pédication », traduction littérale du latin, figurent en bonne place les tribades. Notre érudit allemand n'omet pas de citer le passage du dialogue de Lucien qui est le seul à avoir retenu l'attention des amateurs d'érotisme féminin : « C'est une de ces hétaïristries (tribades) comme on en rencontre à Lesbos, femmes qui ne veulent pas recevoir d'homme, et qui font l'office d'homme avec les femmes [6]. » Dans une note au début du chapitre, il précise : « Hétaïristries, femmes qui recherchent les hétaïres pour le commerce charnel, tout comme les hommes ; même chose que tribade. »

Il est en effet plus logique dans un dialogue entre deux courtisanes, écrit en grec, que le mot « hétaïre » soit employé plutôt que « tribade », d'autant qu'il n'existe, à notre connaissance, aucun substantif désignant dans la langue grecque les femmes ayant un « commerce charnel » entre elles. Ni Sappho ni Aristophane, lequel emploie pourtant le verbe *tribein* pour désigner la masturbation et le verbe « lesbiaciser [7] », n'y ont eu recours. Dans *Le Banquet*, Platon emploie le même mot *hetairstriai* pour expliquer d'après le mythe de l'androgyne « le genre d'où sont originaires les petites

6. *Manuel d'érotologie classique*, traduit du latin par A. Bonneau et présenté par P. Pia, Paris, La Bibliothèque privée, s.d., p. 135.

7. Aristophane, *Les Guêpes* (vers 1346) et *Les Grenouilles* (vers 1303). Voir aussi Pascal Quignard, *Le Sexe et l'Effroi* (*op. cit.*, p. 20) : « Dans l'imaginaire des Anciens la fellation dérivait du cunnilingus des femmes grecques de Lesbos. Le verbe *lesbiazein* signifiait lécher. Et ce qui était une pratique tolérable dans les gynécées était une infamie pour un homme libre dès l'instant où la barbe lui était poussée. »

amies de ces dames [8] ». Comme le remarque A. Weigall : « Sapho parle sans cesse de ces jeunes filles qui se pressaient en foule à sa maison comme de ses hetaïraï (hétaïres), un mot qui a pour nous une résonance suspecte puisqu'il servit par la suite à désigner ces courtisanes qui étaient les maîtresses usuelles des Grecs opulents ; mais à cette époque-là il n'avait pas cette signification, et la meilleure traduction que l'on puisse en donner, c'est " compagnes intimes " ou " amies de cœur ", mais le terme comporte une nuance de tendre affection [9]. » Sans commentaire !

Ainsi Lucien pose une question qui n'avait jusqu'alors guère préoccupé les Grecs ou les Latins : « Dis-moi Lionne, comment elle fit pour être amoureuse de toi *comme d'un homme* ; non vraiment je ne puis comprendre. » Cette question de technique sexuelle, qui répond à une préoccupation spécifiquement masculine, évoluera rapidement en « comment peuvent-elles jouir sans homme ? ». Est-ce pour cette raison que Brantôme commence par citer Lucien, plus proche de lui, au lieu de Plutarque, qu'il avait inclus dans le « on » de « on dit que Sapho de Lesbos... » ? Pourtant, dans son *Dialogue sur l'amour*, Plutarque exprime une conception de l'amour bien plus proche de celle de Sappho. Quoique son *Dialogue sur l'amour* ne roule que sur la question de savoir s'il est mieux pour un homme d'aimer un garçon ou une femme, ce n'est pas sans émotion que six siècles après la disparition de Sappho, il se souvient des paroles « meslées de feu de Sapho » au moment où il s'adresse à Daphné, amoureux de la belle Lysandre : « Mais si d'aventure, Daphné, l'amour de Lysandre ne t'a fait oublier les jeux auxquels tu voulais jadis passer le temps, je te prie remets-nous en mémoire les vers de la belle Sapho, lesquels elle dit que quand son amie se présente devant elle, elle perdoit la voix et la parole, son corps fondoit en sueur froide, elle devenait pasle, et un esblouissement et evanouissement la surprenait.

8. Platon, *Le Banquet*, Paris, Les Belles Lettres, 1992, vers 191 et *sq.*
9. Arthur Weigall, *Sapho de Lesbos*, Payot, 1951, p. 134.

La Chanson de Sapho

Égal aux Dieux, à mon advis
Est celuy qui peult vis à vis
Ouir tes gracieux devis,
Et ce doulx rire,
Qui le cœur hors du sein me tire,
Qui tout l'entendement me vire
Dessus dessoub, tant il admire,
Quand je te voy,
Soudainement je m'apperçoy,
Que toute voix default en moy,
Que ma langue n'a plus en soy
Rien de langage.
Une rougeur de feu volage
Me court soubs le cuir au visage,
Mes yeux n'ont plus de voir l'usage. [...]

N'est-ce donc pas [...] un saisissement et ravissement divin tout manifeste que cela ? N'est-ce pas là une céleste émotion de l'âme ? Quelle passion si grande saisit jamais la Prophétesse Pythie pour estre montée sur la machine à trois pieds [10]. »

Plutarque vécut un siècle avant Lucien et l'on voit déjà comment la conception grecque de l'amour comme ravissement, fureur divine, passion de l'âme, ne s'accorde plus à la mentalité du XVIe siècle qui comprend mieux la fascination effrayée ressentie par les Latins devant la sexualité. Sappho exprime une sensibilité physique trop éloignée de la rudesse masculine exercée aux campagnes militaires et apte à trousser les filles. Même le poète latin Horace, qui fut le premier, un siècle avant J.-C., à introduire le nom de Sappho dans la littérature latine, est laissé de côté par Brantôme. Est-ce parce qu'il avait compris que la parole de « la mélodieuse éolienne » et

10. Plutarque, *Œuvres morales et meslées, translatées du grec en françois par Messire Jacques Amyot*. À Paris, de l'imprimerie de Michel de Vascosan, 1572, t. II, p. 608-609. Signalons que Jacques Amyot est, après Rémi Belleau (en 1956), un des premiers humanistes à traduire l'ode *À une Aimée* en vers français.

celle de son ami Alcée, poète lesbien des amours masculines, relevaient désormais du « silence sacré », comme il l'écrit dans une épître évoquant leur rencontre lors d'un séjour aux Enfers, où :

> [...] *se plaignant sur sa lyre éolienne,*
> *des filles de son pays, Sapho,*
> *et toi, chantant, en maniant plus fort la flèche d'or,*
> *Alcée, les maux cruels des traversées,*
> *cruels de l'exil, cruels de la guerre.*
> *Les ombres admirent que l'un et l'autre disent*
> *des choses dignes du silence sacré* [11]

Les érudits ne délaisseront pas pour autant Horace. Mais, ce n'est pas *Sapho se plaignant sur sa lyre des filles de son pays* qui retiendra leur attention, mais la *mascula Sapho*, épithète qui, à elle seule, fera gloser des générations d'érudits, heureux de détenir la preuve de son goût *masculin* pour les femmes sans se préoccuper du contexte où elle était mentionnée. En effet, Horace disait simplement : « La mâle Sapho règle le pas de sa muse sur la marche d'Archiloque... [12] », exprimant là un jugement strictement littéraire sur la maîtrise de son art prosodique. À une époque où la création littéraire féminine est dissociée de la liberté des mœurs, il leur est impossible d'intégrer les deux éléments dans la même personne.

Ce que Brantôme pose comme une évidence érudite, dans l'étymologie qu'il donne du mot « tribade », n'en est, en fait, pas une. En effet, la langue grecque possède également le verbe *lesbeizen*, qui signifie à la fois « lécher » et « faire l'amour à la manière des dames de Lesbos », mot qu'Aristophane utilise dans le sens de « faire la lesbienne ». Il semble qu'il ne soit pas assez précis pour retenir l'attention de Brantôme puisqu'il écrit : « C'est que ces amours féminines se traitent en deux façons, les unes par fricarelles, et (comme dit ce poète) *geminos committere cunnos.* »

Nous voici, avec cette citation, introduits au cœur de ce que

11. Horace, *Épîtres et satires*, 2e livre, ode 13. Texte établi et traduit par François Villeneuve, Paris, Les Belles Lettres, 1967.

12. *Ibid.*, I, 19.

la culture latine considère comme une énigme, et si Brantôme n'éprouve pas le besoin de nommer « ce poète », c'est probablement parce que bon nombre de latinistes connaissaient l'« Épigramme XC » de Martial où les mœurs de la courtisane Bassa étaient vilipendées :

> [...]
> At tu, pro facinus, Bassa, fututor eras.
> Inter se geminos audes committere cunnos
> mentiturque uirum prodigiosa Venus.
> Commenta es dignum Thebano aenigmate monstrum,
> hic ubi uir non est, ut sit adulterium [13]

Plusieurs mots sont importants dans ce texte. *Fascinus*, d'abord, auquel Pascal Quignard a consacré, avec *Le Sexe et l'Effroi*, un livre stupéfiant dans lequel, curieusement, il passe sous silence les pratiques amoureuses de Bassa. *Fututor, geminos commiterre cunnus*, ensuite, et, bien sûr, *adulterium*, qui renvoie à la problématique latine du plaisir dans et hors mariage. Avant d'analyser ces mots, donnons la première traduction française de l'Épigramme qui fut réalisée au milieu du XVIIe siècle par M. de Marolles : « De ce que je ne te voyais jamais visitée par des hommes, et de ce que le bruit commun ne te donnait point aussi de galant mais qu'une foule de ton sexe était toujours autour de toi pour te rendre toute sorte de service, sans que nul homme y eût accès j'avoue, Bassa, que je te considérais comme une Lucrèce : Mais ô prodige toi-même, Bassa, tu étais un étrange galant : et par une licence effroyable, tu faisais le métier d'un homme. Tu aurais trouvé une invention monstrueuse digne de faire une Énigme pour la donner à expliquer aux devins de Thèbes, que là, où il ne se trouve point d'homme, il y ait pourtant un adultère [14]. »

C'est tout le patriarcat qui s'exprime dans ce texte puisque Mar-

13. Martial, *Épigrammes*, t. I, épig. XC. Texte établi et traduit par H.J. Izaac, Paris, Les Belles Lettres, 1969, p. 44.

14. Martial, *Épigrammes*, épig. XC, dans : *Toutes les épigrammes de Martial en latin et en français (par M. de Marolles) avec des petites notes (sic)*, Paris, Guillaume de Luyne, 1655.

tial commence par situer les pratiques de Bassa à l'intérieur de la problématique de la *castitas* des matrones romaines. D'où l'énigme qu'elles lui posent. La *castitas*, explique Pascal Quignard, « c'est Lucrèce violée par Sextus et se tuant devant la violence tyrannique et " étrusque " du désir masculin : son suicide, à l'aide d'un poignard de bronze, fonde la république romaine [15] ». Pourquoi se suicide-t-elle plutôt que de tuer son violeur ? À cause de la *castitas*, précisément, à cause du devoir de fidélité de l'épouse (qui deviendra chasteté), lequel consiste à maintenir la pureté de la lignée spermatique. Elle peut « fricotter » avec une femme, non avec un homme. Quant à l'homme romain, son désir ne doit pas assaillir une femme mariée ; en se suicidant, Lucrèce devient héroïque, digne de fonder la chose publique.

Donc, Martial se demande dans un premier temps si Bassa peut être comparée à Lucrèce puisqu'elle ne reçoit aucun homme. Fausse inquiétude, désamorcée immédiatement par :

> At tu pro fascinus Bassa, fututor eras...
> *Mais, ô prodige, Bassa tu étais un étrange galant...*

ou, dans la traduction qu'Alcide Bonneau réalisa au XIXe siècle dans son *Manuel d'érotologie* :

> *Mais, ô crime ! Bassa, tu étais fututeur !*
> *Tu oses conjoindre et accoupler deux vulves,*
> *Et ta prodigieuse vénus supplée l'homme absent...*

ou encore, dans la traduction d'H. J. Izaac, faite pour G. Budé en 1930 et intégralement reprise dans l'édition de 1969 :

> *Mais c'est toi, Bassa – ô scandale – qui les besognais ! Tu as l'audace d'accoupler deux sexes identiques et ton clitoris monstrueux remplit frauduleusement le rôle du mâle* [16].

15. Pascal Quignard, *op. cit.*, p. 26.
16. Martial, *Épigrammes*, *op. cit.*, p. 43-44.

On voit dans quels abîmes de perplexité les amours de Bassa ont jeté des générations de traducteurs ! Il faut dire que ce texte manipule des tabous à peine avouables aujourd'hui, et, bien que les textes anciens soient remodelés par chaque génération, les difficultés rencontrées pendant ces trois derniers siècles par les traducteurs de l'épigramme sont à la mesure de l'énigme posée. Ainsi, Izaac échappe à une première difficulté en traduisant *prodigiosa venus* par « clitoris monstrueux ». Ce contresens fournirait la preuve de son incompétence si nous ne devinions qu'Izaac a tout bonnement cherché quelque lumière dans le *Grand Dictionnaire Larousse universel du XIXe siècle*, où le mot « tribade » est défini de la manière suivante : « Femme dont le clitoris a pris un développement exagéré et qui abuse de son sexe. »

Le mot *fututor* n'est pas mieux traité. M. de Marolles le traduit par « étrange galant », Alcide Bonneau par « fututeur » et Izaac par « besognais ». Cela n'a aucun sens quand on sait que le verbe *futuo, futuis* signifie « foutre, avoir des relations avec une femme, tirer un coup ». Nous retrouvons d'ailleurs ce mot dans une autre Épigramme de Martial consacrée à la courtisane Philaenis :

> Ipsarum tribadum tribas, Philaeni
> recte, quam futuis, vocas amicam.

soit, dans la traduction d'Izaac :

> *Tribade des tribades elles-mêmes, Philaenis,*
> *c'est avec raison que tu appelles " ton amie " celle que tu besognes.*

Remarquons en passant que ce n'est pas Bassa qui est qualifiée de tribade, mais Philaenis, à laquelle une nouvelle Épigramme (LXVII) attribue cette autre virtuosité sexuelle :

> Pedicat pueros tribas Philaenis

> *La tribade Philaenis sodomise de jeunes garçons* [17].

17. Martial, *Épigrammes*, Livre VII, épig. LXVII, *op. cit.*, p. 230, et l'Épigramme LXX, p. 231.

La difficulté la plus importante, cependant, gît dans la traduction de *fascinus*. À Rome, le *fascinus* désignait le membre viril en érection, écrit Pascal Quignard. Celui qui, précisément, provoque l'effroi juste avant la pénétration, car en repos, il est nommé la *mentula*, le pénis. Et résumant ce que nous ne pouvons nommer autrement que le tragique destin de la sexualité de l'homme romain, il dit : « Le *fascinus* disparaît dans la *vulva*, et il ressort *mentula* [18]. »

Bassa ne peut pas déclencher la même angoisse, puisqu'elle est une femme. Son plaisir n'est pas déterminé par l'érection, il dépend de cette autre chose que les traducteurs ont eu tant de mal à cerner. *At, tu pro fascinus, Bassa...* « Mais ô crime Bassa... ô scandale... » Par quel prodige, en effet, peut-elle « foutre » une femme sinon au moyen d'un godemiché, un de ces phallus en érection confectionnés en terre cuite ou en cuir, comme on en a tant retrouvé dans certaines maisons, indiquant sans erreur possible qu'il s'agissait de bordels ? L'objet semble d'une utilisation très ancienne, puisque Sappho elle-même le mentionne dans un vers satirique (fragment retrouvé sur un papyrus) où elle épingle une femme issue d'une famille ennemie : « Fille des Polyanax... on dit que tu t'es attaché un *olisbos* autour du corps [19]. » En tout cas, il faut croire que Martial aborde là un grand tabou, car le procédé technique ne peut être dévoilé autrement que sous les mots « invention monstrueuse », « frauduleusement », « tu oses... ». Seul Ronsard se permet de le nommer dans une « pièce retranchée » des *Amours diverses* inspirée de toute évidence de l'Épigramme de Martial :

Amour, je ne me plains de l'orgueil endurcy,
Ny de la cruauté de ma jeune Lucresse,
Ny comme sans secours languir elle me laisse :
Je me plains de sa main et de son godmicy.

18. Pascal Quignard, *op. cit.*, p. 26. Signalons que le *fascinus* était encore connu des latinistes du XVIIIe siècle, comme le prouve Mirabeau dans *Erotika Biblion* : « Car on sait que les vestales sacrifiaient au dieu *Fascinus*, représenté sous la forme du *Thalhum* égyptien » (*Œuvres érotiques*, p. 530). Voir plus loin, deuxième partie.

19. Sappho (traduction d'Édith Mora), *op. cit.*, p. 362.

C'est un gros instrument qui se fait prés d'icy,
Dont chaste elle corrompt toute nuit sa jeunesse [20]

Avec le mot *mentiri,* enfin, nous abordons la notion qui a le plus accroché les hommes du XVIe siècle. Étymologiquement, il signifie « imiter, contrefaire, feindre [21] ». Marolles, au XVIIe siècle, le traduit par « tu faisais le métier d'un homme », Bonneau, au XIXe siècle, par « supplée l'homme absent », et Izaac par « remplit le rôle de l'homme ». C'est encore Brantôme qui se rapproche le plus de l'original : « et fut trouvé qu'elle-mesme leur servait et contrefaisait d'homme et d'adultère, et se conjoingnait avec elles... ».

Faut-il conclure de ce premier tour d'horizon que « là où il ne se trouve point d'homme », au XVIe siècle, il y a... son image ou, pour parler comme Martial et Brantôme, sa « contrefaçon » ?

Cela nous ramène alors à la question initiale posée par Brantôme au début de son *Premier Discours sur les dames qui font l'amour et leurs marys cocus*, laquelle justifiait la localisation du passage sur les dames lesbiennes dans ce discours-là : « Si feray-je encor cette question, et quis plus, qui, possible, n'a point esté recherchée de tout le monde, n'y, possible, songée : à scavoir, si deux dames amoureuses l'une de l'autre, comme il s'est veu et se voit souvent aujourdhuy, couchées ensemble, et faisant ce qu'on dit, donna con donna, en imitant la docte Sapho lesbienne, peuvent commettre l'adultère, et entre elles faire leurs marys cocus. Certainement, si l'on veut croire Martial en son premier livre, épigramme CXIX, elles commettent l'adultère [22]... »

Voilà une question digne des meilleurs théologiens. Ce qui surprend, cependant, c'est que Brantôme se place sous l'autorité de Martial pour la poser. La doctrine chrétienne n'avait-elle pas répertorié les atteintes féminines au Sixième Commandement : « Tu ne

20. Pièces retranchées par Ronsard de 1553 à 1584, dans *Œuvres complètes*, nouvelle édition de P. Laumonier, t. IV, Paris, Lemerre, 1914-1919, p. 389.

21. A. Ernout et A. Meillet, *Dictionnaire étymologique de la langue latine. Histoire des mots*, 4e édition, Paris, Klincksieck, 1967.

22. Brantôme, *op. cit.*, p. 120.

commettras pas l'adultère », nous prouvant que la luxure entre femmes ne préoccupait guère les théologiens ?

Le fait semble confirmé au siècle suivant par l'article que Pierre Bayle rédige sur Sapho dans son *Dictionnaire historique et critique*. Abordant très rapidement la question, il se réfère à son fidèle adversaire, le jésuite Sanchez, considéré en son temps comme un puits de science et promu, non sans difficultés avec la hiérarchie, grand spécialiste des questions matrimoniales grâce à son *De Matrimonio*, qui connut un très grand succès : « Au reste, je laisse décider à quelque nouveau père Sanchez si une femme mariée, qui aurait répondu à la passion de Sapho, aurait commis l'adultère, et enrôlé son époux dans la grande confrérie proprement parlant ! Je ne sais point si cette question a pu échapper à l'inépuisable curiosité des casuistes sur les causes matrimoniales [23]. »

Si tel avait été le cas, cela se serait su chez les élites savantes, à commencer par les lexicographes qui, dans leur souci constant de rendre compte des lois, ont toujours défini la sodomie comme un crime ou un péché contre nature alors qu'ils n'ont jamais évoqué ces délits pour les tribades.

Est-ce pour combler le vide théorique laissé par la religion que Brantôme fait appel à Martial pour conduire son discours sur les dames qui font l'amour entre elles ? En tout cas, une telle question prouve, s'il en était besoin, que la société chrétienne renaissante diffère peu dans sa conception des femmes et de l'amour de la société latine du Ier siècle. Comment, dans ce contexte, la docte Sapho lesbienne pourrait-elle rivaliser d'autorité avec le docte latin Martial, quand il n'existe chez elle aucune opposition entre l'amour et le mariage, le plaisir et la reproduction – opposition qui structurera non seulement la doctrine catholique du mariage, mais les mentalités et les sociétés européennes pendant de nombreux siècles ?

Il semble que la pensée religieuse ait, du moins au XVIe siècle, complètement colonisé le vocabulaire du plaisir hérité des Latins.

23. P. Bayle, *Dictionnaire historique et critique*, 3e éd. revue, corrigée et augmentée. À Rotterdam, 1720.

Quand, à la fin des *Dames galantes*, Brantôme aborde les raisons qui poussent les filles à ne pas se marier, il ne lui vient à la plume que la très catholique notion de « molesse », qui désigne, d'après Benedicti, le péché de « quiconque se procure pollution volontaire hors mariage [24] » : « Pourquoy les filles aucunes sont si tardives de se marier. Elles disent que c'est *propter mollitiem* (à cause de leur mollesse). Et ce mot *mollities* s'interprète qu'elles sont si molles, c'est-à-dire tant amatrices d'elles-mesmes et tant soucieuses de se délicater et se plaire seules en elles-mesmes, ou bien avecque d'autres de leur compaignes, à la mode lesbienne, et y prennent tel plaisir à part elles, qu'elles pensent et croyent fermement qu'avec les hommes elles n'en sçauraient jamais tant tirer de plaisir ; et, pour ce, se contentent-elles en leurs joyes et savoureux plaisirs, sans se soucier des hommes, ny de leurs acointances, ni mariages [25]. »

Dans un long article sur la « contraception, le mariage et les relations amoureuses dans l'Occident chrétien », Jean-Louis Flandrin précise l'évolution du mot « mollesse » : « Le mot *mollicies* qui désignait dans l'Antiquité l'homosexualité passive a pris, dès le XIIIe siècle, le sens de " pratiques solitaires ". Avant l'âge nubile, celles-ci n'entraînent pas de pollutions et sont considérées comme moins graves. D'autre part, les pollutions volontaires ne sont pas toujours manuelles, elles peuvent provenir de " cogitation et délectation ", de " locutions ou conversations entre femmes et hommes ", de " lectures de livres impudiques " et " autres moyens ", comme le précise Benedicti au XVIe siècle ! Enfin, les " pollutions manuelles " ne sont pas forcément solitaires et lorsqu'elles ne le sont pas, le péché est plus grave ! C'est autant de raisons qu'a pu avoir l'évêque de Cambrai de distinguer " mollesse " et " pollutions manuelles " [26]. »

On aurait aimé que l'historien précisât qu'il s'agissait de l'homosexualité masculine et qu'il exposât les cas où les pollutions manuelles ne sont pas solitaires. Malheureusement, nous resterons

24. *La Somme des péchés et le remède d'iceux* par feu Benedicti, docteur en théologie de l'ordre des frères mineurs. À Rouen, chez J. Osmont, 1602, p. 193.

25. Brantôme, *op. cit.*, p. 431.

26. Jean-Louis Flandrin, « Contraception, mariage et relations amoureuses dans l'Occident chrétien », *Annales ESC*, nov.-déc. 1972, p. 1376.

sur notre faim ; la faute en est, entre autres, aux théologiens eux-mêmes, qui n'étaient pourtant pas dépourvus d'informations, comme le remarque malicieusement Brantôme à propos de ce Benedicti « qui a tres-bien escrit de tous les peschez et montré qu'il a beaucoup veu et leu [27] ».

Pourquoi Brantôme s'inscrit-il dans cette problématique de l'adultère ? À l'en croire, nous n'avons pas tellement l'impression que, dans cette vie de cour de la deuxième moitié du XVIe siècle, les femmes aient été retenues par le péché. Quelle différence entre son discours et leur pratique ! « En nostre France, telles femmes sont assez communes ; et si dit-on pourtant qu'il n'y a pas long-temps qu'elles s'en sont meslées, mesme que la façon en a esté portée d'Italie par une dame de qualité que je ne nommeray point [28]. »

Elles ne semblaient pas non plus être retenues par la notion de scandale : « Je feray encore ce conte de deux dames de la cour qui s'entraimoient si fort, et estoient si chaudes à leur mestier, qu'en quelque endroit qu'elles fussent ne s'en pouvoient garder ny abstenir que pour le moins ne fissent quelques signes d'amourettes ou de baiser, qui les escandalisoient si fort et donnoient beaucoup à penser aux hommes. Il y en avoit une veufve et l'autre mariée [29]. »

De plus, on se demande pourquoi Brantôme parle d'adultère quand il se montre si compréhensif pour les filles et les veuves : « Encor excuse-t-on les filles et femmes veufves pour aimer ces plaisirs frivols et vains, aimans bien mieux s'y adonner et en passer leurs chaleurs que d'aller aux hommes et de se faire engrosser et se déshonorer, ou de faire perdre leur fruict, comme plusieurs ont fait et font ; et ont opinions qu'elles n'en offensent pas tant Dieu, et n'en sont pas tant putains comme avec les hommes [30]... »

Moindre mal, certes, mais valorisant tout de même à l'intérieur de leur système de valeurs : « [...] il est bien meilleur qu'une femme soit adonnée à une libidineuse affection de faire le masle, que n'est à l'homme de s'efféminer ; tant il se montre peu courageux et noble.

27. Brantôme, *op. cit.*, p. 38.
28. *Ibid.*, p. 122.
29. *Ibid.*, p. 125.
30. *Ibid.*, p. 126.

La femme donc, selon cela, qui contrefait ainsi l'homme, peut avoir réputation d'estre plus valeureuse et courageuse qu'une autre, ainsi que j'en ay cogneu aucunes, tant pour leur corps que pour l'âme [31]. »

Que cherche ici Brantôme ? Reconnaître l'existence du plaisir entre femmes ou mettre la puce à l'oreille des cocus qui s'ignorent ? Pourquoi convoquer ces grands repères idéologiques qui s'appliquent si mal au vécu des femmes ? Pour temporiser son hommage à leur courage en disant que, contrairement à l'affirmation du poète Martial, elles commettent elles aussi l'adultère, car « ce n'est pas texte d'Évangile celuy d'un poëte fol » ? Et puis, ne nous y trompons pas, « ainsi que beaucoup de marys que j'ay vus, qui estoient fort aises que leurs femmes menassent ces amours plutôt que celles des hommes (n'en pensant leurs femmes si folles ny putains) ». Nous pourrions en rester aux apparences, surestimer la copie, bref, nous tromper de maître en ce domaine : « Car ce petit exercice, à ce que j'ay ouy dire, n'est qu'un apprentissage pour venir à celuy grand des hommes ; car après qu'elles se sont eschauffées et mises bien en rut les unes les autres, leur chaleur ne diminuant pour cela, faut qu'elles se baignent par une eau vive et courante, qui raffraischit bien mieux qu'une eau dormante, ainsi que je tiens de bons chirurgiens, et veu que, qui veut bien panser et guérir une plaiye, ne faut qu'il s'amuse à la médicameter et nettoyer alentour ou sur le bord, mais il la faut sonder jusques au fond, et y mettre une sonde et une tente bien avant [32]. »

Ainsi n'est-on pas trompé là où l'on pensait l'être, à la première référence latine venue... « Que j'en ay veu de ces lesbiennes qui, pour toutes leurs fricarelles et entre-frottements, n'en laissent d'aller aux hommes ! Mesmes Sapho, qui en a esté la maîtresse, ne se mit-elle pas à aymer son grand amy Phaon, après lequel elle mouroit ? » Finalement, rien ne vaut la chirurgie mâle, les grandes eaux vivifiantes, la sonde au cœur de l'abîme. « Car enfin, comme j'ay ouy raconter à plusieurs dames, il n'y a que les hommes ; et

31. *Ibid.*, p. 121.
32. *Ibid.*, p. 123.

que tout ce qu'elles prennent avec les autres femmes, ce ne sont que tirouers pour s'aller paistre de gorges-chaudes avec les hommes : et ces fricarelles ne leur servent qu'à faute des hommes [33]. »

C'est donc faute d'hommes qu'elles font le « mestier » de l'homme. Mais en quoi cela serait-il répréhensible ? Car le plaisir des tribades ne met apparemment pas en danger la société patriarcale. C'est un plaisir de courtisanes, un jeu sensuel, anodin, obtenu par frottement et non par pénétration. Est-ce comparable à l'adultère qui, lui, met en péril le régime patriarcal de la filiation, cœur de la transmission du patrimoine ?

En s'indignant des mœurs de Bassa, Martial a formulé une énigme qui touche au cœur des Modernes. Comment peut-on nommer une chose à laquelle nul homme n'a accès ? Cette chose existe-t-elle en soi ? Comment appréhender la jouissance de la femme sans homme ? Formulée du côté du manque, l'énigme appelle automatiquement la réponse : c'est une « tribade », une « fricatrice », une « frotteuse » ; *fututor faemina,* elle « besogne », « pédique », « contrefait l'office de l'homme » ; son plaisir est un amuse-gueule, qui précède le vrai plaisir, dit Brantôme. Pour Freud, il est l'expression d'un complexe de virilité... Autrement dit, il est un mensonge, une feinte, une imitation.

Comment les « paroles ailées » de Sappho pouvaient-elles signifier quelque chose à ces hommes préoccupés d'asseoir leur maîtrise sur les femmes ?

« Profondément caressée », chantait Sappho il y a deux mille cinq cents ans... Ce n'est pas une réponse à donner au Sphinx.

Elle peut donc dire, du fond des âges, le désir pour l'aimée ; les hommes, eux, ne s'en réfèrent qu'à eux-mêmes : Martial, Lucien, Ovide, Henri Estienne, Brantôme, Richelet, Baudelaire, Freud, Lacan... « Sapho était une tribade », écrit Antoine Furetière en 1690. Un demi-siècle avant lui, le médecin Gaspar Bartholin écrivait, dans ses *Institutions anatomiques* : « Quelques femmes abusent du clitoris au lieu du membre viril et s'accouplent ensemble,

33. *Ibid.*, p. 123.

que les Grecs appellent tribades (on écrit qu'une certaine Philaenis a été la première inventrice de cette sorte de sodomie dont la poétesse, Sapho a aussi usé) [34]. » Et nous pourrions égrener longtemps ce genre de citations...

Quoique dérivé du grec, le mot « tribade » s'impose ainsi comme le pur produit de la culture latine du Ier siècle de notre ère. Mais une dernière question se pose : pourquoi Martial fait-il autorité auprès des hommes de la Renaissance pour transmettre ce mot, alors que quelques années avant lui le fabuliste latin Phèdre, inspirateur de La Fontaine, l'employait lui aussi dans sa fable « Prométhée encore » :

> Rogault alter tribadas et molles mares
> quae ratio procreasset. [...]
> inplicuit virginale generi masculo
> et masculina membra applicuit feminis.
> Ita nunc libido peaui fruitur gaudio [35]

Soit :

> *Un autre demanda quelle cause avait procréé*
> *Les tribades et les Cinèdes* [...]
> *(Ce même Prométhée est invité par Bacchus qui le fait boire et est sous le coup de l'ivresse),*
> *Il appliqua l'appareil féminin à des corps mâles,*
> *Et le membre masculin à des corps de femmes*
> *D'ou vient qu'aujourd'hui la luxure goûte des plaisirs dépravés* [36]

Cette version bacchique du mythe d'origine de l'*homoïos*, celle qui aime le semblable, s'inspire du Banquet de Platon : « Quant à

34. Gaspar Bartholin, *Institutions anatomiques, augmentées et enrichies pour la seconde fois tant des opinions et observations nouvelles des Modernes que de plusieurs figures en taille douce par Thomas Bartholin*, Paris, 1647, Livre I, p. 205. Nous aurons l'occasion de reparler du clitoris.

35. Phèdre, *Fables*, IV, 16. Cette fable est la seule qui ne soit pas traduite dans l'édition bilingue des Belles Lettres.

36. Traduction d'Alcide Bonneau, *Manuel d'érotologie, op. cit.*, p. 149.

celles d'entre les femmes qui sont des moitiés de femmes, elles n'ont pas beaucoup de désir pour les hommes, mais elles sont bien davantage portées vers les femmes ; les hétaïristries descendent de cette catégorie [37]. » *Le Banquet* connut si peu de traductions qu'on ne s'étonne pas de son absence dans l'imaginaire humaniste. En revanche, une autre version circula au XVIe siècle, celle du Florentin Ange Firenzuole, traduite en 1578 par J. Pallet sous le titre *Discours de la beauté des dames*. Brantôme la cite à la fin de son discours sur l'adultère, en la corrigeant : « Celles qui furent femelles, ou qui descendirent de celles qui l'estoient, aymerent ainsi la beauté l'une de l'autre, celles-cy purement et saintement, comme la très illustre Marguerite d'Autriche, la belle Ladomie Fonteguerre, les autres lascivement et eshontement, comme Sappho Lesbienne et nostre temps à Rome la grande courtisane Cicilie Vénitienne. Icelles de nature haïssent à se marier, et fuyent nostre conversation tant que faire se peut [38]. »

Les hommes de la Renaissance ne peuvent situer l'amour entre femmes dans la perspective mythique de l'Androgyne car ce serait reconnaître la base théorique d'une égalité possible entre les sexes [39]. Dans ces deux versions du mythe des origines, il y a équivalence entre les hommes et les femmes, donc égalité « de nature ». Avec la notion de contrefaçon, en revanche, l'homme s'affirme comme modèle de la femme, norme de comportement sexuel, miroir d'excellence. Dans cette perspective centrée sur l'homme, la femme qui se comporte « comme un homme » dans l'amour ou la société ne peut être son égale, mais quelqu'un relevant du simulacre

37. Platon, *Le Banquet*, 191 c, Paris, Les Belles Lettres, 1992.

38. *Discours de la beauté des dames*, pris de l'italien du Seigneur Ange Firenzuole le Florentin par J. Pallet Saintongeons. À Paris, pour Abel l'Angelier, libraire, 1578, p. 14-15. Brantôme écrit que « cela estait faux que cette belle Marguerite aymast cette dame de pur et saint amour [...] il estait à présumer que c'estait pour s'en servir en délices, ne plus ne moins comme d'autres » (p. 119).

39. Les premières traductions du *Banquet* s'intitulaient *L'Androgyne* (Antoine Heroet, 1568). Il fut traduit en 1732 par l'abbesse de Fontevrault, Madame de Rochechouart de Mortemart, ce qui montre bien que l'abbaye pouvait être pour les femmes un haut lieu d'activité intellectuelle, comme nous le verrons au chapitre suivant avec Mademoiselle de Chartres.

et du faire semblant ; même dans l'amour, elle est censée utiliser un godemiché pour la pénétrer.

Ainsi, là où il ne se trouve point d'homme au XVIe siècle, il y a... sa contrefaçon. Il ne peut même y avoir rien d'autre, puisque l'homme s'affirme homme dans le monde en prenant possession de l'espace de la représentation.

Un siècle plus tard, la première définition de « tribade » donnée par Pierre Richelet dans son *Dictionnaire françois tiré de l'usage et des meilleurs auteurs de la langue* entérinera cette mise en perspective de la femme : « Tribade : mot qui vient du grec. C'est celle qui s'accouple avec une autre personne de son sexe et qui contrefait l'homme. Voyez Martial ep. 91. C'est une tribade, Ablancourt Luc. »

Si les humanistes ont prôné comme idéal l'imitation des Anciens, c'est bien parce que cette démarche correspondait à leurs structures de pensée. Période de restructuration de l'être, de l'homme qui cherche à travers ce modèle un point de repère qui lui permette d'élaborer une nouvelle définition de lui-même dans un espace où les frontières du temps ont reculé. Mais on le voit nettement avec les dames lesbiennes, tous les Anciens ne les concernent pas. Sappho, Platon, Plutarque ou Phèdre sont écartés au profit de l'homme Romain du Ier siècle de notre ère : il leur parle un langage qu'ils comprennent. Ils reconnaissent en lui un univers familier. Même pensée, même organisation de la société autour de la reproduction, même conception de la femme malgré les siècles qui les séparent et, finalement, même rapport à la sexualité.

Dans ces deux sociétés « frères », la tribade n'a pas de valeur propre, comme pouvait en avoir Sappho au VIe siècle avant J.-C. Et si l'impuissance masculine est aussi grave que l'adultère féminin, la *prodigiosa venus* de la femme n'est pas investie de la même valeur sociale que le *fascinus* de l'homme. D'abord, nous sommes dans un monde où la passivité est le propre de la femme comme de l'esclave, tandis que l'activité est la caractéristique de l'homme libre dans l'amour avec une femme aussi bien qu'avec un garçon. Il n'y a donc pas de place pour la tribade dans ce système, ou du moins pas d'autre place possible que du côté du simulacre et de la contrefaçon. On comprend mieux pourquoi Pascal Quignard n'aborde pas une seule fois la question. La sexualité de la tribade n'est régie par aucun statut social, et ne correspond à aucun âge de la vie, comme c'est le cas de la pédérastie. Il ne lui reste que le bordel pour être dévoilée, lieu clos du plaisir vénal et seul espace public où le statut social ne détermine pas le rôle sexuel.

Loin de ressusciter toute l'Antiquité, les hommes de la Renaissance n'en ont restitué qu'une partie, celle qui consolide et légitime leur nouveau pouvoir. La tradition grecque du VIe siècle avant J.-C., celle qui a vu avec Sappho la naissance de la poésie lyrique – poésie du désir féminin aux accents si puissants que Boileau en fera un commentaire ébloui –, la pensée de Platon et, d'une manière générale, la tolérance grecque, est occultée au profit de la tradition romaine qui a vu naître le christianisme. L'*homoïos*, l'attrait du semblable est incompatible dans le cadre renaissant avec la perspective centrée qui se met en place à l'époque et dont Brantôme se fait le plus fervent interprète. La dualité féminine, la reconnaissance de la femme par la femme qui a émergé dans l'espace grec des îles Éoliennes ne peut être reconnue comme porteuse de sens et de culture pour la communauté [40].

N'est-ce pas d'ailleurs ce monde-là qui leur fait peur, ce temps de culture proprement féminine où la femme créatrice a une place reconnue dans la société ? où les femmes peuvent aussi se construire une identité à travers une relation avec une autre femme, différente de soi, conçue comme égale à soi et sujet de son propre désir ?

Si les « Deux Amies » sont occultées par la Renaissance, c'est parce que deux femmes constituent potentiellement une société, base d'un contre-pouvoir. Sans culture, pas de pouvoir des femmes. Dans l'histoire racontée par Montaigne, les *deux* femmes ne sont

40. Le monde de Sappho était un monde où la dualité féminine avait un sens et où elle était reconnue par l'homme grec. En témoignent les couples de déesses corinthiennes de Tanagra (Grèce, 620 av. J.-C.) et ces « femmes chuchotant » de Myrina (IIe siècle av. J.-C.) dont les chuchotements désignent aussi une « conversation amoureuse ». Voir les reproductions dans *Greek Terracotta Figures*, de R.A. Higgins (The British Museum, London, 1969, planches A et D). C'est également à Myrina que l'on a retrouvé une figurine représentant Sappho assise. Voir Nicole Loraux, *Les Enfants d'Athéna. Idées athéniennes sur la citoyenneté et la division des sexes*, Paris, Maspero, 1981.

pas pendues, mais seulement celle qui joue le rôle de l'homme. En tant que telle, elle est tenue pour coupable. L'autre n'existe pas, ni comme sujet de ses choix ni comme responsable de ses actes.

Le choix du mot « tribade » par les hommes de la Renaissance retentit comme une négation de l'individualité féminine. C'est d'abord une défaite culturelle, ce choix réduisant la question de l'amour entre femmes à un problème de technique sexuelle qui permet d'évacuer sa dimension identitaire. Mais c'est aussi une régression du statut politique des femmes, officiellement entériné par la loi Salique qui les écarte du trône de France. Comment, d'ailleurs, pourraient-elles régner dans un pays où Martial fait autorité sur Sappho pour parler de ce qui les concerne ?

CHAPITRE 3

Le pays des Sauromates : Sappho chez les Amazones

Et les poètes ? Ont-il su trouver une langue plus proche du sentiment pour évoquer les amours féminines ? En fait, rares sont ceux qui surent chanter autre chose que les délices concrets de la chair et les réjouissances du « gaude-michy [1] ». Pontus de Tyard est peut-être le seul qui ait rompu de ton avec son époque en composant une surprenante « Élégie pour une dame enamourée d'une autre dame ». Quand on sait qu'il fréquenta le salon de Louise Labé et Clémence de Bourges, on peut se demander s'il ne s'inspira pas de leur relation pour affirmer que :

> [...] *en la française histoire*
> *Notre amour servirait d'éternelle mémoire*
> *Pour prouver que l'Amour de femme à femme épris*
> *Sur les mâles Amours emporterait le prix* [2].

Cette valorisation des amours féminines est une exception pour l'époque, et ces vers sont un miracle de délicatesse quand on les compare à ceux du poète de cour et conseiller d'État Bensérade, à ceux du sieur de Sigogne ou du libertin Saint-Pavin. À lire Bensé-

1. En latin, *gaude* signifie « se réjouir ».
2. Pontus de Tyard, *Œuvres poétiques* (1573), Paris, Lemerre, 1875.

rade par exemple, elles sembleraient menacer directement la suprématie érotique masculine, l'autorisant à développer une bien curieuse mathématique au long d'immenses stances (sept pages) consacrées à « L'Amour d'Uranie avec Philis » :

Vous êtes nos moitiez, avec nous assorties,
Vous formez un beau tout ;
Séparez-vous de nous, vous n'êtes que parties,
Vous n'êtes rien du tout.

Séparez-vous de nous, vous n'êtes que des ombres
Sans force ni pouvoir.
Vous êtes des zéros, et nous sommes les nombres
Qui vous faisons valoir.

[...]
Ah ! Quittez désormais cette étrange manie,
Réglez mieux vos désirs ;
Et revenez goûter, adorable Uranie,
Les solides plaisirs [3].

Une autre tendance nous est offerte par Saint-Pavin, grand poète libertin du XVIIe siècle, qui, bien que surnommé par ses contemporains « le Roy de Sodome », n'hésite pas à néantiser les amours féminines :

Deux belles s'aiment tendrement,
L'une pour l'autre s'intéresse,
Et du mesme trait qui les blesse
Elles souffrent également.

Sans se plaindre de leur tourment
Toutes deux soupirent sans cesse,

3. Bensérade, *Poésies*, publiées par O. Uzanne, Paris, Librairie des Bibliophiles, 1875, p. 165-173.

Tantost l'amant est la maîtresse,
Tantost la maîtresse est l'amant ;

Quoy qu'elles fassent pour se plaire,
Leur cœur ne se peut satisfaire,
Elles perdent leurs beaux jours ;

Les innocentes qui s'abusent
Cherchent en vain dans leurs amours
Les plaisirs qu'elles nous refusent [4].

Mais au XVIIe siècle la question du plaisir sexuel ne soutient plus vraiment l'élan culturel. C'est l'amour qui mobilise les esprits, et l'amour ne saurait être autrement qu'héroïque. Quoi d'étonnant ? À peine sortis des guerres de religion, les Français retombent dans les conflits de successions qui détermineront Louis XIV à instaurer la monarchie absolue de droit divin. Or, si la Régence d'Anne d'Autriche sauve le trône du futur monarque absolu, la Fronde laissera des traces profondes dans les esprits. Réactivés en 1685 par la Révocation de l'Édit de Nantes, les conflits ouvriront la porte à la répression de tout ce qui échappe à l'effort centralisateur et unitaire de la monarchie, notamment aux mystiques de l'individualité incarnées par Port-Royal ou Mme Guyon.

Éclatant au milieu du XVIIe siècle, la Fronde sera d'ailleurs la dernière offensive menée par les femmes sur le terrain du politique. Son échec va les repousser vers la culture, la littérature et l'Amour, domaines limités, là aussi, par le pouvoir masculin, puisqu'il n'est pas question de leur donner une assise institutionnelle en les admettant par exemple à l'Académie française, malgré la proposition présentée par trois académiciens d'y recevoir « des Dames illustres par leur esprit et par leur savoir » comme « Mlle de Scudéry (auteur d'*Artamène ou Le Grand Cyrus*), Mme Deshoulières (poète) ; Mme Dacier (savante helléniste) et quelques autres qui

4. *Le Libertinage au XVIIe siècle. Disciples et successeurs de Théophile de Viau*, par Frédéric Lachèvre, Des Barreaux et Saint-Pavin (1595-1670), Paris, 1911, p. 460.

sont capables d'enrichir notre langue par de beaux ouvrages [5]. » Au XVIIe siècle, les femmes ne peuvent donc participer aux pouvoirs que de manière puschiste ou « hérétique ».

Malgré tout les femmes sont très présentes dans la vie politique et culturelle du temps et les petits faits suivants traduisent bien le nouvel esprit héroïque qui succède à celui, plus charnel, des humanistes. On ne brûle plus les femmes qui s'habillent en homme. On les admire, chevauchant à la tête de leurs troupes comme la Grande Mademoiselle durant la Fronde, s'évadant de prison déguisée en homme comme la Duchesse de Chevreuse, ou mettant le feu à un couvent pour enlever sa bien-aimée comme Mlle de Maupin. Ces nouvelles figures d'Amazones frappent d'autant plus les imaginations que, depuis le renforcement de la loi salique, au moment de l'accession au trône de France d'Henri IV, les femmes ne peuvent montrer leur valeur guerrière que travesties en homme ou incarnant l'amoureuse héroïque. « Il est bien plus beau qu'une femme soit virile ou vraye amazone, ou soit ainsi lubrique, que non pas un homme soit féminin », disait déjà Brantôme au siècle précédent. Voilà qui semble désormais une valeur reconnue.

Mais ce changement a aussi son aspect positif, car qui dit héroïsme, dit force de caractère, audace, décision, sens de l'action, conflits de devoirs (le cœur et la famille), bref, exaltation de l'individualité. Durant la mise en place de la monarchie absolue, deux nouveaux modèles d'héroïsme féminin s'imposent : l'Amazone et Sappho. Non la Sappho qui eut le courage d'aimer des femmes contre l'opinion dominante, mais celle qui eut le courage de se suicider dans la mer parce que Phaon l'avait abandonnée ; autrement dit, celle de la légende d'Ovide actualisée dès le début du XVIIe siècle par le Sieur de Sigogne dans un poème intitulé « Godemichy » où il salue son héroïsme en recommandant de :

> [...] *N'y se tromper de la façon*
> *De celle qui, pour un garçon,*

5. *Remarques critiques sur le Dictionnaire de Bayle*, article « Pellisson ». À Paris, chez Hippolyte-Louis Guérin, et à Dijon, chez Mlle Hermil-Andréa, 1748.

Embrassait souvent une femme,
Et qui, mourant de trop aimer,
Ne trouva qu'au fond de la mer
Un remède à sa chaude flamme [6].

Ainsi réapparaît Sappho au XVIIe siècle, portée par la légende qu'Ovide inventa dans sa XVe Héroïde et qui s'impose alors avec d'autant plus de force qu'elle gomme tous les aspects gênants de sa sexualité. En fait, le contenu de cette lettre de « Sapho à Phaon » était connu depuis longtemps, puisque les premières traductions remontent à 1503. Mais l'enthousiasme avec lequel elle est accueillie, traduite, commentée, pastichée et inlassablement répétée de livres en livres, fournissant même la base biographique des différentes *Vies de Sapho* qui accompagneront chaque édition de ses poèmes, montre qu'elle remplit une fonction nouvelle au XVIIe siècle : dévaloriser la femme de génie et, à travers elle, les Précieuses.

C'est dans cette XVe lettre de « Sappho à Phaon » – la seule à faire parler un personnage historique, les vingt autres lettres se référant à des personnages mythiques – qu'Ovide construit un mythe qui subsistera intégralement jusqu'à la fin du XIXe siècle. Que raconte-t-il exactement ? Après une jeunesse dissolue, la divine poétesse tombe amoureuse du beau berger Phaon. Comme elle n'est plus très jeune, le berger la dédaigne. Désespérée, elle décide alors de se suicider en se jetant dans la mer du haut du rocher de Leucade parce que, écrit Ovide [7] : « Attis n'est plus, comme naguère, plaisante à mes yeux, ni cent autres, que je n'ai pas aimées sans crime. Méchant ! Ce qui fut à tant de femmes, seul tu le possèdes. » Avouons que ces mots sont du petit lait pour les misogynes !

Si la légende prend avec une telle facilité à l'époque du classicisme français, c'est parce qu'elle fait rentrer une femme jugée scandaleuse dans le giron patriarcal. Le mot *crimen*, par exemple,

6. Poème attribué à Sigogne (1560-1611), dans : Louis Perceau, *Le Cabinet secret du Parnasse. Recueil de poésies libres rares ou peu connues pour servir de supplément aux œuvres dites complètes des poètes français*, Paris, Le Cabinet du Livre, 1930, p. 60-61.

7. Ovide, *Héroïdes*, XV, Paris, Les Belles Lettres, 1965.

n'existe pas dans la langue de Sappho, mais dans celle d'Ovide, qui reconstruit un ordre moral augustéen menacé par une certaine émancipation des Romaines. Le lesbianisme est un crime et le suicide de Sappho, un acte de contrition. Ovide développe plus loin cette idée avec le mot *infamen* :

> Lesbides infamen que me fecistis amate
> Desinite ad citharas turba venire meas...

Soit :

> « Lesbiennes, de qui l'amour a fait mon déshonneur, troupe de mes compagnes, cessez d'accourir à mes chants. Phaon a tout emporté de ce qui naguère vous charmait. Malheureuse ! J'étais tout près de dire il est à moi. Faites qu'il revienne ; avec lui reviendra votre poétesse. C'est lui qui donne des forces à mon génie, lui qui les enlève [8]. »

Infamen, que nous avons déjà rencontré chez saint Paul, est également caractéristique de la culture latine du Ier siècle de notre ère. Ovide en est l'inventeur, lui le plus voluptueux des poètes, le « Prince de la Poésie », l'auteur de *L'Art d'aimer*, où il demandait en passant : « Connaissez-vous également Sappho (est-il rien de plus voluptueux que ses vers) ? » Son bannissement de Rome en l'an 9 pour avoir écrit cet ouvrage, pense-t-on, n'excuse pas le fait qu'il ait tenté de rentrer en grâce auprès d'Auguste en rédigeant les *Héroïdes*, qui font de lui l'un des tout premiers poètes à porter un jugement moral sur les amours de Sappho. Et Ovide a beau se plaindre de son sort à la fin de sa vie en justifiant ses poèmes d'amour par ceux de Sappho, il n'en reste pas moins un courtisan : « Enfin, je ne suis pas seul à avoir chanté les tendres amours ; mais seul j'ai été puni de les avoir chantées [...]. Qu'a enseigné Sappho de Lesbos sinon l'amour aux jeunes femmes ! pourtant Sappho ne fut pas inquiétée, pas plus qu'Anacréon [9]... » Effectivement, Sappho

8. *Ibid.*, vers 320.
9. Ovide, *Tristes*, Livre II, 365, texte établi et traduit par Jacques André, Paris, Les Belles Lettres, 1968.

ne fut pas inquiétée par ses contemporains, peut-être parce qu'ils étaient moins préoccupés de moralité que de la recherche de la paix entre les dieux et la cité que le culte poliade de Sappho et ses amies à Aphrodite assurait.

Mais ce qui a provoqué l'adhésion des classiques au texte ovidien se trouve essentiellement dans les derniers vers, où Sappho opte pour l'acte héroïque en affirmant qu'elle n'a pas d'autre issue à son abandon que de chercher « son destin dans les ondes de Leucade ». Or Ovide ne précise pas si elle a réellement fait le saut mortel. Chacun l'imagine pourtant, et c'est ainsi que la légende de la femme (de génie) séduite, abandonnée et aliénée à Phaon/phallus s'impose en France pour trois siècles.

Cependant, sa biographie est trop mal connue pour faire l'unanimité ; aussi va-t-elle être manipulée dans tous les sens, faisant ainsi apparaître les insuffisances et les interdits sociaux. Réécriture dévalorisante pour ceux qui ne peuvent attaquer la qualité de sa poésie et trouvent dans la fin « indigne » de son amour pour les femmes le moyen de discréditer son génie. Réécriture militante pour ceux qui vont s'appuyer sur son statut de poète de l'Antiquité et par là de modèle à imiter pour révéler la vérité sur ses mœurs. Car si ses vers constituent pour les Classiques une forme poétique idéale, peut-on croire encore à la légende d'Ovide et ignorer le rôle joué par son amour pour les femmes dans son activité créatrice ? Ce sera donc par le biais de la querelle des Anciens et des Modernes que la question de l'amour charnel entre femmes réapparaîtra sur la scène littéraire française dans la deuxième moitié du XVIIe siècle.

Réécriture structurante enfin pour les Précieuses, en particulier pour Madeleine de Scudéry, qui construit à partir du personnage de la première femme écrivain un modèle identitaire si efficace que le terme de « femme savante » sera bientôt remplacé par « Sapho ». Madeleine de Scudéry devient ainsi la « Sapho » de l'Hôtel de Rambouillet avant que le terme ne s'applique à toute femme écrivain réputée pour son intelligence. Au XVIIIe siècle, Julie de Lespinasse représentera aux yeux de Marmontel la femme « à la tête la plus vive, à l'âme la plus ardente, à l'imagination la plus inflammable qui ait existé depuis Sapho [10] ». Citons aussi Mme du Boccage, surnommée par Voltaire « la Sapho de Normandie [11] », sans oublier Constance Pipelet, Mme de Staël et tant d'autres femmes de lettres qui portèrent avec fierté ce qualificatif.

Héroïne des deux derniers tomes de son grand roman *Artamène ou Le Grand Cyrus* (dix volumes parus entre 1649 et 1653), Sappho incarne chez Madeleine de Scudéry les idéaux des Précieuses. Certes, elle est délestée de son lyrisme amoureux subversif – mais qui la rend si humaine –, permettant à Madeleine de Scudéry de s'y identifier sans risquer sa réputation de célibataire. Mais ce qu'elle désamorce d'un côté, elle le réamorce de l'autre en inventant une autre fin au mythe ovidien qui permet d'envisager une issue différente à l'alternative posée par Ovide : le patriarcat ou la mort.

Au lieu de mettre en scène le suicide, Madeleine de Scudéry s'en détourne complètement et préfère envoyer Sappho loin de la ville, au « Pays des Sauromates », territoire des Amazones d'après Hérodote d'Halicarnasse [12], dans ce « coin du monde ou l'on [peut] dire que les femmes sont maîtresses d'elles-mêmes [13] ». Ce qui est perdu du côté de l'amour, du plaisir du corps, se retrouve du côté de l'individualité féminine et des valeurs d'affirmation de soi personnifiées par les Amazones. Paru durant la Fronde et dédié à la Duchesse de Longueville, *Artamène ou le Grand Cyrus* est symptomatique de la perte de pouvoir politique infligé aux femmes par la monarchie. Sa fin marque pourtant l'espoir de la conquête possible d'un territoire propre, forteresse de l'âme, terre de liberté où le

10. Cité par Édith Mora, *op. cit.*, p. 173.

11. Voir Josiane Moutet, *op. cit.*, p. 253. Mme du Boccage naquit à Rouen en 1710 et mourut à l'âge de quatre-vingt-douze ans. Sa tragédie *Les Amazones* (1749) fut jouée par les comédiens du Roi et lui valut d'être la première et seule femme admise à l'académie de Rouen.

12. « Depuis lors, les femmes des Sauromates mènent le genre de vie de leurs antiques aïeules : elles vont à la chasse à cheval [...] elles vont à la guerre. » Hérodote, *Histoire*, Livre IV, traduction de P. E. Legrand, cité dans « Les Amazones », *Athéna*, n° 51/52, Toulouse, Athéna Éditions, octobre 1992.

13. Je remercie Danielle Haase-Dubose de m'avoir fait part de ses travaux : *Ravie et enlevée. La culture des enlèvements de femmes au XVIIe siècle* (à paraître). Dans la vingtième harangue de ses *Femmes illustres* intitulée « Sapho à Érinne », Madeleine de Scudéry (1608-1701) convie ces dernières à une saine émulation.

génie féminin, sous la double protection des Amazones et de l'amour de soi reconquis, se retire.

Mais de sexualité, qui ose en parler à l'âge classique autrement que sur le mode des « tendres amitiés » ou de la rubrique scandaleuse ? En fait, c'est tout le siècle qui se détourne de la sexualité en développant une conception de l'amour fondée sur l'admiration. Quel que soit son sexe, on sort grandi du rapport que l'on entretient avec ce que l'on admire. Cette conception de l'amour peut ainsi s'appliquer aussi bien à l'amour hors mariage qu'à l'amour entre femmes : les exemples de femmes ayant vécu ensemble dans un rapport de tendre amitié, au vu et au su de tout le monde, abondent au XVIIe siècle sans choquer personne. La question du rapport physique dépend du tempérament de chacun, pense-t-on, et dans ce domaine la tolérance est de rigueur. Tallement des Réaux peut donc parler des couples de femmes qu'il a connus sans avoir l'impression de trahir un secret. Ainsi, dans ses *Historiettes*, il raconte comment la Marquise de Sablé « fit une amitié estroitte avec Mme du Vigean, qui alors logeait à l'hostel de Sully que son mari lui avait acheté de Gallet qui le fit bastir. Mme de Pisieux demeurait bien loin de là ; après avoir esté tout le jour ensemble, elles sescrivoient le soir ; et Mme de Pisieux obligeoit l'autre à ne voir personne l'après-soupée, en son quartier, et cela par jalousie. Enfin Mme d'Aiguillon l'emporta sur elle [14] ».

Mme d'Aiguillon n'était autre que la nièce de Richelieu... Mais cela n'empêcha pas Tallement des Réaux de rapporter les bruits courant sur son compte. « On a fait bien des médisances d'elle et de Mme du Vigean, écrit-il ; on a dit que quelquefois elles se levoient avec les yeux battus jusqu'à la moitié des joues ; elles s'escrivoient les lettres les plus amoureuses du monde. Mme du Vigean se jeta à corps perdu entre les bras de Mme d'Aiguillon ; c'eust esté une tigresse si elle l'eust rejetée. Elle a esté son intendante, sa secrétaire, sa garde malade, et a quitté son ménage pour

14. Tallement des Réaux, *Historiettes*, tome I, édition établie et annotée par Antoine Adam, Paris, Gallimard, Bibliothèque de la Pléiade, 1960, p. 202.

se donner entièrement à elle [15]. » Ces faits étaient si répandus que la *Milliade* surnomme Mme d'Aiguillon :

L'Hermaphrodite volontaire
L'amante et l'amant de Vigean [16]

À la fin du siècle, cependant, la « tendre amitié » se mue facilement en passion violente. Mlle de Maupin défraye ainsi la chronique par sa démesure. Cantatrice remarquable, après ses débuts à l'opéra de Marseille, elle tombe amoureuse d'une jeune fille que ses parents éloignent rapidement de la tentation en l'enfermant dans un couvent près d'Avignon. N'écoutant que son amour, Mlle de Maupin y entre comme novice, profite de la mort d'une religieuse pour transporter son cadavre dans la chambre de son amante, met le feu au couvent et s'enfuit avec elle. Condamnée au feu par contumace, elle monte à Paris habillée en homme, chante devant Louis XIV, part à Bruxelles, tombe amoureuse de la Comtesse d'Arcos, et meurt en 1707, à l'âge de trente-quatre ans [17].

Mais dans la période austère du règne de Louis XIV, la passion peut se révéler gênante pour l'ordre des familles. C'est ainsi que Mme de Murat, parente du Maréchal de Boufflers, est surveillée par René d'Argenson, le redoutable lieutenant de police du roi, pour ses « désordres » avec Mme de Nantiat. Dans son rapport, d'Argenson écrit au roi, en date du 24 février 1700 : « Les crimes qu'on impute à Mme de Murat ne sont pas d'une qualité à pouvoir estre aisément prouvés par la voie des informations puisqu'il s'agit d'impiétés domestiques et d'un attachement monstrueux pour des personnes de son sexe. Cependant, je voudrais bien savoir ce qu'elle répondrait aux faits suivants :

15. *Ibid.*, p. 309 et 410.
16. Cité par A. Adam, *in* Tallement des Réaux, *op. cit.*
17. Voir G. Letainturier-Fradin, *La Maupin, sa vie, ses duels, ses aventures*, Paris, 1904, et A. Houssaye, *Mlle de Maupin*, Paris, 1860. « Mlle d'Aubigny dite La Maupin (1673-1707) possédait une belle voix de contralto. Après des débuts à l'opéra de Marseille, elle interpréta à Paris le répertoire de Pierre Gautier. En 1702, le roi et Mme de Maintenon entendirent *Omphale* où chantait " La Maupin qui est la plus belle voix du monde ". » Marcelle Benoît, *Versailles et les musiciens du roi. 1661-1733*, Paris, Éd. A. et J. Picard, 1971, p. 258.

« Un portrait percé de plusieurs coups de couteaux, par la jalousie d'une femme qu'elle aimait et qu'elle a quittée depuis quelques mois pour s'attacher à Mme de Nantiat, une femme du dernier dérèglement, moins connue par les amendes prononcées contre elle à cause du jeu, que par le désordre de ses mœurs.

« Cette femme, logée chez elle, est l'objet de ses adorations continuelles, en présence même de valets et de quelques prêteurs sur gage.

« Les juremans exécrables proférés au jeu et les discours infâmes tenus à table, dont M. le Comte de Roussillon, maintenant brouillé avec Mme de Murat, a été témoin.

« Des chansons dissolues chantées pendant la nuit et à toutes heures. L'insolence de pisser par la fenêtre après une longue débauche.

« Sa conversation audacieuse avec M. le curé de Saint-Cosme aussi éloignée de la pudeur que de la religion.

« [...] elle est exactement instruite de tous les ordres que vous me faites l'honneur de me donner, en sorte qu'elle est toujours précautionnée contre leur exécution, avant que je ne puisse faire aucun pas pour y parvenir [18]. »

Si le lieutenant de police de Louis XIV a conscience de pénétrer dans le domaine du droit privé, il n'hésite pas à noircir le tableau : il sait que Mme de Murat doit être punie ; même privilégiée, elle ne doit pas dépasser certaines limites. Ne trouvant pas de « communauté [religieuse] assez hardie pour la recevoir », d'Argenson la fit malgré tout exiler au château de Loches.

« À une femme il faut un mari ou une clôture », dit un dicton. Sous l'Ancien Régime, la condition des femmes n'échappe guère à cette alternative. Mais si le refus du mariage s'exprime surtout par la voix des Précieuses, il peut aussi trouver refuge dans un couvent.

18. *Rapports inédits du lieutenant de police René d'Argenson (1697-1715)*, publiés d'après les manuscrits conservés à la Bibliothèque nationale par Paul Cottin, Paris, 1891, p. 10-13. René d'Argenson (1652-1721) était très redouté et exécuta plus d'une basse besogne. C'est lui qui mena les interrogatoires de Mme Guyon lors de l'emprisonnement de celle-ci à la Bastille en 1699. Il n'hésita pas à la questionner huit heures d'affilée malgré les multiples interrogatoires qu'elle avait déjà subis. Voir Mme Guyon, *Récits de captivité*, texte établi, présenté et annoté par Marie-Louise Gondal, Paris, Jérôme Millon, 1992, p. 134.

C'est le choix que fit de Mlle de Chartres, au début du XVIIIe siècle, malgré sa qualité de deuxième fille du Régent. Évidemment, cela parut suspect : les couvents avaient beau être de hauts lieux de la vie intellectuelle féminine depuis le Moyen Âge, il était difficile de croire qu'une princesse de sang s'y enfermât pour cette seule raison. Soulavie explique ainsi son acte : « [...] et cependant la raison particulière qui la détermina à se retirer au couvent et qui engagea Mme la duchesse d'Orléans à faire le sacrifice de sa deuxième fille, ce fut l'amour effréné et connu qu'elle avait pour son sexe. Elle s'était bien assurée, en faisant profession, qu'elle serait abbesse et qu'elle serait à la tête d'une maison dans laquelle tous les secrets seraient ensevelis [19]. »

La Princesse Palatine, sa grand-mère, pense aussi qu'elle ne devait pas avoir la vocation, « car elle a tous les goûts d'un garçon. Elle ne craint rien au monde et ne se soucie nullement de ce qu'aiment les femmes. Elle ne se préoccupe pas du tout de sa figure... [20] ». La clôture s'était considérablement relâchée au début du XVIIIe siècle et Mlle de Chartres devait s'y sentir plus libre qu'à la cour. Saint-Simon la décrit comme « tantôt austère à l'excès, tantôt n'ayant de religieuse que l'habit, musicienne, chirurgienne, théologienne, et tout cela de saut et par bonds, mais avec beaucoup d'esprit ; toujours fatiguée et dégoûtée de ses diverses situations et incapable d'en prendre une... [21] ». Elle aurait, dit-on, servi de modèle à Diderot pour son portrait de l'abbesse d'Arpajon, dans *La Religieuse*. Toujours est-il que cette « princesse théologienne » qui « amalgamait tous les dogmes et tous les plaisirs [22] » trouva dans

19. *Pièces inédites sur les règnes de Louis XIV, Louis XV et Louis XVI*, tome II : *La chronique scandaleuse de la cour de Philippe duc d'Orléans par L.F.A. duc de Richelieu*, Paris, 1809, p. 47. Richelieu, « le héros de la galanterie », selon l'expression de son aide de camp Charles Carloman de Rulhière, fut enfermé plusieurs fois à la Bastille. Cette « chronique scandaleuse » fut en réalité rassemblée par J.-L. Giraud ou Soulavie, qui eut accès aux archives des émigrés pendant la Révolution.

20. Charlotte de Bavière (1652-1722), *Correspondance de Madame, duchesse d'Orléans, née princesse Palatine, mère du Régent*, traduction M.G. Brunet, 1857, tome I, p. 263.

21. Saint-Simon, éd. des Grands Écrivains, tome XXXVI, p. 200.

22. *Mémoires du Comte de Maurepas*. Anecdotes sur Mme d'Orléans, abbesse de Chelles jusqu'en 1732, Paris, 1792, tome I, p. 145.

le couvent l'espace où vivre son amour des femmes tout en menant une vie intellectuelle épanouie.

Quant à Christine de Suède, sa qualité de reine lui permit autant de vivre son amour pour les femmes que son goût pour l'étude et l'alchimie. Ce qui ne pouvait que choquer la Princesse Palatine, déjà accablée en Philippe d'Orléans d'un époux « débauché ». Aussi ne ménagea-t-elle pas ses commentaires désobligeants. « Elle était très vindicative et livrée à toutes sortes de débauches, même avec les femmes », écrit-elle le 10 novembre 1716 en affirmant rapporter les propos de feu le roi. « Elle a forcé Mme de Brigy à des turpitudes, et celle-ci n'a pu se défendre. » « On a regardé cette reine comme une hermaphrodite », écrit-elle à un autre correspondant, ajoutant plus loin ce trait fielleux : « Cette reine ne pouvait plaire aux femmes car elle les méprisait toutes en général [23]. » Projection ou réalité ? Certainement de la part de la Princesse Palatine une haine des femmes qui « ont tous les goûts d'un garçon » sur laquelle se superposa le malaise d'une Palatinienne obligée de vivre dans un pays licencieux, Christine de Suède étant comme il se doit « redevable de ses vices à des Français ».

Cela dit, la fin du XVIIe paraît s'ouvrir à des mœurs plus libres, si l'on en croit le vertueux abbé de Saint-Réal qui n'a pas de mots pour s'indigner de la licence de son temps : « Qui leur aurait dit [à nos pères] que ces mêmes femmes lassées des plaisirs ordinaires que la corruption et la licence du siècle leur a laissé prendre sans borne et sans ménagement, en sont venues jusqu'à les trouver insipides, et à chercher à réveiller leurs sens émoussés par l'extravagance et horrible imitation de ce qu'on a écrit de quelques anciennes Grecques : qui leur aurait dit que bien loin de cacher au public ces effroyables sujets de leur honte, elles prendraient plaisir à les mettre au jour : qui, dis-je, leur aurait dit telles et semblables choses, leur aurait dit vrai et n'en aurait pas été cru [24]. »

Ce n'est évidemment que par l'intermédiaire de Sappho que le débat sur le plaisir charnel pouvait resurgir, expliquant mieux les

23. *Correspondance de Madame, duchesse d'Orléans, op. cit.*

24. Abbé de Saint-Réal, *Traités de philosophie, de morale et de politique*, dans *Œuvres*, La Haye, 1722, tome V, p. 49. Ouvrage posthume rédigé en 1693.

anathèmes portés par cette femme remarquable, intelligente et cultivée qu'était la Princesse Palatine, contre des mœurs qui se déployaient sous ses yeux parallèlement à la réhabilitation de la poétesse que les érudits entreprenaient depuis un demi-siècle.

Dès le début du règne de Louis XIV, en effet, ceux-ci s'attaquent au mythe d'Ovide sur fond de querelle entre Anciens et Modernes. En 1660, l'helléniste Tannegui Le Fèvre relance l'édition de Sappho en passant complètement sous silence Ovide. Il publie les deux odes avec leur traduction latine et une note en latin dans laquelle il suggère qu'on a peut-être qualifié à raison Sappho de tribade (écrit en grec), mais que son ode « À une aimée » est si admirable qu'elle mérite le pardon. Quatre ans plus tard, c'est avec une plus grande indulgence encore qu'il aborde la question de ses mœurs dans l'*Abrégé des vies des poètes grecs*, rédigé à l'intention du jeune Comte de Limoges. Justifiant une « certaine ode de seize vers adressée à une fille dont elle était amoureuse », il dit : « C'est, Monsieur, que Sappho fut d'une complexion fort amoureuse ; et n'étant pas satisfaite de ce que les autres femmes rencontrent dans la compagnie des hommes qui ne leur sont pas désagréables, elle voulut avoir des maîtresses aussi bien que des serviteurs [25]. »

Sa fille, Anne Le Fèvre, future Mme Dacier, se montrera plus prude, comme nous le verrons, bien qu'elle fût la première à mettre la poésie de Sappho à la portée du grand public en publiant une traduction en prose française de ses deux odes et deux fragments.

C'est Louis Moreri qui donne le véritable assaut au mythe dans l'article « Sapho » de son *Grand Dictionnaire historique ou mélange curieux de l'histoire sacrée et profane*, publié en 1674 et par la suite de nombreuses fois réédité. Citant presque textuellement certains passages de T. Le Fèvre, il écrit : « Sapho, qu'on surnomma la dixième muse, était native de Lesbos et vivait en même temps [...] qu'Alcée [...] en 600 av. J.-C. Elle composa diverses pièces en vers qui furent admirées de toute l'Antiquité et dont nous n'avons plus

25. Cité par Joan Dejan, *op. cit.*, p. 55.

rien qu'un Hymne qu'elle avait fait à Vénus et une Ode de seize vers adressée à une fille qu'elle aimait. L'heureux destin des belles-lettres a permis que Denis d'Halicarnasse et le rhéteur Longin nous aient conservé ces deux ouvrages qui nous font juger de la délicatesse des pièces de Sapho.

« [...] Il y en a encore qui se persuadent que Sapho se précipita dans la mer rebutée du mépris de Phaon qu'elle aimait et d'autres qui mettent une seconde fille de ce nom d'Érithée qui faisait des vers [26]. »

Sous le début du règne de Louis XIV, un intense intérêt se déploie autour de la poétesse. La même année, Boileau publie sa traduction du *Traité de Longin* contenant l'ode « À une aimée » qui décrit si bien « les fureurs de l'amour ». Racine s'inspire également de cette ode lorsqu'il fait dire à Phèdre :

Je le vis, je rougis, je pâlis à sa vue
Un trouble s'éleva dans mon âme éperdue...

Le Baron de Longuepierre, l'un des premiers à avoir repéré la dette de Racine à l'égard de Sappho, prend la défense de l'amante en 1684 dans sa *Vie de Sapho au-devant de la traduction en vers français des Poésies de Sapho*, où il écrit : « Quoique jeune, Sapho renonça au mariage, mais non au plaisir d'aimer. Elle avait l'âme trop passionnée pour s'en pouvoir passer ; ce qu'on peut aisément juger par la tendresse qui est répandue dans ses poésies [...]. Aussi se sentant trop faible pour vaincre un penchant aussi violent que celui-là, elle s'y abandonna tout entière, et aima de toutes les manières dont on peut aimer, allant même fort au-delà des bornes que la modestie et la pudeur prescrivent naturellement à son sexe. En vain prétendrait-on la justifier là-dessus : on ne le peut qu'aux dépens de la vérité ; et ni son aversion pour l'amour honteux de Charaxus, ni tous les honneurs qu'elle a reçus des Lesbiens, ne peuvent laver d'une tache que tous ceux qui ont parlé d'elle n'ont

26. Louis Moreri, *Grand Dictionnaire historique...*, édition de 1681.

pu déguiser, malgré les éloges qu'ils lui ont donné, et que ses ouvrages avouent encore bien plus clairement [27]. »

Mais tous les partisans du principe d'imitation des Anciens comme démarche de création littéraire ne souhaitent pas forcément lever le voile sur ses mœurs. Dans sa *Vie de Sapho*, Anne Le Fèvre écrit : « [...] presque tous ses ouvrages étaient faits à la louange de ses amies ; mais une chose me surprend, c'est que ses amies aient été presque toutes étangères ; et qu'elle n'ait pu se faire aimer des dames de son pays. Elle fit quelques ouvrages pour se plaindre de cette injustice, et ce sont assurément ces plaintes qu'Horace dit avoir entendues dans ces Enfers [28]. » On voit que Mlle Le Fèvre ne craint pas d'afficher une certaine naïveté, ce qui ne l'empêche ni de raconter la fin du mythe d'Ovide comme s'il s'agissait d'une vérité historique, ni de prendre des libertés avec le texte grec en expliquant qu'elle ne s'en est éloignée « que dans les choses qui sont entièrement contre nos manières ». Ainsi, dans l'« Hymne à Vénus », elle traduit « elle » par : « Vous me demandâtes aussi ce que mon cœur souhaitait avec le plus de passion et quel *jeune homme* je désirais d'engager et de mettre dans mes filets [29]. »

Finalement, c'est encore le moderne Pierre Bayle qui montrera que ce qui se joue derrière la querelle des Anciens et des Modernes n'est pas tant les mœurs de Sappho que le principe d'autorité lui-même. Dans son très long article sur Sappho rédigé à la fin du siècle pour son *Dictionnaire historique et critique*, il écrit ainsi :

« Sapho : a été une des plus renommées femmes de toute l'Antiquité, par ses vers et par ses amours [...]. Tous ses vers roulaient sur l'amour et avaient des grâces si naturelles et si touchantes, qu'il ne faut pas s'étonner qu'on l'ait appelée la dixième muse. Strabon la considérait comme une merveille [...]. Il ne nous reste de tant de vers qu'elle fit que certains petits morceaux que les anciens scoliastes ont cités et qu'un *Hymne à Vénus* et une *Ode* à l'une de ses

27. Longuepierre, *Vies de Sapho au-devant de la traduction en vers français des Poésies de Sapho*, Paris, 1684.

28. *Poésies d'Anacréon et de Sapho, traduites du grec en françois avec des remarques par Mlle Le Fèvre*, à Paris, chez Denys Thierry et Claude Bardin, 1681, p. 405.

29. *Ibid.*, p. 410.

maîtresses (C) ; car il faut savoir que sa passion amoureuse s'étendait sur les personnes mêmes de son sexe (D), et c'est ce qui l'a le plus décriée. Suidas nous a conservé le nom de trois amies de Sapho, qui la perdirent de réputation et qui se diffamèrent elles-mêmes par l'étrange singularité que l'on imputait à leur commerce. Il nous a conservé aussi le nom de trois écolières de Sapho qu'elle ne manqua pas apparemment d'initier à ses mystères. Comme Lucien ne remarque pas que les femmes de l'île de Lesbos, qu'il dit avoir été fort sujettes à cette passion, l'eussent apprise de Sapho, il vaut mieux s'imaginer qu'elle la trouva tout établie dans son pays, que de l'en faire l'inventrice. Quoi qu'il en soit, Sapho a passé pour une insigne *Tribade* et quelques-uns pensent que c'est pour cela qu'on lui a donné le surnom d'*Hommesse* (E). Si elle avait eu pour but de se passer de l'autre moitié du genre humain, elle se trouva frustrée de son attente, car elle devint éperdument amoureuse de Phaon. [...] Quelques auteurs ont fait mention d'une autre Sapho.

« *Note* (D) : On ne saurait blâmer la charité de Mlle Le Febvre qui a tâché pour l'honneur de Sapho de rendre le fait incertain ; mais je la crois trop raisonnable pour se fâcher que nous en croyions nos propres yeux. L'*Ode* que Longin a rapportée n'est point du style d'une amie qui écrit à son amie : tout y sent l'amour de la concupiscence, sans cela Longin, cet habile connaisseur, ne l'eût pas donnée comme un modèle de l'art avec lequel les grands maîtres peignent les choses ; il ne l'eût pas, dis-je, donnée comme un exemple de cet art à la manière dont on ramasse dans cette *Ode* les symptômes de la fureur amoureuse ; et Plutarque n'aurait point allégué cette même *Ode*, afin de prouver que l'amour est une fureur divine qui cause des enthousiasmes plus violents que ne l'étaient ceux de la prêtresse de Delphes... [30]. »

Comme on le voit, c'est sur l'épineux problème de sa passion amoureuse que se révèlent les limites de la modernité masculine. Cet athée érudit, partisan du libre-arbitre, qui se veut affranchi du principe d'autorité des Anciens, se réfère à ce même principe quand

30. Pierre Bayle, *Dictionnaire historique et critique*, 3e édition, revue, corrigée et augmentée. À Rotterdam, 1720.

le pouvoir masculin est menacé par l'autorité littéraire d'une femme. « Si elle avait pour but de se passer de l'autre moitié du genre humain, elle se trouva frustrée de son attente ; car elle devint éperdument amoureuse de Phaon, et fit en vain tout ce qu'elle put pour s'en faire aimer. Le jeune homme la méprisa, et la contraignit par ses froideurs à se jeter du haut en bas d'une roche, pour mettre fin à sa flamme dévorante. Quelle dureté (G) ! » À la note (G), Bayle précise qu'elle était une « veuve sur le retour qui n'avait jamais été belle. [...] Si j'ai dit qu'elle n'avait jamais été belle, c'est parce que j'ai cru préférable à l'autorité de Platon qui l'a nommée la belle Sapho, l'autorité d'Ovide qui la fait parler ainsi... » ; et il cite un extrait de la XVe Héroïde.

L'autorité d'Ovide est ainsi nettement réaffirmée sur celle de Sappho par le Moderne Pierre Bayle qui se veut le défenseur d'une morale naturelle indépendante de la religion révélée. Mais les limites de sa tolérante compréhension des lesbiennes se révèlent encore plus lorsqu'il expose les trois opinions défendues par les « modernes » sur le sens de l'épithète *mascula* employée au sujet de Sappho par Horace : « Ce mot veut dire que Sapho avait été une tribade ; 2. qu'il désigne l'attachement qu'elle avait eu pour les sciences au lieu de manier le fuseau et la quenouille ; 3. qu'il signifie le courage qu'elle eut de faire le saut de Leucade. » Voilà pourquoi le mythe ovidien est si apprécié au XVIIe siècle.

Héroïque Sappho qui eut le courage de faire le saut au rocher de Leucade alors que tant d'amants délaissés n'y songent pas ! Quelle fin rassurante ! Finalement, ne vaut-il pas mieux voir Sappho morte mais héroïque que vivante et aimant les femmes ? Comme au XVIe siècle, le débat sur le principe d'autorité littéraire et politique se tranche en faveur de l'homme, au mépris de la vérité historique et de la plus élémentaire logique créatrice.

Subversive Sappho dont la « fureur d'amour » fait peur, même aux affranchis !

Qu'un Bayle imagine qu'elle veuille se passer de la moitié du genre humain parce qu'elle désire les femmes nous en dit long sur les frayeurs qui tapissent l'éden patriarcal ! L'hétérosexualité est-elle si menacée par l'amour de la femme pour la femme qu'il faille réaffirmer son omnipotence ? Qu'adviendrait-il à l'autre moitié du genre humain si les femmes refusaient de se laisser approprier par les hommes à travers l'institution du mariage et de la famille ? L'image de la suicidée héroïque mise en place sous le règne austère de Louis XIV n'a-t-elle pas pour but de désamorcer cette peur inspirée par la montée des femmes vers plus de conscience de leur individualité et de leur valeur propre ?

« Mourant de trop aimer », disait le poète... Cette image de Sapho sera transmise telle quelle au siècle suivant, puis oubliée jusqu'à la Révolution, car elle s'avérera si éloignée de la problématique des Lumières que *L'Encyclopédie* ne consacrera aucun article à la poétesse.

Avec le XVIIe siècle se termine une époque pour la tribade, celle des références littéraires qui enracinent les amours féminines dans la grande tradition païenne gréco-romaine. À partir du XVIIIe siècle, les sciences vont prendre le devant de la scène culturelle, ouvrant à la médecine des perspectives inconnues. Ce changement de dominante se repère particulièrement bien dans la lexicographie qui se développe au XVIIe siècle sous l'impulsion de la monarchie absolue, désireuse de mettre de l'ordre dans la langue. Le soin de rédiger un dictionnaire est confié à l'Académie française qui bénéficie d'un privilège d'édition sur tout le royaume, mais sa lenteur à réaliser le projet incite Richelet à publier le sien à Genève en 1680. C'est lui qui fait rentrer « tribade » pour la première fois dans un dictionnaire de langue, avec une définition trop influencée par la Renaissance pour durer, puisqu'il écrit, comme on l'a vu : « Tribade : mot qui vient du grec. C'est celle qui s'accouple avec une autre personne de son sexe et qui contrefait l'homme. Voyez Martial, ep. 91. " C'est une tribade ", Ablancourt Luc. »

Dix ans plus tard, Antoine Furetière donne une nouvelle définition du mot dans son *Dictionnaire universel* : « Tribade : femme impudique et amoureuse d'une autre de son sexe. Les Grecs ont fait d'amples mentions de ces tribades. Sapho était une tribade. » Trop libérale peut-être, cette définition ne prend pas non plus. Ce sera finalement la quatrième édition du *Dictionnaire de l'Académie*, parue dans la deuxième moitié du XVIIIe siècle, qui imposera la sienne pendant plus de deux cents ans en France, rompant définitivement avec le double héritage littéraire de la Renaissance et frondeur du XVIIe siècle : l'amour entre femmes n'y est plus référé à la tradition des Anciens, mais au discours médical et à sa pathologie.

Mais le siècle des Lumières aura son mot à dire dans ce processus, un mot va changer complètement les données politiques de l'affirmation des lesbiennes dans la société.

Deuxième partie

DES MYSTÈRES DE LA NATURE À CEUX DE LESBOS (XVIIIe SIÈCLE)

CHAPITRE 1

Lumières... sur la passion du semblable

Au XVIIIe siècle, un verrou religieux va sauter sous la double pression de la philosophie des Lumières et du libertinage. Chassée par l'âge classique, la sexualité revient en force reconquérir ses droits. Droit au plaisir pour les libertins, mais aussi pour les philosophes qui attaquent l'idéologie religieuse sur son point faible : sa morale sexuelle. « La nature ne souffre rien d'inutile, écrit Diderot. Tout ce qui est ne peut être ni contre nature, ni hors nature [1]. »

Ces affirmations révèlent à quel point la vision du monde de l'Homme du XVIIIe siècle est en train de changer. Ce ne sont plus les mystères de la religion qui l'intéressent, mais ceux de la nature et des êtres qui peuplent la terre. Que sait-on du corps humain, de la circulation du sang, des nerfs, du plaisir et de la douleur ? Sur quoi fonder une morale naturelle ? Les nouveaux principes du droit et de la loi naturelle ne sont-ils pas en train de miner ceux de la loi divine qui légitime la monarchie absolue de droit divin ? Le démon de l'expérimentation s'empare de toute une société « éclairée » qui remet en question les vérités établies, cherche une nouvelle façon de vivre, vérifie ce qu'on lui dit, explore, découvre de nouveaux horizons, rêve tout haut et pense que le salut ne vient plus de Dieu,

1. Diderot, « Suite de l'Entretien », in *Œuvres philosophiques*, Paris, Classiques Garnier, 1956, p. 375.

mais de l'Histoire, c'est-à-dire de la capacité de l'Homme à établir sur terre le bonheur commun.

Et cela peut aller loin. Car si reconquérir le plaisir, au XVIIIe siècle, c'est lutter contre la religion, c'est aussi reconnaître aux femmes le droit au plaisir, quel qu'il soit, même avec une femme.

Cette évidence va confronter le libertin à un mystère indicible... Si le plaisir entre femmes est un plaisir « sans homme », il échappe fatalement à son regard, à sa curiosité, à sa connaissance expérimentale. Alors, qu'y a-t-il quand il n'y a pas d'homme ? N'y a-t-il pas là une question excitante qui appelle logiquement sa réponse ? Là où il n'y a pas d'homme, au XVIIIe siècle, il y aurait... l'idéal libertin.

Car si le libertin trouve normal qu'une femme puisse en aimer une autre, c'est lui, malgré tout, qui écrit sur les tribades, soulève un coin du voile, imagine ce qu'il ne peut voir, philosophe sur le plaisir et définit la « nature de la femme ». Les femmes ont beau ouvrir des salons, voyager, étudier les sciences, chanter, aimer, monter sur la scène des théâtres, ne plus craindre le qu'en-dira-t-on, elles ne parlent pas de leur plaisir.

Se taisent-elles parce qu'elles n'ont pas d'espace propre pour s'exprimer ou parce que le discours sur le plaisir est un besoin spécifiquement masculin ? À lire les textes produits par le XVIIIe siècle éclairé, on a l'impression que le libertinage est un fait d'homme, et nous renseigne bien plus sur celui qui tient le discours, sur sa langue, sa vision du monde, ses structures mentales et sexuelles, que sur les relations amoureuses vécues par ses contemporaines.

Du bon usage de la langue et des femmes

Cela commence avec la définition du mot « tribade », qui change non seulement par rapport à l'âge classique, mais au sein des élites, selon qu'elles se trouvent du côté du pouvoir ou de sa contestation.

Pour les académiciens du XVIIIe siècle chargés par le roi de « légiférer en matière de langue » (Vaugelas), c'est-à-dire de rédiger un dictionnaire de langue française, la chose s'impose comme une véritable nouveauté, puisque le mot « tribade » fait son entrée dans la quatrième édition de leur dictionnaire, celle de 1762, avec la définition suivante : « Tribade : Femme qui abuse d'une autre femme. »

Selon ces mêmes académiciens, abuser signifie « user mal, user autrement qu'on ne doit [...]. On dit abuser d'une fille pour dire en jouir sans l'avoir épousée. " C'est une fille dont il a longtemps abusé. " » Comme pour dire que si la « fille » devient sa femme, « il » n'en abuse pas ou que jouir d'une fille est un droit d'usage conforme à la nature des choses, à condition qu'il soit sanctifié par la loi d'alliance. Or, comme nous savons qu'il ne saurait être question pour une femme d'en épouser une autre, on se demande ce qu'elle doit faire pour ne pas en abuser si ce n'est que de n'en point user du tout.

Le mot « abus » doit donc avoir une autre signification, s'inscrire dans un autre système de références, suffisamment « établi » pour faire autorité sur l'ancien en contraignant les académiciens à sortir de leur vertueux silence.

Est-il une émanation du savoir de l'âge classique dont on sait qu'il fut préoccupé d'ordonner les mots et les choses à la norme du Bon Usage ? Les sciences, les techniques, les arts, la littérature, la vie de société, tout devait se soumettre à la règle du Bon Usage, à commencer par la langue qui devint l'enjeu et le ferment de bouleversements très importants. D'abord avec les grands auteurs de la littérature qui donnèrent à la langue française ses lettres de noblesse, en imposant le français comme langue des élites savantes. Ainsi, on peut lire dans la préface du *Dictionnaire* de Trévoux (1732) ce désaveu formel des auteurs du passé parce qu'ils parlent latin en français : « La connaissance des langues savantes ou étrangères est encore un écueil pour plusieurs, qui confondant ces idées différentes transportent souvent dans leur langue naturelle des tours et des manières de s'exprimer, qui ne sont propres que des langues qu'ils ont apprises, et parlent souvent latin, ou italien en françois. D'autres, à force de s'être rendu familières certaines façons de parler, se sont imaginé qu'elles étaient en usage, parce qu'ils s'y sont habitués, et qu'ils s'en sont fait un usage eux-mêmes [2]. »

La langue de Martial souffrirait-elle du même désaveu, devenant impropre à signifier dans la « langue naturelle » l'idée qu'on doit se faire des tribades ? Mais si certaines façons de bien parler impliquent certaines façons de bien penser, pourquoi, en « matière de langue » comme en matière de relations « abusives » entre femmes, les académiciens se réfèrent-ils à la même notion d'usage ?

Pour pouvoir y répondre, il est nécessaire de comprendre au préalable « ce que c'est que cet usage dont on parle tant » au XVIIe siècle, et dont le grammairien Vaugelas donne une définition qui fera autorité : « Il y a sans doute un bon et un mauvais usage – le mauvais se forme du plus grand nombre de personnes (c'est le langage des nourrices et des domestiques) qui presque en toutes choses n'est pas le meilleur, et le bon, au contraire, est composé, non pas de la pluralité mais de l'élite des voix, et c'est véritablement celui que l'on nomme le Maître des langues [...]. Voici donc comment on définit le Bon Usage. C'est la façon de parler de la plus saine partie de la cour, conformément à la façon d'écrire de la plus saine partie des auteurs du temps [...] [3]. »

On ne pouvait pas mieux décrire le processus d'une prise de pouvoir linguistique d'une « élite de voix » sur « le plus grand nombre ». Mais le plus intéressant est la manière dont Vaugelas confère à la notion abstraite d'usage le poids concret de l'autorité en disant : « L'Usage que tout le monde appelle le Roi, le Tyran, l'Arbitre, ou le Maître des langues » – comme si l'usage avait pouvoir absolu de soumettre la langue à sa loi. Sous la Révolution, on retrouve la même occultation du sujet de la loi dans le discours d'Amar destiné à exclure les femmes de la jouissance de leurs droits politiques : « Chaque sexe est appelé à un genre d'occupation qui lui est propre ; son action est circonscrite dans ce cercle qu'il ne peut franchir, car

2. Cité par B. Quemada, *Les Dictionnaires du français moderne (1538-1863)*, Paris, Didier, 1968, p. 214.

3. Vaugelas, *Remarques sur la langue française utiles à ceux qui veulent bien parler et bien écrire*, à Paris, chez V. J. Camusat et P. Le Petit, 1647.

la nature, qui a posé des limites à l'homme, commande impérieusement et ne reçoit aucune loi [4]. »

Le principe fait donc la loi aux mots, aux choses, à « la multitude » et aux femmes.

Voilà comment une certaine élite masculine se rend maîtresse de la langue et des femmes en accaparant les fonctions de codification des règles, du bon usage et de la pureté linguistique. Qu'elle se recrute dans « la plus saine partie de la cour et des auteurs » chez Vaugelas, parmi les « honnêtes gens » chez les académiciens de 1694, au sein de « la bonne compagnie » chez les encyclopédistes ou auprès du « public » chez les académiciens de 1762, elle assume d'un siècle à l'autre le même rôle : légiférer en matière de langue, de culture et d'usage des femmes.

N'est-il pas frappant de constater que lexicographes et grammairiens se réfèrent au même vocabulaire – tel que « dénaturer » ou « abuser » – pour parler du mauvais usage de la langue et des relations entre femmes ? Ainsi l'article « Dictionnaire » de *L'Encyclopédie* explique : « Une langue se dénature de deux manières, par l'impropriété des mots et par celle des tours ; on remédiera au premier de ces deux défauts, non seulement en marquant avec soin, comme nous avons dit, la signification générale, particulière, figurée et métaphorique des mots ; mais encore en proscrivant expressément les significations impropres ou étrangères qu'un abus négligé peut introduire, les applications ridicules et tout à fait éloignées de l'analogie, surtout lorsque ces significations et applications commenceront à s'autoriser par l'exemple et l'usage de ce qu'on appelle la " bonne compagnie ". »

Si j'insiste sur cette question, c'est qu'il existe une corrélation troublante entre d'une part la maîtrise du français moderne, élaborée au siècle classique et consolidée au XVIIIe par l'Académie française, dont le *Dictionnaire* sera promu « Grand Maître de la langue », et d'autre part la mise en place d'un nouveau discours sur les tribades placées, dans ce type de représentation, dans la même position de soumis-

4. Cité par Paule-Marie Duhet, *Les Femmes et la Révolution (1789-1794)*, Julliard, 1971, p. 154.

sion à l'Usage que la langue dite naturelle. Il surgit alors un nouveau couple Tyran/Usage, Langue/Nature, c'est-à-dire le couple Père/Mère qui instaure au niveau de la langue elle-même la prise de pouvoir de ce que certains ont appelé « la loi du Père ».

Alors qu'une révolution se prépare dans l'ombre des manufactures et de la philosophie, des voix de plus en plus nombreuses s'élèvent pour louer la fonction conservatrice de la langue, telle celle du préfacier du *Dictionnaire* de Trévoux (1771) qui s'écrie, dans un bel élan d'enthousiasme : « Une langue consacrée par le génie et cultivée avec tant de soin, qu'elle a mérité au siècle dernier l'attention du gouvernement puisqu'il a confié le dépôt à une compagnie destinée spécialement à la maintenir dans sa pureté, une langue encore très méthodique, et fondée sur des principes qui n'y laissent presque plus rien d'arbitraire, avait besoin d'être consignée dans ces archives du langage qu'on nomme Dictionnaires. Il faut sans doute déférer, parmi les Dictionnaires françois, le premier rang à celui de l'Académie françoise. Il y règne partout une sagesse et une économie dignes des Grands Maîtres qui y ont travaillé. »

Or c'est précisément à cette époque que le *Dictionnaire de l'Académie* initie et inspire une définition de « tribade » qui prévaudra pendant deux siècles. Unique au XVIIIe siècle, cette définition va s'imposer auprès de presque tous les dictionnaires, et ce jusqu'au début du XXe siècle.

Quand on sait qu'aucune législation spécifique n'a vraiment réprimé l'amour entre femmes, on ne peut manquer de se poser des questions sur le rôle assumé par le dictionnaire dans le phénomène de codification, c'est-à-dire d'occultation massive des amours féminines. Rappelons-nous comment un Rivarol, la Révolution à peine attiédie, déplore la suppression de l'Académie par les révolutionnaires : « En perdant l'Académie, nous avons perdu un grand tribunal : les lois ont leurs perplexités, quand on en vient à l'application, et l'autorité qui termine les disputes est un grand bien ; car en tout il faut de la fixité [...]. Les dictionnaires étant des archives ne doivent contenir que des titres [5]. »

5. A. C. de Rivarol, « Prospectus du nouveau dictionnaire », en tête du *Discours préliminaire de la langue française*, Paris, 1794, cité par B. Quemada.

Quelques années plus tard, un autre lexicographe lui fait écho : « Tant que l'Académie françoise a existé, j'avais cru ne pouvoir pousser trop loin cette exactitude : considérant avec raison le Dictionnaire sorti de ses mains, comme le code législatif de notre langue, et le dépôt conservateur de sa richesse et de sa pureté [6]... »

On se demande, après tout, si le dictionnaire n'est pas le seul code légiférant les relations amoureuses entre les femmes, en particulier lorsque les académiciens ajouteront dans la cinquième édition de leur dictionnaire, dirigée par d'Alembert et parue juste après la Révolution, cette phrase révélatrice : « On évite d'employer ce mot. » Au lieu de s'affirmer clairement dans un vrai code législatif civil ou religieux comme c'est le cas pour les hommes, l'interdit s'épanouit subtilement dans la grammaire, le système des règles du bien parler et du bien penser. N'est-ce pas le meilleur moyen d'interdire toute parole qui excède la loi, de contraindre les femmes au silence, de les maintenir étrangères à la culture, dans cette nature, matière première des règles sociales et linguistiques ? Comment parler de l'expérience de l'amour avec un code qui le juge, le condamne à l'avance pour finalement l'effacer ?

Nous n'en avons pas fini avec notre enquête ; car si nous pouvons comprendre la fonction du code linguistique dans la maîtrise des tribades, nous n'avons pas encore analysé la signification du mot « abuser » ni déterminé quelle façon de penser implique cette manière de parler.

Quelle nouvelle autorité a réussi à faire rompre le silence académique sur le sujet en donnant au mot le contenu d'une nouvelle dignité ? La faculté de jouir *sans homme* et non plus *comme un homme* serait-elle reconnue aux femmes par un nouveau langage, celui des sciences et des arts par exemple, dont le grand développement pendant l'âge classique a contraint les académiciens à les intégrer dans leur dictionnaire de langue, alors qu'ils faisaient auparavant l'objet d'une édition à part ?

6. Gattel, *Discours préliminaire du dictionnaire français-espagnol*, 1803, cité par B. Quemada, *op. cit.*, p. 214. L'Académie fut rétablie en 1803 sous le nom d'Institut.

Malheureusement, nos maîtres en langue commune ne précisent pas si le mot « abus », appliqué aux tribades, appartient à ce nouveau vocabulaire ; aussi le mieux est-il de consulter *L'Encyclopédie*, beaucoup plus précise en ces matières et qui porte d'ailleurs le sous-titre de « Dictionnaire raisonné des sciences et des arts ». On y lit : « Abus : Se dit de l'usage irrégulier de quelque chose [...], abus de soi-même. C'est une expression dont se servent quelques auteurs modernes pour dénoter le crime de pollution volontaire. Abus : Ce mot est consacré en médecine aux choses que les médecins ont nommées non naturelles, dont le bon usage conserve et fortifie la santé, pendant que l'abus ou le mauvais usage qu'on en fait, la détruit et produit des maladies. Voyez non naturelles. »

Reportons-nous donc à cet article : « Non naturelles, choses : C'est un terme de médecine assez impropre mais reçu surtout dans les écoles, qui demande toujours un commentaire pour être entendu : on appelle donc choses non naturelles (d'après Galien...) celles qui ne composent pas notre nature ou notre être, mais dont l'économie animale éprouve de grands effets, de grands changements, de grandes altérations. [...] La physiologie traite des choses naturelles. La pathologie des choses contre nature et des mauvais effets que produisent les qualités vicieuses ou l'abus des choses non naturelles ; et les règles qui établissent leurs bonnes qualités, leur bon usage, sont les principales matières de l'hygiène. »

Si l'on en croit les écoles de médecine, les tribades relèvent de la pathologie, c'est-à-dire du mauvais usage d'une chose non naturelle de leur économie animale. Cela ne nous avance guère, même si cette formulation sibylline évoque quelques réminiscences de saint Paul qui condamnait les infâmes Romaines à l'oubli éternel pour avoir « changé l'usage naturel en celui qui est contre nature [7] ». Il va donc encore falloir consulter les spécialistes... de la santé, en l'occurrence le *Dictionnaire universel de médecine* de l'Anglais James, traduit en 1747 par Diderot, Eidous et Toussaint, qui écrit, au mot « tribade » : « Quoique le clitoris soit ordinairement caché au-dedans des lèvres des parties naturelles des femmes, on en

7. Saint Paul, *Épître aux Romains*, I, 26.

trouve néanmoins certaines dans lesquelles il déborde si fort, que les personnes ignorantes croient qu'elles ont été transformées en homme. Celles qui abusent de cette conformation avec d'autres femmes, sont appelées par les Grecs tribades et par les Latins fricatrices, et Coelius Aurelianus assure que les femmes qui ont ce défaut ont beaucoup plus de passion pour les personnes de leur sexe, que pour les hommes.

« Une entre autres nommée Henriette Scuria étant ennuyée du genre de vie que mènent les personnes de son sexe, s'habilla en homme et s'en fut servir pendant quelque temps sous le prince d'Orange, Frédéric-Henri, qui faisait pour lors le siège de Bois-le-Duc. Lorsqu'elle fut de retour chez elle, on l'accusa d'avoir un commerce criminel avec d'autres femmes, et de pratiquer avec elles ce commerce lascif, que les Grecs appellent *kleitorizein* à cause que le clitoris lui débordait hors des lèvres, d'une manière extraordinaire. Elle pouvait exécuter ce que les Grecs appellent *tribein* avec tant de force et de vigueur qu'elle gagna le cœur d'une veuve dont elle devint à son tour si éperdument amoureuse que si les lois du pays le lui eussent permis, elle l'eût épousée, avec plus d'ardeur peut-être qu'elle n'avait eu pour son mari dont elle avait eu six enfants [...].

« Le clitoris lui sortait quelquefois hors des lèvres, surtout lorsqu'elle urinait avec difficulté ou qu'elle était dans les transports de la passion ; car pour lors cette partie s'allongeait de la moitié du doigt et quelquefois plus à proportion que sa passion était plus fortement excitée. Jean Poponius, célèbre jurisconsulte, est d'avis qu'on doit punir ces femmes de mort. Mais Henriette Scuria fut jugée moins sévèrement et ne fut condamnée qu'au fouet et au bannissement, sa complice fut aussi punie, mais on ne la bannit point [8]. »

Le « débordement » du clitoris crée la chose non naturelle qui crée l'abus, qui crée la tribade, qui crée la passion, qui crée ce défaut, proportionnellement (et non inversement) au degré d'exci-

8. M. James, *Dictionnaire universel de médecine*, traduit de l'anglais par Diderot, Eidous et Toussaint, Paris, 1747, en 6 volumes.

tation, « et quelquefois plus », de la partie qui fait l'objet de cette régénérescence spontanée ; et ne craignons pas que dans ce cercle de causalités infinies le savant homme ne tourne en bourricot, car à aucun stade du processus pathologique le débordement de la partie ne risque de faire muter le tout de femme non naturelle en femme douée de passion et de culture. Une tribade est donc quelqu'une qui use mal d'une chose non naturelle avec quelqu'une d'autre, parce qu'elle abuse d'un clitoris hypertrophié qui lui permet de rester un non-homme.

On comprend mieux pourquoi les théologiens n'ont pas commenté la seule phrase de la Bible qui concerne l'impureté entre femmes ; car si Dieu condamne solidairement hommes et femmes à la damnation éternelle pour avoir adoré la créature au lieu du Créateur, il établit toutefois des différences entre les Romains « et leurs femmes », entre les « désirs des uns pour les autres » et l'usage des unes par les uns, entre l'exposé clair et compréhensible des égarements des uns et le plus opaque silence sur la façon dont elles – les autres – ont fait pour *changer* l'usage naturel.

Elles ne peuvent avoir abandonné l'usage naturel de l'homme puisque ce sont elles qui sont objet dudit usage. Et comment femme avec femme pourraient-elles commettre des choses infâmes sans posséder le signifiant du désir ? Seuls des médecins pouvaient expliquer la condamnation divine en désignant chez la femme un responsable anatomique, l'équivalent grandeur non nature du pénis : le clitoris.

Mais que Martial ait été préféré à saint Paul à la Renaissance signifie-t-il que le clitoris était inconnu des médecins et écrivains ? En réalité, c'est grâce à la levée de l'interdit religieux pesant sur les dissections du corps humain pendant tout le Moyen Âge que le clitoris put être « redécouvert » en 1562 par le « très subtil anatomiste » Fallope [9] ; mais il faudra attendre près de trois quarts de siècle pour que la découverte s'impose auprès

9. « Fallope très subtil anatomiste nous a descouvert une autre partie qu'il appelle clytoris. » *Leçons anatomiques et chirurgicales* de feu M. Germain Courtin, docteur régent, en la faculté de médecine de Paris, dictées à ses escholiers estudiants en chirurgie depuis l'année 1578 jusqu'en 1587, recueillies par Estienne Binet. À Paris, 1612, p. 293.

des médecins anatomistes. De prestigieux anatomistes comme Charles Estienne (*La Dissection des parties du corps humain*, 1546) ou André Vésale (*Portraits anatomiques de toutes les parties du corps humain*, 1569) ignorent toujours en plein milieu du XVIe siècle son existence. Il faut dire aussi qu'il bouleversait complètement le mode de représentation des « parties honteuses » de la femelle en changeant l'axe du miroir. Jusqu'à ce que le clitoris devienne l'homologue ou l'analogue du pénis, en « beaucoup plus petit », la matrice reflétait l'image « renversée au-dedans » des parties génitales de l'homme. Comme l'écrit avec grande conviction Ambroise Paré : « Car ce que l'homme a au-dehors, la femme l'a au-dedans, tant par la providence de la nature, que de l'imbécillité d'icelle, qui n'a pu expeller et jeter dehors lesdites parties, comme à l'homme [10]. »

Le discours sur le clitoris se met véritablement en place en 1647 par l'intermédiaire de Bartholin fils qui, à notre connaissance, est le premier anatomiste à exposer avec cohérence les conditions de son usage naturel et « abusif ». On peut dire sans exagérer que jusqu'à la fin du XIXe siècle, c'est-à-dire jusqu'à la codification par les psychiatres de ce qu'ils baptiseront homosexualité, ce discours sera à la base de toutes les connaissances médicales sur les tribades, au point que Pierre Larousse donnera presque la même définition aux mots « tribade » et « clitorisme ». Parole donc à Bartholin, qui, au chapitre XXXIV de ses *Institutions anatomiques*, écrit à l'article « clitoris » : « Fallope s'attribue l'invention du clitoris, et Colomb aussi avec son orgueil ordinaire. Et néanmoins Avicenne, Abbucafis, Ruffus, Pollus et d'autres en ont fait mention. Les uns le nomment la Nymphe, Colomb l'appelle la douceur d'amour et l'aiguillon de Vénus parce que cette partie est le siège principal du plaisir en la copulation. Que si on le chatouille délicatement en celles qui ont passé beaucoup de temps sans l'usage du coït et qui le désirent passionnément il jette aisément la semence. Les Grecs le nomment clitoris, les Latins *tentigo landie,* et les autres la verge ou le membre de la

10. Ambroise Paré, *Œuvres*, Éd. Malgaigne, tome II, p. 763.

femme, tant parce qu'il ressemble au membre viril en situation, en substance, en composition, en la réplétion des esprits et en l'érection [...] que parce qu'il croît en quelques-unes de la grosseur du membre viril, de sorte que quelques femmes abusent du clitoris au lieu du membre viril, et s'accouplent ensemble, que les Grecs appellent tribades. (On escrit qu'une certaine Philaenis a été la première inventrice de cette sorte de sodomie, dont la poétesse Sapho a aussi usé.)

« C'est pourquoi on appelle cette partie le mépris des hommes. Il pend et sort en dehors en quelques-unes, si étant petites elles manient et frottent souvent cette partie comme nous en avons des exemples. C'est une chose contre nature et presque monstrueuse qu'il croît jusqu'à la grandeur d'un col d'oye comme Platerus en donne un exemple. Or, tant plus il croît, d'autant plus empêche-t-il l'abord de l'homme, parce qu'il enfle dans le coït, comme le membre viril quand il est bandé et qu'il se dresse, il excite à la luxure [...]. Son usage est d'être le siège du plaisir et de l'amour. Il a aussi un petit frein comme le membre viril : car le frottant on en fait sortir la semence.

« Mais Aquapendente estime que l'usage du clitoris est de soutenir le col de la matrice en la copulation. (Bellanius et Ionius croyent que les femmes éthiopiennes étaient circoncises en cette partie, et même aujourd'hui les Orientaux le brûlent à cause qu'il est trop grand afin qu'il ne croisse pas davantage) [11]. »

Bartholin connaît tous ses classiques humanistes, mais le plus touchant peut-être vient de ce qu'il n'éprouve même pas le besoin de dissimuler le caractère idéologique de la pathologie du clitoris : « C'est pourquoi on appelle cette partie le mépris des hommes. » Tout simplement celles qui en abusent sont celles qui ne se soumettent pas à l'usage patriarcal ou plus exactement se

11. *Institutions anatomiques de Gaspar Bartholin*, docteur et professeur du Roy de Dannemark, augmentées et enrichies pour la deuxième fois tant des opinions et observations nouvelles des Modernes dont la plus grande partie n'a jamais été mise en lumière, que de plusieurs figures en taille douce, par Thomas Bartholin, docteur en médecine, fils de l'Auteur et traduites en français par Abr. du Prat, docteur en médecine, Paris, 1647, Livre I, p. 205.

« ferment » à l'homme. Car étymologiquement, nous apprend *L'Encyclopédie, kleitoris* est dérivé du verbe *kleio* qui signifie « je ferme » ; et Paul Chantraine précise, au XXe siècle, que « le mot voudrait dire " la petite éminence " (colline) ; j'aimerais autant pour cette formation tardive une dérivation de *klei* – fermer [12] ».

Pourquoi pratiquer des dissections, développer les sciences médicales et psychanalytiques alors que l'étymologie du mot « clitoris » contient à elle seule tout ce qu'il faut savoir sur le sujet ? Il n'est pour s'en convaincre que de lire à la queue leu leu trois siècles de discours sur « cet aiguillon de Vénus ».

M. Dionis, premier chirurgien de Mlle la Dauphine, 1690 : « Il y a des femmes qui l'ont [le clitoris] extrêmement gros et à qui il sort hors des lèvres. Il y en a d'autres qui l'ont si long, qu'il a la grandeur de la verge d'un homme, et celles-là peuvent en abuser avec d'autres femmes [13]. »

Heister, *Anatomie*, 1724 : « Il y a des médecins qui ont trouvé des clitoris qui égalaient la verge de l'homme [...]. Les femmes qui sont munies de pareils clitoris peuvent bien en abuser avec d'autres femmes. Il y a apparence que Sapho n'aurait pas fait des vers si amoureux pour des femmes, si elle n'avait pas eu quelque chose qui pût *mentiri virum*, comme parle Martial [14]... »

L'Encyclopédie, article « Clitoris » : « [...] quelques-uns lui ont donné le nom d'*Aestrum veneris*, aiguillon de Vénus. Il s'est trouvé des femmes qui en ont abusé. »

Dr Tissot, 1764 : « La taille surnaturelle d'une partie si petite à l'ordinaire [...] opère tout le miracle, et l'abus odieux de cette partie tout le mal. Glorieuses peut-être de cette espèce de ressemblance (avec les hommes) il s'est trouvé de ces femmes imparfaites qui se sont emparées des fonctions viriles. Les Grecs les appellent tribades, nom qu'on rend en français par celui de ribaudes ; c'est une

12. Paul Chantraine, *Dictionnaire étymologique de la langue grecque*, Paris, 1968.

13. *L'Anatomie de l'homme suivant la circulation du sang et ses dernières découvertes démontrées au Jardin-Royal*, par M. Dionis, premier chirurgien de Mlle la Dauphine. À Paris, 1690, p. 269. Le chapitre sur le clitoris est une paraphrase de Bartholin.

14. *L'Anatomie d'Heister avec des essais de physique sur l'usage du corps humain et les mécanismes de leurs mouvements*, Paris, 1724, p. 236.

espèce de monstre qui se reproduit souvent et qui, séduisant le jeune sexe [15]... »

Sade, *Histoire de Juliette*, 1797 : « Ne sais-tu pas, dit Saint-Elme, que Volmar est un homme ? Elle a un clitoris de trois pouces et, destinée à outrager la nature, quel que soit le sexe qu'elle adopte, il faut que la putain soit tour à tour tribade ou bougre [16]. »

Dr Renauldin, article « Clitoris », 1812 : « C'est sans doute à la même disposition anatomique plus ou moins prononcée (clitoris énorme) et à une lascivité effrénée qu'il faut rapporter ce commerce révoltant, ce vice honteux qui rapproche les unes des autres certaines femmes dissolues, leur fait abuser réciproquement de leur sexe, et jouer un rôle aussi coupable que ridicule [17]. »

Dr Fournier, article « Clitorisme », 1812 : « On voit dans nos grandes cités, des femmes, qui non contentes de se livrer au clitorisme, s'efforcent, dans le délire de leur dépravation de faire des prosélytes ; elles associent d'autres femmes à leurs débauches ; ces cyniques à force de tirailler, d'exciter leur clitoris parviennent à lui faire atteindre un développement qui simule le pénis [...]. Elles ne gardent plus de mesures [18]. »

Dr L. Martineau, 1884 : « En 1880 j'ai attiré pour la première fois l'attention du monde médical sur quelques-unes des déformations vulvaires et en particulier sur celles produites par le saphisme [...]. Les déformations [...] résultent tantôt de la friction du clitoris par le doigt, un corps étranger, par la verge : c'est la masturbation clitoridienne ; tantôt de la friction du clitoris exercée par la langue et accompagnée de succion : c'est le saphisme [19]. »

S. Freud, psychanalyste : « L'expérience analytique nous apprend que l'homosexualité féminine continue rarement, ou jamais, la

15. M. Tissot, *L'Onanisme : dissertation sur les maladies produites par la masturbation*, Paris, 1764, 3e édition, p. 64. Ribaude signifie prostituée.

16. Sade, *Histoire de Juliette ou les prospérités du vice*, 10/18, tome I, p. 26. Bougre veut dire sodomite.

17. *Dictionnaire des sciences médicales*, par une société de médecins et de chirurgiens, Paris, Éd. Panckoucke, 1812-1822, 67 volumes.

18. *Ibid.*

19. L. Martineau, *Leçons sur les déformations vulvaires et anales produites par la masturbation, le saphisme, la défloration et la sodomie*, recueillies par M. Lormand, hôpital de Lourcine, Paris, 1884, p. 9.

masculinité infantile en ligne droite [...]. Mais ensuite elles sont poussées, du fait des déceptions inévitables causées par le père, à régresser vers la masculinité première [20]. »

Marie Bonaparte, psychanalyste, 1951 : « Mais chez toutes [les homosexuelles] l'organe exécuteur de la volupté homosexuelle reste, comme dans l'enfance chez la petite fille " phallique ", le clitoris [21]. »

Gérard Zwang, sexologue, 1972 : « La lesbienne " n'a pas de vagin ". Cela lui permet de nier le monde masculin, son utilité, ses valeurs [22]. »

Si, comme le démontre Michel Foucault dans *Les Mots et les Choses*, le début du XIXe siècle marque la fin du discours et de la représentation des choses, en est-il de même en ce qui concerne la représentation des femmes ? Le langage classique, écrit-il, avait le privilège de pouvoir représenter l'ordre des choses. Que dire alors du privilège du langage humaniste, classique, scientiste ou contemporain d'ordonner les femmes à la nature des choses patriarcales, quelque « coupure épistémologique » qui puisse survenir dans les sciences dites humaines ?

Bien que le discours sur les tribades avale les connaissances et découvertes de chaque âge du savoir, il reste fondamentalement le même dans son refus radical, voire son impuissance, à penser la relation entre deux femmes. Après tout, est-ce étonnant ? Aux yeux des lettrés, la tribade appartient au genre féminin, genre mineur qui n'a pas de signification intrinsèque. De même que la théologie passe à côté d'elle, le discours médical se révèle tout aussi inapte à sortir de la théologique de la divinisation du masculin.

Le langage classique a d'ailleurs très bien su distinguer les sodomites des tribades, le genre masculin du genre féminin. Les uns

20. S. Freud, « La féminité », *Nouvelles Conférences d'introduction à la psychanalyse*, traduction de Rose-Marie Zetlin, Paris, Gallimard, 1984, coll. Folio Essais, p. 174.

21. Marie Bonaparte, *La Sexualité de la femme*, Paris, Presses Universitaires de France, 1951, p. 95.

22. Gérard Zwang, *La Fonction érotique*, Paris, Laffont, 1972, tome II : « Les entraves à l'épanouissement sexuel », p. 391.

commettent un crime contre nature, les autres abusent d'une chose non naturelle. Les sodomites relèvent de la justice civile et religieuse, autrement dit d'un code de société ; les tribades de la pathologie anatomique, d'un code du discours médical référencé à la technique de jouissance masculine. Les uns de la morale sexuelle, les autres de la morale du langage. Car si elles faisaient un bon usage de leur clitoris, elles ne seraient plus des tribades.

Aussi haineux et implacable a-t-on pu être envers les sodomites, il n'est jamais venu au langage l'idée de porter atteinte, même par la pensée médicale, à la perfection naturelle du corps masculin. James lui-même, dans son article sur les « Malthacos » ou sodomites « passifs », ne peut s'y résoudre : « Caelius Aurelianus met au nombre des maladies, le penchant infâme et détestable de ceux que les Grecs appelaient *malthaci* et les Latins *molles* et *subacti* ; et qu'il oppose aux femmes appelées tribades. Il convient que ce vice abominable est plutôt dans l'esprit que dans le corps, et il le regarde comme une suite de la corruption des mœurs ; il croit cependant qu'il y a quelque fondement dans la conformation de ces personnes et il rapporte à ce sujet les conjectures du philosophe Parménide. Les poètes ont traité les mêmes inclinations perverses, comme des maladies... »

Ainsi, malgré les conjectures de Parménide sur les hermaphrodites, il n'est pas question de faire déchoir les sodomites du genre humain en leur attribuant un pénis atrophié. « Il convient que ce vice est plutôt dans l'esprit que dans le corps » ; c'est pourquoi les tribades qui, elles, ont « ce vice dans le corps » (plutôt que dans l'esprit ?) ne furent jamais assimilées à des hérétiques comme le furent les « bougres » jusqu'à la Révolution.

« Bougre : Sodomite, non conformiste en amour. Terme proscrit parmi les honnêtes gens. Quelques-uns prétendent que ce mot vient des Bulgares, qui étaient fort attachés à l'amour des garçons et que les vieux auteurs appellent bougres comme leur pays bougrie pour Bulgarie. D'autres parce qu'on brûlait les coupables du crime de non-conformité, de même que les hérétiques qu'on appelait bougres. On voit à la chambre des comptes un don de l'an 1473 fait à un religieux inquisiteur des bougres et albigeois. Les albigeois furent appelés bulgares parce que c'est de Bulgarie que cette erreur se répandit dans ce pays-ci [23]. »

L'impuissance à penser la femme comme sujet de ses désirs éclate une nouvelle fois à travers la définition de la tribade engendrée par « les autorités de l'âge classique ». Mais pouvait-on s'attendre à un regard neuf de la part d'académiciens, médecins et jésuites, chargés par la monarchie absolue de légitimer son pouvoir de droit divin en codifiant à travers la langue (des courtisans) les règles du bon usage ?

De la défaillance des sens

Au XVIIIe siècle, les questions embarrassantes vont donc venir d'ailleurs, des « philosophes » en rupture d'absolutisme, de dogmes et de vérité révélée. Que sait-on des choses naturelles ? et des non naturelles, et de la maladie, de la pathologie ? et de tant d'autres choses considérées comme acquises ? *L'Encyclopédie* mène la contestation : « C'est une absurdité que de prétendre considérer et définir la maladie dépouillée de ses symptômes, écrit-on à l'article " Pathologie " : cette abstraction métaphysique, absolument déplacée dans la science des faits, ne servirait qu'à obscurcir les connaissances des maladies en éloignant les phénomènes qui les caractérisent, et la rendre incertaine en la pliant aux lois variables de la théorie [24]. »

Comme on le voit, tout irait bien dans le meilleur des mondes, si les choses non naturelles en restaient là, à se déduire des mots pour faire école médicale, philosophique et morale. Mais notre « bonne compagnie » encyclopédiste n'est pas de celles qui, en matière d'abus, s'en remettent aveuglément à la divine Providence

23. *Dictionnaire* de Trévoux, article « Bougre », 1771.

24. *L'Encyclopédie ou Dictionnaire raisonné des sciences et des arts*, mis en ordre et publié par M. Diderot... et quant à la partie mathématique, par M. d'Alembert... 1751-1766. À Neufchastel, 17 tomes, 4 suppléments, tables.

pour abolir l'inégalité parmi les hommes ou tout simplement conserver sa santé.

Si l'on examine avec plus d'attention les choses, on s'aperçoit qu'en pathologie comme en philosophie ou en politique, il y a des effets sans cause, ou plus exactement que les séparer est le meilleur moyen de laisser le monde continuer à marcher sur la tête pour s'en aller mourir jeune dans les ténèbres de l'abstraction métaphysique.

L'enjeu de la santé, on le voit, est d'importance. Aussi pour être bon médecin faut-il être bon philosophe. La philosophie des Lumières n'est-elle pas la seule qui ouvre de nouvelles perspectives à la connaissance de l'homme ? C'est pourquoi on ne pouvait pas mieux attendre des médecins encyclopédistes que, passant des mots aux faits, ils soulignent en conclusion de leur article sur les choses non naturelles que tout est relatif même dans la moins bonne des non-natures possibles : « Les choses non naturelles ne peuvent être regardées comme salutaires ou nuisibles que relativement à leurs effets dans l'économie animale, cette influence est différente selon la différence de l'âge, du sexe, du tempérament des individus, selon la différente saison de l'année, la différente température et différent climat et surtout selon les différentes habitudes que l'on a contractées : en sorte que ce qui peut être avantageux aux uns, peut être nuisible à d'autres, et qu'il ne convient pas de fixer une règle générale par rapport à la façon de vivre tant morale que physique [25]. »

Le mauvais usage d'une femme par une autre s'expliquerait-il alors autrement que par une cause anatomico-métaphysique ? Bref, si les encyclopédistes remettent en cause le discours sur la maladie, ils sont amenés à repenser en d'autres termes la morale sexuelle, et notamment cette notion de nature utilisée par la religion pour asseoir le règne absolutiste de la loi divine et propager l'espèce humaine.

Cette première question nous renvoie au grand sujet de la morale dite naturelle à laquelle le siècle n'a cessé de se référer pour justifier ses hardiesses tant philosophiques que scientifiques et libertines.

25. *L'Encyclopédie*, article « Non naturelles, choses ».

« La morale, écrit-on dans *L'Encyclopédie*, est la science des mœurs [...]. C'est la propre science des hommes ; parce que c'est une connaissance généralement proportionnée à leurs capacités naturelles et d'où dépend leur plus grand intérêt. » Ailleurs, elle précise : « On entend par morale ce qui, auprès d'un homme de bien, équivaut au naturel [26]. »

De même, c'est au nom de la nature que Montesquieu ou Rousseau critiquent l'état social et ses lois. « Les lois, pense Montesquieu, dans la signification la plus étendue, sont les rapports nécessaires qui dérivent de la nature des choses [27]. »

L'Encyclopédie définit la loi naturelle comme la « loi que Dieu impose à tous les hommes, et qu'ils peuvent découvrir par les lumières de leur raison, en considérant attentivement leur nature et leur état. Le droit naturel est le système de ces mêmes lois, et la jurisprudence naturelle est l'art de développer les lois de la nature et de les appliquer aux actions humaines ».

La philosophie des Lumières va donc opérer un renversement de perspective. De transcendante, divine et absolue, la loi devient naturelle, c'est-à-dire immanente, humaine et relative. Or si nous connaissons bien l'impact d'un tel renversement dans la pensée politique, nous ignorons souvent le rôle joué par la science des faits auprès de la science des mœurs, autrement dit : comment la remise en question du savoir médical traditionnel par l'observation de la nature va déboucher sur une nouvelle représentation de la sexualité entre femmes.

L'Encyclopédie est la première à manifester ce changement d'optique à travers une définition complètement nouvelle de « tribade » qui apparaît dans le tome XVI, publié en 1765 : « Femme qui a de la passion pour une autre femme. Espèce de dépravation particulière aussi inexpliquable que celle qui enflamme un homme pour un autre homme. » Quand on se souvient de ce qui est écrit à l'article « Sodomie », on peut dire que cet auteur anonyme ne manque pas d'humour noir pour évoquer ainsi l'embrasement !

26. *L'Encyclopédie*, article « Leibnizianisme ».
27. Montesquieu, *L'Esprit des lois*, 1748.

Deux nouveaux registres sont introduits dans cette définition : celui de la *passion* et celui de la *dépravation*. Sont-ils liés par une relation de cause à effet, comme beaucoup l'ont cru, ou renvoient-ils à des questions philosophiques plus complexes, comme nous invite à le penser l'article « Passion » de *L'Encyclopédie* ?

« Les passions sont une des principales choses de la vie que l'on appelle dans les écoles, non naturelles, qui sont d'une grande influence dans l'économie animale, pour leurs bons ou mauvais effets [...]. Le désir, l'inclination pour un objet, qui est, qui peut être ou qui paraît agréable, avantageux, utile ; l'éloignement, l'aversion [...] sont des sentiments des affections intérieures que l'on appelle passions, lorsqu'ils sont accompagnés d'agitations fortes, de mouvements violents de l'esprit [...].

« Passion (médecine) : Ce mot est fort utilisé en médecine comme synonyme à affection ou maladie ; c'est encore en ce sens qu'on dit passion hystérique [...]. C'est encore ainsi que les passions sont une maladie de l'âme. »

Notons que l'auteur insiste autant sur l'aspect physiologique de la passion (« les mouvements irréguliers du sang ») que sur son aspect psychique (« les mouvements violents de l'esprit »). Est-ce le signe d'une évolution du discours médical qui abandonne le terrain de la cause anatomique (un clitoris monstrueux) au profit de la cause psychique ? Évolution relative, cependant, car elle conduirait par le biais de la « dépravation » au champ insondable de la pathologie mentale et à la condamnation morale des tribades. Mais rien, dans l'article « Dépravation », n'induit une telle condamnation, puisque l'auteur se contente d'indiquer que « ce terme est employé dans la pathologie pour signifier toute lésion notable de l'économie naturelle du corps humain ».

De toute évidence, cette définition de l'amour entre femmes s'inscrit dans des combats philosophiques plus vastes qui dépassent le champ couvert par *L'Encyclopédie* pour rejoindre les notions d'inconnu, de mystère, d'inexplicable. Pourquoi « l'inexplicable » se trouve-t-il introduit dans la définition de « tribade » plutôt que dans celle de « sodomite » ? Parce qu'il est plus prudent d'introduire des idées neuves sur des terrains relativement neutres ? Parce que Diderot aurait eu son mot à dire, d'autant plus fortement que, de tous les écrivains du XVIIIe siècle, il est celui qui a le plus réfléchi à ces questions, à travers notamment deux œuvres importantes, *La Religieuse*, œuvre de fiction dont la première version date de 1759, et la « Suite de l'entretien », troisième dialogue du *Rêve de d'Alembert*, qui est un de ces petits dialogues philosophiques que Diderot écrivait pour expérimenter ses idées et sera conçu dix ans plus tard. Entre les deux se situe l'article « Tribade ». La tentation est grande d'y voir la pensée de Diderot. D'abord, parce que *La Religieuse* se présente comme une mise en situation des deux mots clés de la définition, à savoir passion et dépravation ; ensuite, parce qu'à l'époque où il écrit son roman il éprouve la plus vive jalousie à l'égard de la passion de son amie Sophie Volland pour sa sœur Mme Legendre [28].

« Sophie, lui écrit-il le 4 juin 1759, prenez garde, ne la regardez pas plus tendrement que moi. Ne la baisez pas plus souvent. Si cela vous arrive, je le saurai. » Le 3 août, il continue : « Adieu mon amie, j'approche mes lèvres des vôtres ; je les baise ; dussé-je y trouver la trace des baisers de votre sœur ; mais non, il n'y a rien. Les siens sont si légers, si superficiels. » Et le 10 septembre 1760 : « Mon amie, ne me louez pas trop votre sœur, je vous en prie, cela me fait du mal ; je ne sais pas pourquoi, mais cela est. J'ai passé la journée de samedi à mettre un peu d'ordre dans mon coffret. J'ai emporté ici *La Religieuse*, que j'avancerai, si j'en ai le temps [...]. » Une semaine plus tard il écrit en *post-scriptum* : « [...] Je vois, par la lettre en grimoire, que Mme Le Gendre est ou sera incessamment avec vous. Je suis devenu si extravagant, si injuste, si jaloux ; vous m'en dites tant de bien ; vous souffrez si impatiemment qu'on lui remarque quelque défaut, que... je n'ose achever ! Je suis honteux de ce qui se passe en moi ; mais je ne saurais l'empêcher. Madame votre mère prétend que votre sœur aime les femmes aimables, et il est sûr qu'elle vous aime beaucoup ; et puis cette religieuse pour

28. Diderot, *Lettres à Sophie Volland*, introduction d'André Babelon, Paris, Gallimard, 1938, tome I.

laquelle elle a eu tant de goût ; et puis cette manière voluptueuse et tendre dont elle se penche quelquefois sur vous ; et puis ces doigts singulièrement pressés entre les vôtres ! Adieu ! Je suis fou. Voudriez-vous que je ne le fusse pas ? Adieu, ai-je longtemps encore à dire ce triste mot [29] ? »

Adieu donc chère Sophie, adieu pour toujours, car nous ne connaîtrons jamais votre réponse, vos lettres ayant disparu dans la nature. Mais avant de nous séparer laissez-nous citer Grimm, qui ose, dans une lettre du 15 août 1763, vous envoyer ces « reproches adressés à une femme philosophe » : « D'où vient, Sophie, cette passion de la philosophie, inconnue aux personnes de votre sexe et de votre âge ? Comment, au milieu d'une jeunesse avide de plaisir, lorsque vos compagnes ne s'occupent que du soin de plaire, pouvez-vous ignorer ou négliger vos avantages pour vous livrer à la méditation et à l'étude ? S'il est vrai, comme Tronchin le dit (c'est un médecin ami), que la nature, en vous formant, s'est plu à loger l'âme de l'aigle dans une maison de gaze, songez du moins que le premier de vos devoirs est de conserver ce singulier ouvrage [30]. » Il faut citer enfin cette remarque éloquente de Diderot : « Sophie est homme et femme quand il lui plaît. »

Comme de nombreux critiques l'ont remarqué, il est très probable que cette passion de Sophie pour sa sœur a influencé Diderot dans la rédaction de *La Religieuse*. Le critique Georges May la considère même comme un des « modèles authentiques » du roman, mais, pense-t-il, « il importe assez peu de savoir si les horribles soupçons du philosophe étaient justifiés. Ce qui importe

29. Dans son introduction aux lettres à Sophie Volland, André Babelon écrit : « Nous ne savons d'elle que fort peu de chose. Diderot la rencontra sans doute en 1755 [...]. Elle est née le 27 novembre 1716 [...] et mourut quelques mois avant Diderot, le 22 février 1784. Les souvenirs de famille laissés par Mme de Sallignac, seule héritière des papiers de Sophie Volland, et exécutrice de ses dernières volontés, furent en grande part dispersés. Il semble donc qu'il faille abandonner tout espoir de retrouver les traces de Sophie... De plus la correspondance de Diderot est elle-même incomplète car il " a rendu à Mlle Volland les lettres qu'il en a reçues et que Mlle Volland a brûlé une partie de celles de Diderot " (*cf.* Avertissement de M. de Vandreuil)... sans oublier les mutilations opérées par les héritiers sur les lettres. »

30. Cité par André Babelon dans son introduction, *op. cit.*

c'est qu'il en ait été obsédé au moment précis où il écrivait *La Religieuse* [31] ».

Nous pensons, pour notre part, que cette passion fut bien mieux qu'une obsession : une ouverture à l'imaginaire de la passion. Qui sait si cette jalousie n'est pas à l'origine des réflexions de Diderot sur la passion entre femmes, lesquelles auraient pris forme dans une œuvre de fiction, puis se seraient définies dans un article de *L'Encyclopédie* pour se généraliser à la morale naturelle à travers un dialogue philosophique qui tire les leçons de toutes ces réflexions ? Cette question nous guidera dans la relecture de ses deux œuvres.

De la passion ou de la dépravation ?

La première question qui se pose après la lecture de la nouvelle définition de « tribade » donnée par *L'Encyclopédie*, c'est de savoir si, aux yeux du philosophe-romancier, la passion que des femmes éprouvent l'une pour l'autre est bien une « espèce de dépravation ». Or on se doute que Diderot n'est pas homme à répondre directement à une question aussi complexe.

Écrite à l'origine à la suite d'une mystification montée par Grimm, Mme d'Épinay et Diderot pour faire revenir à Paris le marquis de Croismare, *La Religieuse* est vite devenue sous la plume de Diderot un roman philosophique. L'argument de départ s'appuie sur un fait réel advenu à Marguerite Delamarre, religieuse cloîtrée qui perdit son procès en résiliation de ses vœux en 1758. « Je ne crois pas qu'on ait écrit une plus effrayante satire des couvents », remarque Diderot vingt ans plus tard dans une lettre à Meister où il lui propose de publier son roman dans *La Correspondance littéraire* [32].

31. Georges May, *Diderot et « La Religieuse »*, Paris, Presses Universitaires de France, p. 144.

32. Lettre du 27 septembre 1780, dans : Diderot, *Correspondance*, Paris, Éd. de Minuit, 1953-1969, 14 volumes. *La Religieuse* paraîtra dans *La Correspondance littéraire* d'octobre 1780 à mars 1783.

De fait, il ne s'agit pas simplement de protester contre les vœux perpétuels, ni même de propager l'horreur de la vie monastique, mais de démontrer par des faits romanesques que la « réclusion perpétuelle est contraire à la morale naturelle, à la raison humaine et à la sociabilité ou bienveillance envers les autres hommes », troisième principe « d'où l'on peut déduire les lois naturelles [33] ».

La thèse est donc la suivante : la retraite déprave. « Voilà l'effet de la retraite. L'homme est né pour la société. Séparez-le, isolez-le, ses idées se désuniront, son caractère se tournera, mille affections ridicules s'élèveront dans son cœur, des pensées extravagantes germeront dans son esprit, comme les ronces dans une terre sauvage. Placez un homme dans une forêt, il y deviendra féroce ; dans un cloître, où l'idée de nécessité se joint à celle de servitude, c'est pis encore : on sort d'une forêt, on ne sort pas d'un cloître ; on est libre dans la forêt, on est esclave dans le cloître. Il faut peut-être plus de force d'âme encore pour résister à la solitude qu'à la misère ; la misère avilit, la retraite déprave. Vaut-il mieux vivre dans l'abjection que dans la folie ? C'est ce que je n'oserais décider ; mais il faut éviter l'une et l'autre [34]. »

Pour illustrer l'un des termes de cette fausse alternative qui vise le « bon sauvage » de Rousseau, Diderot dresse le portrait de trois femmes « dépravées » par la retraite, dont un seul suffirait d'ailleurs à dégoûter le plus fanatique partisan de la vie religieuse : celui de Mme de Moni, la « Mystique », de sœur sainte Catherine, la « Sadique », et de l'abbesse d'Arpajon, dont nous ne connaissons pas le nom, Mme ***, la « Tribade ».

Mme *** serait-elle affectée de cette « espèce de dépravation » attribuée aux tribades encyclopédiennes ? À lire les critiques successives de *La Religieuse* il semblerait que la question ne se pose même pas, tant paraît évident qu'une mystique, une sadique et une tribade sont des figures exemplaires de femmes dénaturées.

33. *L'Encyclopédie*, article « Loi naturelle ».
34. Diderot, *La Religieuse*, Paris, Garnier-Flammarion, 1968, p. 154.

La pire des trois, cependant, demeure... la tribade, et la première réaction de ces messieurs... la censure.

C'est l'éditeur de Diderot lui-même, son ami et l'héritier des manuscrits, Naigeon, qui donne l'exemple en 1798. Dans un « Avertissement de l'éditeur », il propose tout simplement de supprimer du roman les passages relatifs à la « passion criminelle » de la supérieure : « [...] je n'aurais supprimé de *La Religieuse* que la peinture très fidèle, sans doute, mais aussi très dégoûtante des amours infâmes de la supérieure [...] cette description vive et animée de l'ivresse, du trouble et du désordre de ses sens à la vue de l'objet de sa passion criminelle ; en un mot, ce tableau hideux et vrai d'un genre de débauche, d'ailleurs assez rare [...] [ce philosophe] était bien déterminé à faire à la décence, à la pudeur et aux convenances morales, ce sacrifice de quelques pages froides, insignifiantes et fastidieuses pour l'homme, même le plus dissolu, et révoltantes ou inintelligibles pour une femme honnête [35]. »

Cependant, Naigeon n'est pas le seul en cette période post-révolutionnaire à faire appel aux hautes vertus morales de la nation libérée de la décadence des mœurs aristocratiques. Le républicain Devaines, chaud partisan de la réforme des couvents, avait, l'année précédente, tenu le même langage dans un compte rendu du roman paru dans *Les Nouvelles politiques* de l'an V : « Ces portraits sont tous d'un grand maître ; trois surtout rappelleront souvent vos regards [...]. À cette peinture effrayante succède le portrait d'une prieure abandonnée à un vice honteux. Elle a jeté le désordre dans la communauté, tyrannisé les vieilles recluses, perverti les jeunes sœurs [...]. Tout ce qu'un esprit dépravé peut ajouter à des mœurs infâmes est rendu avec une chaleur si vive qu'il n'est guère possible aux femmes de lire ce morceau [...]. Mais peut-être est-il au-dessus du pouvoir de l'art de voiler un genre de corruption qui, isolant un sexe de l'autre, est le plus grand outrage que puisse recevoir la nature ; peut-

35. Avertissement de l'éditeur J. A. Naigeon pour l'édition de *La Religieuse* dans *Œuvres* de Diderot, 1798. La première édition réalisée par le libraire Buisson d'après les copies de *La Correspondance littéraire* paraît en 1796.

être l'artiste a-t-il pensé que s'il diminuait la laideur du crime, il affaiblirait l'indignation [36]. »

Passons sur l'interdiction de *La Religieuse* en 1824 par le gouvernement de Villèle, puis sur l'interdiction un siècle et demi plus tard du film de Jacques Rivette, en mars 1966, interdiction levée l'année suivante après une vaste campagne de protestation – et abordons l'introduction de Roland Desné parue en 1968 dans l'édition de poche Garnier-Flammarion : « L'inversion sexuelle (dégénérant en folie) peut apparaître ici comme le point ultime de la dépravation car elle est ressentie, disait le critique de 1796 déjà cité, comme " le plus grand outrage que puisse recevoir la nature [37] ". »

Ainsi ces trois critiques n'ont-il pas pu résister à la tentation de proférer ce jugement sans appel : amours entre femmes = amours infâmes = dépravation. Or, s'ils se montrent de bons défenseurs de la nature, on se demande s'ils sont de bons philosophes, car ils ont unanimement postulé qu'il n'y a pas de dépravation sans cause, oubliant que pour Diderot il n'y a pas de retraite sans effet.

Qu'est-ce donc alors qui déprave : la retraite ou la passion ? Diderot n'étant pas homme à fuir les paradoxes, il a préféré nous donner avec ce roman un petit exercice de lecture philosophique.

Tout d'abord, il a choisi le point de vue de la victime du système monastique, celui de sœur Suzanne Simonin, enfermée au couvent contre son gré. Suzanne prend donc la plume pour décrire à son protecteur, le marquis de Croismare, « une partie de ses malheurs [...] sans talent et sans art », mais avec « naïveté et franchise », caractéristiques d'une femme innocente rédigeant des Mémoires. Tout l'intérêt de ce choix provient de ce qu'étant « innocente », donc au sens étymologique ne faisant pas le mal et l'ignorant, Suzanne relate les événements sans les interpréter ni les enrober

36. Compte rendu publié dans *Les Nouvelles politiques* du 6 brumaire an V, puis dans le recueil de quelques articles tirés de différents ouvrages périodiques de l'an VII (1799). Cité par J. Assézat dans « Étude sur Diderot et le mouvement philosophique du XVIIIe siècle », *Œuvres complètes* de Diderot, J. Assézat éd., Paris, Garnier Frères, 1875, tome V, p. 7. Haïs par les jacobins, les encyclopédistes retrouvent l'audience auprès des révolutionnaires sous la Convention thermidorienne et le Directoire. Diderot bénéficie de ce regain d'amour, mais comme le montre Devaines, la nature a repris ses droits sur les femmes.

37. Introduction à *La Religieuse* de Diderot, p. 24.

« d'abstractions métaphysiques », et en ignorant jusqu'à la fin leurs « causes ». Ce sont les actions, l'enchaînement des événements qui la mènent de couvent en couvent et leurs effets dans sa vie qui produisent le sens, non les « discussions frivoles de mots » que, de par sa naïveté même, elle ne saurait mener.

Notons ainsi que le mot « tribade » ne sera jamais employé dans le roman, ce qui nous permet de souligner d'emblée l'originalité de la démarche de Diderot dans la littérature masculine. Contrairement à la tradition libertine et littéraire qui, du divin Arétin au divin Marquis, en passant par *La Religieuse en chemise* [38], prend prétexte du « saphisme monacal » pour exercer son œil de voyeur ou sa conscience morale, Diderot-Suzanne observe le comportement de la supérieure en médecin physiologiste qui ignore la cause des symptômes de son extrême sensibilité.

Un premier exemple nous est donné dès le lendemain de l'arrivée de Suzanne dans sa « nouvelle prison », quand sa supérieure l'invite à lui donner « une petite leçon de clavecin » : « [...] Je fis d'abord des accords, ensuite je jouai quelques pièces de Couperin, de Rameau, de Scarlatti ; cependant elle avait levé un coin de mon linge de cou, sa main était placée sur mon épaule nue, et l'extrémité de ses doigts posée sur ma gorge. Elle soupirait, elle paraissait oppressée, son haleine s'embarrassait ; la main qu'elle tenait sur mon épaule d'abord la pressait fortement, puis elle ne la pressait plus du tout, comme si elle eût été sans force et sans vie et sa tête tombait sur la mienne. En vérité cette folle-là était d'une sensibilité incroyable, et avait le goût le plus vif pour la musique ; je n'ai

38. *La Vénus dans le cloître ou la religieuse en chemise.* Œuvre attribuée à l'abbé Barrin sous le pseudonyme de l'abbé Du Prat. 1re édition en 1719, suivie de nombreuses autres dont *La Vénus dans le cloître* (1746), très connue au XVIIIe siècle. Dans la même tradition, citons : Arétino, *Ragionamenti*, 1re partie : « Vitta della monache » (XVIe siècle) Antoine Hamilton, *Mémoires de la vie du comte de Grammont*, Cologne, P. Martea, 1713. Diderot le connaissait probablement, ainsi que les *Mémoires* de Casanova et *Fanny Hill* de John Cleland (Londres, 1749), très connus en France. Citons également : *Histoire de Dom Bougre, portier des Chartreux*, écrite par lui-même, à Rome, chez Philotanus, s.d. (Gervaise de la Touche, 1745), dont Diderot parle dans la *Promenade du sceptique* ; *Plaisirs du cloître*, comédie en trois actes par M.D.L.C.A.P., 1773 ; et Sade, *Histoire de Juliette*, dont nous reparlerons. Enfin, notons que Diderot a lui aussi écrit son roman libertin de jeunesse avec *Les Bijoux indiscrets*.

jamais connu personne sur qui elle eût produit des effets aussi singuliers [39]. »

Quand on sait que quelques années plus tard Diderot prendra, dans l'*Entretien entre d'Alembert et Diderot*, l'image du clavecin pour réfuter le dualisme de la métaphysique cartésienne et prouver par l'analogie entre « l'instrument philosophe » et « l'instrument clavecin » que « la sensibilité est une propriété générale de la matière », on peut se demander s'il n'éprouve pas déjà pour « l'instrument supérieur » une complicité due à leur sensibilité commune à la musique. « Nous sommes des instruments doués de sensibilité et de mémoire. Nos sens sont autant de touches qui sont pincées par la nature qui nous environne, et qui se pincent souvent elles-mêmes ; et voici à mon jugement, tout ce qui se passe dans un clavecin organisé comme vous et moi. Il y a une impression qui a sa cause au-dehors ou au-dedans de l'instrument [40]. »

Mais où Diderot excelle à décrire comment nos « sens » sont « pincés par la nature », c'est lorsque la supérieure se décide à poser *la* question, celle que tout(e) amoureux(se) brûle de poser à celle qui ne semble pas comprendre : « Sœur Suzanne, m'aimez-vous ?

– Et dites-moi ce qu'il faut que je fasse pour vous le prouver.

– Il faudrait que vous le devinassiez.

– Je cherche, je ne devine rien.

Cependant elle avait levé son linge de cou et avait mis une de mes mains sur sa gorge ; elle se taisait, je me taisais aussi ; elle paraissait goûter le plus grand plaisir. Elle m'invitait à lui baiser le front, les joues, les yeux et la bouche, et je lui obéissais : je ne crois pas qu'il y eût du mal à cela. Cependant son plaisir s'accroissait, et comme je ne demandais pas mieux que d'ajouter à son bonheur d'une manière aussi innocente, je lui baisai encore le front, les joues, les yeux, la bouche [...]. Enfin il vint un moment, je ne sais si ce fut de plaisir ou de peine, où elle devint

39. Diderot, *La Religieuse*, p. 152.

40. Diderot, *Entretien entre d'Alembert et Diderot*, dans *Œuvres philosophiques* de Diderot, Paris, Garnier, p. 274.

pâle comme la mort ; ses yeux se fermèrent, tout son corps s'étendit avec violence, ses lèvres se fermèrent d'abord, elles étaient humectées comme d'une mousse légère ; puis sa bouche s'entrouvrit, et elle me parut mourir en poussant un grand soupir. Je me levai brusquement, je crus qu'elle se trouvait mal, je voulais sortir, appeler. Elle entrouvrit faiblement les yeux et me dit d'une voix éteinte : " Innocente ! ce n'est rien ; qu'allez-vous faire ? Arrêtez... " Je ne sais ce qui se passait en moi ; je craignais, je tremblais, le cœur me palpitait, j'avais de la peine à respirer, je me sentais troublée, oppressée, agitée [...]. Elle était comme morte, et moi comme si j'allais mourir [41]. »

Suzanne ne s'exprime-t-elle pas dans ce passage en vrai médecin « éclairé » qui observe les symptômes de la jouissance sans en chercher les raisons ; qui voit les effets de la passion sans leur attribuer une cause extérieure au corps – en l'occurrence celle de l'âme censée, selon la doctrine religieuse, mettre les corps en mouvement ? La narratrice s'en tient aux faits, et tout le génie de Diderot est de jouer sur son innocence pour éviter d'aborder les « abstractions métaphysiques ». Elle suit exactement les recommandations de l'auteur de l'article « Pathologie » dans *L'Encyclopédie* : ne pas distinguer « la nosologie (cause de la maladie) de la cause symptomatologique ». En conséquence de quoi elle arrive à la conclusion suivante : « Je m'interrogeai sur ce qui s'était passé entre la supérieure et moi [...]. Le résultat de mes réflexions, c'est que c'était peut-être une maladie à laquelle elle était sujette ; puis il m'en vint une autre, c'est que peut-être cette maladie se gagnait, que sœur Thérèse l'avait prise, et que je la prendrais aussi [42]. »

Une nouvelle expérience va renforcer son diagnostic : « Je m'aperçus alors, au tremblement qui la saisissait, au trouble de son discours [...] que sa maladie ne tarderait pas à la prendre. Je ne sais ce qui se passait en moi mais j'étais saisie d'une

41. Diderot, *La Religieuse*, p. 155-156.
42. *Ibid.*, p. 160.

frayeur, d'un tremblement et d'une défaillance qui vérifiait le soupçon que j'avais eu que son mal était contagieux[43]. »

N'est-ce pas après tout le privilège de la passion que d'entraîner le trouble du discours, la défaillance des sens, de bouleverser les sens propres et figurés pour demeurer sans voix ? « Elle se taisait, je me taisais aussi », note Suzanne lors de leur seconde entrevue intime, et plusieurs fois elle remarque : « elle ne pouvait plus parler du tout », « nous gardions le silence », « elle ne pouvait articuler ». Or derrière la thèse de Diderot se profile une question à laquelle personne dans le roman ne répond : comment parler de la passion ? D'une part, nous avons le langage de l'innocence qui identifie le trouble physique, le désordre corporel à une maladie ; d'autre part, le langage des deux « directeurs de conscience », les représentants de Dieu sur la terre, pour lesquels la passion de la supérieure pour Suzanne est un crime, l'œuvre de Satan. Aucun des deux langages n'est pourtant adapté au vécu et de ce décalage naît cette subtile complicité avec le lecteur, faite d'humour et de polysémie. Par exemple, lorsque la supérieure, ne sachant plus à quelle sainte se vouer pour mettre Suzanne sur la voie du bonheur partagé, lui demande si une des causes de sa haine du couvent ne résiderait pas par hasard dans le fait que son cœur pourrait être épris d'un homme :

« [...] Mais, dites-moi, quelle impression fait sur vous la présence d'un homme ?

– Aucune. S'il a de l'esprit et qu'il parle bien, je l'écoute avec plaisir ; s'il est d'une belle figure, je le remarque.

– Et votre cœur est tranquille ?

– Jusqu'à présent il est resté sans émotion [...].

– Et vos sens ne vous disaient rien ?

– Je ne sais ce que c'est que le langage des sens.

– Ils en ont un cependant.

– Cela se peut.

– Et vous ne le connaissez pas ?

– Point du tout.

43. *Ibid.*, p. 163-164.

– Quoi ! Vous... C'est un langage bien doux, et voudriez-vous le connaître ?

– Non chère mère ; à quoi cela me servirait-il ?

– Qu'elle est innocente !

– Oh ! il est vrai, chère mère, que je le suis beaucoup et j'aimerais mieux mourir que de cesser de l'être [44]. »

Pour que la thèse garde toute sa force de conviction, il ne fallait pas, bien entendu, que la victime présente de ces « germes de corruption secrète », comme dira le père Lemoine à propos de la supérieure, qui s'épanouissent dans l'institution monastique combattue par Diderot. De ce point de vue, le critique Devaines a bien vu que « si elle hait le couvent, ce n'est pas parce qu'une passion le lui rend odieux, c'est parce qu'il répugne à sa raison ; ce n'est pas qu'elle soit sans pitié, c'est qu'elle est sans superstition ; ce n'est pas qu'elle veuille vivre dans la licence, c'est parce qu'elle ne veut pas mourir dans l'esclavage ». Plus elle est victime, plus grande est la révolte contre la vie monastique ; plus elle est pieuse, obéissante et innocente, mieux Diderot pourra convaincre son public de l'honnêteté des grands principes de liberté au nom desquels elle se révolte.

Mais c'est aussi parce qu'elle est pieuse et obéissante que va se déclencher une série d'événements qui mettent en lumière ce que nous avons appelé les paradoxes de l'innocence.

D'abord, si Suzanne n'a pas le sens du mal, elle a au moins la conscience du péché : « Jamais vous n'avez pensé à promener vos mains sur cette gorge, sur ces cuisses, sur ce ventre, sur ces chairs si fermes, si douces et si blanches ? – Oh ! pour cela, non ; il y a du péché à cela ; et si cela m'était arrivé, je ne sais comment j'aurais fait pour l'avouer à confesse [45]. » Or tous ses malheurs vont venir de là, de la nécessité d'avouer ses péchés à confesse, de se purifier par la parole auto-accusatrice du mal passé afin d'être digne de communier avec le corps absolu, le corps du Christ.

Ressort essentiel de la soumission à la morale chrétienne, la confession va jouer le rôle de révélateur des contradictions dans

44. *Ibid.*, p. 165.
45. *Ibid.*, p. 177.

lesquelles les deux femmes sont emprisonnées du fait des sociétés civiles et religieuses qui condamnent l'une à la réclusion perpétuelle et l'autre à la damnation éternelle. À partir d'une problématique de « l'aveu » et de « l'Ave » Diderot développe la question fondamentale : où est le mal ? Dans la passion ou dans l'aveu ? À faire ce qui est interdit par l'Église (et la société civile) ou à taire ce que l'on prend plaisir à faire ?

Il la pose une première fois du point de vue de l'innocente, de celle qui n'y entend aucun mal : « Je m'étais déjà accusée des premières caresses que ma supérieure m'avait faites ; le directeur m'avait expressément défendu de m'y prêter davantage ; mais le moyen de se refuser à des choses qui font grand plaisir à une autre dont on dépend entièrement, et auxquelles on n'entend soi-même aucun mal [46] ? » Puis dans un dialogue avec la supérieure qui, ayant déjà subi quelques « tracasseries » à propos de sœur Thérèse, préfère absoudre elle-même la pénitente : « [...] vous n'avez commis aucune faute dont je ne puisse vous réconcilier et vous absoudre ; et vous communierez avec les autres. Allez. » Mais le père Lemoine l'attendait au confessionnal... « " Allez-y donc, puisqu'il le faut, mais assurez-moi que vous vous tairez. " J'hésitais, elle insistait. " Eh folle, me disait-elle, quel mal veux-tu qu'il y ait à taire ce qu'il n'y a point eu de mal à faire ? "

– Et quel mal y a-t-il à le dire ? lui répondis-je.

– Aucun, mais il y a de l'inconvénient. »

Et de fait le mal ne viendrait-il pas de cet « inconvénient », de ce que Suzanne doive parler, ou du moins répondre aux « mille demandes singulières » du confesseur, déclenchant par ses aveux tout le processus répressif de l'institution religieuse en une condamnation sans appel de la passion de la supérieure : « [...] Il l'appela indigne, libertine, mauvaise religieuse, femme pernicieuse, âme corrompue, et m'enjoignit, sous peine de péché mortel, de ne me trouver jamais seule avec elle, et de ne souffrir aucune de ces caresses. [...] Je vous ordonne de fuir votre supérieure [...] et de faire tout ce que l'amour de Dieu, la crainte du crime, la sainteté

46. *Ibid.*, p. 179-180.

de votre état et l'intérêt de votre salut vous inspireraient si Satan en personne se présentait à vous et vous poursuivait. Oui, mon enfant, Satan, c'est sous cet aspect que je suis contraint de vous montrer votre supérieure ; elle est enfoncée dans l'abîme du crime [...]. Dites avec moi : " Satana, vade retro, apage, Satana. " [...] Dites-lui qu'il vaudrait mieux qu'elle ne fût pas née, ou qu'elle se précipitât seule aux enfers par une mort violente [...]. Je ne vous donne pour pénitence que de tenir loin de vous votre supérieure et que de repousser ses caresses empoisonnées. Allez [...]. Dieu est le maître, et nous n'avons qu'une loi [47]. »

Il faudrait que Diderot soit devenu le plus grand dévot du XVIIIe siècle pour croire qu'il juge la passion de sa supérieure comme le fait le directeur du tribunal de la pénitence. D'ailleurs, il n'y aura que la voix de l'Église pour condamner ce crime libertin, Diderot se réservant le plaisir de faire jouer les contradictions des faits et des situations.

Nous sommes devant cette situation paradoxale que celle qui transgresse la loi de Dieu est la supérieure, la mère d'Église, à qui a été donné pouvoir immédiat sur Suzanne, alors que celle qui obéit aveuglément à la loi est précisément celle qui se révolte contre l'institution monastique. L'une n'hésite jamais à se mettre en état de péché mortel pour vivre sa passion alors que l'autre se retranche derrière l'interdit pour s'y refuser. Par exemple, lors de la « scène du lit », leur dernière entrevue intime coupée juste avant l'issue heureuse par l'intrusion de la jalouse sœur Thérèse : « [...] écartez seulement un peu la couverture, que je m'approche de vous, que je me réchauffe, et que je guérisse. – Chère mère, lui dis-je, cela est défendu. Que dirait-on si on le savait ? J'ai vu mettre en pénitence des religieuses pour des choses beaucoup moins graves. Il arriva dans le couvent de Sainte-Marie à une religieuse d'aller la nuit dans la cellule d'une autre, c'était sa bonne amie, et je ne saurais vous dire tout le mal qu'on en pensait [48]. »

Or, s'il est évident que du point de vue religieux cette passion est

47. *Ibid.*, p. 180-182.
48. *Ibid.*, p. 167.

un mal, les choses ne sont pas si claires du côté de Suzanne. Et c'est précisément par la vertu de son innocence que Diderot peut introduire le doute : « " Vous repousserez mes caresses ? lui demande la supérieure. – Il m'en coûtera beaucoup, car je suis née caressante, et j'aime à être caressée ; mais il le faudra, je l'ai promis à mon directeur, et j'en ai fait le serment au pied des autels. " [...] Je revins sur ce qu'elle m'avait dit. Je demandais à Dieu de m'éclairer. Je réfléchis et je conclus, tout bien considéré, que, quoique des personnes fussent d'un même sexe, il pouvait y avoir du moins de l'indécence dans la manière dont elles se témoignaient de l'amitié [49]. »

Malgré tout, Suzanne se résout par pénitence à « éviter » sa supérieure ; mais cette dernière n'étant pas faite pour la morale ascétique en tombe malade : « Cependant le mal de cette femme empira de jour en jour ; elle devint mélancolique et sérieuse ; la gaieté qui depuis mon arrivée dans la maison n'avait pas cessé, disparut tout à coup ; tout rentra dans l'ordre le plus austère [...]. Cette supérieure, que je ne pouvais ni soulager ni m'empêcher de plaindre, passa successivement de la mélancolie à la piété, et de la piété au délire [50]. »

Si l'on s'en tient à cette description du mal, il est certain que « l'espèce de dépravation » attribuée aux tribades encyclopédiennes ressemble beaucoup au mal de la supérieure, et l'on pourrait même dire que la passion ne peut que la mener « tôt ou tard » à cette « espèce de folie » dans laquelle, de l'avis même du deuxième confesseur Dom Morel, elle semble avoir sombré. Cependant, nous ne pouvons pas nous empêcher de soupçonner le cher homme de prêcher pour sa paroisse, car ce prêtre qui vit côté homme la même histoire que Suzanne (une vocation forcée) a tout intérêt à dépeindre l'état de la supérieure sous un jour si funeste dans la mesure où il organisera leur fuite commune dans... une maison de passe, après avoir soumis Suzanne à toutes ses « instances ». Écoutons Dom Morel révéler son diagnostic :

49. *Ibid.*, p. 185-186.
50. *Ibid.*, p. 189.

« " Ma sœur, me répondit-il en prenant un air grave, tenez-vous-en à ses conseils [ceux du père Lemoine] et tâchez d'en ignorer la raison tant que vous vivrez.

– Mais il me semble que si je connaissais le péril, je serais d'autant plus attentive à l'éviter.

– Peut-être aussi serait-ce le contraire [...].

– Mais que la familiarité et les caresses d'une femme peuvent-elles avoir de dangereux pour une autre femme ? "

« Point de réponse de la part de Dom Morel.

« "Ne suis-je pas la même que j'étais en entrant ici ? "

« Point de réponse de la part de Dom Morel.

« " N'aurais-je pas continué d'être la même ? Où donc est le mal de s'aimer, de se le dire, de se le témoigner ? Cela est si doux !

– Il est vrai ", dit Dom Morel en levant les yeux sur moi, qu'il avait toujours tenus baissés tandis que je parlais.

« " Et cela est-il donc si commun dans les maisons religieuses ? Ma pauvre supérieure ! Dans quel état elle est tombée !

– Il est fâcheux, et je crains bien qu'il n'empire. Elle n'était pas faite pour son état, et voilà ce qui en arrive tôt ou tard. Quand on s'oppose au penchant général de la nature, cette contrainte la détourne à des affections déréglées qui sont d'autant plus violentes, qu'elles sont mal fondées ; c'est une espèce de folie [51]. " »

Avouons que ce dernier paragraphe est du pain bénit pour tous ceux qui croient que la nature incline les gens de sexe opposé à tomber dans les bras l'un de l'autre. Certes, « la retraite déprave » ; elle « dénature » probablement, et sans doute est-ce une « contrainte », mais souvenons-nous : pour Diderot, « l'homme est né pour la société » et, d'après *L'Encyclopédie*, « la sociabilité est le troisième principe d'où l'on peut déduire la loi naturelle ». C'est donc avant tout la nature sociale, si l'on ose dire, qui est ici contrecarrée et non la nature instinctuelle.

D'autre part, si la supérieure sombre dans cette « espèce de folie », ce n'est pas dans la logique de la passion mais dans la logique du refus de Suzanne de la partager, de son refus de désobéir

51. *Ibid.*, p. 194-195.

à la loi de Dieu, de son refus d'entrer dans la cellule de la supérieure qui lui prédit : « Vous ne le voulez pas [entrer] sainte Suzanne ? Vous ne savez pas ce qui peut en arriver, non, vous ne le savez pas ; vous me ferez mourir... »

C'est le système religieux dans son ensemble qui « dénature » les gens, les contraint à l'aveu, la folie et la pénitence ; un système capable de tuer une femme par sa morale inquisitoriale et de transformer une femme révoltée en « machine » décervelée qui remarque après son retour dans « le monde » : « Je n'ai jamais eu l'esprit du cloître, et il y paraît assez à ma démarche ; mais je me suis accoutumée en religion à certaines pratiques que je répète machinalement ; par exemple, une cloche vient-elle à sonner ? Ou je fais le signe de la croix, ou je m'agenouille. Frappe-t-on à la porte ? Je dis Avé. M'interroge-t-on ? C'est toujours une réponse qui finit par oui ou non, chère mère ou ma sœur [52]. »

Dès lors, on ne s'étonnera pas que dans son délire la supérieure revive la passion du Christ au point d'en perdre la tête : « " Éloignez ce Christ... Rapportez-le-moi... " On le lui rapportait ; elle le serrait entre ses bras, elle le baisait partout et puis elle ajoutait : " Ce sont ses yeux, c'est sa bouche ; quand la reverrai-je ? Sœur Agathe, dites-lui que je l'aime, peignez-lui bien mon état, dites-lui que je meurs [53]. " » Enfin, à l'article de la mort, au plus fort de son délire, elle se décide à aller à confesse pour avouer la victoire de la raison divine sur la passion humaine en disant ces simples mots : « Mon père, je suis damnée [54]... »

52. *Ibid.*, p. 206.
53. *Ibid.*, p. 201.
54. *Ibid.*, p. 198. D'après Naigeon, ce mot ne serait pas de Diderot. « Il lui a été donné par Mme d'Holbach, qu'il consultait sur la manière dont il commencerait la confession de la supérieure, et qui, surprise de son embarras et de le voir ainsi arrêté depuis plus d'un mois sur une route où elle n'apercevait pas le plus léger obstacle, lui dit sur le simple exposé des faits précédents : " Il n'y a pas à choisir entre plusieurs débuts également heureux. Il n'y a qu'une seule manière d'être vrai. Votre supérieure n'a qu'un mot à dire, et ce mot le voici : Mon père, je suis damnée. " Ce mot [...] paraît être le véritable accent de la passion, le mot de la nature devait plaire à Diderot par sa justesse et sa simplicité [...], il croyait même que ce mot, dont il n'oubliait jamais de faire honneur à son auteur, était un de ceux que l'homme qui connaîtrait le mieux la nature humaine chercherait peut-être inutilement, et qui ne pouvaient être trouvés que par une femme. » Cité dans le tome IV des *Œuvres* de Diderot, Éd. Assézat, note p. 162.

Après cette confession, on comprend mieux pourquoi *La Religieuse* a constitué aux yeux d'historiens contemporains comme Georges May un nouveau modèle « d'explication du saphisme » dans lequel Diderot n'en fait plus « un vice du corps, mais un vice de l'esprit [55] ». On comprend peut-être aussi qu'il voie dans le philosophe un « pionnier de la psychiatrie moderne ». Mais peut-on comprendre qu'il prenne cette confession pour argent comptant, alors qu'au XVIIIe siècle la damnation relève du strict champ lexical religieux ? Finalement, la virtuosité avec laquelle Diderot expérimente ses idées médicales dans la fiction, faisant jouer toute la gamme du sensible, sans juger si c'est bien ou mal, naturel ou contre-naturel, explique peut-être pourquoi ce roman fut censuré si longtemps. C'est le doute qui est inconfortable, l'énigme humaine, l'absence de réponse à donner au Sphinx. Dans le domaine des passions humaines, la raison a tôt fait de déduire l'effet de la cause. Or si Diderot nous a donné avec la supérieure le plus beau portrait d'une femme « enflammée » par une autre femme de la littérature masculine, n'est-ce pas parce qu'il a osé faire état d'ignorance et jeter le trouble dans le discours sur les tribades ? « Elle me fit mille caresses qui m'embarrassèrent un peu, raconte Suzanne à la fin de son récit, je ne sais pourquoi, car je n'y entendais rien, ni elle non plus ; et à présent même que j'y réfléchis, qu'aurions-nous pu y entendre ? »

De la nature... du plaisir

C'est dans la « Suite de l'Entretien » que Diderot élabore les conséquences philosophiques de son roman, non pour repenser la cause du saphisme, comme l'écrit Georges May [56], mais pour libérer le corps du carcan religieux. Pourquoi Diderot s'est-il tant inté-

55. Georges May, *op. cit.*, p. 114.

56. À ce sujet, Georges May écrit : « En effet, du moment que la tendance homosexuelle se développe dans un organisme sain [...] elle doit avoir une cause extérieure ; et cette cause ne peut donc être que la solitude, l'oisiveté, la société exclusive des femmes et toutes autres particularités qui caractérisent la vie monacale. » *Op. cit.*, p. 114. Cherchant la cause, il trouve la norme, démarche totalement étrangère à Diderot...

ressé à la médecine, et plus spécialement à la physiologie, allant jusqu'à composer ses propres *Éléments de physiologie* à la suite de son ami le docteur Haller, si ce n'est dans le but de mieux connaître le fonctionnement du corps humain, en particulier tout ce qui est mystérieux en l'Homme comme la pensée, les sentiments, le plaisir, la douleur ou la génération (rappelons que le rôle de l'ovaire dans la formation de l'œuf n'était pas encore établi avec certitude [57]) ? « La douleur et la maladie sont des idées produites par le corps, écrit Haller, et paraissent avoir pour fondement toute sensation trop vive dans les nerfs ; de même que le plaisir dans lequel les nerfs sont portés au-delà de leur ton ordinaire mais avec modération. Des idées qui augmentent ou diminuent notre bonheur, les unes sont produites par le corps, et les autres sont purement mécaniques [58]. »

La physiologie prend le pas sur l'anatomie au XVIIIe siècle, parce que la fascination pour le mystère s'est déplacée du religieux à la nature. On ne se passionne plus pour le problème de la Grâce, de la transsubstantiation, de l'amour divin, comme au XVIIe siècle, mais pour le monde terrestre. Saisi du démon de l'expérience, l'esprit philosophique cherche à comprendre le monde qui l'entoure plutôt que de percer les mystères cachés dans le ciel. Il devient curieux de tout, il doute, il observe, il aspire au bonheur, fait des expériences de chimie, voyage, découvre l'existence des Noirs, des Persans, des tribades, et admet la relativité universelle des mœurs et des lois.

Cette démarche a des conséquences politiques importantes. En opposant la loi naturelle à la loi divine, le droit naturel au droit divin, la relativité à l'absolutisme, la philosophie des Lumières sape les fondements de la monarchie absolue, sa légitimité et son efficacité symbolique. Non seulement on ne croit plus à la doctrine du salut imposée par la religion, mais on trouve dans la nature les lumières qu'on ne trouvait plus dans le ciel.

57. Voir Pierre Darmon, *Le Mythe de la procréation à l'âge baroque*, Éd. J.-J. Pauvert, 1977.

58. *Éléments de physiologie ou traité de la structure et des usages des différentes parties du corps humain*, traduit du latin par M. Haller, Paris, 1752, p. 190.

Dans le domaine de la connaissance du corps humain, Diderot est de ceux qui pousseront cette logique le plus loin, jusqu'à remettre en question l'ancienne morale sexuelle en libérant le plaisir de son caractère infamant, criminel, abusif et inutile. Si les médecins philosophes observent que la matière est sensible, que ce n'est donc pas une cause extérieure (Dieu) qui la met en mouvement, tout ce qui concourt à séparer la cause de l'effet, la nature de la non-nature, l'utile de l'agréable, l'homme de l'animal, etc., est non seulement absurde, abstrait, obscur, sans fondement et incertain, mais engage Diderot à en « redire » sur l'acte de la « génération » et à exprimer son « mécontentement » vis-à-vis des « lois tant civiles que religieuses qui ont été faites sans équité, sans but et sans aucun égard à la nature des choses et à l'utilité publique [59] ».

Celui qui parle ainsi, on le devine, ne peut être que médecin, en l'occurrence Bordeu, ami de Diderot, qui lui prête aimablement sa voix dans le troisième dialogue du *Rêve de D'Alembert*.

En scène, donc, Bordeu, docteur en médecine à la faculté de Montpellier, reçu docteur à la faculté de médecine de Paris en 1754, professeur d'obstétrique et collaborateur de *L'Encyclopédie*. Son interlocutrice est, fait remarquable pour un dialogue non seulement scientifique mais philosophiquement audacieux, une femme, Julie de Lespinasse, la « Sapho du XVIIIe siècle », amie de D'Alembert et qui se décrivait ainsi : « Je suis assez heureuse pour aimer à la folie les choses les plus opposées, je ne compare rien, je jouis de tout [60]... »

Mais le choix de Julie posa quelques problèmes à Diderot. « M. Diderot [...] devrait s'interdire de faire parler des femmes qu'il ne connaît pas », écrit-elle à son ami Suard [61] comme si l'affront résidait là, et son fidèle ami d'Alembert la soutient en exigeant de Diderot qu'il brûle le manuscrit. Obtempéra-t-il ? Est-ce à cause de Julie que les manuscrits furent censurés ? Une chose est sûre, en tout cas, c'est que mis à part une publication clandestine dans *La*

59. Diderot, « Suite de l'Entretien », in *Œuvres philosophiques*, Classique Garnier, 1956, p. 372-373.
60. Cité par Marguerite Glotz et Madeleine Maire, *Salons du XVIIIe siècle*, Paris, Nouvelles Éditions Latines, 1949.
61. *Diderot et Catherine II*, Éd. Tourneux, p. 63.

Correspondance littéraire en 1782, les manuscrits ne furent édités qu'en 1830.

Il semblerait que la censure ait été alertée par le fait que Diderot ne recula « devant rien » dans des dialogues que les *Mémoires secrets* [62] jugent « croustilleux » et dont lui-même, dans une lettre à Sophie Volland datée du 9 septembre 1769, reconnaît qu'ils sont « capables de faire dresser les cheveux sur la tête de mon amoureuse ». Quoi qu'il en soit, c'est dans ce dialogue que Diderot entreprend pour la première fois de tirer les conséquences de l'observation des faits de nature sur le domaine encore innommable pour un philosophe qui se respecte, celui des « actions restreintes à la volupté ».

Première liberté prise sur la morale chrétienne, il classe dans son nouvel « ordre physique, moral et esthétique » les plaisirs contre nature avant la chasteté : « L'action agréable et utile doit occuper la première place dans l'ordre esthétique ; nous ne pouvons refuser la seconde à l'utile ; la troisième sera pour l'agréable ; et nous reléguerons au rang infime celle qui ne rend ni plaisir ni profit [63]. »

Cela posé, le plus délicat reste à dire ; car si Mlle de Lespinasse peut être de cet avis sans rougir, elle ne voit pas très bien « où cela nous mène ». Aussi le mieux est-il de se laisser guider par Bordeu :

« BORDEU : Et les actions solitaires ?

MLLE DE LESPINASSE : Eh bien ?

BORDEU : Eh bien, elles rendent du moins du plaisir à l'individu, et notre principe est faux, ou...

MLLE DE LESPINASSE : Quoi, docteur...

BORDEU : Oui, mademoiselle, oui, et par la raison qu'elles sont aussi indifférentes, et qu'elles ne sont pas aussi stériles. C'est un besoin, et quand on n'y serait pas sollicité par le besoin, c'est toujours une chose douce ? [...] Mais nous causons sans témoin et sans conséquence.

MLLE DE LESPINASSE : Docteur, je vous vois arriver, et je gage...

62. Les *Mémoires secrets ou Journal d'un observateur* (Londres, 1777-1789) sont avec les 36 volumes l'une des plus estimables chroniques de la fin du XVIIIe siècle. Nous aurons l'occasion de mieux les connaître. Ils parlent des manuscrits de 1773.

63. Diderot, « Suite de l'Entretien », *op. cit.*, p. 375.

BORDEU : Je ne gage pas, vous gagneriez. Oui, mademoiselle, c'est mon avis.

MLLE DE LESPINASSE : Comment ! Soit qu'on se renferme dans l'enceinte de son espèce soit qu'on en sorte ?

BORDEU : Il est vrai.

MLLE DE LESPINASSE : Vous êtes monstrueux.

BORDEU : Ce n'est pas moi, c'est ou la nature, ou la société. Écoutez mademoiselle, je ne m'en laisse point imposer par des mots et je m'en explique d'autant plus librement que je suis net et que la pureté connue de mes mœurs ne laisse prise d'aucun côté. Je vous demanderai donc, de deux actions également restreintes à la volupté, qui ne peuvent rendre du plaisir sans utilité, mais dont l'une n'en rend qu'à celui qui la fait et l'autre le partage avec un être semblable mâle ou femelle, car le sexe ici, ni même l'emploi du sexe n'y fait rien, en faveur de laquelle le sens commun prononcera-t-il ?

MLLE DE LESPINASSE : Ces questions-là sont trop sublimes pour moi.

BORDEU : Ah ! après avoir été un homme pendant quatre minutes, voilà que vous reprenez votre cornette et vos cotillons, et que vous redevenez femme. À la bonne heure ; eh bien ! il faut vous traiter comme telle... Voilà qui est fait... On ne dit plus mot de Mme du Barry... Vous voyez, tout s'arrange, on croyait que la cour allait être bouleversée. Le maître a fait en homme sensé ; il a gardé la femme qui lui fait plaisir, et le ministre qui lui est utile... Mais vous ne m'écoutez pas... Où en êtes-vous ?

MLLE DE LESPINASSE : J'en suis à ces combinaisons qui me semblent toutes contre nature.

BORDEU : Tout ce qui est ne peut être ni contre nature ni hors nature, je n'en excepte pas même la chasteté et la continence volontaires qui seraient les premiers des crimes contre nature, si l'on pouvait pécher contre nature, et les premiers des crimes contre les lois sociales d'un pays où l'on pèserait les actions dans une autre balance que celle du fanatisme et du préjugé [64]. »

64. *Ibid.*, p. 379-380.

Restons un homme, donc ! pour mesurer les conséquences de ces libres propos. D'abord, Bordeu parle d'*êtres semblables*, mâles ou femelles. Ensuite, il n'établit pas de hiérarchie entre eux, comme c'était le cas jusqu'alors. Cela signifie-t-il que le plaisir féminin est l'effet d'une action et non plus la cause d'un abus, autrement dit que les femmes accèdent au statut de sujet de leur plaisir ? Quoique cette question soit tabou chez la plupart des savants, Haller ose l'aborder en expliquant « ce qui arrive aux femmes pendant l'acte vénérien » : « D'abord elles ressentent du plaisir. Communément les femmes n'en conviennent pas, celles mêmes qui pourraient l'avouer sans rougir, assurent qu'elles ont conçu sans la moindre volupté ; il y en a d'autres qui sont plus franches et qui confessent qu'elles désirent les approches, et qu'elles y prennent plaisir ; cette sensation peut à la vérité être plus vive dans une femme et plus faible dans une autre. Outre ce sentiment voluptueux, il se porte plus de sang aux parties génitales, et il y a une certaine chaleur. J'ai déjà dit que l'orifice de la matrice était sensible, le clitoris l'est excessivement, mais cette dernière partie est peu affectée dans le coït [...]. On dit que quand les femmes ont conçu, elles éprouvent une certaine sensation qui participe du plaisir et de la douleur, on ajoute même qu'elles frissonnent [...]. Des femmes de qui je pouvais espérer un aveu sincère, ne m'ont pu rien apprendre au sujet de ce frisson et de la douleur qu'on dit qu'elles éprouvent [65]. »

Assurément, il y a lieu de s'étonner que communément les femmes n'en conviennent pas et désavouent cette évidence physiologique qu'« il se porte du sang aux parties génitales ». Peut-être en faudrait-il chercher l'explication dans la présence d'un clitoris « excessivement » sensible, malheureusement peu affecté dans le coït. Mais tel n'est pas son propos ; il lui suffit de savoir que les femmes ressentent du plaisir. N'est-ce pas l'essentiel ? et n'est-ce pas nouveau dans la médecine où, en dépit du clitoris, les femmes étaient supposées recevoir le plaisir de l'homme ?

65. *La Génération ou Exposition des phénomènes relatifs à cette fonction naturelle. De leurs mécanismes, de leurs causes respectives et des effets immédiats qui en résultent*, traduit de la physiologie de M. de Haller, Paris, 1774, 2 volumes, tome I, p. 372-374.

Nous avons vu dans *La Religieuse* comment Suzanne observe les signes de la jouissance sur le corps de la supérieure et à quel point le corps de la femme acquiert une réalité sensible. En posant la distinction entre êtres semblables et différents, et non plus entre procréation et plaisir, Diderot effectue à présent une rupture épistémologique très importante puisque, un siècle avant les psychiatres, il formule les deux notions qui ordonnent l'univers mental de la sexualité contemporaine : l'homosexualité et l'hétérosexualité.

L'*homoïos*, l'amour du semblable, réapparaît donc au moment même ou la monarchie absolue est attaquée dans ses fondements religieux. C'est une vraie révolution de la représentation de l'être, de son corps et de la sexualité qui s'opère ici, avec la possibilité au moins théorique de redonner à la femme une place égale à celle de l'homme. Le porteur de pénis n'est plus le détenteur du sens. C'est le couple « hétérosexuel » qui compte ; plus exactement, le sens se déplace de la personne à l'acte et la nouvelle norme se dépersonnalise en étant projetée sur le rapport humain. Théoriquement, donc, l'homme et la femme ont autant d'importance dans ce rapport, ce que la Déclaration des Droits de l'Homme et du Citoyen reconnaîtra sur le plan politique. Mais au XIXe siècle cette égalité potentielle entre les individus des deux sexes sera proprement inconcevable pour les médecins, ces nouveaux défenseurs du patriarcat qui s'empresseront de rediviser le monde du plaisir en deux catégories : les « normaux » et les « pervers ».

Une dernière question se pose. Diderot a-t-il pu explorer les potentialités libératrices de la philosophie des Lumières puisqu'il valorisait dans l'Homme l'être sensible plutôt que l'être de raison ? On se le demande en voyant comment, sous la Révolution, Condorcet se situe dans le même courant pour plaider en faveur de l'accès des femmes au droit de cité au nom de la sensibilité, qualité commune aux deux sexes : « Les droits des hommes résultent uniquement de ce qu'ils sont des êtres sensibles, susceptibles d'acquérir des idées nouvelles et de raisonner sur ces idées. Ainsi les femmes ayant les mêmes qualités, ont nécessairement des droits égaux [66]. »

La sensibilité est donc une valeur essentielle aux Lumières en ce qu'elle permet de définir un terrain de rencontre et d'identité commune aux deux sexes. En se réclamant de la déesse Raison, les révolutionnaires de 1793 rompirent avec cet héritage. Remplaçant la sensibilité par le sentiment, ils réinscriront la différence des sexes dans la nature et la domination du citoyen sur la citoyenne dans la sphère du droit privé.

66. Condorcet, *Sur l'admission des femmes au droit de cité*, 3 juillet 1790. Cité dans *Le Grief des femmes*, anthologie de textes féministes (Éd. Hier et Demain, 1978, tome I, p. 142). Notons qu'en 1787 Condorcet avait développé le même argument : « N'est-ce pas en qualité d'êtres sensibles, capables de raison, ayant les idées morales que les hommes ont des droits ? Les femmes doivent donc avoir absolument les mêmes. » Voir Élisabeth et Robert Badinter, *Condorcet, un intellectuel en politique*, Paris, Fayard, 1990.

CHAPITRE 2

Les mystères de Lesbos

Novembre 1775. « Si, au lieu de parler des mystère de la magie, il [l'abbé Fiart] nous avait parlé de ceux de Lesbos, il eût peut-être trouvé plus de croyance, ce sont les seuls mystères que notre siècle paraisse tenter de renouveler.

« Il existe, dit-on, une société connue sous le nom de la Loge de Lesbos, mais leurs assemblées sont plus mystérieuses que ne l'ont jamais été celles des francs-maçons. Là on s'initie dans tous les secrets dont Juvénal fait une description si franche et si naïve dans la XVIe satire. *Nota bonae secreta Deae*, etc.

« Notre superbe Galathée est, dit-on, une des premières prêtresses du Temple ; il faudrait être Juvénal pour oser écrire le reste [1]. »

Signe des temps, la *Correspondance littéraire, philosophique et critique*, rédigée notamment par Grimm, Meister et Diderot, n'est pas la dernière à prêter l'oreille aux bruits qui courent sur Lesbos et à compter au nombre des événements dignes d'intéresser ses abonnés les petites nouvelles de ce que tout le monde appelle, avec une délectation non dissimulée, la chronique scandaleuse.

Il faut dire qu'en ce Paris de fin d'Ancien Régime ce ne sont

1. *Correspondance littéraire, philosophique et critique* de Grimm, Diderot, Raynal, Meister..., M. Tourneux éd., Paris, Garnier (1877-1882), tome XI, p. 159. Galathée est un rôle que Françoise Raucourt joua à la Comédie-Française.

pas les « espions anglais » et autres « observateurs secrets » qui manquent. Il semblerait même que ce soit devenu le mode d'observation privilégié des littérateurs, tant foisonnent les libelles, chroniques, pamphlets, portefeuilles, nouvelles à la main, lettres, mémoires ou correspondances clandestines destinés à satisfaire la curiosité grandissante des bonnes et joyeuses compagnies.

Certes, ce phénomène répond d'abord à la nécessité de ruser avec la censure royale. Mais il est vite devenu un ressort essentiel de la vie culturelle, sociale et libertine de la France « éclairée ». Qu'on en juge par le titre des livres clandestins qui constituent nos principales sources d'information sur le Lesbos du XVIIIe siècle :

La *Correspondance littéraire, philosophique et critique*, la première et la plus révélatrice puisqu'elle émane du milieu encyclopédiste. Commencé en 1752 par Raynal, ce journal secret était écrit à la main et envoyé chaque mois à une quinzaine de riches abonnés européens qui avaient promis le secret absolu. Continué par Grimm, Diderot, Meister et Mme d'Épinay, qui fournissait de nombreux articles « qu'elle permettait à Meister d'arranger à sa manière [2] », il existera jusqu'à la Révolution. Il était généralement rédigé chez Mme d'Épinay, dans son domaine de La Chevrette, situé dans la grande banlieue de Paris.

Les Mémoires secrets pour servir à l'histoire de la république des lettres en France, depuis 1762 jusqu'à nos jours, ou Journal d'un observateur, publié à Londres, chez J. Adamson (1777-1789), trente-six volumes. Anonymes du début à la fin, ces « nouvelles à la main » ont été commencées par Bachaumont puis reprises après sa mort en 1773 par Mouffle d'Angerville et Pidansat de Mairobert, dont les fonctions de censeur royal constituaient un poste d'observation imprenable. Après sa mort en 1779, d'autres personnes durent y collaborer – quoiqu'elles ne soient pas identifiées – puisque ces « nouvelles » se poursuivirent jusqu'à la Révolution. Avec *La Cor-*

2. *Dictionnaire des ouvrages anonymes*, par A. Barbier, 3e édition revue et augmentée par MM. O. Barbier, R. et P. Billard, Paris, 1872.

respondance littéraire, c'est la chronique la plus détaillée, la plus complète et généralement la mieux informée sur les mœurs parisiennes de la fin de l'Ancien Régime. Si les faits à caractère libertin y sont plus volontiers relatés, on y rédige également des critiques de livres, de pièces de théâtre et un compte rendu régulier du Salon de Peinture et de Sculpture.

L'Espion anglais ou Correspondance secrète entre Mylord All Eye et Mylord All Ear, à Londres chez J. Adamson. Il paraît pour la première fois en quatre volumes sous la date de 1777-1778, puis en dix volumes en 1784. Il serait l'œuvre de Pidansat de Mairobert.

Le Désœuvré ou l'Espion du Boulevard du Temple. À Londres, 1781, par Mayeur de Saint-Paul, vraisemblablement.

Imprimés à Londres, au Vatican, à « cent lieues de la Bastille », ou à « l'enseigne de la liberté », ces documents sont tous anonymes et appartiennent au domaine de la littérature clandestine, qui connut un développement considérable à la fin de l'Ancien Régime, comme le fait apparaître une étude de Robert Darnton sur le commerce du livre prohibé. « À partir de 1760-1770 un flot d'écrits subversifs envahit le royaume, écrit Roger Chartier dans un compte rendu de ce livre. Il ne s'agit pas, à l'exception de *L'Encyclopédie*, des textes canoniques des Lumières, mais d'une sous-littérature qui corrode les pouvoirs ou l'image des pouvoirs par la mise à jour de ses turpitudes [3]. »

Que Lesbos y joue un rôle non négligeable ne nous étonnera pas. Mais qu'elle participe de ces courants érotico-politiques qui, comme le dit Chartier, modifient « la relation ancienne aux autorités, en désacralisant les symboles du pouvoir et en détruisant les symboles qui fondaient les hiérarchies », est encore plus révélateur de sa fonction dissolvante des anciennes structures. La présence de Lesbos dans ces activités subversives n'est-elle pas le signe que non seulement l'absolutisme est en crise mais le pouvoir sexuel masculin lui-même ?

3. Roger Chartier, « Livres sous le manteau », *L'Histoire* n° 3, 1978. Robert Darnton, « Un commerce du livre " sous le manteau " en province à la fin de l'Ancien Régime », *Revue française d'histoire du livre*, 1975.

Fait révélateur, Lesbos cesse d'être un objet de discours pour devenir un fait de société. Ne s'inscrit-elle pas parfaitement bien dans le contexte de convivialité de ces années pré-révolutionnaires où la « bonne société » aristocrato-bourgeoise découvre à travers le mouvement des académies, des cafés, des clubs, les petits soupers, la culture des salons, son goût pour l'art de vivre ensemble dans l'irrespect de l'Autorité établie ?

Dans ce sillage émancipateur, le non-conformisme en amour cesse d'être un objet d'indignation pour devenir un sujet d'admiration.

On siffle Françoise Raucourt au Théâtre français, mais on revient trois fois la voir costumée en soldat prussien, car « elle est mieux en homme ». On pardonne à la cantatrice Sophie Arnould d'aimer des femmes « sur le retour », car elle enchante tout Paris avec ses mots d'esprit. « Un soir Mlle Arnould donna à ses nombreux amis un grand souper où l'on tint des propos peu décents sur la marquise de Pompadour. Le lieutenant général de la police la fit venir le lendemain : “ Mademoiselle où avez-vous soupé hier ? – Je ne me le rappelle pas, monseigneur. – Vous avez soupé chez vous. – C'est possible. – Vous aviez du monde. – Vraisemblablement ! – Vous aviez entre autres des personnages de la première qualité. – Cela m'arrive quelquefois. – Quels étaient ces personnages ? – Je ne m'en souviens pas. – Vous ne vous souvenez pas de ceux qui ont soupé hier chez vous ? – Non, monseigneur. – Mais il me semble qu'une femme comme vous devrait se rappeler ces choses-là. – Oui, mais devant un homme comme vous, je ne suis pas une femme comme moi [4]. ” »

Jamais époque ne fut si tolérante envers les femmes « qui raffolent de leur sexe ». On cite leurs mots d'esprit dans les soupers, on compose des couplets à leur intention, on colporte les moindres faits et gestes de la « grande prêtresse de Lesbos », on les imprime avec une admiration non feinte... Et pour cause. Nos « aimables

4. *Arnoldia ou Sophie Arnould et ses contemporaines. Recueil choisi d'anecdotes, de mots piquants et de bons mots de Mlle Arnould.* A. Deville, Paris, Gérard, 1813. Cité également par E. et J. de Goncourt dans *Sophie Arnould, d'après sa correspondance et ses mémoires inédits*, Paris, Charpentier, 1885, p. 71.

tribades » ne s'étaient encore jamais comportées si librement : « Le vice des tribades devient fort à la mode parmi nos demoiselles d'Opéra, écrivent les *Mémoires secrets* : elles n'en font point mystère et traitent de gentillesse cette peccadille. La demoiselle Arnoux, quoiqu'ayant fait des preuves dans un autre genre puisqu'elle a plusieurs enfants, sur le retour donne dans ce plaisir ; elle avait une autre fille nommée Virginie, dont elle se servait à cet usage. Celle-ci a changé de condition et est passée à Mlle Raucourt, de la Comédie-Française, qui raffole de son sexe et a renoncé au marquis de Bièvre pour s'y livrer plus à son aise. Dernièrement au Palais royal, dans la nuit, le sieur Ventes ayant turlupiné la demoiselle Virginie sur sa rupture avec Mlle Arnoux, qu'on nomme Sophie dans ses parties de débauche, celle-ci témoin des propos a donné au cavalier un soufflet très bien conditionné, dont il a été obligé de rire, en demandant des excuses à l'aimable tribade [5]. »

L'année suivante, *La Correspondance littéraire* s'en mêle, racontant l'anecdote suivante : « On accuse Mlle Raucourt de réunir aux goûts de son sexe tous les vices du nôtre, et la chronique scandaleuse assure que c'est seulement à ce titre qu'elle a trouvé grâce aux yeux de M. le Marquis de Villette [6] [...]. Pour répondre à une lettre remplie d'outrages et des plus violents sarcasmes, la demoiselle s'est contentée d'envoyer au monsieur un manche à balai avec ces mots en grands caractères écrits dessus :

Qui que tu sois, voici ton maître.
Il l'est, le fut, ou le doit être [7]. »

Quand, six mois plus tard, cette même *Correspondance littéraire* parle des mystères de Lesbos en suggérant que Françoise Raucourt est une des « premières prêtresses du Temple », tout le monde est

5. *Mémoires secrets*, tome VII, p. 210.

6. Le marquis était un « infâme », c'est-à-dire un anticonformiste en amour. Voir Paul d'Estrée, « Les infâmes sous l'Ancien Régime », *Cahiers Gai Kitsch Camp*, n° 24, Lille, 1994.

7. *Correspondance littéraire*, tome XI, p. 80. Ce distique fut composé par Voltaire qui l'inscrivit sous une statue de l'Amour dans les jardins de Maisons. Voir *Œuvres complètes* de Voltaire, tome X : « Poésies mêlées », Paris, Garnier, p. 487.

mûr pour le croire. Mais, avant de vérifier si le fait est exact, une première question s'impose.

Pourquoi le siècle cherche-t-il à renouveler les mystères de Lesbos plutôt qu'à les dévoiler ? Cela lui ressemble peu. Cela lui ressemble d'autant moins que l'amour entre femmes n'est plus vraiment à ses yeux un fait antiphysique. Les tribades seraient même philosophiquement respectables : « Mais il est des femmes qui aiment d'autres femmes ? questionne Mirabeau. Rien de plus naturel encore ; ce sont des moitiés de ces anciennes femelles qui étaient doubles. De même certains mâles, dédoublement d'autres mâles, ont conservé un goût exclusif pour leur sexe. Il n'y a rien là d'étrange, quoique ces couples d'hommes réunis et désunis paraissent bien moins intéressants. Voyez combien quelques connaissances de plus ou de moins doivent donner plus ou moins de tolérance ! je souhaite que ces idées en imposent aux moralistes déclamateurs. On peut leur citer des autorités graves ; car le système dont la source est dans Moïse, a été étendu par le sublime Platon [8]. »

Voyez comme un séjour à la Bastille peut inspirer des écrits édifiants ! C'est en effet durant un séjour forcé en prison, où son père, « l'Ami des hommes », l'avait fait enfermer en juin 1777 pour libertinage, que Mirabeau rédigea ce texte qui parut quelques années plus tard. Dans une lettre à son amie Sophie Ruffie datée du 21 octobre 1780, il analyse ainsi son travail : « [...] ce sont des sujets bien plaisants, traités avec un sérieux non moins grotesque, mais très décent. Croirais-tu que l'on pourrait faire dans la Bible et l'Antiquité des recherches sur l'onanisme, la tribaderie [9], etc., enfin sur les matières les plus scabreuses qu'aient traitées les casuistes et rendre tout cela lisible, même au collet le plus monté et parsemé d'idées assez philosophiques [10] ? »

8. Mirabeau, *Erotika Biblion*. À Rome, de l'imprimerie du Vatican, 1783, p. 84.

9. D'après le *Grand Robert*, ce mot aurait été employé pour la première fois par les Goncourt en 1863. Nous pouvons d'ores et déjà le dater de 1780 et en attribuer la paternité à Mirabeau.

10. *L'Œuvre du comte de Mirabeau*. Introduction, essai bibliographique et notes de G. Apollinaire. Paris, Bibliothèque des Curieux, 1910.

Cette démarche « philosophique » n'est pas partagée par tous les libertins. Les *Mémoires secrets*, par exemple, préfèrent dénoncer le « vice des tribades » pour mieux l'exhiber. Ainsi lit-on à la date du 31 décembre 1784 : « La tribaderie a toujours été en vogue chez les femmes, comme la pédérastie chez les hommes ; mais on n'avait jamais affiché ces vices avec autant de scandale et d'éclat qu'aujourd'hui.

« Quant au premier, comme il n'est pas puni par les lois, c'est moins étonnant. Aussi nos plus jolies femmes y donnent-elles, s'en font-elles une gloire, un trophée ! Voici un couplet assez gai, tout récemment éclos à ce sujet :

Il est des beautés cruelles,
Savez-vous pourquoi nos Belles
Sont si froides en amour ?
Ces dames se font entr'elles
Par un généreux retour
Ce qu'on nomme un doigt de cour [11]. »

Ces nombreux exemples de dévoilement nous amènent à aborder le Lesbos du XVIIIe siècle à travers de nouvelles questions. Les *mystères de Lesbos* remplissent-ils une fonction spécifique dans le libertinage du XVIIIe siècle, et cette fonction explique-t-elle l'échec du libertinage d'Ancien Régime à établir un nouveau contrat entre les sexes fondé sur la quête du « bonheur commun » ?

Les moments de crises du pouvoir masculin sont généralement des moments propices à une redéfinition des hiérarchies sociales et des relations entre les sexes. Pourquoi le féminisme et le libertinage sont-ils les deux grands courants subversifs du siècle à avoir été engloutis par la Révolution ? Les deux phénomènes sont-ils liés ? Car ils s'attaquent tous deux à l'absolutisme phallique, l'un par la voie du plaisir, l'autre par la voie d'une reconnaissance de l'individualité de la femme d'exception, de ses dons et de son rôle dans la société. De plus, le libertinage élabore une

11. *Mémoires secrets*, tome XXVII, p. 116.

nouvelle image de la femme et de sa relation au plaisir qui s'attaque directement à la doctrine chrétienne de l'amour. Pour la première fois, en effet, on reconnaît à la femme ce droit au plaisir sans lequel, il faut bien l'avouer, celui du libertin serait incomplet. Le plaisir est-il donc révolutionnaire ? Et le libertinage n'est-il pas l'ultime voix de l'absolutisme masculin en crise, impuissant à imaginer d'autre issue à sa mort certaine qu'une fuite éperdue dans le plaisir ?

Une chose frappe à la lecture du petit texte de *La Correspondance littéraire* que nous avons cité en tête du chapitre : les tribades ne sont plus perçues comme des imitatrices de l'homme ou comme des couples quasi clandestins ; elles apparaissent organisées en petites sociétés ou en loges, avec leurs rites, leur culte et leurs mystères. Certes, cette comparaison avec la franc-maçonnerie n'est pas neuve, puisque l'interdiction de toute assemblée en loge, promulguée en 1774, fit non seulement beaucoup de bruit, mais donna des idées à des libertins qui s'inspirèrent du modèle franc-maçon pour former des sociétés secrètes. Dans sa vertueuse *Histoire physique, civile et morale de Paris*, écrite au début du XIXe siècle, J. A. Delaure mentionne l'existence de deux « ordres » formés sur ce modèle, sans toutefois faire allusion à la « loge de Lesbos » : « Ce fut pendant cette anarchie que des hommes entraînés par la corruption du siècle et voulant couvrir leurs débauches d'un voile spécieux empruntèrent celui de la maçonnerie. Ainsi se forme dans Paris l'ordre des Aphrodites, sur lequel j'ai peu de notions, l'ordre Hermaphrodite ou de " la Félicité " qui est plus connu. Le dernier, composé de personnes des deux sexes, de chevaliers et de chevalières, qui cachaient, sous des termes de marines, le scandale de leurs discours [12]. »

Reste à savoir si la loge de Lesbos s'inspira de ce modèle ou si elle fonctionnait de manière différente. Mais là ne gît peut-être pas le vrai mystère.

Car on se demande surtout par quelle indiscrétion leurs assem-

12. J. A. Delaure, *Histoire physique, civile et morale de Paris*, Paris, 1821-1825, 8 volumes, tome V.

blées, « plus mystérieuses que ne l'ont jamais été celles des francs-maçons », ont été découvertes. De plus, n'est-il pas étrange qu'à ce moment-là du récit l'auteur n'ait d'autres références à présenter que la satire de Juvénal où il stigmatise les mystères de la Bonne Déesse ? « Là on s'initie dans tous les secrets dont Juvénal fait une description si franche et si naïve dans sa XVIe satire, écrit-il. *Nota bonae secreta deae...* » Le « reste » serait-il à ce point osé que, battu sur son propre terrain, le libertin doive s'en référer aux Anciens ? Remarquons également que ni Martial ni Lucien ne sont cités. Dans son *Erotika Biblion*, Mirabeau ne parle d'ailleurs que de Lucien, lui consacrant un petit paragraphe où il cite le *Dialogue des courtisanes* dans une traduction – encore une – très personnelle : « [...] il est des femmes qui ont tiré un grand parti de cette conformité androgyne, elles ont su la rendre précieuse. Lucien, dans un de ses dialogues, instruit deux courtisanes, dont l'une dit à l'autre : " J'ai tout ce qu'il faut pour contenter tes désirs " ; à quoi celle-ci répond : " Tu es donc hermaphrodite [13] ? " » Quant à Sapho, Mirabeau écrit : « [...] elle était douée de tous les avantages que l'on peut désirer dans cette passion, à laquelle la nature semblait l'avoir destinée ; car elle avait un clitoris si beau, qu'Horace donnait à cette femme célèbre l'épithète de *mascula*, c'est-à-dire en français femme hommesse [14]. »

C'est donc Juvénal à présent qui est convié, celui des *Satires* où est dépeinte la décadence de la Rome impériale, notamment la très vieille institution romaine, celle des mystères de la Bonne Déesse : « *Nota bonae secreta deae...* On sait ce qui se passe aux mystères de la Bonne Déesse lors que la flûte aiguillonne les reins et que, sous la double influence de la trompette et du vin, hors d'elles-mêmes, les ménades de Priape tordent leurs cheveux et poussent des ulu-

13. Mirabeau, *op. cit.*, p. 92-93.

14. *Ibid.*, p. 91. Joan Dejean affirme que « le vicomte de Parny est le seul personnage de la fin du XVIIIe siècle à admettre ouvertement l'homosexualité de Sappho » (*Sapho. Fictions du désir*, note 18, p. 130). Si elle avait lu la littérature libertine, elle aurait évité quelques contresens historiques comme de parler de « la Sapho hétérosexuelle façonnée par les romanciers du XVIIIe siècle » (p. 131). Nous verrons qu'il n'en fut rien, quoique dans le contexte de la fin d'Ancien Régime les Anciens n'intéressaient plus une société tournée vers le futur. C'est par le biais du libertinage que Sappho réapparaît dans la littérature.

lements. Quel ardent besoin de l'étreinte se déchaîne alors en elles ! Quels cris dans le bondissement du désir [15]... »

Est-ce donc vraiment ce qui se passe dans la loge de Lesbos ? Le bondissement du désir, le déchaînement de l'étreinte ? N'est-ce donc que cela ? Pourquoi alors se référer aux mystères de la Bonne Déesse ? Quel intérêt particulier revêtent-ils pour le libertin qui n'avait pas eu jusqu'alors besoin d'en appeler à l'autorité des Anciens pour s'émanciper des autorités présentes ? Est-ce le mot « mystère » qui l'attire ?

Au sens ancien, un mystère est une cérémonie religieuse à laquelle ne participent que les initiés. Or les mystères de la Bonne Déesse avaient pour originalité principale d'être un des rares cultes exclusivement féminins. Voici, par exemple, ce qu'en savait le XVIIIe siècle à travers l'article « Bonne Déesse » de *L'Encyclopédie* :

« Bonne Déesse (myth.) : Dryade, femme de Faune, roi d'Italie que son époux fit mourir à coups de verges pour s'être enivrée et à laquelle de regret il éleva dans la suite des autels. Quoique Fauna aimât fort le vin, on dit toutefois qu'elle fut si chaste qu'aucun homme n'avait su son nom ni vu son visage. Les hommes n'étaient point admis à célébrer sa fête, ni le myrte à parer les autels [...]. Les vestales y étaient appelées et la cérémonie ne commençait qu'avec la nuit [...]. Les Grecs sacrifiaient aussi à la bonne déesse, qu'ils appelaient la déesse des femmes, et qu'ils donnaient pour une des nourrices de Bacchus, dont il était défendu de prononcer le nom. »

« Mystères des Romains : C'est le nom que donne Cicéron aux mystères de la Bonne Déesse [...]. Tous ces faits sont si connus, c'est assez de remarquer avec M. l'Abbé de Vertot que les hommes étaient absolument exclus de ces cérémonies nocturnes. Il fallait même que le maître de maison où elles se célébraient en sortît. Il n'y avait que des femmes et des filles qui fussent admises dans ces mystères, sur lesquels plusieurs modernes prétendent peut-être à tort, qu'on ne peut laisser tomber des voiles trop épais. »

On comprend mieux pourquoi ces mystères inspirent tant nos modernes libertins : les hommes en étaient absolument exclus. Il y

15. Juvénal, *Satires*, Paris, Les Belles Lettres, 1971. Satire VI, vers 300.

a là en effet de quoi piquer leur curiosité ! Mais avant de suivre leurs regards fureter derrière les voiles épais, épuisons leurs références anciennes auprès des vestales qui participaient également à la cérémonie.

Ces jeunes filles vierges, consacrées spécialement au culte de Vesta établi à Rome par Numa et qui devaient garder et entretenir le feu perpétuel, semblent avoir particulièrement inspiré l'auteur de l'article « Vestale » de *L'Encyclopédie*, puisqu'il leur consacre plus de treize colonnes avant d'en arriver aux vraies questions, celles que se pose le XVIIIe siècle :

« Vestales : [...] on s'attacha à chercher aux vestales des dédommagements de leur continence ; on leur abandonna une infinité d'honneurs, de grâces et de plaisirs, dans le dessein d'adoucir leur état et d'illustrer leur profession ; elles vivaient dans le luxe et la mollesse [...]. Il est vrai que nous avons dans le christianisme plusieurs filles vierges nommées religieuses et qui sont consacrées au service de Dieu ; mais aucun de leurs ordres ne répond à celui des vestales. La différence à tous égards est bien démontrée. Nos religieuses détenues dans les couvents forment une classe de vierges plus nombreuses, elles sont plus pauvres, recluses, ne vont point dans le monde, ne sont point dotées, n'héritent, ne disposent d'aucun bien, ne jouissent d'aucune distinction personnelle et ne peuvent enfin ni se marier ni changer d'état. »

N'est-il pas frappant de constater que le XVIIIe siècle éclairé pouvait difficilement envisager une institution de jeunes filles vierges sans trouver de « dédommagements » à leur continence forcée, ni comparer leur condition à celle des religieuses « détenues » dans les couvents ? Quand on connaît *La Religieuse* de Diderot, on peut se demander s'il n'existe pas de rapport plus ou moins analogique entre l'institution des vestales et la loge de Lesbos.

Malheureusement, ni *L'Encyclopédie* ni *La Correspondance littéraire* n'y font allusion, et, curieusement, c'est notre chercheur solitaire sur la tribaderie, Mirabeau, qui semble développer cette idée dans un chapitre de son *Erotika Biblion* entièrement consacré aux « anandrynes » : « Il paraît que le collège des vestales peut être regardé comme le plus fameux sérail de tribades qui ait jamais existé et l'on peut dire que la secte anandryne a reçu dans la personne de ces prêtresses les plus grands honneurs. Le sacerdoce n'était pas un de ces établissements vulgaires, humbles et faibles dans leurs commencements, que la pitié hasarde et qui ne doivent leur succès qu'au caprice. Il ne se montre à Rome qu'avec l'appareil le plus auguste : vœu de virginité, garde du Palladium, dépôt et entretien du feu sacré, symbole de la conservation de l'empire, prérogatives les plus honorables, crédit immense, pouvoir sans borne [...]. Jeunes et capables de toute la vivacité des passions, comment y seraient-elles échappées sans les ressources de Sapho [16], tandis qu'on leur laissait la liberté la plus dangereuse, et que leur culte même les appelait à des idées si voluptueuses [17] ? »

Quelle est donc cette secte anandryne dont parle Mirabeau en 1780 ? S'agirait-il d'un autre nom donné à la loge de Lesbos ?

À ce stade de notre enquête, les pistes se perdent à nouveau dans la clandestinité. C'est en effet par un mystérieux hasard de l'édition clandestine que paraît, en 1784, soit un an après l'édition « à Rome » d'*Erotika Biblion*, et neuf ans après l'allusion de *La Correspondance littéraire*, une autre *Correspondance secrète entre Mylord All Eye et Mylord All Ear* sous le titre éloquent d'*Espion anglais* qui révèle au public français un discours prononcé par Mlle Raucourt aux anandrynes le 28 mars 1778, intitulé « Apologie de la secte anandryne ou Exhortation d'une jeune tribade ». Cette « apologie » est accompagnée de la « Confession d'une jeune fille » qui décrit l'initiation de Mlle Sapho à la secte anandryne.

Mlle Raucourt se serait-elle trouvée à la tête d'une société secrète de femmes dans les années 1775-1784 ? Pour de nombreux historiens du libertinage, cela ne fait aucun doute. S'appuyant sur l'autorité de *La Correspondance littéraire*, Georges May déclare dans son chapitre sur les « héroines lesbiennes » du temps de Diderot : « Mais c'est surtout plus tard, sous Louis XVI, que les mœurs dégénérèrent à tel point qu'une illustre comédienne de la Comédie-Française [...], F. de Raucourt, put former autour d'elle un véritable club

16. Le godemiché.
17. Mirabeau, *op. cit.*, p. 92-93.

de lesbiennes, la Société des anandrynes, qui groupait surtout des artistes dramatiques et lyriques, et cela de manière notoire et pour ainsi dire publique, ainsi qu'en témoignent plusieurs passages de Grimm qui l'appelle, dans *La Correspondance littéraire*, " cette jeune prêtresse de Lesbos " ou encore " la plus célèbre de nos lesbiennes modernes ". Les mœurs s'étaient alors relâchées au point que ces femmes ne risquaient plus la corde, le feu, ni même le fouet, comme au temps de H. Estienne et de Montaigne [18]. »

D'une part, nous ne savons pas si Grimm est le véritable auteur du texte de *La Correspondance littéraire* relatif à la loge de Lesbos présidée par Françoise Raucourt ; d'autre part, cette *Correspondance littéraire* n'a jamais fait mention du nom de « secte anandryne » dans ses comptes rendus sur Lesbos. Ainsi, faute d'une attention précise, Georges May a amalgamé la secte anandryne citée à la fois par Mirabeau et *L'Espion anglais*, avec la loge de Lesbos citée par *La Correspondance littéraire*. Or rien ne dit, sauf préjugé apocalyptique des mœurs, qu'il s'agisse de la même chose.

Mais le comble de l'imprécision historique est atteint par le psychiatre américain Franck Caprio. Intitulant pompeusement quelques pages de son livre sur *L'Homosexualité de la femme* « L'Amour lesbien en France aux XVIIIe et XIXe siècles », il cite de confiance Iwan Bloch, pseudonyme du Dr Eugène Duehrem, un de ses collègues psychiatres, qui avait entrepris au début du XXe siècle une recherche sur *Le Marquis de Sade et son temps*, simple paraphrase, en fait, de *L'Espion anglais*. Lisons Franck Caprio : « En étudiant la vie sexuelle en France, le Dr Iwan Bloch écrit : " Nous ne croyons pas qu'il ait pu exister dans l'ancienne Lesbos un état de choses tel qu'on voit en France à l'époque dont nous parlons. " Il fait allusion à une organisation de lesbiennes qui s'appelait " les vestales de Vénus " et avait des activités au " Temple de Vesta ". Des sections de la société existaient dans toute la France, et la plupart de leurs membres appartenaient à la classe aristocratique.

« Nous devons aux manuscrits de l'époque et au livre de Mairobert *Confession d'une jeune fille*, les descriptions de l'activité de ces

18. Georges May, *op. cit.*, p. 110.

extraordinaires clubs. On n'y admettait pas n'importe quelle femme, on était très sévère envers les femmes mariées qui avaient déjà joui de leurs rapports conjugaux [19]. »

Une fois de plus se trouve illustrée la désinvolture avec laquelle des hommes qui se montrent par ailleurs scientifiques abordent l'histoire de l'amour entre femmes. La question des sources est particulièrement révélatrice du chevauchement permanent du fantasme masculin sur la lesbienne du XVIIIe siècle et du fait historique, comme si le fait ne prenait de réalité qu'appréhendé par leurs fantasmes. Par exemple, il n'existe pas dans l'œuvre de Mairobert d'ouvrage intitulé *Confession d'une jeune fille* pour la simple raison que cette confession est le sujet de trois des quelque deux cents lettres qui composent *L'Espion anglais* ; de plus, nous n'avons aucune preuve que le livre soit entièrement de sa main.

Ainsi, en citant seulement deux historiens aux motivations différentes, nous constatons qu'une grande confusion règne du côté de la secte, de la loge ou de l'ordre des lesbiennes. Que dire des autres « historiens » qui, depuis deux siècles, projettent leurs fantasmes sur le libertinage lesbien des Lumières [20] ?

La « secte anandryne »

La rumeur s'appuie-t-elle sur une réalité historique ou est-elle une fabulation libertine ? Pour le savoir, le mieux est encore de se rendre directement aux sources et de faire connaissance avec Mlle Sapho, l'initiée qui confessa sa mystérieuse aventure à l'épistolier de *L'Espion anglais*.

Il faut bien avoir à l'esprit que seul *L'Espion anglais* et *Erotika Biblion* évoquent les « mystères de la secte anandryne ». Ni *La Correspondance littéraire* ni les *Mémoires secrets* n'en parlent, alors

19. Franck Caprio, *L'Homosexualité de la femme*, Payot, 1959, p. 43. Dr E. Duehrem, *Le Marquis de Sade et son temps. Études relatives à l'histoire de la civilisation et des mœurs du XVIIIe siècle*, traduit de l'allemand par le Dr A. Weber-Riga, préface de O. Uzanne, Paris, 1901, p. 170 *sq*.

20. On trouvera plus loin un itinéraire historico-littéraire qui montre comment, du libertinage à la sexologie, le mythe se perpétue aux dépens de l'histoire.

qu'ils paraissaient bien informés sur les mœurs de Françoise Raucourt. Ce fait nous amènera à rechercher la véritable identité de l'auteur de cette « Apologie » et à nous demander quelle fonction celle-ci remplit dans le libertinage pré-révolutionnaire...

En 1784, paraissent pour la première fois dans le tome X de *L'Espion anglais*[21] :

– Lettre IX, 28 décembre 1778. « Confession d'une jeune fille ». À sa suite figure l'« Apologie de la secte anandryne ».

– Lettre XI, 11 janvier 1779. Suite de la « Confession d'une jeune fille ».

– Lettre XIV, 11 février 1779. Suite et fin de la « Confession d'une jeune fille ».

Bien que les trois lettres forment un tout de l'histoire de Mlle Sapho, seules la lettre IX et l'« Apologie » nous intéressent, car les deux dernières relatent le retour de la jeune fille à « la félicité suprême » dans les bras d'un charmant jeune homme dont la trahison oblige la demoiselle à exercer le métier de « putanisme », ce qui nous vaut un cours détaillé de toutes les ficelles du métier.

Mylord All Eye, l'auteur de la lettre, qui pourrait bien être aussi Mylord All Ear, car nous ne saurons pas qui de l'œil ou de l'oreille a eu le privilège de percer le mystère, est un homme rusé. Comme tout libertin qui se respecte, il aime bien ses aises et, plutôt que de se tordre le cou derrière la fenêtre voilée ou se travestir en fille, comme l'imaginera Sade dans une de ses historiettes pour « convertir » Augustine de Villeblanche « aux lois de la nature[22] », il préfère recevoir de la bouche même de l'initiée le récit de ses aventures, qu'il se fait un devoir d'envoyer à son compère. La vraisemblance du mystère antique est ainsi sauvegardée : aucun homme n'assistera à la cérémonie. « Vous n'aurez qu'une seule privation ici, dit la maîtresse de Mlle Sapho dès son arrivée, c'est qu'on ne voit point

21. *L'Espion anglais ou Correspondance secrète entre Mylord All Eye et Mylord All Ear*. Nouvelle édition revue, corrigée et considérablement augmentée. À Londres, chez J. Adamson, 1778-1784, 10 volumes, tome X, 1784.

22. Sade, *Augustine de Villeblanche ou les stratagèmes de l'amour*, « La tribade convertie », dans *Historiettes, contes et fabliaux*, coll. 10/18, p. 137. Écrit à la Bastille en 1787-1788.

d'homme ; ils ne peuvent rentrer ; je ne m'en sers en rien, même pour le jardin, ce sont des femmes robustes que j'ai formées à cette culture [23]. »

Donc, un jour de l'an de grâce 17... notre Mylord rencontre dans ce haut lieu de la galanterie que sont alors les Tuileries, Mlle Sapho, qui vient de vivre une aventure tellement extraordinaire qu'elle est toute disposée à la raconter autour d'un bon souper. Élevée à la campagne, à Villiers-le-Bel, cette jeune fille présenta, comme il se doit, des dispositions précoces à la « lascivité ». À quinze ans, elle s'enfuit de la ferme de ses parents grâce à la complicité intéressée de Mme Gourdan, la plus fameuse « appareilleuse » de l'époque (dont les activités font l'objet d'autres lettres de *L'Espion anglais*), qui la rebaptise Mlle Sapho pour entamer sa nouvelle vie. La raison en est évidente, si l'on écoute ce que murmure la gouvernante à l'oreille de Mme Gourdan : « Vous avez trouvé un Pérou dans cette enfant ; elle est pucelle sur mon honneur, si elle n'est pas vierge ; mais elle a un clitoris diabolique ; elle sera plus propre aux femmes qu'aux hommes ; nos tribades renommées doivent vous payer cette acquisition au poids de l'or. »

Mylord All Eye cite alors en note le billet que Mme Gourdan écrivit « sur-le-champ » à l'une de ses clientes, Mme de Furiel : « J'ai découvert pour vous un morceau de roi ou plutôt de reine [...]. Je vous avertis que j'ai à votre service le plus beau clitoris de France. »

Enfin, faisant connaissance, au sens biblique du terme, avec sa nouvelle acquisition, Mme de Furiel s'écrie, au comble de l'exaltation : « " Ah ! le magnifique clitoris ! Sapho n'en eut pas un plus beau, tu seras ma Sapho. " Ce ne fut qu'une fureur convulsive des deux parts que je ne pourrais décrire [24] », conclut *L'Espion anglais*.

Est-ce parce que « la fureur convulsive » entre femmes ne peut être décrite que le libertin fait appel au mystère ? Faut-il être Juvé-

23. Nous utiliserons le texte de l'édition de poche parue en 1977 dans la collection « Aphrodite classique » sous le titre *Confession de Mlle Sapho* de P. de Mairobert. Il s'agit en réalité d'une réédition intégrale (introduction, notes et disposition des lettres) de l'édition réalisée par Jean Hervez en 1920 pour la Bibliothèque des Curieux. Seul son nom est supprimé, p. 72.

24. *Confession d'une jeune fille, op. cit.*, p. 62 et 69.

nal ou... Sade pour oser écrire le reste ? Est-ce pour conjurer cette impuissance qu'il remet à la mode les antiques cultes païens et les adapte à ses besoins ?

« Pendant le repas, elle [Mme de Furiel] m'apprit que cette petite maison, qui lui appartenait, était en quelque sorte devenue sacrée par son usage ; qu'on l'avait convertie en un temple de Vesta, regardée comme la fondatrice de la secte anandryne [25] ou des tribades, ainsi qu'on les appelle vulgairement. " Une tribade, me dit-elle, est une jeune pucelle qui n'ayant eu aucun commerce avec l'homme et convaincue de l'excellence de son sexe, trouve dans lui la vraie volupté, la volupté pure, s'y voue tout entière et renonce à l'autre sexe, aussi perfide que séduisant. C'est encore une femme de tout âge qui, pour la propagation du genre humain, ayant rempli le vœu de la nature et de l'État, revient de son erreur, déteste, abjure des plaisirs grossiers et se livre à former des élèves à la déesse. " »

On dirait le temple sorti tout droit de l'*Erotika Biblion* de Mirabeau. Mais continuons le récit de l'initiation : « Le jour de mon initiation aux mystères de la secte anandryne avait été fixé au lendemain, j'y fus admise en effet avec tous les honneurs. Cette cérémonie extraordinaire était trop frappante pour ne m'en être pas souvenue dans les moindres détails, et certainement, c'est l'épisode le plus curieux de mon histoire. Au centre du temple est un salon ovale, figure allégorique qu'on observe fréquemment en ces lieux [...]. Lors des assemblées, il s'en détache une petite statue, toujours représentant Vesta, de la taille d'une femme ordinaire [...]. Autour de ce sanctuaire de la déesse règne un corridor étroit où se promènent pendant l'assemblée deux tribades qui gardent exactement toutes les portes et avenues [...]. Sur l'autel, à droite en entrant, est le buste de Sapho, comme la plus ancienne et la plus connue des tribades : l'autel à gauche, vacant jusque-là, devait recevoir le buste de Mlle d'Éon, cette fille la plus illustre envers les modernes, la plus digne de figurer dans la secte anandryne ; mais il n'était pas encore achevé, et l'on attendait qu'il sortît du ciseau du voluptueux Houdon [...].

25. En note, l'auteur indique : « Mlle Sapho ne put me rendre raison de l'étymologie de ce mot que je crois venir du grec, et qui veut dire en français anti-homme ».

« Autour, et de distance en distance, on a placé sur autant de gaines les bustes des belles filles grecques chantées par Sapho comme ses compagnes. Au bas se lisent les noms de Thélesyle, Amythone, Cydno, Magarre, Pyrrene, Andromède, Cyrine [26], etc., au milieu s'élève un lit [...].

« Les murs recouverts d'une sculpture supérieurement travaillée où le ciseau a retracé en cent endroits, avec une précision unique, les diverses parties secrètes de la femme, telles qu'elles sont décrites dans le *Tableau de l'amour conjugal* [27], dans l'*Histoire naturelle* de M. de Buffon, et dans les plus habiles naturalistes. »

Nous conviendrons que cette jeune fille est très cultivée pour son âge... Elle connaît le médecin Nicolas Venette, le naturaliste Buffon, le sculpteur Houdon et, bien entendu, Mlle d'Éon, dont les frasques attirèrent l'attention des *Mémoires secrets* dès le 23 septembre 1771 : « Les bruits accrédités depuis plusieurs mois que le sieur d'Éon, ce fougueux personnage si célèbre par ses écarts, n'est qu'une fille revêtue d'habits d'homme ; la confiance qu'on a prise en Angleterre à cette rumeur [28]. » Six ans plus tard, ces « bruits » se transforment en « affaire » : « On la vit successivement avocat, guerrier, ambassadeur et écrivain politique. Ses parents désirant

26. Cette liste est vraisemblablement tirée des *Muses grecques ou Traduction en vers françois de* Plutus, *comédie d'Aristophane, suivie de la troisième édition d'Anacréon, Sapho, Moschus, Bion, Tyrphée*, par M. Ponsinet de Sivry, Aux Deux Ponts, Paris, 1771. L'édition contient les deux « Odes » de Sappho, neuf fragments et l'inévitable « Lettre de Sapho à Phaon », précédés d'une *Vie de Sapho* dans laquelle on lit : « [...] après la mort de son mari elle renonça au mariage mais non au plaisir. Elle s'y abandonna sans scrupule, et même inventa en quelque sorte une nouvelle manière d'aimer. On compte au nombre de ses tendres Amies les plus belles personnes de la Grèce, Thélesyle, Amythone, Atthis, Anactorie, Cydno, Megare, Pyrinne, Andromède, Mnaïs, Cyrène, etc. » (p. 194). Notons que Ponsinet de Sivry intitule l'ode « À une amie » : « À une lesbienne ». Mirabeau transcrit la même liste dans une note de son *Erotika Biblion*. Moutonnet Clairfond en publiera une autre qui contient les mêmes noms mais dans un ordre différent. Voir *Poèmes d'Anacréon et de Sapho*, traduction nouvelle en prose par M *** C ***, Paris, 1773, p. 98, où il écrit dans sa *Vie de Sapho*, à propos de la jalousie des Mythiléniennes : « Cette jalousie n'aurait-elle pas donné naissance aux bruits injurieux à la mémoire de Sapho ? Comment imaginer qu'elle se soit livrée à tous les excès monstrueux dont on l'accuse ? » (p. 98).

27. Le *Tableau de l'amour considéré dans l'état du mariage* de Nicolas Venette est édité pour la première fois en 1687. Il connaîtra un succès considérable au XVIIIe siècle et sera réédité de nombreuses fois sous le titre *La Génération de l'homme ou Tableau de l'amour conjugal*.

28. *Mémoires secrets*, tome V.

un fils, cachèrent, dit-on, son sexe, la vêtirent en homme et lui en donnèrent l'éducation. L'incertitude de son état devint le sujet d'un pari et procès considérable, qui fut terminé au banc du roi, d'après les déclarations de Mlle d'Éon qui s'avoua pour femme [29]. »

Née en 1728, « Mlle le chevalier d'Éon » fut employée en Russie en 1756, puis devint capitaine de dragons avant d'être « chargée d'affaires » en Angleterre. Elle tenait une correspondance secrète avec Louis XV et lorsque celui-ci mourut, on la lui réclama en exigeant qu'elle rentre en France et reprenne ses habits de femme. « L'honneur de son sexe, la gloire du siècle [...] devait figurer ici », dira Mlle Raucourt dans son discours introductif. Mais son buste par Houdon, si l'on en croit la liste des œuvres du sculpteur [30], ne fut jamais réalisé, pas plus d'ailleurs que celui de Sappho qui n'intéressait ni les sculpteurs ni les peintres à cette époque. L'intérêt pour l'héroïne d'Ovide ne reprendra qu'à partir de la Révolution, après la défaite des femmes, mais nous y reviendrons [31].

« En entrant je vis le feu sacré [...]. Arrivée au pied de la présidente, qui était Mlle Raucourt, Mme de Furiel dit : " Belle présidente et vous chères compagnes, voici une postulante : elle paraît avoir toutes les qualités requises. Elle n'a jamais connu d'homme, elle est merveilleusement bien conformée, et dans les essais que j'en ai faits, je l'ai reconnue pleine de ferveur et de zèle ; je vous demande qu'elle soit admise parmi nous sous le nom de Sapho. " »

Avant d'être définitivement initiée, Mlle Sapho doit subir une dernière « épreuve » : se soumettre à un examen esthétique détaillé

29. A. Deville, *Arnoldiana*, p. 307. À la page 322, il ajoute : « On sait que Mlle Raucourt a passé pour avoir, comme la chevalière d'Éon, un sexe équivoque. » Aurait-il lu *L'Espion anglais* sans oser l'avouer à ses contemporains de l'Empire ?

30. Voir H. H. Arnason, *Antoine Houdon*, Paris, Denoël, 1945.

31. D'après nos recherches auprès des livrets du Salon de Peinture et de Sculpture du Louvre. Signalons toutefois un *Portrait de Mlle Déon, chevalier de l'ordre royal et militaire de Saint-Louis* par le peintre Joseph Ducreux qui fut exposé au Salon de la Correspondance de 1785, et *Sapho chantant ses vers et s'accompagnant de sa lyre* par le peintre Joseph-Marie Vien qui sera exposé deux ans plus tard au Salon du Louvre. Cette commande de Mme du Barry a malheureusement disparu, nous privant de la possibilité de la faire figurer parmi les premières représentations françaises de Sappho. Les premiers bustes de Sappho sculptés en France par Claude Ramey et Lesueur datent de 1795.

grâce auquel les juges détermineront si elle possède au moins seize des « trente charmes qui constituent une femme parfaitement belle ». Enfin, Mlle Raucourt fait un discours en forme d'apologie de la secte anandryne. Mylord All Eye a cru bon de le placer à la fin de la lettre, sa longueur risquant probablement de briser l'unité de temps et surtout de faire languir les convives, qui attendent avec impatience la suite :

« Après le discours, la déesse remonta et disparut ; l'on retira les postes, les gardiennes, les thuriféraires ; on laissa s'éteindre le feu et l'on passa au banquet dans le vestibule [...]. Enfin quand toutes les tribades furent en humeur et ne purent plus se contenir, on rétablit les postes, on ralluma le feu, et l'on passa dans le sanctuaire pour en célébrer les grands mystères, faire des libations à la déesse, c'est-à-dire qu'alors commença une véritable orgie. »

Nous y voilà ! Le mystère dont le libertin entoure les amours féminines n'a-t-il pour but que de renouveler le thème de l'orgie ? Dans ce cas, comment va-t-il s'y prendre pour la décrire, sachant que les références sont rares, et que l'orgie féminine chez les Grecs avait un caractère sacré de cérémonie en l'honneur d'un dieu ? Dans *Les Bacchantes*, par exemple, Euripide évoque les orgies des ménades de Bacchus en disant par la bouche du messager du roi Penthée, qui les soupçonne d'être autre chose qu'un rite : « Toutes elles dormaient, leur corps à l'abandon [...], leur tête reposant au hasard sur le sol, chastement, et non pas, ainsi que tu le peins, enivrées par le vin et le bruit du lötos, et cherchant à l'écart l'amour dans la forêt [32]. »

Aristophane évoque aussi, dans *Lysistrata*, les fêtes d'Adonis au cours desquelles les femmes se livraient à l'*akolasthèma*, au « dérèglement », au fait de « ne pas se censurer ». Il emploie le mot « trufe », qui sera traduit *mollicis* en latin, pour désigner ce que les traducteurs nommeront « la licence des femmes » : « A-t-elle encore éclaté au grand jour la licence des femmes, avec leur bruit de tambour, leurs cris répétés de " Vive Sabazios " et cette fête d'Adonis

32. Euripide, *Les Bacchantes*, vers 380-389, Paris, Budé.

célébrée sur les toits, que j'entendais un jour que j'étais à l'assemblée [33]. »

Or on commence à le comprendre, ce n'est pas cette catharsis de la licence des femmes qui motive le libertin, mais sa propre excitation au plaisir qui trouve dans ce simulacre de rite initiatique féminin un nouveau dopant à son imagination défaillante.

« Ici, Mylord, j'interromps la narration de l'historienne et j'étends un voile sur les tableaux dégoûtants qu'elle nous présenta. Je laisse courir votre imagination qui, certainement, vous les retracera d'un pinceau plus délicat et plus voluptueux. »

Voilà comment la démesure sexuelle féminine disparaît dans le prétendu désir du libertin de renouveler son mystère.

Avant d'analyser la fonction remplie par les mystères de Lesbos dans le libertinage, nous allons, de notre côté, tenter de lever le voile derrière lequel se cache notre insaisissable *Espion anglais*.

S'agit-il de Pidansat de Mairobert, comme l'admettent à la suite de Paul Lacroix tous les historiens du libertinage ? « *L'Espion anglais* est attribué à Pidansat de Mairobert, mais, comme les derniers volumes, qui roulent cependant sur des faits arrivés en 1772 et 1778, ne parurent qu'après la mort tragique de Pidansat, laquelle eut lieu le 17 mars 1779, on est fondé de croire que l'ouvrage original fut modifié et augmenté par les éditeurs, qui en avaient été peut-être aussi les collaborateurs. On raconte que Pidansat, qui était censeur royal, se voyant accusé et convaincu de fournir des pamphlets à la presse de Londres fonctionnant à cent lieues de la Bastille, se tua dans son bain. Il est probable que l'histoire de la secte anandryne fut trouvée dans ses papiers ; c'était un philosophe voluptueux qui vivait dans le cercle des courtisans et des actrices ; il aimait bien le plaisir pour son compte, mais il faisait surtout sa préoccupation du plaisir des autres [34]. »

Certes, on aimerait penser que l'histoire de la secte fut trouvée

33. Aristophane, *Lysistrata*, vers 380-389, Paris, Budé. Voir aussi Marcel Détienne, *Les Jardins d'Adonis*, Paris, Gallimard, 1972.

34. Paul Lacroix, *Le Bulletin du Bibliophile*, 1863, p. 311.

dans ses papiers, mais comment expliquer qu'à la même époque Mirabeau imaginait dans sa prison la même histoire sur la même secte ? Des phrases entières de *L'Apologie de la secte anandryne* se retrouvent textuellement dans son *Erotika Biblion* [35].

L'Apologie ou Discours de Mlle Raucourt aurait été prononcé avant la mort de Mairobert, mais outre qu'il était courant de falsifier les dates des livres clandestins, on se demande pourquoi ce dernier n'aurait pas parlé de la secte anandryne dans les *Mémoires secrets,* auxquels il collaborait. D'autre part, peut-on imaginer qu'ayant entendu parler d'une loge de Lesbos en 1775, *La Correspondance littéraire* ne donne aucune nouvelle de la secte anandryne par la suite, mis à part une allusion l'année suivante à Mlle Raucourt, « jeune prêtresse de Lesbos » ? De plus, elle ne mentionne même pas le chapitre sur les anandrynes dans son compte rendu d'*Erotika Biblion* daté de juillet 1783 : « *Erotika Biblion,* avec cette épigraphe : *Astrusum exendit*. À Rome de l'imprimerie du Vatican. C'est un livre fort licencieux quant au fond et fort grave quant à la forme ; c'est le libertinage d'un érudit qui a beaucoup plus de pédanterie que d'imagination et de goût mais qui s'est donné la peine de rechercher et de recueillir avec un soin bizarre tous les usages et tous les raffinements inventés par les Anciens pour étendre et pour varier les hommages du culte qu'ils rendaient à la volupté. En vérité, on nous prendrait pour de grossiers sauvages en comparant nos plus illustres voluptueux à ceux de Rome et d'Athènes. Le chapitre du Thalaba (les sodomites) est un des plus curieux et des plus ridicules ; on ne se permettra pas d'en dire davantage [36]. »

Doit-on en conclure que l'idée originale n'est pas de Mairobert, mais de Mirabeau ? Essayons de reconstituer un déroulement probable des faits. Le 8 juin 1777, Mirabeau est emprisonné à la Bas-

35. Celle-ci, par exemple : « Rien de si beau, rien de si grand que l'institution des vestales à Rome. Ce sacerdoce s'y montrait dans l'appareil le plus auguste... » (*Apologie de la secte anandryne,* p. 163). De même, les indications historiques y sont fidèlement reproduites et la lettre IX contient les mêmes notations vestimentaires tirées des « vingt vers turcs qui décrivent les trente beautés de la Belle Hélène ».

36. *La Correspondance littéraire,* tome XIII, p. 331.

tille. Il a certainement entendu parler de Françoise Raucourt, dont les débuts éblouissants à la Comédie-Française en 1772, doublés de « son goût pour l'art des tribades » sont de notoriété publique. En prison, Mirabeau dispose d'une bibliothèque qui comprend l'*Histoire des vestales* de l'abbé Nadal (1725), *L'Encyclopédie*, les auteurs latins comme Horace, la Bible, etc. Le 21 octobre 1780, il a terminé *Erotika Biblion*, sort de prison un mois plus tard, et publie son livre « À Rome » en 1783 dans lequel apparaît pour la première fois publiquement le mot « anandryne ». Si Mairobert n'en est pas l'inventeur, il peut avoir commencé un récit des aventures de Mlle Sapho, de ses expériences hétérosexuelles principalement, comme la suite des lettres centrées sur la célèbre entremetteuse Mme Gourdan le montre. Ce pourrait être alors un « collaborateur » qui, ayant lu le livre de Mirabeau, aurait eu l'idée de redéployer cette aventure autour du thème de l'initiation à la secte anandryne en la pimentant d'un discours qu'aurait prononcé Mlle Raucourt le 28 mars 1778 dans un nouveau rôle d'apologétiste. Il est peu probable que Mirabeau en soit lui-même l'auteur, car les éléments qui diffèrent entre les deux textes en changent beaucoup trop l'esprit pour qu'ils soient de la même main.

Le sens du mot « anandryne », par exemple. Pour Mirabeau, le mot vient « du grec *anandros*, au féminin *anandré*. Pour un homme : sans virilité, pour une femme : sans époux ». Le chapitre VI d'*Erotika Biblion* est d'ailleurs intitulé « L'Anandryne ou les vestiges de l'androgynat primitif d'Adam et notamment le saphisme ». Pour *L'Espion anglais*, le mot « veut dire en français anti-homme », ce qui change radicalement la perspective, car la femme non mariée, dans la culture latine, est précisément la vierge, celle qui n'appartient pas à l'homme, ou, pour parler comme Georges Devereux, une « femme sexuellement active mais non assujettie à un homme. Une telle femme " indomptée " *(admêtis)* était jadis appelée *parthénos*, mot qui n'acquit que bien plus tard la signification de " vierge " [37] ». Le sens d'anti-homme, en revanche, se situe bien dans la tradition française du discours sur les tribades. Alors que Mirabeau exprime un point de vue intellectuel,

37. Georges Devereux, *Femme et Mythe*, Paris, Flammarion, 1982, p. 16.

nourri de solides lectures, *L'Espion anglais* paraît mieux informé sur les mœurs de son temps. Il appuie ses observations sur la rumeur publique et les parsème de références savantes qui lui donnent ce faux air d'autorité qui plaît tant à ses lecteurs, montrant que ce n'est pas tant le regard sur les tribades qui change avec le libertinage, que le modèle référentiel. Elles ne sont plus représentées par deux, trompant les hommes sur ce qui leur manque, mais assemblées en « collège », « sérail », « loge », « secte », célébrant un culte collectif à la jouissance féminine dans le reflet exact du mode de vie « éclairé ». À partir des années 1750, en effet, la vie sociale prédomine sur l'intimité. La cour de Versailles, qui donnait sous Louis XIV le ton à la vie culturelle, est éclipsée par les nombreuses micro-sociétés réunies autour de *L'Encyclopédie* ou dans les salons, les académies, les cafés, les théâtres et au Palais-Royal. Le couple, même hétérosexuel, est démodé. La vie amoureuse se confond avec la vie de société.

Autre fait caractéristique : lorsque Rousseau veut décrire les soirées parisiennes de Saint-Preux dans *La Nouvelle Héloïse*, il utilise le même lexique que notre *Espion anglais* : « Je suis maintenant initié à des mystères plus sacrés. J'assiste à des soupers privés, où la porte est fermée à tout survenant, et où l'on est sûr de ne trouver que des gens qui conviennent tous, sinon les uns aux autres, au moins à ceux qui les reçoivent [...]. C'est là que règnent plus paisiblement des propos plus fins et plus satiriques ; c'est là qu'on passe discrètement en revue les anecdotes de Paris, qu'on dévoile tous les événements secrets de la chronique scandaleuse, qu'on rend le bien et le mal également plaisants et ridicules [38]. » Des mystère de la Bonne Déesse à ceux de Lesbos, on le voit, le chemin est vite parcouru par ces hommes qui aiment jouer avec les mots et savent lire Juvénal dans le texte.

Reste à savoir si l'histoire de la secte anandryne est un pur produit de l'imagination du libertin, ou si, comme l'ont pensé les his-

38. Jean-Jacques Rousseau, *Julie ou la Nouvelle Héloïse* (écrit en 1757-1758), Garnier Classique, p. 175.

toriens du libertinage, elle rend compte d'une réalité historique. Mlle Raucourt réunissait-elle ses amies pour des soupers privés ? Aurait-elle constitué une secte dont les adeptes se nomment, d'après les présentations faites à Mlle Sapho au début de la cérémonie :

– Mme de Furiel, dont le nom cacherait celui de Mme de Fleury, femme de l'avocat général ;

– Mme la Marquise de Urbsrex, soit en français Mme la Duchesse de Villeroy ;

– Mme la Marquise de Terracenés, l'anagramme de Mme de Senecterre ;

– Mme la Marquise de Techul, autre anagramme pour Mme Luchet ;

– la Melpomène moderne, autrement dit l'actrice Mlle Clairon ;

– la Melpomène de la scène lyrique, autrement dit la chanteuse Sophie Arnould ;

– l'illustre étrangère, Mlle Souck, amie de Françoise Raucourt ;

– la novice prématurée, Mlle Julie [39].

À vrai dire, il est difficile de savoir, même par le biais des chroniques clandestines, si toutes ces femmes étaient lesbiennes et se connaissaient. À part Mlle Raucourt, Sophie Arnould, Mlle Clairon et Mme de Villeroy, nous n'avons trouvé aucune information sur elles qui soit antérieure à la publication de *L'Espion anglais*.

Essayons donc de faire connaissance avec « les plus illustres de nos lesbiennes modernes ».

Françoise Raucourt, d'abord, qui a fasciné tous les amateurs de théâtre, libertins ou non, à commencer par Diderot, qui en fait dans les *Paradoxes sur le comédien* l'enjeu d'une démonstration : « Il est quatre heures et demie. On donne *Didon.* Allons voir Mlle Raucourt, elle vous répondra mieux que moi [...]. J'ose vous assurer que si notre jeune débutante est encore loin de la perfection, c'est qu'elle est trop novice pour ne point sentir, et je vous prédis que si elle continue de sentir, de rester elle et de préférer l'instinct borné de

39. Cette clé a été donnée pour la première fois par Paul Lacroix dans *Le Bulletin du Bibliophile* de 1863.

la nature à l'étude illimitée de l'art, elle ne s'élèvera jamais à la hauteur des actrices que je vous ai nommées [40]. »

Ses débuts à la Comédie-Française à l'âge de seize ans firent sensation. « De mémoire d'homme on n'a rien vu de pareil », lit-on dans les *Mémoires secrets* le 14 décembre 1772 ; « elle a la figure la plus belle, la plus noble, la plus théâtrale ; le son de la voix le plus enchanteur ; une intelligence prodigieuse ». Le mois suivant, *La Correspondance littéraire* consacre six pages à l'événement. Il faut en lire une partie pour se faire une idée de l'influence qu'elle eut sur le public et de l'importance du théâtre dans la vie parisienne. Écrite la même année que les *Paradoxes sur le comédien*, la chronique pourrait bien avoir été rédigée par Diderot lui-même.

« [...] On poussa des cris d'admiration et d'acclamation ; on s'embrassa sans se connaître ; on fut parfaitement ivre. Après la comédie, ce même enthousiasme se répandit dans les maisons. Ceux qui avaient vu *Didon* se dispersèrent dans les différents quartiers, arrivèrent comme des fous, parlèrent avec transport de la débutante, communiquèrent leur enthousiasme à ceux qui ne l'avaient pas vue, et tous les soupers de Paris ne retentirent que du nom de Raucourt.

« Il y a près d'un mois que ces transports se soutiennent dans tout leur feu ; c'est un des plus forts et surtout des plus longs accès d'enthousiasme que j'aie vus à Paris. Les jours que Mlle Raucourt jouait, les portes de la Comédie étaient assiégées dès dix heures du matin. On s'y étouffait ; les domestiques qu'on envoyait retenir des places couraient au risque de la vie. On en emportait à chaque fois plusieurs sans connaissance, et l'on prétend qu'il en est mort des suites de leur intrépidité [...].

« Vous jugez qu'on a fait mille récits plus intéressants les uns que les autres sur un objet qui a occupé le public avec tant de chaleur. On dit que cette charmante créature, si imposante au théâtre, est très simple hors de la scène ; qu'elle a toute la candeur et toute l'innocence de son âge ; que tout le temps qu'elle ne consacre pas à l'étude de son art, elle s'occupe encore des jeux de son

40. Diderot, *Œuvres complètes*, tome X, Club Français du Livre, p. 480.

enfance [...]. On a fait des dissertations à perte de vue pour découvrir métaphysiquement par quel prestige une fille si neuve et si innocente pouvait jouer au théâtre les transports et les fureurs de l'amour avec tant de passion. Son succès n'a pas été moins grand à la cour qu'à Paris [...].

« Mme la Princesse de Beauvau, Mme la Princesse de Guémenée, Mme la Duchesse de Villeroy, lui ont aussi fait présent de superbes habits [...]. »

Mme de Villeroy, Sophie Arnould et Mlle Clairon sont nommées dans le texte, ce qui laisse supposer qu'elles étaient des femmes déjà connues des lecteurs de *La Correspondance littéraire*. En effet, Mlle Clairon avait renoncé au théâtre en 1765, à l'âge de quarante ans, pour des raisons de santé, mais cela n'empêchait pas *La Correspondance littéraire* de donner de ses nouvelles de temps en temps.

Si l'on en croit Mlle Dumesnil, une de ses rivales de théâtre, Mlle Clairon aurait suscité à la même époque une autre tendresse féminine de la part de Mme de Sauvigny, « accusée depuis longtemps du penchant de Sapho ». Cela se serait passé alors que Mlle Clairon allait être emprisonnée à Fort-l'Évêque pour avoir refusé de jouer avec l'acteur Dubois. Répondant après la Révolution aux *Mémoires* d'Hippolyte Clairon, Marie-Françoise Dumesnil donne sa version des faits, somme toute assez banale au XVIIIe siècle : « L'ordre fut donné de m'arrêter (c'est Mlle Clairon qui est citée). Mme de Sauvigny, intendante de Paris, était en ce moment chez moi. Tout ce qu'elle put obtenir de l'exempt, fut de me conduire elle-même au fort.

« Note : Femme de l'intendant de Paris, Sauvigny, père du malheureux Berthier, le meilleur des humains. Il vivait alors avec une charmante cantatrice italienne ; tandis que l'intendante, accusée depuis longtemps du penchant de Sapho, courait les femmes. Elle conduisit effectivement la citoyenne Clairon au Fort ou au Four-l'Évêque dans ses bras [41]. »

Sophie Arnould, plus âgée de seize ans que Françoise Raucourt,

41. *Mémoires de Marie-Françoise Dumesnil en réponse aux Mémoires d'Hippolyte Clairon*, Paris, chez Dentu, an VII, p. 264.

débuta à l'Opéra en 1757 où elle obtint un gand succès en « renouvelant la déclamation lyrique par l'accent de la passion [42] ». Lorsque Mlle Raucourt entre en scène, Sophie Arnould faisait depuis longtemps déjà les délices du Tout-Paris spirituel et galant. Aussi n'est-il pas étonnant que ce même Tout-Paris s'émeuve de la voir sombrer en 1774 dans des accès de piété auxquels elle ne l'avait pas habitué : « Il parut alors une caricature représentant Mlle Arnould aux pieds de son confesseur, et derrière cet homme était Mlle Raucourt qui se désolait ; au bas on lisait ces vers :

*Ne pleurez point, jeune R ***,*
Arnould, courtisane prudente,
En quittant l'arène galante
Garde des réserves à l'amour [43]. »

Il semble, d'après les chroniques clandestines, qu'à partir de cette année 1774 les deux femmes rivalisent d'audace et d'amour pour conquérir Lesbos. Le mot « tribade », jusqu'ici assez peu utilisé, envahit les écrits libertins et vient délier les imaginations.

Comme la plupart des historiens du libertinage n'ont fait que paraphraser ces chroniques en glissant subtilement du conditionnel au présent, nous citerons directement l'original, reconstituant une chronologie des faits biographiques et des publications relatives à ce Lesbos du XVIIIe siècle, dans l'espoir de discerner ce qui relève de la réalité historique et de la fiction. Nous ne retiendrons pas seulement les chroniques qui ont parlé de Françoise Raucourt, Sophie Arnould, Mlle Clairon ou la duchesse de Villeroy, mais aussi des informations fournies par *La Correspondance littéraire* et les *Mémoires secrets* sur « l'amitié » de la reine Marie-Antoinette avec la duchesse de Lamballe et plus tard Mme de Polignac afin de restituer dans toutes ses facettes l'esprit de l'époque.

42. E. et J. de Goncourt, *Sophie Arnould d'après sa correspondance et ses Mémoires inédits*, Paris, Charpentier, 1885, p. 33.
43. A. Deville, *Arnoldia*, p. 72.

1740 *(14 février)*, naissance à Paris de Sophie Arnould.
1749 *(8 septembre)*, naissance à Turin de Marie-Thérèse-Louise de Savoie Carignan qui deviendra par son mariage éclair (deux ans) princesse de Lamballe.
1755 *(2 novembre)*, naissance de Marie-Antoinette d'Autriche. En avril de cette même année est née aussi Élisabeth Vigée-Le Brun.
1756 *(3 mars)*, naissance à Paris (ou à Nancy) de Françoise-Marie-Antoinette Saucerotte, fille d'Antoinette de La Porte et de François Saucerotte, dite Mlle Raucourt.
1757 Sophie Arnould débute à l'Opéra.
1760 Diderot rédige la première version de *La Religieuse.*
1765 Mlle Clairon est emprisonnée à Fort-l'Évêque ; en septembre, elle renonce au théâtre.
Parution à Neufchâtel du tome XVI de *L'Encyclopédie,* contenant l'article « Tribade ».
1766 Fête chez Mme de Villeroy.
1769 Première version du *Rêve de D'Alembert* de Diderot.
1770 Marie-Antoinette arrive à la cour de France.
1772 *(14 décembre)*, débuts de Françoise Raucourt à la Comédie-Française.
1773 *(mars)*, Grimm quitte Paris et laisse *La Correspondance littéraire* à Meister. Diderot voyage en Russie jusqu'en octobre 1774.
(23 mars), Françoise Raucourt est reçue à la Comédie-Française.
1774 *(mars)*, Françoise Raucourt joue dans *Venceslas,* tragédie de Rotrou.
(mai), mort de Louis XV. Marie-Antoinette devient reine de France à l'âge de dix-neuf ans.
(11 juillet), anecdote sur Mlle Virginie : « Le vice des tribades devient fort à la mode... » (première mention des tribades dans le tome VII des *Mémoires secrets*).
À la fin de l'année, Françoise Raucourt est sifflée par le parterre et rencontre ses premiers échecs au théâtre.
1775 *(26 février)*, anecdote sur M. de Vilette et le balai (*Mémoires*

secrets, tome VII) racontée en mai par *La Correspondance littéraire* (tome XI).

(juillet), Françoise Raucourt joue le rôle de Galathée dans *Pygmalion* où elle est « vraiment belle » (*Mémoires secrets*, tome VIII).

(16 septembre), la princesse de Lamballe devient surintendante de la maison de la Reine.

(novembre), « la loge de Lesbos » *(La Correspondance littéraire)*. Grimm étant toujours en Allemagne, l'article a pu être écrit par Meister, Diderot, Mme d'Épinay ou quelqu'un d'autre.

1776 *(28 janvier)*, cabale contre Françoise Raucourt et « huées du parterre » (*Mémoires secrets*, tome IX).

(3 juin), banqueroute de Mlle Raucourt. « Sa luxure immodérée, son goût pour l'art des tribades l'a empêchée de trouver parmi notre sexe les secours qu'elle s'y serait ménagés » (*Mémoires secrets*, tome IX). Ce même mois, *La Correspondance littéraire* lui consacre cette page : « Des vingt tragédies qui sont sur le tableau de la Comédie-Française on se disposait au moins à nous en donner une, *Zama*, de M. Le Fèvre lorsque l'éclipse forcée de Mlle Raucourt, qui devait jouer un des principaux rôles de la pièce, en a fait interrompre tout à coup les répétitions. Quelque subite qu'ait été cette catastrophe, elle a causé peu de surprise. Après avoir fait dans son début les délices et l'admiration de tout Paris, Mlle Raucourt était parvenue à se faire huer sur la scène, et à scandaliser dans le monde les personnes même les moins susceptibles de scandale. Jamais idole ne fut encensée avec plus d'ivresse, jamais idole ne fut brisée avec plus de mépris. Il faut rendre justice à toute sorte de talents : elle a eu celui d'étonner dans l'espace de peu de mois la ville et la cour par l'excès de ses dérèglements comme par les rares prodiges de son innocence. Avec mille écus de rente elle a trouvé le moyen, depuis quatre ans qu'elle était à la Comédie, de faire pour plus de cent mille écus de dettes. Quoique plusieurs grandes dames payassent assez cher la curiosité qu'elles

avaient eue de connaître les secrets de cette jeune prêtresse de Lesbos, leurs offrandes étaient loin de suffire à la dépense qu'exigeaient son culte et ses fantaisies. Elle avait dix ou douze chevaux dans son écurie, deux ou trois petites maisons, une quinzaine de domestiques choisis avec beaucoup de recherche, et une garde-robe des plus riches pour femme et pour homme. Aussi disait-elle souvent, à propos des embarras qui l'ont forcée enfin de s'éloigner de Paris, qu'elle ne s'étonnait plus que les femmes ruinassent tous nos jeunes gens, et que sa propre expérience lui avait trop bien appris que c'était de tous les goûts du monde le plus ruineux. Il est vrai que, parmi les plus illustres roués, il n'y en avait peut-être aucun qui entretînt autant de sultanes et qui en changeât aussi souvent qu'elle. Dans ce genre de gloire on peut dire qu'elle ne le céda guère aux plus grands hommes de l'Antiquité, et mérita souvent le double myrte que la flatterie crut devoir mêler aux lauriers du héros qui vainquit Rome et Pompée.

« Le sort, qui se joue des plus brillantes destinées, n'a point voulu que notre héroïne poursuivît plus longtemps la carrière où elle avait débuté avec tant d'éclat. Ses créanciers ont ouvert enfin les yeux sur le danger auquel les exposait leur folle confiance, mais trop tard. Les mesures qu'ils ont voulu prendre pour leur sûreté ont déterminé la jeune nymphe à disparaître, et l'on a su depuis qu'elle était partie à franc étrier avec un petit uniforme de dragon, et que sous ce costume elle était demeurée cachée plusieurs jours chez un fermier des environs de Paris, à qui elle avait persuadé qu'une affaire d'honneur l'obligeait de fuir et de chercher un asile qui pût la sauver des premières poursuites, etc. On la croit actuellement à Bruxelles ou à Spa. En attendant, on n'a rien eu de plus pressé que de la faire rayer du tableau de la Comédie, et de mettre en séquestre le peu de fonds qu'elle y pouvait avoir. Quoique sa mauvaise conduite eût influé sur ses talents, quoique, loin de faire aucun progrès dans son art, elle se fût négligée au point d'oublier même ses premières études, on ne peut s'empêcher de regretter les superbes dispositions que la nature lui avait prodiguées, la beauté la plus théâtrale qu'on eût vue depuis longtemps, l'organe le plus sonore, une mémoire étonnante, et cette intelligence facile qui souvent lui faisait deviner sans effort ce qu'on aurait été tenté de prendre pour le résultat d'une réflexion suivie, et qui ne pouvait être chez elle que l'aperçu d'un instinct heureux. »

(3 juin), « Elle s'expatrie » (*Mémoires secrets*, tome IX).

(20 octobre), « Mlle Raucourt se montre de nouveau ici » (*Mémoires secrets*, tome IX).

1777 *(31 mars)*, « Mlle Raucourt a été arrêtée le mercredi saint pour être amenée à Fort-l'Évêque. Une main bienfaisante l'a retirée de ce mauvais pas, mais elle vit toujours dans les alarmes » (*Mémoires secrets*, tome X).

(13 avril), « On la croit arrêtée de nouveau, ou cachée ou obligée de s'enfuir » (*Mémoires secrets*, tome X).

(8 juin), Mirabeau est enfermé à Vincennes par une lettre de cachet ; il y restera jusqu'au 17 novembre 1780.

(17 octobre), « Mlle Raucourt s'est engagée dans la troupe des comédiens qui suivent la cour... » (*Mémoires secrets*, tome X).

(20 octobre), « Elle est à Fontainebleau et obtient beaucoup de succès auprès du roi et de la reine » (*Mémoires secrets*, tome X).

(octobre), affaire de Mlle d'Éon de Beaumont.

(novembre), retour de Grimm à Paris.

(9 novembre), « Mlle Raucourt est l'entretien de la cour par la protection éclatante dont la reine la couvre [...]. Sa Majesté veut qu'elle rentre à la Comédie » (*Mémoires secrets*, tome X).

(3 décembre), « [...] ayant fait de nouvelles incartades et affichant une dissolution de mœurs la plus scandaleuse, les comédiens se flattent qu'ils ne seront pas obligés de la recevoir chez eux à Pâques » (*Mémoires secrets*, tome X).

1778 *(28 mars), Apologie de la secte anandryne ou Exhortation d'une jeune tribade* par Mlle Raucourt.
(14 juillet), « *Les Lettres de Hambourg* rapportent que Mlle Raucourt a été condamnée avec Jeanne Sourque à être fouettée, bannie » (*Mémoires secrets*, tome XII).
(28 décembre), lettre IX de la *Confession d'une jeune fille.* Sophie Arnould renonce à l'opéra.
Cette même année, Voltaire et Rousseau meurent.

1779 *(17 mars),* mort de Pidansat de Mairobert.
(27 avril), « affection de la reine pour Mme de Polignac » *(Mémoires secrets).*
(11 septembre), « Il est décidé que Mlle Raucourt rentre. On peut se rappeler que les comédiens ont fait tous leurs efforts pour s'opposer à ce qu'elle revînt et ont même éludé la protection de la reine, à laquelle ils représentèrent que l'inconduite et le libertinage de cette actrice répugnaient à l'honnêteté de leur société. Tous les obstacles sont levés par ordre du roi. Mlle Raucourt est descendue chez Mlle Arnould, où elle loge. Elle commence aujourd'hui par le rôle de Didon. Toute la secte des tribades est sur pied pour la faire triompher, et c'est une fureur non moins grande que celle de son début » (*Mémoires secrets*, tome XIV).
(13 septembre), « La demoiselle Raucourt paraît avoir conservé les beaux moyens que la nature lui avait donnés [...]. Ses partisans l'ont applaudie à tout rompre et la demoiselle Arnould, avec quantité d'autres tribades, faisait cabale à l'orchestre pour cette sœur illustre » (*Mémoires secrets*. Jusqu'en décembre, ils en parleront onze fois).
(16 octobre), Épître à celle qui se reconnaîtra (Mémoires secrets).
(18 octobre), Vision du prophète Daniel... traduit de l'hébreu par un amateur *(Mémoires secrets).* « [...] et je rappellerai la prostituée de Babylone (Françoise R.). Elle jetait des regards lascifs sur toutes celles de son sexe et une voix cria : la voilà, celle qui a renchéri sur toutes les abominations dont les peuples se sont souillés. Et elle va renouveler ici les scènes

de débauche et de luxure, qu'elle y donna jadis : mères, ne quittez pas vos filles ; amants, veillez sur vos maîtresses ; maris, prenez garde à vos femmes. »

(octobre), le parterre la siffle dans le rôle de Phèdre au vers : « Et moi triste rebut de la nature entière » *(Mémoires secrets)*.

(31 décembre), « La Société royale de médecine propose pour prix de l'année deux médailles d'or [...], la deuxième au meilleur mémoire sur une épizootie nommée par les savants *Furor amoris, antiphisia,* dont les demoiselles Raucourt, Souck, Sophie, Agnès et Denise Colomb ont infecté la capitale. Les deux mémoires devront contenir les remèdes nécessaires et attendu la nature extraordinaire et opiniâtre de ces maladies, tous les savants, tant regnicoles qu'étrangers sont invités à concourir » (*Mémoires secrets*, tome XIV).

1780 *(mai)*, « doux plaisirs de l'amitié » entre la reine et Mme de Polignac *(La Correspondance littéraire)* et « amitié excessive » de la reine selon les *Mémoires secrets*, alors que la duchesse de Lamballe tombe en disgrâce.

(27 septembre), Diderot envoie une lettre à Meister pour lui proposer de faire paraître *La Religieuse* dans *La Correspondance littéraire*. « C'est un ouvrage que j'ai fait au courant de la plume et sur lequel j'ai été rappelé par mon travail actuel. » Elle paraît d'octobre 1780 à mars 1782.

(octobre), lettre de Mirabeau à Sophie où il lui annonce qu'il vient de terminer son *Erotika Biblion*.

(novembre), Françoise Raucourt écrit *Henriette ou la Femme déserteur* inspirée d'une pièce, *Le Camp du nord ou la Discipline militaire,* qui n'avait eu aucun succès, afin de réutiliser les décors et les costumes *(La Correspondance littéraire,* qui reparle de l'actrice après une interruption de cinq ans ; de même les *Mémoires secrets)*.

1782 *(mars)*, « En persistant à trouver le drame détestable mais l'auteur sous l'uniforme prussien, charmant, on ne s'est point encore lassé de venir siffler l'un et applaudir l'autre » *(La Correspondance littéraire)*.

Publication du *Rêve de D'Alembert* dans *La Correspondance littéraire* d'août à novembre.

Mirabeau publie *Erotika Biblion*, « à Rome, de l'imprimerie du Vatican ».

1784 Affaire du collier de la Reine qui dresse l'opinion contre elle.

Publication de *L'Espion anglais ou Correspondance secrète entre Mylord All Ear et Mylord All Eye*, à Londres chez J. Adamson, dix volumes.

(31 juillet), mort de Diderot.

(23 décembre), anecdote sur Mlle Contat : un « amant anonyme » lui paie ses dettes ; croyant qu'il s'agissait de son soupirant Mlle Contat lui cède en récompense » (*Mémoires secrets*, tome XXVII).

1785 *(31 décembre)*, « La tribaderie... couplet : Il est des beautés cruelles » (*Mémoires secrets*, tome XXVII). Nous citerons ici une addition pour l'année 1774 contenue à la fin de ce volume : 11 octobre : « Les filles de haut style de la capitale sont très partagées sur le genre de leurs plaisirs et se divisent en deux sectes. Mlle Arnould est à la tête de l'une et Mlle Raucourt est à la tête de l'autre. On sait le goût que celle-ci a introduit. Le vice est ancien sans doute, mais restait enveloppé jusqu'à présent des ombres du mystère... Celles qui en étaient affectées le cachaient avec soin, du moins n'osaient l'avouer. Mlle Raucourt a encore raffiné ; elle admet les hommes à sa couche et par une mitigation qui lui concilie le sexe mâle, le plus opposé aux femmes, elle ne tolère que l'introduction qu'aime celui-ci. C'est cet accord que proscrit Mlle Arnould, elle veut qu'on soit putain ou tribade parfaitement [...] il s'en est suivi un schisme ouvert entre les deux sectes ; de là des vers, des épigrammes, etc. »

(mai), « Les tentatives de séduction de Mlle Raucourt auprès de Mlle Contat. Anecdote oubliée l'année dernière [...]. Cet amant c'était Mlle Raucourt, la plus célèbre de nos lesbiennes modernes » (*La Correspondance littéraire*, tome XIV).

1786 *(avril)*, couplet « Pour te fêter belle Raucourt... » (*La Correspondance littéraire*, tome XIV).

1787 *(6 janvier)*, « Il faut savoir que Mlle Desmalis [44] est tribade et servait aux plaisirs de Mlle Raucourt, la Grande Maîtresse de l'Ordre ». Suivent trois pages sur un vaudeville entre les deux femmes et le prince de Monbarrey qui les surprend au lit : « Je suis accoutumé à être dupe mais je ne m'attendais pas à l'être de cette manière ; je vous laisse toutes les deux vous livrer à vos honteux embrassements » (*Mémoires secrets*, tome XXXIV, dernière mention).

1788 *(novembre)*, « Mot sur Raucourt » (*La Correspondance littéraire*, tome XV. Dernière mention).

Première conclusion : si la secte anandryne a réellement existé, on s'aperçoit que l'année où Mlle Raucourt est censée en avoir fait l'apologie, c'est-à-dire en 1778, est précisément celle où elle fait le moins parler d'elle. Entre le 3 décembre 1777 et le 11 septembre 1779, les *Mémoires secrets* ne la mentionnent qu'une seule fois, et encore d'après *Les Lettres de Hambourg*, ville où elle voyageait. C'est assez, nous semble-t-il, pour affirmer que si des femmes se sont assemblées pour souper entre elles, elles n'ont pas formé de société secrète ni de secte anandryne.

En revanche, Françoise Raucourt a aimé des femmes sans l'ombre d'un doute, comme le certifient les Goncourt qui ont lu ses lettres d'amour : « Mlle Raucourt n'a pas été calomniée, écrivaient-ils au siècle dernier. Vignères a vendu il y a une quinzaine d'années une collection de lettres de la Raucourt, adressées à des femmes qui avaient la tendresse et la passion d'un amant [45]. » La récente découverte des actes notariés de Françoise Raucourt par Olivier Blanc fait apparaître un autre aspect de sa personnalité qui lève tout doute sur ses mœurs : le souci de mettre ses amantes à l'abri du besoin en leur constituant une rente viagère [46]. Le contrat du 8 janvier 1787 accorde à la jeune Mme de Mailly une rente annuelle

44. S'écrit aussi Demailly. Voir plus loin.
45. J. et E. de Goncourt, *La Maison d'un artiste*, Paris, 1881.
46. Olivier Blanc, recherches en cours sur l'amour et le jeu pendant la Révolution.

de « 3 000 livres sur le pied de 30 000 », ce qui représente une somme très importante pour l'époque, à la mesure, peut-être, de leur amour. Pierrette Charpentier était l'épouse du miniaturiste de Catherine II, Demailly [47], et l'on se souvient du texte des *Mémoires secrets* racontant comment le prince de Montbarrey, l'ancien ministre de la Guerre, l'avait surprise au lit avec Françoise Raucourt (6 janvier 1787). En s'intéressant aux rapports de la comédienne avec l'argent, Olivier Blanc apporte ainsi la preuve que Françoise Raucourt « entretenait » ses « maîtresses » par le biais de ces rentes qui étaient des donations déguisées. Voilà qui nous ouvre de nouvelles perspectives de recherche.

Quoi qu'il en soit, il est difficile de croire que des femmes à la personnalité aussi affirmée aient eu besoin d'instituer un rituel d'initiation à Lesbos. C'est une idée typiquement masculine qui oublie que les femmes étaient exclues de la quasi-totalité des loges maçonniques et donc privées de modèle. Mais surtout, c'est une projection de sa propre angoisse sur les femmes. Car il n'est pas certain que le chemin du plaisir fût si dur à trouver ou que la quête du plaisir fût la motivation centrale de leurs rencontres. Seul un libertin peut se laisser prendre à cette illusion. L'atmosphère de l'époque s'y prête d'autant plus qu'à partir des années 1780, la reine elle-même est publiquement mise en cause dans des couplets qui dénoncent sa « lubricité » :

[...]
Avec grande noblesse
Une femme arriva
Elle fendit la presse
Et chacun se rangea ;
Cette dame messieurs
En valait la peine :
C'était la princesse d'Hénin ;

47. D'après une autre quittance que nous avons trouvée à la bibliothèque de la Comédie-Française, datée de 1789, Jeanne Pierrette Sophie Charpentier de Mailly était « épouse séparée quant aux biens de Jacques Charles de Mailly, Peintre de S.M. l'Impératrice de Russie ».

Comme elle est tribade et putain
On la prit pour la reine [48] [...].

Ces « quelques couplets faits contre la reine » nous sont parvenus par l'intermédiaire de l'abbé Mulot, qui prit bien soin de les noter dans son journal intime à la date du 9 janvier 1782. Ils seraient l'œuvre d'un proche parent de la famille royale, seul capable de détenir des informations « véridiques » sur la vie privée de la reine et d'oser braver l'autorité du roi en insultant publiquement son épouse. Mais si les *Mémoires secrets*, d'ordinaire très friands de ces poésies, n'en ont cité aucune, mentionnant simplement que les poursuites contre l'auteur et l'imprimeur n'ont rien donné, ils n'hésitent pas en revanche à former « mille conjectures » sur « l'affection » de la reine pour ses favorites. Ainsi le 27 avril 1779 : « Tout le monde connaît l'affection de la Reine pour Mme Jules de Polignac ; on sait que c'est d'elle que Sa Majesté a gagné la rougeole, au moyen de quoi elles ne s'étaient pas vues depuis longtemps [...]. En effet dimanche à une heure, la Reine s'est rendue rue de Bourbon chez sa favorite, et y a dîné en tête-à-tête avec elle, et est restée jusqu'à cinq heures qu'elle est repartie [...]. On forme mille conjectures sur ce tête-à-tête et sur les augustes secrets que la souveraine y a déposés dans le sein de l'amitié [49]. »

Pour mesurer le caractère exceptionnel de ces faveurs, il faut savoir que l'étiquette réglait scrupuleusement l'emploi du temps de la reine. Or le fait qu'elle se rende chez une comtesse, pauvre de surcroît, qui n'avait pas paru à la cour avant les années 1776 faute de moyens financiers, résonnait comme un camouflet donné aux plus titrés. Les *Mémoires secrets* connaissaient parfaitement les usages, et la fausse naïveté avec laquelle ils reparlent de la question l'année suivante constitue un morceau exemplaire de cet esprit qui régnait en France dans les dernières années de l'Ancien Régime. 21 mai 1780 : « Tout le monde est émerveillé de l'amitié excessive de la reine pour Mme Jules : depuis sa couche elle ne cesse d'y aller

48. *Journal intime* de l'abbé Mulot, bibliothécaire et grand prieur de l'abbaye de Saint-Victor (1777-1782), publié par Maurice Tourneux, Paris, 1902.

49. *Mémoires secrets*, tome XIII.

chaque jour [...]. Si le cœur de la reine est susceptible des sentiments auxquels on veut que les souverains en général se livrent peu, on sait qu'il a aussi de l'inconstance jointe ordinairement à la sensibilité extrême, et l'exemple de Mme de Lamballe doit effrayer [50]. »

Tout le monde se souvient en effet qu'« un an après la nomination de Mme la Princesse de Lamballe à la place de surintendante de la maison de la Reine, les bals et les quadrilles amenèrent la liaison de la reine avec la comtesse Jules de Polignac ». Et tout le monde sait également que « l'aveu que son peu de fortune l'avait même privée de paraître aux fêtes des mariages des princes vint encore ajouter à l'intérêt qu'elle inspira [51] ». Tout le monde craint donc maintenant pour le cœur de la nouvelle favorite, y compris *La Correspondance littéraire* qui, prenant des distances historiques avec l'événement, rend la reine plus reine et moins humaine. Mai 1780 : « On ne dira plus que les doux plaisirs de l'amitié fuient la majesté du trône ; ce que la reine vient de faire pour Mme la Comtesse Jules de Polignac en est une preuve bien touchante. Nous pardonnerait-on de ne pas recueillir un trait que l'amitié s'enorgueillira de consacrer dans ses fastes ? Mme la Comtesse Jules vient d'accoucher à Paris dans la maison de son meilleur ami, M. le Comte de Vaudreuil, sa propre maison n'étant pas encore prête à la recevoir. Aussitôt que la reine l'a su, elle ne s'est pas contentée de l'aller voir, de passer une journée tout entière au chevet de son lit, elle a engagé le roi et toute la cour à venir s'établir à La Muette uniquement pour s'en approcher le plus qu'il était possible, pour être plus à portée de la voir et d'en recevoir des nouvelles à chaque instant. Le roi a bien voulu partager les empressements de la reine ; il a été voir lui-même Mme la Comtesse Jules le troisième ou le quatrième jour de ses couches. Quoique l'histoire de France soit en ce genre aussi riche qu'une autre, nous ne croyons pas qu'elle ait

50. *Marie-Antoinette, Louis XVI et la famille royale*. Journal anecdotique tiré des *Mémoires secrets* (mars 1763-février 1782), publié par Ludovic Lalanne, Paris, 1866.

51. Mme Campan, *La Cour de Marie-Antoinette*, coll. 10/18, p. 71. Voir aussi Michel de Decker, *La Princesse de Lamballe. Mourir pour la reine*, Paris, Librairie Académique Perrin, 1979.

encore offert l'exemple d'une faveur à la fois plus intime et plus éclatante [52]. »

Ce sont les derniers textes qui abordent le sujet avant la Révolution. Mais nous ne pouvons quitter la reine sans évoquer sa belle-sœur, Marie-Joséphine de Savoie, épouse du comte de Provence, le futur Louis XVIII, qui éprouva une passion de plus de vingt ans pour Mme de Gourbillon, engagée à son service en 1785 comme lectrice de son cabinet. Intelligente, ambitieuse et intrigante, cette dernière exerça un ascendant immédiat sur Madame, ce qui déclencha l'hostilité de son mari, puis son opposition ouverte. Le 17 février 1789, une lettre de cachet signée par le roi « ordonne à la dame Gourbillon de se retirer aussitôt après la notification du présent ordre de la ville de Versailles et de se rendre incontinent en celle de Lille en Flandre auprès de son mari [53] ».

Peu habituée aux premiers rôles, Madame commence par dépérir. « Je vous aime cent fois plus que moi-même et je ne puis vous exprimer la force de mon attachement », écrit-elle à Mme de Gourbillon [54]. Encouragée probablement par la préparation des États Généraux, elle décide alors de se battre pour la faire réintégrer, le roi n'ayant donné aucun chef d'inculpation. « Si Monsieur persiste à me déshonorer, à m'opprimer après y avoir mis toute la patience, la douceur et les convenances, je ne réponds plus de moi. Je serai femme à faire un éclat. J'aimerais mieux être entre quatre murailles que de continuer à vivre ainsi [55]. » Au fur et à mesure de son combat une autre femme se révèle en elle, celle qui prend

52. *La Correspondance littéraire*, tome XI, p. 401.

53. Vicomte de Reiset, *Joséphine de Savoie, comtesse de Provence, 1753-1810*, d'après les documents inédits, Paris, Émile-Paul, 1913, p. 126.

54. Cité par Charles Dupêchez, *La Reine velue*, Le Livre de Poche, 1995, p. 105. On s'explique difficilement comment l'auteur a pu accepter un tel titre, démenti d'ailleurs par le joli portrait d'Élisabeth Vigée-Lebrun qui figure sur la couverture. Pourquoi exhiber un tel mépris pour les femmes, renforcé par l'absence totale de notes et de références ? Heureusement que le livre du vicomte de Reiset permet de retrouver les sources, auxquelles Charles Dupêchez a puisé abondamment. La seule exception serait dans les lettres échangées par les deux amies lors de l'exil forcé de Mme de Gourbillon à Lille, que le vicomte de Reiset ne cite pas dans son désir de minimiser l'attachement de Madame pour sa favorite. Faute de références précises, il nous faut donc mettre en garde contre une éventuelle inauthenticité des lettres d'amour de Madame.

55. *Ibid.*, p. 110.

conscience de sa propre oppression, si l'on peut dire : « Je sais que je ne peux vous voir si Monsieur ne le veut pas, qu'il est le maître chez moi. Ainsi je ne le demanderai pas, mais il n'est pas le maître de mon cœur. Il ne l'a jamais eu et ne l'aura jamais [56]. » Finalement, la lettre de cachet sera levée le 28 août 1789, juste après la Déclaration des Droits de l'Homme et du Citoyen, ce qui ne manque pas d'humour en la circonstance. Les deux femmes quitteront la France durant la fameuse nuit de Varennes et iront se réfugier à Turin, chez le père de Madame, où les rejoint le futur Louis XVIII dont l'hostilité perdurera jusqu'à la mort de Madame.

Ainsi finit un monde où, pour la première fois, des lesbiennes conquièrent une certaine liberté de comportement. Le libertinage est-il pour quelque chose dans cette émancipation, ou l'a-t-il recouverte du voile de ses propres préoccupations ? C'est ce que nous allons nous demander en analysant à présent la fonction assignée aux « mystères de Lesbos » dans le libertinage du XVIIIe siècle.

L'esprit libertin et la lettre phallique

« [...] plus on étudie l'histoire et les progrès, plus on augmente pour elle [la secte] de vénération, d'intérêt et d'attachement. Ainsi donc, je vous en ferai voir d'abord l'excellence ; puis on pratique mal ce qu'on ne connaît pas bien : la lettre tue et l'esprit vivifie » *(Apologie de la secte anandryne)*. Un voile s'est donc étendu sur les « tableaux dégoûtants » présentés par Mlle Sapho au Mylord. Est-ce par impuissance de la lettre ou par choix de l'esprit ? Autrement dit, est-ce parce que le phallus est absent de ces mystères de la jouissance féminine que le libertin s'avère impuissant à les décrire ou parce que le mystère est un des ressorts du libertinage pré-révolutionnaire ?

Le cas de Sade est à cet égard exemplaire de ce dilemme qui se résoudra par un retour en force de la lettre phallique. À deux reprises, Sade s'aventure dans ce no man's land de la jouissance

56. *Ibid.*, p. 114.

féminine. Une première fois en 1787, juste avant la Révolution, avec *Augustine de Villeblanche ou les stratagèmes de l'amour*, écrit durant son emprisonnement à la Bastille ; et dix ans plus tard, avec *Histoire de Juliette ou les prospérités du vice*, écrit en liberté cette fois-ci, sous le Consulat, et qui renferme le plus grand nombre de tribades de son œuvre.

À première vue, *Augustine* présente tous les ingrédients philosophiques d'un roman à visée émancipatrice : « De tous les écarts de la nature, celui qui a fait le plus raisonner, qui a paru le plus étrange à ces demi-philosophes qui veulent tout analyser sans jamais rien comprendre, disait un jour à une de ses amies Mlle de Villeblanche [...], c'est ce goût bizarre que des femmes d'une certaine construction ou d'un certain tempérament, ont conçu pour des personnes de leur sexe. Quoique bien avant l'immortelle Sapho et depuis elle, il n'y ait pas eu une seule contrée de l'univers, pas une seule ville qui ne nous ait offert des femmes de ce caprice et que, d'après des preuves de cette force, il semblerait plus raisonnable d'accuser la nature de bizarrerie, que ces femmes-là de crime contre nature, on n'a pourtant jamais cessé de les blâmer, et sans l'ascendant impérieux qu'eut toujours notre sexe, qui sait si quelque Cujas, quelque Bartole, quelque Louis IX n'eussent pas imaginé de faire contre ces sensibles et malheureuses créatures des lois de fagot, comme ils s'avisèrent d'en promulguer contre les hommes qui [...] ont cru pouvoir se suffire entre eux, et se sont imaginé que le mélange des sexes très utile à la propagation, pouvait très bien ne pas être de cette même importance pour les plaisirs [57]. »

Voilà qui commençait bien ! Mais les choses se gâtent dès que Sade, qui semble encore ignorer l'existence du mot « tribade », décrit Augustine en disant qu'elle « détestait les hommes, et totalement livrée à ce que les oreilles chastes entendront par le mot de saphotisme, elle ne trouvait de volupté qu'avec son sexe et ne se dédommageait qu'avec les Grâces du mépris qu'elle avait pour l'Amour ». Pour la punir probablement de ce mépris injustifié, il imagine un stratagème en reprenant le thème du travestissement,

57. Sade, *Augustine de Villebranche ou les stratagèmes de l'amour*, *op. cit.*

déjà utilisé, entre autres, par Marivaux dans *La Fausse Suivante* ou par Beethoven dans son opéra *Fidelio.* Le jeune Franville, amoureux fou de cette « vraie perte pour les hommes », décide de ne pas « abandonner la place qu'elle ne fût conquise ». Chacun se pare donc des habits de l'autre sexe pour se rendre à un bal masqué. On imagine la suite ; croyant avoir affaire à une jolie fille, Augustine l'entraîne dans un « cabinet très secret », découvre la traîtrise et, contre toute logique, se rend corps et âme au vainqueur, qui n'est pas Franville mais... la nature : « Je le sens, la nature l'emporte, je l'étouffais par des travers que j'abhorre à présent de toute mon âme ; on ne résiste pas à son empire, elle ne nous a créées que pour vous [...], suivons ses lois. » Et rentrant dans l'ordre naturel des choses, elle se maria et fut « la plus sage et la plus vertueuse des femmes ».

Sans doute conscient d'avoir esquivé le sujet, Sade le reprend sous un angle plus familier aux lecteurs du XVIIIe siècle : le couvent. L'action débute au couvent de Panthémont où Juliette est éduquée par Mme Delbène, la supérieure, qui lui avoue sans autre détour : « Ô Juliette, Juliette ! Mon libertinage est une épidémie, il faut qu'il corrompe tout ce qui m'entoure [58]. »

Nous voici donc prévenus : Mme Delbène n'est pas une petite fille de *La Religieuse*, le corps d'une femme étant plus une machine à jouir qu'un délicieux clavecin. « Une femme est femme partout, affirme-t-elle ; elle ne fait pas plus de mal à prêter son cul que son con, sa bouche que ses mains, ses cuisses que ses aisselles ; tout cela est indifférent mon ange ; l'essentiel c'est de gagner de l'or n'importe comment. »

Est-ce pour cette raison que les tribades sadiennes ne peuvent remplir une fonction de transgression de la masculinité, comme on aurait pu s'y attendre, mais que, à force d'être des femmes partout, elles se comportent dans la luxure comme des hommes ? Par exemple, lors de la première petite débauche organisée avec « ordre » par la supérieure, celle-ci conseille à Juliette : « Toi, ma poule, [...] tu n'abandonneras pas mon clitoris ; c'est le véritable

58. Sade, *Histoire de Juliette ou les prospérités du vice*, coll. 10/18, tome I.

siège du plaisir dans les femmes ; frotte-le jusqu'à l'égratigner, je suis dure [...] je suis épuisée, il me faut des choses fortes ; je veux me distiller de foutre avec vous, je veux décharger vingt fois de suite si je puis. »

De toute évidence, Sade à lu *L'Encyclopédie*, notamment l'article « Clitoris » où ce dernier est défini comme « une partie extrêmement sensible, et qui est le siège principal du plaisir dans la femelle ; raison pour laquelle quelques-uns lui ont donné le nom d'*aestrum veneris*, aiguillon de Vénus [59] ». Peut-être a-t-il lu également *L'Onanisme* du docteur Tissot [60], dont nous reparlerons... Mais aussi bon lecteur soit-il, il ne peut s'empêcher de revenir à la jouissance phallique. « Volmar ne veut que mes fesses, elle les dévore de baisers et préparant la voie étroite avec sa langue de rose, la libertine se colle sur moi, m'enfonce son clitoris dans le cul, se secoue longtemps, retourne la tête, baise ardemment ma bouche, suce ma langue et me branle en m'enculant. » Sade n'est-il pas également le précurseur de la société de consommation ?

« Quelle est cette petite putain ? – Une de nos sœurs, répondit Salviati ; elle est tribade à ton exemple et vient se faire branler comme toi. – Libre à elle, répond la vieille sapho sans bouger ; voilà des doigts, des godemichés et des cons ; qu'elle s'en donne ; mais je la baise avant, elle est pardieu jolie. »

Incomplétude de la jouissance sadienne qui cherche à travers ses combinaisons multiples des corps, ses mécanismes et ses mises en scène phallocentrées son impossible accomplissement. Comment pourrait-il en être autrement, dans cette répétition du même où la scène érotique « saphotique » elle-même est à ce point indifférenciée qu'elle ne peut fonctionner sans équivalents phalliques ?

Avec *Le Paysan perverti*, Restif de la Bretonne nous donne un autre exemple de l'impuissance du libertin à représenter une jouissance qui ne soit pas phallique. Ce long roman par lettres, publié

59. *L'Encyclopédie*, tome III, 1753.

60. *L'Onanisme. Dissertation sur les maladies produites par la masturbation*, par M. Tissot, docteur en médecine, Paris, 1760. La troisième édition paraît quatre ans plus tard et l'ouvrage sera vendu à plus de cent mille exemplaires en un siècle. Voir plus haut, « Les habits neufs de la tribade ».

en 1776 et qui connut d'emblée le succès, puisqu'il fut contrefait et réédité plusieurs fois, aborde le sujet dans la lettre 44, où le héros, Edmond, surprend sans qu'elle le voie sa sœur Ursule en compagnie de Mme Parangon et Tiennette : « Ici la plume me tombe des mains ! Ah Dieu ! qu'Ursule était heureuse !... Tiennette est entrée : la déesse lui a fait un signe, qui les a réunies toutes trois... Représente-toi ce groupe charmant... », et là une gravure de Binet réalisée pour l'édition de 1784 représente le sujet suivant : « Edmond voit, d'une ouverture pratiquée dans le plancher, Mme Parangon caressant Ursule et Tiennette ; cette dernière baise sa belle maîtresse sur le front, tandis que les lèvres de Mme Parangon pressent celles d'Ursule [61]. » Une deuxième lettre échoue à représenter l'irreprésentable, puisque Restif confie encore une fois à Binet le soin d'illustrer ce même thème du voyeur qui ne voit rien : « Sujet : Edmond à l'écart derrière un rideau de porte vitrée, dessinant sur le nu la belle Ursule et la jeune Fanchette ; cette dernière qui lui tourne le dos, achève d'enlever le dernier voile [62]. »

Restif de la Bretonne reprendra le sujet en 1780 dans le tome XXXI des *Contemporaines par gradation ou Aventures des jolies femmes de l'âge actuel, suivant la gradation des principaux états de la société*. Sous le titre de *La Duchesse ou la femme Sylfide*, il y dresse un portrait vengeur de Maclovie qui sortit des « nymphes » d'un couvent dans le but de les « protéger » : « La base de leurs sentiments fut le mépris des hommes en général, vrai ou affecté. La duchesse surtout le portait si loin qu'elle se persuada qu'ils étaient d'une nature inférieure à celle des femmes [63]. »

C'est bien l'un des rares écrivains de cette époque qui attribue à

61. Restif de la Bretonne, *Le Paysan perverti*, édition critique de François Jost, professeur à l'université de l'Illinois, L'Âge d'Homme, 1977, 2 volumes, tome I, p. 180 et 182. (Édition originale : 1776.)

62. Restif de la Bretonne, *op. cit.*, tome I, p. 448. Signalons que cette gravure représentant deux nus féminins croqués par un voyeur figura dans l'édition originale de 1776, parue à La Haye en quatre volumes. Elle a été détournée au début du XXe siècle par Hector Fleischmann qui la publia dans *Le Cénacle libertin de Mlle Raucourt* sous le titre : *Les deux aimables tribades*. Les 120 dessins de Binet de l'édition de 1784 réunis en album ont été vendus au Palais Galliéra en 1973. Voir Hélène Demoriane, « Les Pervertis », *Connaissance des Arts*, n° 255, mai 1973.

63. *Les Femmes titrées*, Leipzig, 1783, tome XXXI, p. 14.

une tribade du mépris pour l'homme. Cette projection de son propre mépris pour les tribades l'amène – et c'est un comble – à inverser l'argument de l'infériorité naturelle des femmes si âprement défendu par les savants et autres philosophes du genre humain. En fait, comme chez Sade, son idéal de femme libertine n'est pas la tribade, mais la prostituée. Dès 1769, il lui consacre avec *Le Pornographe* (littéralement : écrit sur les prostituées) un autre immense volume qui se propose de valoriser la condition de « fille publique ». Toute la série des graphes est d'ailleurs fort édifiante. « Pour remettre les femmes à leur place et opérer le bonheur des deux sexes », il prescrit dans les *Gynographes* qu'il « faut de bonne heure inculquer aux jeunes filles qu'elles sont destinées pour l'homme, qui est le chef souverain de la société : en conséquence, le second sexe doit être élevé précisément comme ces jeunes seigneurs qu'on place auprès de l'héritier du trône : toutes les leçons de déférence et de soumission qu'on donne à ceux-ci conviennent à celles-là [64]. » Plus réaliste, Sade parlera du « despotisme de la luxure » tout en espérant que « nos lecteurs éclairés nous entendront et ne confondront point l'absurde despotisme politique avec le très luxurieux despotisme des passions du libertinage ».

Tout de même ! Au nom de quoi l'un serait-il plus supportable que l'autre ? Au nom de la nature, comme il l'affirme en admettant : « Il n'est point d'homme qui ne veuille être despote quand il bande [65]. » Constat qu'il verrouille côté femme en énonçant cette autre prétendue évidence : « C'est pour être foutues que vous a créées la nature. »

Nous commençons à entrevoir les enjeux politiques du libertinage des Lumières. Enjeux qui ne seront élucidés qu'au cours de l'événement révolutionnaire, notamment à travers le refus d'émanciper les femmes en leur accordant un statut de sujet politique.

64. *Les Gynographes*, 1782 ; cité par Alexandrian dans *Les Libérateurs de l'amour*, Paris, Éd. du Seuil, coll. Points, p. 38. Il constate : « Restif veut libérer l'homme en lui asservissant la femme encore davantage. » C'est en ce sens qu'il est « républicain ». Voir Claudine Herrmann, *Les Voleuses de langue*, Paris, Éd. Des femmes, 1976.

65. Cité par Paule-Marie Duhet dans son très beau livre sur *Les Femmes et la Révolution (1789-1794)*, Paris, Julliard, coll. Archives, 1971, p. 222.

Mais tous les libertins ne partagent pas les positions sadiennes, loin s'en faut. « La lettre tue, l'esprit vivifie », déclare *L'Espion anglais* par la bouche de Mlle Raucourt ; elle tue d'autant plus le plaisir aux yeux du libertin qu'elle s'éloigne du « bonheur commun ». Pour le marquis d'Argens par exemple, tous les goûts sont dans la nature et le plaisir n'est pas seulement une question de bonheur individuel, mais aussi d'intérêt public. « Pour faire son bonheur, chacun doit saisir le genre de plaisir qui lui est propre – écrit-il –, qui convient le mieux aux passions dont il est affecté, en combinant ce qui résultera de bien et de mal de la jouissance de ce plaisir, observant que ce bien et ce mal soient considérés non seulement en égard à soi-même, mais encore en égard à l'intérêt public [66]. »

Gervaise de la Touche n'hésite pas, quant à lui, à aborder certains problèmes spécifiques au plaisir. « Oui voilà le plaisir, écrit-il dans son *Histoire de Dom Bougre ou le Portier des Chartreux* : il se montre et s'échappe. L'avez-vous vu ? Non. Les sensations qu'il a excitées dans votre âme ont été si vives, si rapides, qu'anéantie par la force de son impulsion, elle s'est trouvée dans l'impuissance de le connaître. Le vrai moyen de le tromper, de le fixer, de le forcer à demeurer avec vous, c'est de badiner avec lui, de l'appeler, de le considérer, de le laisser échapper, de le rappeler, de le laisser fuir encore pour le retrouver enfin, en vous livrant tout entier à ses transports [67]. »

Culture de l'impuissance masculine différée, ce badinage va susciter une activité littéraire remarquable à la fin de l'Ancien Régime. Plus on avance dans le siècle, plus la conscience que la jouissance ne suit pas toujours le désir s'accentue. Le symptôme de cette crise existentielle apparaît particulièrement bien dans les couplets adressés à Françoise Raucourt, dont cette longue épître dédiée « À celle qui se reconnaîtra » :

66. Cité par Alexandrian, *op. cit.*, p. 17. Marquis d'Argens, *Thérèse philosophe ou Mémoires pour servir à l'histoire de P. Dirrag et de Mlle Éradice*, La Haye, 1748.

67. Cité par Alexandrian, *op. cit.*, p. 17.

Toi, la plus belle des Didon
Chaste un peu moins que Pénélope
En ce pays d'illusions
Il n'est rien que nous ne fassions
Pour fuir l'ennui qui nous galope.
Plumes en l'air, nez en avant,
On court grimpé sur sa chimère,
Vers le plaisir qui fuit d'autant.
On aime, on plaît à sa manière :
L'un atteint l'amour par-devant,
L'autre l'attrape par-derrière,
Le caprice est ce qui nous meut :
Le diable emporte les scrupules !
Tout le monde a des ridicules
Mais n'a pas les vices qui veut.
Du tien ne va pas te défaire :
Dans la Grèce on en faisait grand cas,
Et sur les vices on sait, ma chère,
Que les Grecs étaient délicats.
Quoi qu'il en soit, au gré du tien [*du tempérament*]
Éduque nos Parisiennes !
Il est des excès qu'en tout bien
Il faudra que tu leur apprennes.
[...]
Va dans ce siècle de bon ton,
Les mœurs sont une singerie,
Et la sagesse c'est folie,
Nous sommes libertins à fond ;
Par nous tu dois être accueillie.
L'oubli joyeux de la raison
Est un don du ciel qu'on t'envie ;
Nargue les sots, cède à tes goûts,
Donne aux femmes des rendez-vous,
Parle aux hommes philosophie ;
N'en aime aucun, trompe-les tous ;
Sois gaie, inconstante ou folie ;

Sur la scène avec énergie,
Viens, prends le sceptre, asservis-nous ;
Tiens le thyrse dans une orgie,
Et tu n'auras que des jaloux [68].

Jusqu'alors la littérature érotique s'était bien gardée de susciter pareil aveu masculin. Mais il faut croire que la crise est profonde, car non seulement Lesbos suscite l'envie, mais Françoise Raucourt apparaît comme un nouveau modèle de comportement amoureux :

Pour te fêter belle Raucourt
Que n'ai-je obtenu la puissance
De changer vingt fois en un jour
Et de sexe et de jouissance !
Oui, je voudrais pour t'exprimer
Jusqu'à quel degré tu m'es chère,
Être jeune homme pour t'aimer
Et jeune fille pour te plaire [69].

Quand une société craque jusque dans ses fondements, c'est-à-dire jusque dans ses valeurs patriarcales, elle perd sa position de maîtrise sur des femmes. Cette perte, le libertin va la mettre en scène à travers ses écrits et son intérêt pour tout ce qui relève des pratiques amoureuses marginales. S'il est le canal par lequel passent autant d'informations sur le Lesbos du XVIIIe siècle, n'est-ce pas parce qu'il assume le vécu de la crise du pouvoir absolu et laisse enfin filtrer son désarroi face au plaisir ? « Les mœurs sont une singerie, dit-il. Tout va, tout prend, tout nous est bon. » Aucune norme, aucun espoir ne subsiste face à cette angoissante réalité. Aucun ? Peut-être que si ! Car les tribades paraissent heureuses. N'ont-elles pas su créer une « société » où les relations sexuelles échappent à l'angoisse du temps et à cette fuite en avant qui le

68. Attribuée à Dorat et peut-être au marquis de Villette, cette épître a paru une première fois dans les *Mémoires secrets* le 5 octobre 1779 (tome XIV) et dans *Le Désœuvré ou l'Espion du boulevard du Temple* de Mayeur de Saint-Paul, qui l'attribue à l'acteur Monvel.

69. *La Correspondance littéraire*, tome XIV, avril 1786, p. 349.

maintient en vie ; un espace où la jouissance serait enfin vécue dans l'unité retrouvée de l'âme et du corps ?

Oui, dit le libertin dans un beau discours en trois parties, cette société existe, c'est la secte anandryne.

Et pour la première fois un homme va faire « l'apologie des plaisirs de femmes à femmes » : « Chez les tribades, point de ces contradictions entre les sentiments et les facultés : l'âme et le corps marchent ensemble ; l'une ne s'élance pas d'un côté tandis que l'autre se porte ailleurs. La jouissance suit toujours le désir [70]. »

Pourquoi n'a-t-il pas construit son utopie à partir de ce qu'il connaît : les relations d'homme à homme ? Parce que, pour « l'avouer et être juste, [...] l'inconstance découle de la constitution, de l'essence même de l'individu viril. Il est souvent nécessité de quitter ; la diversité des objets lui est d'une ressource infinie ; il double, il triple, il quadruple, il décuple ses forces ; il fait avec dix femmes ce qu'il serait impossible de faire avec une [71]. »

Il pourrait prôner le harem, il va exalter le plaisir des anandrynes et, comme Rousseau l'avait fait en décrivant l'état de nature pour mieux faire apparaître des déviations de l'état social, il va prendre la secte pour modèle afin d'exposer ses propres problèmes d'homme en quête du plaisir. La secte anandryne assume ainsi un statut remarquable dans l'économie du récit libertin : servir de référent idéal pour aborder le seul et vrai problème du libertin : « le fatal instinct » hétérosexuel qui apporte « des souffrances physiques et morales » innombrables telles que l'impuissance ou les grossesses indésirées. Entre tribades, quelle différence ! « Au contraire, dans l'intimité de femme à femme, nuls préliminaires effrayants et pénibles, tout est jouissance ; chaque jour, chaque heure, chaque minute, cet attachement se renouvelle sans inconvénient : ce sont des flots d'amour qui se succèdent sans jamais se tarir [72]. »

Le libertin n'a donc pas besoin d'opérer un renversement ou une projection du modèle hétérosexuel sur le couple saphique, car là

70. *Apologie de la secte anandryne*, p. 183.
71. *Ibid.*, p. 183.
72. *Ibid.*, p. 178.

où il n'y a point d'homme, il y a... le mystère du plaisir, autrement dit l'idéal libertin.

« Le plaisir de la tribaderie nous est inspiré par la nature, il n'offense point les lois ; il est la sauvegarde de la vertu des filles et des veuves ; il augmente nos charmes [c'est Mlle Raucourt qui parle] ; il les entretient, il les conserve, il en prolonge la durée ; il est la consolation de notre vieillesse ; il sème enfin également des roses sans épines, et le commencement et le milieu et la fin de notre carrière. Quel autre plaisir peut être assimilé à celui-là ? » On se le demande en effet. Et la conclusion s'impose : la secte anandryne est une « société qui n'a pour principal et unique but que le plaisir ».

Voilà l'utopie libertine enfin formulée ! Mais pourquoi tout ce mystère autour d'un plaisir si convaincant ? Pourquoi Lesbos est-il le seul espace libertin qui doive rester voilé pour être renouvelé ? Parce que les « mystères de Lesbos » ont pour fonction essentielle de maintenir un ultime possible du plaisir ; un lieu idéal, secret, forcément clos, sorte d'ailleurs inaccessible qui, par son existence même, garantit le libertin contre l'angoisse engendrée par l'inconstance et la relativité universelles. « Les plaisirs de femme à femme sont vrais, purs, durables et sans remords », dit-il, car libérées des contraintes de l'espace et du temps, seules des femmes accompliraient cette synthèse impossible : vivre le plaisir dans son absolu afin de le sauver de l'éternelle « petite mort ».

De l'enfermement des femmes

Au terme de ce voyage dans le libertinage du XVIIIe siècle, une question reste en suspens : pourquoi l'aspiration collective à une plus grande liberté de mœurs a-t-elle été engloutie par la Révolution ?

Le travail préparatif effectué par les philosophes des Lumières d'une part, et la présence, chez certains libertins, d'une conscience aiguë du despotisme masculin auraient pu déboucher sur l'élaboration d'un nouveau pacte entre les sexes. Pourquoi cela ne s'est-il pas fait ? La question se pose d'autant plus quand on voit comment le libertinage a pu conduire un homme comme Choderlos de Laclos à concevoir une étonnante synthèse entre les Lumières et l'amour à travers sa réflexion sur l'éducation des femmes. Certes, le sujet n'est pas neuf. C'est même une obsession du libertin qui désire en toute logique trouver une partenaire à sa hauteur, capable de lui donner la réplique voire de le surprendre sur son propre terrain. Aussi sa passion pour la pédagogie ne connaît-elle pas de borne. On ne compte plus les « éducatrices », « initiatrices » et autres « précepteurs » chargés de déniaiser les jeunes filles. D'ailleurs, les livres libertins ne sont-ils pas des manuels d'éducation sexuelle chargés d'apprendre à « pécher sans concevoir », se masturber et même faire l'amour avec des êtres semblables sans redouter l'enfer ? Du côté des élites, la passion est tout aussi forte, puisque l'éducation des femmes constitue à leurs yeux le moyen d'émancipation par excellence. Alors, si le libertin reconnaît volontiers à la femme son droit au plaisir, pourquoi ne lui a-t-il pas accordé le droit de cité ? Cette question, Choderlos de Laclos se la pose dans son œuvre, et d'abord dans *Les Liaisons dangereuses ou Lettres recueillies dans une Société et publiées pour l'instruction de quelques autres*, dont l'extraordinaire succès (sept éditions pour la seule année 1782) montre à quel point elles répondent à une attente du public.

Plusieurs conceptions de l'amour se confrontent dans le roman à travers une série de duels amoureux qui postulent l'échec de l'éducation. Ainsi l'autodidacte Mme de Merteuil personnifie-t-elle le libertinage face à un Valmont qui va apprendre à aimer et en mourra. Plus « naturelle », Mme de Tourvel personnifie l'amour-passion ou la négation même du libertinage. C'est d'ailleurs l'éloge de cette « femme naturelle » que nous retrouverons dans son *Discours sur les meilleurs moyens de perfectionner l'éducation des femmes*. Danceny personnifie l'amour courtois et n'apprend rien d'autre que son devoir. Quant à Cécile, éduquée au couvent, elle est aux yeux de Valmont l'exemple même de la « machine à plaisir », qui mourra d'avoir trop « machiné » et pas assez aimé.

La conclusion des *Liaisons dangereuses* pourrait se résumer ainsi : « L'éducation des femmes est impossible dans une société où elles sont réprimées par les hommes [73]. » Y a-t-il une solution cependant ? Oui, répond Laclos dans son *Discours sur les meilleurs moyens de perfectionner l'éducation des femmes* : la révolution des femmes par les femmes.

« Ô femmes, approchez et venez m'entendre. Que votre curiosité, dirigée une fois sur des objets utiles, contemple les avantages que vous avait donnés la nature et que la société vous a ravis. Venez apprendre comment, nées compagnes de l'homme, vous êtes devenues son esclave ; comment, tombées dans un état abject, vous êtes parvenues à vous y plaire ; à le regarder comme votre état naturel ; comment enfin, dégradées de plus en plus par votre longue habitude de l'esclavage vous en avez préféré les vices avilissants mais commodes, aux vertus plus pénibles d'un être libre et responsable. Si ce tableau fidèlement tracé vous laisse de sang-froid, si vous pouvez le considérer sans émotion, retournez à vos occupations futiles. Le mal est sans remède, les vices se sont changés en mœurs. Mais si au récit de vos malheurs et de vos pertes, vous rougissez de honte et de colère, si des larmes d'indignation s'échappent de vos yeux, si vous brûlez du noble désir de ressaisir vos avantages, de rentrer dans la plénitude de votre être, ne vous laissez plus abuser par de trompeuses promesses, n'attendez pas le secours des hommes, auteurs de vos maux ; ils n'ont ni la volonté ni la puissance de les finir, et comment pourraient-ils former des femmes devant lesquelles ils seraient forcés de rougir ? Apprenez qu'on ne sort de l'esclavage que par une grande révolution. Cette révolution est-elle possible ? C'est à vous seules de le dire puisqu'elle dépend de votre courage [74]. »

On comprend que dans ses *Notes sur Laclos* Baudelaire ait écrit : « La Révolution a été faite par des voluptueux. Les livres libertins

73. Joël Papadopoulos, dans sa notice aux *Liaisons dangereuses* (Gallimard, coll. Folio, p. 484). Mises en chantier en 1779, elles furent publiées en 1782 en quatre volumes chez Durand neveu.

74. Choderlos de Laclos, *Discours sur la question posée par l'Académie de Châlons-sur-Marne : Quels seraient les meilleurs moyens de perfectionner l'éducation des femmes ?* Mars 1783, dans *Œuvres complètes*, Paris, Gallimard, Bibliothèque de la Pléiade, 1943, p. 429.

commentent et expliquent la Révolution [75]. » Mais en est-il vraiment ainsi ? Ou, plus exactement, n'est-ce que trop vrai ? Car lorsqu'on voit comment le vertueux républicain va manipuler la notion de nature pour exclure les femmes de la loi « universelle », on est tenté de penser qu'il traite la femme comme le libertin : en objet destiné par la nature à prendre soin de l'homme. Par exemple, que fait Laclos dans son *Discours* ? Il oppose la « femme nature » à la « femme sociale » et prône un retour à l'état de nature parce que « cet état, nous osons l'avouer, est le plus favorable à la jouissance ». À la différence de Rousseau, qui pousse le parallèle jusqu'à l'élaboration d'un nouveau contrat social, Laclos en reste à la « femme nature » comme idéal de femme libérée des effets pervers de la société ; il n'envisage pas une « femme individu », être de droit vivant en société et entretenant des rapports contractuels avec ses semblables, à commencer par ceux du mariage.

En 1793, le procureur Chaumette défendra le même point de vue face au groupe de femmes venues assister aux débats de la Convention nationale : « Eh quoi ! Des êtres dégradés qui veulent franchir les lois de la nature entreront dans les lieux commis à la garde des citoyens ! [...] et depuis quand est-il permis aux femmes d'abjurer leur sexe, de se faire homme ? Depuis quand est-il d'usage de voir les femmes abandonner les soins pieux de leur ménage [...] pour venir sur la place publique, dans la tribune aux harangues, à la barre du Sénat, dans le rang de nos armées, remplir les devoirs que la nature a répartis à l'homme seul ? [...] Femmes imprudentes qui voulez devenir des hommes, n'êtes-vous pas assez bien partagées ? Que vous faut-il de plus ? Au nom de la nature restez ce que vous êtes, et loin de nous envier les périls d'une vie orageuse, contentez-vous de nous les faire oublier au sein de nos familles [76]. »

Le républicain vertueux et le libertin voluptueux n'ont qu'un seul idéal : enfermer les femmes dans le gynécée pour qu'elle veille au repos du guerrier. Mirabeau nous le prouve brillamment dans son

75. Choderlos de Laclos, *Œuvres complètes*, p. 738.

76. Cité par Alfred Dessens, *Les Revendications des droits de la femme au point de vue politique, civil et économique pendant la Révolution*. Thèse de droit, Toulouse, 1905, p. 164-165.

Projet sur l'éducation des filles en affirmant : « Les hommes, destinés aux affaires, doivent être élevés en public. Les femmes au contraire, destinées à la vie intérieure, ne doivent peut-être sortir de la maison paternelle que dans quelques cas rares [77]. »

Est-il possible qu'un homme comme Mirabeau, qui s'est montré si tolérant vis-à-vis des femmes qui s'aiment, devienne l'un des plus fervents défenseurs de l'enfermement domestique des femmes sous la pression des événements révolutionnaires ? Hélas oui, car pour ces hommes pétris de culture ancienne et de références latines, la femme est et demeure une vestale. Qu'elle soit vestale de l'amour ou du foyer conjugal [78], c'est le même désir de confiner la femme dans l'entretien du feu masculin.

Nous touchons là aux limites du libertinage, car si le libertin reconnaît volontiers à la femme un droit au plaisir, il ne veut pas lui accorder un statut de sujet, d'individu, d'être libre et égal à lui-même. Dans ses bras, la femme reste un objet de plaisir, elle est rarement un sujet d'amour. Comme le dit si joliment Mme de Rosemonde dans *Les Liaisons dangereuses* : « L'homme jouit du bonheur qu'il ressent, et la femme de celui qu'elle procure [79]. »

Cette conscience lucide de l'inégalité dans l'amour, d'un contrat truqué entre les sexes parce que unilatéral, où c'est toujours le même qui reçoit et la même qui donne, explique peut-être pourquoi Laclos est l'un des rares écrivains du XVIIIe siècle a avoir eu le courage d'envisager un au-delà du plaisir impliquant la condamnation sans appel du libertinage. Sans appel, parce que Valmont meurt de

77. Publié par Cabanis comme « opinion non prononcée », car Mirabeau mourut brusquement en avril 1791. Cité par P.-M. Duhet, *Les Femmes et la Révolution, 1789-1794*, Paris, Julliard, coll. Archives, p. 184.

78. Signalons en art les dizaines de Vestales qui envahissent le Salon de Peinture dès 1769 : Renou expose une *Vestale formant une couronne de fleurs*, le sculpteur Houdon présente en 1777 une *Vestale* en bronze, De La Grenée Le Jeune des *Vestales faisant le sacrifice dans l'intérieur de leur temple*. Au Salon suivant, Anne Vallayer expose une *Vestale couronnée de roses et tenant une corbeille de fleurs*, Bounieu aborde un nouveau thème, *Le Supplice d'une Vestale* (enterrée vive), tandis que Bardin montre un dessin intitulé *Réception d'une Vestale*. Il y a fort à parier que *L'Espion anglais* visita le Salon cette année-là. Voir *La Révolution française à l'école de la vertu antique, 1775-1796*, catalogue d'exposition, musée Ingre, Montauban, juillet-août 1989.

79. *Les Liaisons dangereuses*, lettre 130 de Mme de Rosemonde à la Présidente de Tourvel, p. 376.

s'être joué de l'amour de Mme de Tourvel, qui de son côté meurt d'avoir été humiliée par son amant. Et paradoxalement, c'est la marquise de Merteuil, incarnation du comble du libertinage, qui formule cet espoir d'un au-delà du plaisir juste avant que la petite vérole ne lui fasse, au sens propre comme au figuré, perdre définitivement la face en société : « N'avez-vous pas remarqué, écrit-elle à Valmont, que le plaisir, qui est bien en effet l'unique mobile de la réunion des deux sexes, ne suffit pourtant pas pour former une liaison entre eux ? et que, s'il est précédé du désir qui rapproche, il n'est pas moins suivi du dégoût qui repousse ? C'est une loi de la nature que l'amour seul peut changer [80]. »

Voilà qui nous ouvre des perspectives un peu différentes de celles prônées par le libertin/républicain. L'amour n'a rien à voir avec la nature, constate Mme de Merteuil. Est-il alors ce facteur de changement des rapports entre les sexes qui fit tant défaut aux révolutionnaires français ? Est-il le dépassement possible de la relation sujet-objet au sein de laquelle l'homme ne rêve que d'enfermer la femme dans le gynécée et la femme d'aimer inconditionnellement son maître ? Est-il enfin cet espace commun où deux sujets se rencontrent, se reconnaissent et s'associent pour conquérir leur liberté d'être humain ?

À voir le déferlement de haine et d'insultes qui s'abat sur les femmes hors norme dès les premiers jours de la Révolution, on est tenté de poser ces questions avec plus d'insistance, surtout lorsqu'on découvre comment le libertinage pré-révolutionnaire a évolué vers un « despotisme de la luxure ».

Nous avons remarqué déjà que le ton des *Mémoires secrets* avait insensiblement évolué au cours des dernières années de l'Ancien Régime : d'aimablement libertin, il était passé à celui d'accusateur public, quand ce n'était pas ouvertement paillard. Celui des pamphlets change lui aussi, comme on le constate dans ce texte tiré du *Désœuvré ou l'Espion du Boulevard du Temple*, de Mayeur de Saint-

80. *Les Liaisons dangereuses*, lettre 131 de la marquise de Merteuil au vicomte de Valmont, p. 378.

Paul, et *Le Vol plus haut ou l'Espion des principaux théâtres de la capitale* (1784) attribué à Mayeur de Saint-Paul, Théveneau de Morande et Poultier Delmottes. « Le Café Alexandre, sans être plus agréable, est encore plus mal composé. Dans les autres on y rencontre des crocs, des recruteurs, des filous : ici on n'y trouve que des *raccrocheuses*, des *bougres* et des *bardaches*. Il se passe dans ce café des infamies, des horreurs qu'il est inutile de nommer ; les titres de ceux qui l'habitent les font assez deviner [...]. Le plus sage et le plus sûr serait de faire fermer ce réceptacle de *tribades* et de *sodomites* [81]. »

Autre signe de mauvais augure, on ne compte plus les rééditions de la *Correspondance de Mme Gourdan* – cette proxénète qui a lancé Mlle Sapho dans le monde des anandrynes –, parue en 1778 dans la première livraison de *L'Espion anglais*, ou des anecdotes racontées dans les *Mémoires secrets* que l'on retrouve quelques années plus tard dans des livraisons anonymes comme cette *Chronique arétine ou Recherches pour servir à l'histoire des mœurs du XVIIIe siècle* : « Nous ne devons pas laisser ignorer au public les tendres fureurs dont Mlle R-C-X [Mlle Raucourt] s'est sentie embrasée pour Mlle d'H-V-X [Mlle d'Hervieux], et le tendre retour dont elles ont été payées. Malgré les mystères dont on cherche à envelopper ces étranges amours, les curieux n'ont pas ignoré la durée de cette liaison [82]. »

Toutefois, ce n'est pas simplement le ton qui a changé, ni l'imagination qui se tarit, ni de nouveaux personnages qui tiennent le haut du pavé de l'édition clandestine, mais la signification même du libertinage qui se transforme. À partir de la Révolution, le libertinage devient carrément obscène et plus soucieux de dénoncer la « débauche » et la « décadence » des mœurs aristocratiques que d'instaurer un art de vivre révolutionnaire. La seule année 1789 connaît une véritable inflation de pamphlets du genre de celui-ci : « La Messaline française ou les nuits de la Duch... de Pol. et aventures mystérieuses de la Pr...se d'Hé... et de la R... ; À Tribaldis, de

81. *Le Désœuvré ou l'Espion du boulevard du Temple*, Londres, 1781, p. 39.
82. *Chronique arétine...*, p. 61.

l'imprimerie de Priape. » *L'Apologie* et les lettres de *L'Espion anglais* seront réimprimés cinq fois sous les titres suivants : *Anandria ou Confessions de Mlle Sapho contenant tous les détails de sa réception dans la secte anandryne sous la présidence de Mlle Raucourt et ses diverses aventures* (En Grèce, 1789) ; *La Nouvelle Sapho ou Histoire de la secte anandryne par la C.* [*citoyenne*] *R.* (Paris, 1791, puis 1793 et 1794) ; *La Jolie T...de ou les Confessions d'une jeune fille* (1797).

Comme on le constate au titre, la réaction thermidorienne a entraîné avec son retour à l'ordre l'effacement du mot ; cette « réaction » durera d'ailleurs jusqu'à la IIIe République où, dans les livres « honnêtes », le mot est écrit T... comme son homologue la S...

N'oublions pas non plus les improvisations pornographiques :

– *La Tribade célèbre ou Vie de Mlle Raucourt*. À Clitoris, imprimé aux dépens du ci-devant nain des princes [il s'agit du prince d'Hénin], maquereau privilégié d'un Bourbon de sang royal, 1791.

– *La Liberté ou Mlle Raucourt*. À toute la secte anandryne assemblée au foyer de la Comédie-Française. À Lèchecon et se trouve dans les coulisses de tous les théâtres, même chez Audinos, 1791 :

« Mes chères con-sœurs,

« [...] Nous actrices, danseuses, figurantes, espaliers de l'Opéra, des Français et des Italiens, etc., ayant renoncé à foutre dans les formes ordinaires pour nous mettre à l'abri des suites qui en résultent et ayant fait le serment de ne plus user de pines et de couilles, pour n'avoir pas le désagrément de voir nos ventres grossir, et nos tailles devenir lourdes et massives, ce qui nous foutait malheur, étions convenues de nous foutre et gamahucher mutuellement afin de cueillir les roses du plaisir, sans être exposées à la piqûre de ses épines [...], nous nous sommes assemblées et après avoir mûrement discuté un projet aussi important (les putains veulent leur faire exercer de nouveau le catinisme), après nous être foutues et refoutues, branlées et gamahuchées jusqu'à l'épuisement [...], etc. »

Autre phénomène inquiétant, en ces débuts révolutionnaires, le « libertin » s'avise de dresser des listes de tribades. La première paraît dans *L'Almanach des honnêtes femmes pour l'année 1790* ; de l'imprimerie de la Société Joyeuse. Chaque mois de l'année est consacré à un type sexuel de femme. Les « fricatrices » ouvrent l'année, suivies au mois d'avril des « lesbiennes » et au mois de novembre des « tribades ». Chaque femme est sainte d'un jour ; le 7 Arnould, le 10 la duchesse de Polignac, le 11 la princesse de Lamballe, le 18 la marquise de Fleury, le 20 Mené orangère, le 21 Raucourt, etc. Citons simplement les « notes historiques » :

« Il faut que le bonheur des tribades soit bien grand, puisqu'elles sont aussi multipliées. Les femmes anciennes connaissaient ce plaisir, mais elles ne le préféraient pas au coït. Nous ne parlerons pas des scènes qui se passent de nos jours dans les couvents, nous rapporterons simplement une réponse de Mlle Arnould :

« Mlle Raucourt, amant de cette aimable tribade, lui écrit la lettre la plus pressante pour l'engager à venir passer une nuit avec elle. " Je ne le puis, répond Mlle Arnould, j'ai des affaires cette semaine, et vous savez qu'une nuit de bonheur me condamne à huit jours de repos. "

« La duchesse de Villeroi est une des premières héroïnes du mois : elle a eu plus de maîtresses que bien des libertins. La comtesse de Sennecterre lui a fait passer les moments les plus doux. »

De toute évidence, l'auteur anonyme de cet almanach connaît tous ses classiques, à la différence de celui qui fait paraître la même année une autre liste qui tranche par son inspiration et le nombre des femmes citées. Si l'on retrouve invariablement Françoise Raucourt, la duchesse de Polignac et la duchesse de Villeroy, Mlles Clairon et Arnould en sont absentes ; en revanche, on rencontre les noms de Sophie Forest et de la Prieure qui furent espionnées en 1781 par Mayeur de Saint-Paul [83].

Pour se faire une idée de ce qu'on peut trouver chez les « historiens » du libertinage lesbien, voici le commentaire que fit Hector Fleischmann à la lecture de cette dernière liste : « On le voit, le plus aimable éclectisme décore cette liste. Raucourt qui, tout naturellement, y figure, y est en bonne place parmi des princesses et de grandes dames familières de Marie-Antoinette. Ces personnes

83. « Mlle Verneuille. Celle-ci plus jolie que la Prieure, a trouvé un sot qui lui donne beaucoup d'argent qu'elle partage avec la Prieure pour qu'elle se prête à tous ses désirs. On dit que les deux tribades ne peuvent plus se quitter » (*Le Désœuvré*, p. 108).

de cour n'ont pas le droit d'y dédaigner la compagnie des bonnetières et des couturières, encore qu'on ne se commette pas avec des espèces. Mais ces quarante noms, c'est, pourrait-on dire, le dessus de ce vénéneux panier, la fleur, la mauvaise fleur de cet impur bouquet. Que d'autres dédaignées ou inconnues ! Que d'autres encore obscures et anonymes ! C'est la mer de papier jauni des libelles et des pamphlets qu'il faut remuer du bout de la plume pour deviner que des larves grouillent dans les obscurs bas-fonds, où ne plonge point celui qui bat monnaie de la honte et de l'esclandre des grands noms [84]. » Dresser des listes de non-conformistes en amour en période révolutionnaire est, on le sait, dangereux, même si l'auteur n'est animé d'aucune intention délatrice mais par la simple paillardise ; car, à défaut de guillotine, le plus sûr moyen de tuer le libertinage n'est-il pas de le traduire en langage pornographique ?

Mais celle qui a eu le privilège de catalyser les plus puissantes haines républicaines et royalistes réunies, c'est incontestablement la « Louve autrichienne », l'« Architigresse d'Autriche », la « Dalila nue sous la faute », la « Messaline française », la « Femme Toinon », la « Veuve Capet », bref la reine Marie-Antoinette. Elle est rendue responsable des faiblesses politiques (et naturelles [85]) du roi, du désastre économique de la France, de trahisons avec l'ennemi étranger et représente, à une époque où la Patrie et la Nation deviennent des notions révolutionnaires, la figure diabolique de l'Étrangère. Accusée par les royalistes d'avoir vidé les caisses de l'État pour satisfaire son luxe (voir l'affaire du collier de la reine), « mauvaise mère » et « épouse débauchée », elle incarne la Sorcière ressuscitée de l'Enfer.

Réquisitoire de Fouquier-Tinville : « [...] qu'à l'instar des Messaline, Brunehaut, Frédégonde et Médicis que l'on qualifiait autrefois

84. Hector Fleischmann, *L'Enfer de la galanterie à la fin de l'Ancien Régime. Le cénacle libertin de Mlle Raucourt*, Paris, Bibliothèque des Curieux, 1912.

85. Comme l'écrit joliment Mercy-Argenteau à Marie-Thérèse d'Auriche, « la nature, tardive chez M. le Dauphin, n'agit point sur lui » (*Correspondance secrète entre Marie-Thérèse et le comte M. Argenteau*, publiée par Arneth et Geffroy, Paris, 1875, lettre du 20 août 1770). La reine est restée sept ans sans être enceinte, ce qui était largement suffisant pour soupçonner Louis XVI d'impuissance et Marie-Antoinette d'aller chercher ailleurs les joies de l'hyménée.

de reines de France, et dont les noms à jamais odieux ne s'efface-ront pas des fastes de l'histoire, Marie-Antoinette, veuve de Louis Capet, a été depuis son séjour en France le fléau et la sangsue des Français [...] que toutes ses démarches ont toujours eu pour but d'anéantir la liberté et de faire rentrer les Français sous le joug tyrannique pour lequel ils n'ont langui que trop de siècles. »

Il était inévitable que devant tant de charges les pamphlétaires ajoutent un motif supplémentaire de haine en « dénonçant » son amitié pour Mme de Lamballe et Mme de Polignac.

La Reine dévoilée ; *L'Autrichienne en goguette* (1789) ; *La Messaline française* (1789) ; *Vie de Marie-Antoinette d'Autriche reine de France, femme de Louis XVI roi des Français depuis la perte de son pucelage jusqu'au 1er mai 1791*, « à Paris chez l'auteur et ailleurs avec la permission de la liberté » ; *Les Fureurs utérines de Marie-Antoinette, femme de Louis XVI*, « la mère en proscrira la lecture à sa fille. Au Manège et dans tous les bordels de Paris » (1791) ; *Le Portefeuille d'un talon rouge...* tels sont quelques-uns des trente pamphlets recensés par H. Fleischmann [86] qui dénoncent directement ou indirectement les « vices » de la reine. À titre d'exemple, voici un extrait des *Fureurs utérines de Marie-Antoinette* :

> [...] *Un jour souffrant trop fort*
> *Pour accoucher, Toinon promit, jura qu'un homme*
> *N'aurait, tant beau fût-il, près d'elle aucun accès.*
> *Elle maudit Adam, le diable, Ève et la pomme,*
> *Et donne à Polignac son cœur et ses attraits.*
> *De ses dames d'honneur, Jules* [87] *était la plus belle,*
> *Jules de ses talents vite instruisit Toinon.*
> *Toinon suivit de près son lubrique modèle,*
> *Et mieux que lui bientôt sut feuilleter un con.*
> *La cour ne tarda pas à se mettre à la mode :*
> *Chaque femme à la fois fut tribade et catin :*

86. Hector Fleischmann, *Mme de Polignac et la cour galante de Marie-Antoinette d'après les libelles obscènes*, Paris, Bibliothèque du Curieux, 1910.

87. Jules était le prénom du mari de Mme de Polignac ; comment ne pas le lui décerner ?

On ne fit plus d'enfant, cela parut commode
Le vit fut remplacé par un doigt libertin [88].

Les lettres de la reine adressées à Mme de Polignac et Mme de Lamballe nous permettent de mesurer l'abîme qui sépare ces pornographes de leurs objets de haine.

La première est la lettre d'adieu envoyée à Mme de Polignac juste après la prise de la Bastille, alors que Louis XVI vient d'ordonner à la duchesse de quitter Paris dans l'espoir qu'en éloignant de la cour cette femme impopulaire il apaiserait la révolte :

« Minuit, 1789.

« Adieu, la plus tendre des amies ! Que ce mot est affreux ! Adieu ! Je n'ai plus la force que de vous embrasser.

Marie-Antoinette [89]. »

Exilée en Italie puis en Autriche, Mme de Polignac recevra régulièrement des lettres de la reine.

Le 11 septembre 1789 : « J'ai pleuré d'attendrissement, mon cher cœur, en lisant votre lettre Oh ! ne croyez pas que je vous oublie ; votre amitié est écrite dans mon cœur en caractères ineffaçables, elle est ma consolation avec mes enfants que je ne quitte plus. J'ai plus que jamais bien besoin de l'appui de ces souvenirs et de tout mon courage, mais je me soutiendrai pour mon fils, et je pousserai jusqu'au bout ma pénible carrière ; c'est dans le malheur surtout qu'on sent tout ce qu'on est ; le sang qui coule dans mes veines ne peut mentir. Je suis bien occupée de vous et des vôtres, ma tendre amie, c'est le moyen d'oublier les trahisons dont je suis entourée ; nous périrons plutôt par la faiblesse et les fautes de nos amis que par les combinaisons des méchants ; nos amis ne s'entendent pas entre eux et prêtent le flanc aux mauvais esprits, et d'un autre côté, les chefs de la révolution, quand ils veulent parler d'ordre et de

88. Page 5 de l'exemplaire qui se trouve à l'Enfer de la Bibliothèque nationale et qui est relié avec *La Liberté ou Mlle Raucourt*.

89. Toutes les lettres citées sont extraites du livre de Mathurin de Lescure, *La Vraie Vie de Marie-Antoinette.* Étude historique, politique et morale suivie du recueil réuni pour la première fois, de toutes les lettres de la reine connues jusqu'à ce jour dont plusieurs inédites et de divers documents, Paris, 1863.

modération, ne sont pas écoutés. Plaignez-moi, mon cher cœur, et surtout aimez-moi ; vous et les vôtres, je vous aimerai jusqu'à mon dernier soupir. Je vous embrasse de toute mon âme. Marie-Antoinette. »

Si, pour beaucoup, Mme de Polignac avait abusé de l'amitié de la reine en faisant profiter « le clan Polignac » de ses bienfaits matériels et honorifiques (elle reçut elle-même le titre de Duchesse et la fonction de Gouvernante des Enfants de France remise spécialement en usage par la reine), on ne peut douter du profond attachement qu'elle inspira à Marie Antoinette. Il est possible qu'elle ait mérité toutes les haines dont elle a été l'objet, mais une amitié entre une reine et une « sujette » était-elle possible sans provoquer des jalousies ou reposer sur des malentendus ? Mme Campan écrit précisément à ce sujet : « La reine recherchait les douceurs de l'amitié ; mais ce sentiment déjà si rare, peut-il exister dans toute sa pureté entre une reine et une sujette, environnée d'ailleurs de pièges tendus par l'artifice des courtisans ? (Cette erreur bien pardonnable fut fatale au bonheur de Marie-Antoinette, parce que le bonheur ne se trouve point dans les chimères [90].) »

Les lettres de la reine à Mme de Lamballe nous montrent au contraire une certaine distance pour celle qu'elle appelle « ma chère Lamballe » et non « mon cher cœur », mais dont la fidélité absolue dans l'épreuve forcera l'amitié de sa souveraine, la faisant revenir de son « inconstance » passée :

178... « J'ai eu trop de plaisir, ma chère Lamballe, à recevoir votre lettre, pour ne pas vous répondre sur-le-champ ; je l'ai lue et relue, et j'ai pleuré d'attendrissement. Je sais bien que vous m'aimez, et je n'avais pas besoin de cette nouvelle preuve. Quel bonheur que d'être aimée pour soi-même ! Votre attachement, avec celui de quelques amis, fait ma force. Non, ne le croyez pas, je ne manquerai pas de courage ; je ne vous en dis pas davantage, mais mon cœur est à vous jusqu'à mon dernier souffle de vie. Adieu ! Marie-Antoinette. »

Alarmée par les événements des 5 et 6 octobre 1789, Mme de

90. Mme Campan, *La Cour de Marie-Antoinette*, coll. 10/18, p. 116.

Lamballe, qui résidait alors à Vernon avec son beau-père le duc de Penthièvre pour des raisons de santé, propose immédiatement à Marie-Antoinette de rentrer à Paris. Celle-ci lui répond le 4 novembre 1789 : « Non, ma chère Lamballe, non, ne revenez pas ; dans l'état où est le bon M. de Penthièvre et dans l'état où sont les affaires vous auriez trop à pleurer sur nous, et votre absence de Vernon serait trop sentie. Marie-Antoinette. »

Le 20 juin 1791 Mme de Lamballe s'embarque pour l'Angleterre dans l'espoir de rejoindre à Aix-la-Chapelle la famille royale qui s'enfuyait la même nuit par le chemin de Varennes. Désespérée par leur arrestation, elle veut rejoindre la reine à Paris alors que Marie-Antoinette n'a de cesse de la dissuader de venir « se jeter dans la gueule du tigre ». « Ne revenez pas dans l'état où sont les affaires, lui écrit-elle en septembre 1791, vous auriez trop à pleurer sur nous. Que vous êtes bonne et une vraie amie ; je le sens bien, je vous assure, et je vous défends de toute mon amitié de retourner ici. Attendez l'effet de l'acceptation de la Constitution. Adieu, ma chère Lamballe, croyez que ma tendre amitié pour vous ne cessera qu'avec ma vie. Marie-Antoinette. » Cette même année, elle insiste : « Non je vous le répète, ma chère Lamballe, ne revenez pas en ce moment, mon amitié pour vous est trop alarmée ; les affaires ne paraissent pas prendre une meilleure tournure malgré l'acceptation de la constitution sur laquelle je comptois. Restez auprès du bon monsieur de Penthièvre qui a tant besoin de vos soins ; si ce n'était pour lui il me serait impossible de faire un pareil sacrifice, car je sens chaque jour augmenter mon amitié pour vous dans mes malheurs. Dieu veuille que le temps ramène les esprits ; mais les méchants répandent tant de calomnies atroces, que je compte plus sur mon courage que sur les événements. Adieu donc, ma chère Lamballe, sachez que de près comme de loin je vous aime, et que je suis sûre de votre amitié. »

Marie-Antoinette en a-t-elle trop dit à celle dont le cœur avait choisi depuis longtemps entre la fidélité à son beau-père et l'amitié pour la reine ? Toujours est-il qu'au lieu de rester en sécurité avec les immigrés, Mme de Lamballe quitte Aix-la-Chapelle le 16 octobre 1791 avec Mme de Tourzel pour rejoindre enfin son amie. Arrêtée, amenée au Temple puis à la prison de La Force, elle est décapitée l'année suivante, le 2 septembre 1792.

Sa tête fut portée sur une pique dans les rues de Paris jusqu'aux fenêtres de Marie-Antoinette et son corps mutilé de ses parties génitales. Pourquoi éprouva-t-on le besoin de parachever sa mort par cette vengeance ? Sans doute parce que, comme le démontre Lucien Lambeau, en mutilant l'amie de la reine, c'est Lesbos qu'on voulait abattre : « [...] Il faut constater que les écrivains royalistes et contre-révolutionnaires qui décrivent sans en être certains l'acharnement de la populace contre les parties sexuelles de la pauvre princesse, ont causé, sans y prendre garde, le plus grand tort à sa réputation, en ce sens qu'ils semblaient donner créance au bruit qui courait alors, que les prétendus justiciers voulurent punir les vices renouvelés de Lesbos prêtés par les libelles et les pamphlets du temps à Marie-Antoinette et à son amie [91]. »

Mais Lesbos n'est pas la seule visée. Sous la Terreur, la répression frappe toute femme qui échappe au modèle de la vestale républicaine. En l'espace de trois semaines, Marie-Antoinette est exécutée, suivie par Olympe de Gouge et Mme Roland. Le 20 octobre 1793, soit quatre jours après l'exécution de la reine, les clubs de femmes sont dissous.

« En peu de temps, écrit *Le Moniteur universel*, le tribunal révolutionnaire vient de donner aux femmes un grand exemple qui ne sera sans doute pas perdu pour elles ; car la justice, toujours impartiale, place sans cesse la leçon à côté de la sévérité.

« Marie-Antoinette, élevée dans une cour perfide et ambitieuse, apporta en France les vices de sa famille ; elle sacrifia son époux, ses enfants et le pays qui l'avait adoptée aux vues ambitieuses de la maison d'Autriche, dont elle servait les projets, en disposant du sang, de l'argent du peuple et des secrets du gouvernement. Elle fut mauvaise mère, épouse débauchée, et elle est morte chargée des imprécations de ceux dont elle avait voulu consommer la ruine. Son nom sera à jamais en horreur à la postérité.

« Olympe de Gouges, née avec une imagination exaltée, prit son

91. Lucien Lambeau, *Essai sur la mort de Mme la princesse de Lamballe*, Lille, 1902, p. 26.

délire pour une inspiration de la nature. Elle commença par déraisonner et finit par adopter le projet des perfides qui voulaient diviser la France ; elle voulut être homme d'État, et il semble que la loi ait puni cette conspiratrice d'avoir oublié les vertus qui conviennent à son sexe.

« La femme Roland, bel esprit à grands projets, philosophe à petits billets, reine d'un moment, entourée d'écrivains mercenaires à qui elle donnait des soupers, distribuait des faveurs, des places et de l'argent, fut un monstre sous tous les rapports. Sa contenance dédaigneuse envers le peuple et les juges choisis par lui, l'opiniâtreté orgueilleuse de ses réponses, sa gaieté ironique et cette fermeté dont elle faisait parade dans son trajet du palais de justice à la place de la Révolution prouvent qu'aucun souvenir douloureux ne l'occupait. Cependant elle était mère, mais elle avait sacrifié la nature en voulant s'élever au-dessus d'elle ; le désir d'être savante la conduisait à l'oubli des vertus de son sexe, et cet oubli, toujours dangereux, finit par la faire périr sur l'échafaud [92]. »

La seule à échapper à cette épuration est Françoise Raucourt. L'« insolente sultane », comme la qualifie la *Feuille de Salut Public*, la « glaciale et brûlante Raucourt qui de ses feux a fait rougir l'amour [93] », comme disait Saint-Just, n'en fut pas moins arrêtée en août 1793 avec tous les acteurs de la Comédie-Française pour avoir joué *Paméla*, où abondaient des vers antipatriotiques. Conduite au couvent de Sainte-Pélagie, puis à celui de la rue Sainte-Victoire, elle bénéficia de certaines attentions. « On a eu des égards, rapporte-t-on à l'une de ses consœurs de théâtre ; on a choisi pour elle une grande et belle chambre où se trouvent cinq ou six femmes de distinction. – Le geôlier est un sot, s'écria Mme ***, c'est dans la chambre des hommes qu'il fallait la mettre pour la punir [94]. »

Si le coup d'État du 9 Thermidor la sauva, ses succès de comédienne y contribuèrent peut-être encore plus car le théâtre était très

92. *Le Moniteur universel*, 29 Brumaire An II, cité par Paule-Marie Duhet, *op. cit.*, p. 205-206.

93. Rapporté par Émile Gaboriau, *Les Comédiennes adorées*, Paris, 1863.

94. A. Lapierre de Châteauneuf, *Les Dix Mélanges ou Mémoires secrets*, 1er cahier, « Mlle Raucourt », Paris, 1829, p. 33.

apprécié des royalistes comme des jacobins. Elle dit elle-même « qu'elle n'avait échappé au sort des royalistes que par la protection des mêmes jacobins et jacobines qui l'avaient dénoncée, tant la pitié est naturelle à l'envie lorsqu'elle est vengée [95] ». Mais c'est peut-être surtout Mme Demailly qui la sauva. Devenue la maîtresse de Barras sous la Révolution, elle s'arrangea pour qu'il lui attribue l'ancienne chaumière de Mme Tallien où elle s'installa à sa sortie de prison avant de remonter sur les planches et de diriger la troupe du Théâtre français en Italie sous Napoléon. Elle mourut en 1815, peu après avoir quitté la scène pour raisons de santé [96].

La relative tolérance dont bénéficia Françoise Raucourt malgré ses liens avec la contre-révolution montre bien que ce ne sont pas tant les « vices des tribades » qui firent peur aux républicains que l'apparition des femmes comme collectif librement constitué. En fait, ils ne s'étaient dégagés ni de la vision romaine de la femme au foyer et isolée des autres, remise au goût du jour par le peintre David notamment, ni de la valorisation de la femme d'exception pratiquée par la monarchie. Mais s'ils ont pu trembler en voyant un groupe incontrôlé de « femmes du peuple » ramener la famille royale à Paris lors des journées des 5 et 6 octobre 1789, ou en 1793 le Club des Républicaines Révolutionnaires vouloir prendre les armes pour défendre la patrie en danger [97], sans parler des femmes anonymes qui déclenchèrent les émeutes de la faim, ils n'ont pas vu que ce phénomène touchait toutes les femmes, y compris les tribades. La nouveauté du siècle des Lumières n'est pas tant dans l'existence d'une Françoise Raucourt vivant ouvertement sa passion pour les femmes que dans l'apparition des tribades comme groupe

95. Cité par Châteauneuf, *op. cit.*, p. 33.

96. « Si Mlle Raucourt n'est pas restée sage, elle est restée grande comédienne, écrit Élisabeth Vigée-Lebrun dans ses *Souvenirs* ; mais sa voix est devenue tellement rauque et dure que, lorsqu'on fermait les yeux, on croyait entendre un homme. Elle n'a quitté qu'à sa mort le théâtre, où elle a fini par jouer les rôles de mères et de reines avec infiniment de succès. » É. Vigée-Lebrun, *Souvenirs*, une édition féministe de Claudine Herrmann, Éd. Des femmes, 1984, tome I, p. 98.

97. Voir Dominique Godineau, *Citoyennes tricoteuses. Les femmes du peuple à Paris pendant la Révolution française*, Alinéa, 1988.

identitaire où chacune est reconnue à travers ses relations à d'autres femmes et non plus en référence à l'homme.

Le groupe des anandrynes est l'expression dans la fiction de cette naissance d'une conscience de groupe qui plonge ses racines dans la culture des salons. Le portrait que dressent les secrétaires de Voltaire de la Marquise du Châtelet donne une image assez juste de ce mode de vie « éclairé » qui relie l'individu au groupe : « Mme la Marquise du Châtelet passait une grande partie de la matinée au milieu de ses livres et de ses écritures, et elle ne voulait pas y être interrompue. Mais au sortir de l'étude, il semblait que ce n'était plus la même femme : son air sérieux faisait place à la gaieté, et elle se livrait avec la plus grande ardeur à tous les plaisirs de la société [...]. Il lui arrivait même d'organiser des soupers, comme celui de la Maison Rouge à Chaillot avec la duchesse de Boufflers, la marquise de Mailly, de Couvernet, du Deffand et Mme de la Popelinière. Ces dames, pour se divertir entre elles, arrangeaient quelque fois des parties de plaisir [98]. » De son côté, Mme d'Épinay reçoit dans son domaine de La Chevrette l'équipe de *La Correspondance littéraire* tout en écrivant à une de ses amies : « Il n'en est point comme vous et, en vérité, je suis malheureuse depuis que vous avez quitté la campagne. Si vous étiez un homme, je serais effrayée du vide que je trouve en moi depuis votre départ [99]. »

Les salons étaient nombreux. Il y avait celui de Mme de Lambert, qui « convertit » Marivaux au féminisme [100] ; celui de Mme du Deffand, qui fit venir Julie de Lespinasse comme demoiselle de compagnie ; celui de Mme Goeffrin, de la comtesse de Boufflers ; pour les peintres et musiciens, celui d'Élisabeth Vigée-Lebrun, portraitiste de la reine et de ce monde des femmes qui joua un rôle si important dans le mouvement des Lumières qu'elle n'hésite pas à dire de cette

98. *Mémoires sur Voltaire et sur ses ouvrages*, par Longchamp et Wagnière ses secrétaires, Paris, 1826, tome II, p. 125.

99. Mme d'Épinay, *Pseudo-mémoires*, tome I, citée par Élisabeth Badinter, *Émilie, Émilie*, Le Livre de Poche, p. 135.

100. Voir Marguerite Glotz et Madeleine Maire, *Salons du XVIIIe siècle*, Paris, Nouvelles Éditions Latines, 1949.

époque : « Les femmes régnaient alors, la révolution les a détrônées [101]. »

Mais la Révolution n'a pas fait que détrôner les femmes. Au nom de l'égalité, elle les a nivelées par la base ; au nom de la nature, elle les a exclues du droit de cité, détruisant leur brillante culture de groupe. Comme l'écrit Josiane Moutet, « le concept de " droit naturel " favorise l'évacuation de la scène politique des préoccupations juridiques de " droit privé ". Les comportements familiaux se rapprochent de " l'état de nature ", le " chef de mesnage " concentre la puissance, permettant seule l'ouverture sur la société civile et politique [102] ».

Mais si le jacobin a fait de la femme la vestale d'un nouveau culte païen au patriarcat, fonction qui sera légalisée en 1804 par le Code civil napoléonien, n'est-ce pas en réaction à l'apparition d'une nouvelle conscience identitaire des femmes, incarnée politiquement par Olympe de Gouges qui signe, avec sa *Déclaration des droits de la femme et de la citoyenne*, son acte de naissance historique ? Les Républicains y ont vu une menace pour la Révolution, mais cette conscience solidaire était née, comme le montre Constance Pipelet dès 1797 en écrivant dans son *Épître aux femmes* :

> *Ô femmes, c'est pour vous que j'accorde ma lyre* [...]
> *Ô femmes, reprenez la plume et le pinceau* [103].

Comme le remarque Christine Planté dans un article sur cette « Muse de la Raison », « elle invite les femmes lettrées et artistes à ne pas chercher comme tant d'autres l'ont fait à être une exception parmi leurs compagnes », mais à « honorer leur sexe et s'en faire

101. Élisabeth Vigée-Lebrun, *op. cit.*, tome I, p. 122. Cette fin du XVIIIe siècle est considérée à juste titre comme un âge d'or de la peinture des femmes. À côté d'académiciennes comme le peintre de natures mortes Anne Vallayer-Coster, ou les portraitistes Élisabeth Vigée-Lebrun et Adélaïde Labille-Guiard, il y avait Mlle Loir, Françoise Duparc, Marie-Guillemine Leroulx-Delaville, Marguerite Gérard, Geneviève Bouliard, Adèle Romany – qui exécutera un beau portrait de Françoise Raucourt en 1812 – et beaucoup d'autres artistes dont la vocation doit tant à ce siècle « féministe ». Voir Marie-Jo Bonnet, *Femmes peintres en révolution, 1770-1804* (à paraître).

102. Josiane Moutet, *op. cit.*, p. 141.

103. Constance Pipelet (1768-1845). Voir *Le Grief des femmes, op. cit.*, tome I, p. 193.

honorer [104] ». Ce renversement important, rendu inévitable par les méfaits de la Révolution sur la condition des femmes, va être authentifié par la figure quasi archétypique de Sappho, convoquée une nouvelle fois par la femme écrivain pour légitimer sa transgression. Sous le titre de *Sapho*, Constance Pipelet écrit un opéra en vers et en trois actes sur une musique de Martini qui sera représenté le 14 décembre 1794 à Paris. Le succès est immédiat. Plus de cent représentations ont lieu, mais surtout il impulse un renouveau d'intérêt pour la poétesse et son tragique destin inventé par Ovide. Car si Fragonard ou Bernard d'Agesci s'étaient risqués peu auparavant à représenter *La poésie érotique à qui l'Amour présente le portrait de Sapho* [105], il faut bien dire qu'au XVIIIe siècle elle brilla surtout par son absence. Or, dès 1795, Mme Millot présente au Salon un *Buste en plâtre de la citoyenne Pipelet, auteur de « Sapho »*, Marie-Guillemine Leroulx-Delaville un *Portrait de Mme Reisset d'Arques en Sapho*, et trois autres artistes exposent leur vision de Sappho. L'année suivante, on en dénombre deux représentations et il ne se passe plus un Salon sans la voir appuyée sur sa lyre [106], se précipitant du rocher de Leucade [107], avec Phaon [108], ou avec deux de ses compagnes [109].

Pourquoi ce thème littéraire architraité au XVIIe siècle revient-il hanter la conscience collective au moment même où les femmes sont renvoyées au gynécée ? Peut-être parce que, après de grands événements comme la Fronde ou la Révolution, le mythe ovidien traduit le mieux l'exclusion des femmes du politique. Contrairement aux figures de la Vestale ou de Cornalie, qui exaltent le foyer et la maternité, celle de Sappho raconte l'histoire de la femme de génie, rejetée par des hommes incultes, jeunes et beaux, qui meurt

104. Voir Christine Planté, « Constance Pipelet. La muse de la Raison et les despotes du Parnasse », dans *Les Femmes et la Révolution française*, Presses Universitaires du Mirail, 1990, tome I, p. 285-294.

105. Bernard d'Agesci, 1791. Musée de Niort.

106. Claude Ramey, 1796.

107. Taillasson, 1791 ; Taurel, 1795 ; Gros, 1801 ; etc.

108. David, 1809 ; Lesueur...

109. Michel Grandin, huile sur toile, 200 x 171 cm, Paris, musée Marmottan. Grandin obtint la médaille d'or du Salon de 1808 pour cette œuvre.

parce qu'elle a abdiqué les pouvoirs de l'esprit. Elle contient un élément identitaire si fort que la femme écrivain y revient, à chaque moment clé de l'histoire des femmes, comme à une source, sans chercher à savoir si Sappho aimait ou non les femmes. En revanche, l'intérêt des hommes pour son suicide est vraiment ambigu. N'y trouvent-ils pas matière à revanche, « punition » de la femme d'exception qui a osé conquérir sa liberté ? Mais s'ils célèbrent la défaite des femmes en se focalisant sur la mort de Sappho, ils dévoilent du même coup une réalité tout aussi consternante, celle de l'impossible rencontre amoureuse dans l'égalité entre les sexes.

La passion avec laquelle peintres et sculpteurs vont s'emparer du mythe ovidien est à la mesure de l'acuité du problème posé. De Nanine Vallain à David, d'Élise Bruyère à Anne-Louis Girodet, en passant par Dugasseau, Chasseriau, Pradier, Clesinger..., ce thème sera inlassablement répété et mis en scène toute la première moitié du XIXe siècle, comme s'il métaphorisait l'exclusion des femmes du champ culturel et politique commun, leur désespoir et, trop souvent, de leur mort.

Mais dans le mal de la séparation des sexes gît peut-être le remède. Sappho s'est tournée vers ses compagnes pour constituer une identité créatrice. Pourquoi ne serait-elle pas l'initiatrice d'une culture de femmes parallèle et d'un nouveau monde amoureux agissant comme un levier révolutionnaire, élément dynamique d'une contestation du mariage – tombeau de l'amour – et de la société – tombeau de l'individualité ? Le nouveau monde amoureux d'un Fourier, de George Sand ou de Rosa Bonheur, n'est-il pas porteur d'une nouvelle cité capable d'intégrer les deux sexes tout en reconnaissant à travers les « Deux Amies » l'existence des femmes qui s'aiment ?

Troisième partie

BRÈCHES DANS LA CITÉ DES HOMMES (XIXe-XXe SIÈCLE)

CHAPITRE 1

Les « Deux Amies »

Un nouveau monde amoureux (C. Fourier)

« Une princesse de Moscou, dame Strogonoff, se voyant vieillir était jalouse de la beauté d'une de ses jeunes esclaves ; elle la faisait torturer, la piquait elle-même avec des épingles. Quel était le véritable motif de ces cruautés ? Était-ce bien jalousie ? Non c'était saphisme, ladite dame était saphienne sans le savoir et disposée à l'amour pour cette belle esclave qu'elle faisait torturer en s'y aidant elle-même. Si quelqu'un eût donné l'idée du saphisme à Mme Strogonoff et ménagé le raccommodement entre elle et la victime, à ces deux conditions ces deux personnes seraient devenues amantes très passionnées ; mais la princesse, faute de songer au saphisme, tombait en contrepassion, en mouvement subversif. Elle persécutait l'objet dont elle aurait dû jouir, et cette fureur était d'autant plus grande que l'engorgement venait du préjugé qui, cachant à cette dame le véritable but de sa passion, ne lui laissait pas même d'essor idéal [1]. »

« Si quelqu'un eût donné l'idée du saphisme à Mme Strogonoff, pense Fourier, elles seraient devenues amantes. » Mais voilà ! nous

1. Charles Fourier, *Le Nouveau Monde amoureux*, introduction par Simone Debout-Oleszkiecwicz, Genève, Slatkine Reprints, 1979, p. 390. Il fut composé entre 1816 et 1821 sur une cinquantaine de cahiers.

ne sommes plus au siècle des Lumières et ce genre d'idée n'est vraiment plus à propager si l'on en juge par les cinquième et sixième éditions du *Dictionnaire de l'Académie* qui recommandent, à l'article « Tribade » : « Femme qui abuse d'une autre femme. *On évite d'employer ce mot.* »

Pour Fourier, cet évitement est littéralement impensable, car c'est précisément à cause de ce comportement-là que la civilisation s'engorge de préjugés inutiles. D'ailleurs, il n'emploie jamais le mot « tribade ». Les femmes qui s'aiment sont des « saphiennes », elles pratiquent le « saphisme », et sont à ses yeux remarquables du fait qu'elles vivent en « état de liberté », comme il a pu l'observer à Paris. « On a pu s'étonner que j'ai fait autant de saphiennes de toutes ou presque toutes les dames de Gnide, remarque-t-il. On voit dès à présent que les femmes dans leur état de liberté de perfectibilité comme celles de Paris, ont beaucoup de penchant au saphisme. Les journaux de Paris se sont plaints quelquefois que ce goût se généralisait parmi les jeunes personnes de la capitale ; ce sexe est plus enclin à la monosexie [2]. » Évidemment, cette caractérisque des Parisiennes ne pouvait que faire écho à ses premières thèses sur l'émancipation des femmes formulées en 1808 dans la *Théorie des quatre mouvements*, où il affirme notamment : « Les progrès sociaux et changements de période s'opèrent en raison du progrès des femmes vers la liberté ; et les décadences d'ordre social s'opèrent en raison du décroissement de la liberté des femmes [...]. En résumé, l'extension des privilèges des femmes est le principe général de tous les progrès sociaux [3]. »

Pour Fourier, les choses sont donc claires. Puisque les femmes qui ont le goût de la liberté sont en majorité saphiennes, elles constituent un élément dynamique d'évolution sociale, un levier révolutionnaire susceptible de mener à une transformation politique, car il ne saurait y avoir de nouveau monde amoureux sans nouveau monde politique. Comme le remarque Simone Debout-Oleszkiecwicz dans son introduction, si la passion singularise,

2. *Ibid.*, p. 206.
3. Charles Fourier, *La Théorie des quatre mouvements*, cité dans *Le Grief des femmes*, *op. cit.*, tome I, p. 214.

l'amour socialise, chez lui l'amour affirme l'autre en même temps que soi-même, car « en amour, point de jugement universel : chacun a toujours raison " puisque l'amour est passion de la déraison ". Paradoxe réel, l'amour ouvre l'individu à autrui et réalise ses désirs les plus intimes ; véritable œuf de Colomb de la philosophie, il est la vertu même selon Fourier ; c'est-à-dire l'art de former et multiplier les liens sociaux[4] ».

Cohérent avec lui-même, Fourier va donc révéler ses propres manies. C'est « par hasard », à trente-cinq ans, en 1807, au cours d'une scène où il était « acteur », qu'il découvre son « goût ou manie du saphisme, amour des saphiennes et empressement pour tout ce qui peut les favoriser ». Aussi décide-t-il, par « philanthropie ou dévouement à l'autre sexe, qualité pivotale de l'amour », d'énoncer ce goût en pleine assemblée d'hommes. Que n'avait-il pas dit ! Ils tombèrent tous en contre-passion philosophique et en mouvement subversif « égoïste » ; par « courtoisie » envers les femmes, cela s'entend... « Je n'ai jamais rencontré un seul de mes comaniens en saphiénisme bien que j'aie, en diverses assemblées, énoncé ce goût qui n'est pas à déguiser puisqu'il ne tend qu'à favoriser les femmes, aussi est-il très fortement critiqué par les philosophes qui sont très égoïstes avec les femmes tout en se disant courtois[5]. »

Fourier peut donc rêver tout haut à un nouveau monde amoureux où toutes les passions s'harmoniseraient pour le meilleur épanouissement de chacun, ses disciples ne l'entendent pas de cette oreille et nous prouvent qu'en amour en tout cas, ils ne sont pas des philanthropes. Car ils ne se contentèrent pas de le critiquer de son vivant ; après sa mort (1826), ils pratiquèrent de « bien curieuses omissions » lors de la publication des manuscrits dirigée en 1841 par Victor Considérant. Voici par exemple « ce que la phalange supprima d'un des passages des plus significatifs du cahier 50 », révèle Simone Debout-Oleszkiecwicz : « [...] *c'était saphisme*, ladite dame *était saphienne sans le savoir et disposée à l'amour* pour cette belle esclave [...]. *Si quelqu'un eût donné l'idée*

4. Simone Debout-Oleszkiecwicz, introduction au *Nouveau Monde amoureux*, *op. cit.*, p. XXXVI.

5. *Ibid.*, p. 390.

du saphisme à Mme Strogonoff, ces deux dames seraient devenues amantes [...] *faute de songer au saphisme, elle persécutait l'objet dont elle aurait dû jouir* [6] ».

Bref, ils ont supprimé le mot.

« Puisqu'il ne tend qu'à favoriser les femmes »... La cause ici est entendue, aujourd'hui du moins, et le serait depuis longtemps s'il suffisait de supprimer le mot pour effacer la chose. Mais la cause, heureusement, ne se perd pas pour si peu. Elle va même devenir au XIXe siècle un vecteur d'émancipation des femmes sans précédent, qui va les conduire à la conquête de leur indépendance et pousser la société à reconnaître enfin le fait lesbien par le biais culturel des « Deux Amies ».

Héritières directes de Fourier, les saint-simoniennes sont les premières à ouvrir les yeux sur une réalité qui n'avait encore guère attiré l'attention des « utopistes » de l'amour, malgré leur recherche de la Femme-Messie : le manque d'amour de la femme pour la femme. Dans une lettre au père Enfantin datée de 1832, Claire Démar écrit : « J'arrive aux femmes : nous ne nous aimons pas encore. Cependant nous commençons à former de petits groupes et en général nous éprouvons le besoin de nous unir [7]. »

Le vœu qu'Olympe de Gouges formulait cinquante ans plus tôt commençait-il d'être entendu ? « Il faudrait donc, mes très chères sœurs, écrivait-elle, être plus indulgentes entre nous pour nos défauts, nous les cacher mutuellement, et tâcher de devenir plus conséquentes en faveur de notre sexe [8]. »

Mais trop lucide peut-être pour supporter ce monde qui « tue », Claire Démar se suicida l'année suivante en laissant cependant un texte fulgurant qui sera publié par Suzanne dans *La Tribune des Femmes*, le journal créé par les saint-simoniennes, sous le titre « Ma loi d'avenir ». Claire Démar ne mâche pas ses mots : « Je dis que

6. *Ibid.*, introduction, p. XXXVI.

7. Claire Démar, *L'Affranchissement des femmes* (1832-1833), suivi de « Symbolique groupale et idéologie féministe saint-simonienne », par Valentin Pelosse, Payot, 1976, p. 35.

8. Olympe de Gouges, « Préface pour les dames ou le portrait des femmes », 1791, dans : *Œuvres*, Mercure de France, 1986, p. 116. Voir aussi l'introduction d'Olivier Blanc, qui fait le point de sa biographie dans l'édition complète des écrits de Gouges, Côté Femmes Éditions, 1993.

nous devons écouter avec respect et recueillement, sans possibilité de jugement ou de blâme, toute parole d'émancipation qui retentira, si étrange, si inouïe, je dirai même si révoltante qu'elle soit. Je vais plus avant, je soutiens que la parole de la Femme Rédempteur sera une parole souverainement révoltante [9]. »

D'autres voix émancipatrices s'élèvent bientôt, comme celle d'Adrienne Brissac, qui énonce le même constat : « Je crois qu'il serait indispensable que les femmes se vissent plus souvent [...]. Je trouve qu'elles ne s'aiment pas, qu'elles n'ont pas assez d'indulgence l'une pour l'autre [10]. »

Parallèlement à ces prises de conscience inouïes qui ouvrent au politique un nouveau champ d'investigation, des femmes de lettres comme Constance Pipelet, Élisa Mercœur ou Mme de Staël dressent le même constat. Dans un drame intitulé *Sapho*, Mme de Staël redonne aux femmes une dynamique agissante en privilégiant l'amitié de Sapho pour ses compagnes plutôt que son amour inutile pour Phaon [11].

Puis voici Flora Tristan. Pionnière de l'Union ouvrière, elle écrit à Olympe C. en 1839 : « [...] Savez-vous bien, femme étrange, que votre lettre me fait courir des frissons de plaisir... Vous dites que vous m'aimez, que je vous magnétise, que je vous mets en extase.

9. Claire Démar, *op. cit.*, p. 67.

10. Cité dans Claire Démar, *op. cit.*, p. 237.

11. Dans *Muse de la Raison. La démocratie exclusive et la différence des sexes* (Alinéa, 1989), Geneviève Fraisse n'aborde pas cet aspect de l'œuvre de Mme de Staël qui est pourtant le plus intéressant (voir les articles de Christine Planté). Sa méconnaissance de l'histoire de la réception en France de la légende d'Ovide l'amène à de curieux contresens. Commentant ces propos de la Sappho d'Ovide : « Vois l'état où je suis ; le génie des femmes est comme un arbre qui s'élève jusqu'aux mues mais dont les faibles racines ne peuvent résister à la tempête », G. Fraisse écrit : « Sapho se précipite du haut du rocher de Leucade car son amant l'abandonne, sans que son génie lui soit d'aucun secours. Thème littéraire de l'entremêlement de l'amour, de la gloire, et du génie, certes, mais vision personnelle de Mme de Staël également » (p. 120). Si vision personnelle de Mme de Staël il y a, ce n'est certainement pas dans l'entremêlement de ces thèmes – tarte à la crème de l'époque –, ni dans la gloire de la poétesse dont le génie, qui a toujours été reconnu par le patriarcat, est cependant puni de mort par ce même patriarcat. G. Fraisse s'est-elle laissé emporter dans ce livre par ses propres « raisons » ? Les propos sexistes des hommes « raisonnables » de ce XIXe siècle ne méritent pas un tel courroux ; il suffit de les replacer dans leur contexte historique pour qu'ils perdent tout pouvoir de fascination. À moins que la légende d'Ovide parle toujours, au XXe siècle, à un certain imaginaire de la femme abandonnée.

Vous vous jouez de moi, peut-être ? Mais prenez garde à vous – depuis longtemps j'ai le désir de me faire aimer passionnément d'une femme. Oh ! que je voudrais être homme afin d'être aimée par une femme ! Je sens, chère Olympe, que je suis arrivée au point où l'amour d'aucun homme ne saurait me suffire – celui d'une femme peut-être ? [...] La femme a tant de puissance dans le cœur, dans l'imagination, tant de ressources dans l'esprit. Mais me direz-vous que, l'attraction des sens ne pouvant exister entre deux personnes de même sexe, cet amour, chant passionné exalté que vous rêvez, ne saurait se réaliser de femme à femme ? Oui et non. Il arrive un âge où les sens changent de place, c'est-à-dire où le cerveau englobe tout [12]. »

Lélia *(G. Sand)*

Celle qui va donner le plus de poids à cette interrogation de la femme sur son amour pour la femme est sans nul doute George Sand. C'est à elle que revient le courage de pousser la réflexion jusqu'au bout en assumant ce que ses aînées laissaient pudiquement dans l'ombre : la double question du désir et de la jouissance, qu'elle aborde dès 1833 dans *Lélia*, roman qui aura un retentissement considérable sur son époque.

Lélia est écrit dans des circonstances politiques et personnelles très importantes. Comme beaucoup de femmes de sa génération (elle est née en 1804, un an après Flora Tristan), George Sand respire au rythme du saint-simonisme. Mais, rapporte-t-elle dans *Histoire de ma vie*, ce mouvement « qui avait donné aux imaginations un moment d'élan était frappé de persécution et avortait, sans avoir tranché la grande question de l'amour [13] ».

D'autre part, ses lectures l'ont conduite vers des révélations

12. Flora Tristan (1803-1844), lettre du 1er août 1839, dans *Flora Tristan, Vie, œuvre mêlés*, par Dominique Desanti, coll. 10/18, p. 229.

13. George Sand, « Histoire de ma vie », dans *Œuvres autobiographiques*, tome II, texte établi et annoté par Georges Lubin, Gallimard, Bibliothèque de la Pléiade, 1971, p. 196. Enfantin et Michel Chevalier sont emprisonnés le 15 décembre 1832 à Sainte-Pélagie pour outrages à la morale publique et aux bonnes mœurs.

gênantes. Celle de Montaigne, en particulier, dont les propos sur l'Amitié Idéale avec La Boétie hantaient ses rêves d'enfant. « Je m'enthousiasmais pour ces grands exemples de l'Antiquité, où je n'entendais pas malice. Il me fallut, dans la suite, apprendre qu'elle était accompagnée de cette déviation insensée et maladive dont Cicéron disait : *Quis est enim iste amor amicitiae*, que l'on traduit par : " Qu'est-ce donc que le prétendu amour d'amitié ? " [14]. » D'autres couleuvres durent être avalées si l'on suit son cheminement autobiographique. Le fait que son « cher Montaigne » était mysogyne, par exemple. Car si Sand était sensible à l'amitié, cette « loi sacrée applicable à une aspiration de mon âme, j'étais pourtant blessée au cœur du mépris que mon cher Montaigne faisait de mon sexe [15] ». Comme Christine de Pisan, qui écrivit la *Cité des dames* à la suite d'une dépression causée par des lectures mysogynes, George Sand se lance alors avec *Lélia* dans un roman qui fera date lui aussi. « Cri de douleur », dit-elle ; « souffle de colère » qui répand « un esprit de révolte contre la société », pense Sainte-Beuve [16] : la genèse de Lélia s'effectue de surcroît dans un contexte politique bien particulier. L'échec de la Révolution de Juillet, celui du saint-simonisme et de sa doctrine d'émancipation sociale et sexuelle, et les attaques contre le Romantisme qui la touchent dans son identité d'artiste. Elle a alors vingt-huit ans ; c'est pour elle un moment de crise personnelle, d'« abattement profond », le moment où, comme elle le dit, l'Histoire rentre dans sa vie parce qu'elle « ouvre les yeux » sur la réalité.

Le passage qui nous intéresse se trouve à la fin de la première partie. Après plusieurs années de séparation, Lélia retrouve sa sœur Pulchérie, qui est devenue une courtisane, et décide de lui raconter un événement déterminant de leur jeunesse, celui où, après une promenade dans la nature, elles s'étendirent sur l'herbe au bord d'un ruisseau. « Il nous vint un lourd sommeil. Nous nous réveillâmes dans les bras l'une de l'autre, sans nous être senti nous endor-

14. *Ibid.*, p. 125.
15. *Ibid.*, p. 126.
16. Sainte-Beuve, article paru dans *Le National* du 25 août 1833. Cité dans *Lélia*, Classique Garnier, p. 590.

mir [17]. » Or c'est durant ce sommeil que Pulchérie aura la révélation de quelque chose d'essentiel pour sa vie, qu'elle formule ainsi à sa sœur : « C'est dans vos bras innocents, c'est sur votre sein virginal que pour la première fois Dieu m'a révélé la puissance de la vie, lui dit-elle. Ne vous éloignez pas ainsi. Écoutez-moi sans préjugé. »

Avant de suivre son récit, il est nécessaire de présenter les deux sœurs. Un trait les caractérise : elles ne se ressemblent pas, ce qui écarte d'emblée la question du narcissisme. « Plus sage et heureuse que moi, vous ne viviez que pour jouir, déclare Lélia à Pulchérie. Plus ambitieuse et moins soumise à Dieu peut-être, je ne vivais que pour désirer. » Voilà donc mis en place un couple d'opposés qui annonce une réflexion philosophique. L'une incarne la jouissance, l'autre le désir, puissances qui ne sont pas sans rappeler les deux divinités marquantes du panthéon de Sappho : Éros et Aphrodite.

Que s'est-il donc passé de si extraordinaire entre les deux femmes pour que *Lélia* défraye la chronique au point de ranger George Sand dans le camp des Sappho ? Pulchérie nous donne la clé en racontant ce qui se passa durant son sommeil. « Un rêve étrange, délirant, inouï, me révéla le mystère jusqu'à là impénétrable et jusqu'à là tranquillement respecté. Ô ma sœur ! niez l'influence du ciel ! niez la sainteté du plaisir ! Vous eussiez dit, si cette extase vous eût été donnée, qu'un ange envoyé vers vous du sein de Dieu, se chargeait de vous initier aux épreuves sacrées de la vie humaine. Moi, je rêvai tout simplement d'un homme aux cheveux noirs qui se penchait vers moi pour effleurer mes lèvres de ses lèvres chaudes et vermeilles ; et je m'éveillais oppressée, palpitante, heureuse plus que je ne m'étais imaginé devoir l'être jamais. Je regardai autour de moi : le soleil semait ses reflets sur les profondeurs du bois. »

La symbolique érotique du baiser se rapproche plus ici d'une conjonction féminine que masculine. Lèvres contre lèvres, et non langue dans la bouche... Est-ce de là que vient « l'étrangeté », et... l'excitation qui lui fait ouvrir les yeux ? Or que voit-elle ? Sa sœur endormie à ses côtés. « Je vous regardai alors. Ô ma sœur, que vous

17. George Sand, *Lélia*, Paris, Classique Garnier, p. 154-158. Toutes les citations sont extraites de ce passage.

étiez belle ! [...] Mais en cet instant le sens de la beauté se révélait à moi dans une autre créature. Je ne m'aimais plus seule : j'avais besoin de trouver hors de moi un objet d'admiration et d'amour. Je me soulevai doucement et vous contemplai avec une singulière curiosité, avec un étrange plaisir. » C'est alors qu'un trouble l'envahit, l'image de son rêve se superpose à celle de sa sœur jusqu'à ce qu'elle lui trouve une ressemblance avec « le bel enfant aux cheveux noirs » de son rêve... « et je baisai votre bras en tremblant. Alors vous ouvrîtes les yeux, et votre regard me pénétra d'une honte inconnue ; je me détournai comme si j'avais fait une action coupable. Pourtant, Lélia, aucune pensée impure ne s'était même présentée à mon esprit. Comment cela serait-il arrivé ? Je n'en savais rien. Je recevais de la nature et de Dieu, mon créateur et mon maître, ma première leçon d'amour, ma première sensation de désir ». Pulchérie lui demande alors de se pencher sur l'eau. « Tu ressembles à un homme [...], dit-elle à Lélia. Et cela vous fit hausser les épaules de mépris », constate Pulchérie.

Ce passage du roman provoqua un tel scandale « qu'on alla jusqu'à l'interpréter dans un sens vicieux et obscène », rapporte George Sand [18]. Or qu'y a-t-il de scandaleux dans ce passage ? Que la première leçon d'amour soit donnée à Pulchérie « de la nature et de Dieu » plutôt que d'un homme ? Que Lélia occupe la position d'un homme durant cet événement, pour ensuite le supplanter – car c'est l'image fantasmée de l'homme induite par la société qui amène Pulchérie à regarder autrement sa sœur – et découvrir cette autre réalité enfouie au fond d'elle-même : son désir pour une femme ? Elle qui ne vivait que pour la jouissance, la voilà qui découvre en elle... le désir, et par lui l'existence de l'« autre », qui devient à ses yeux ouverts sur le monde un « objet d'admiration et d'amour ». Ne fait-elle pas une expérience fondamentale dans la construction de son être : le passage du narcissisme (elle raconte qu'elle se trouvait si belle qu'il lui arrivait de s'embrasser dans la glace) à la relation humaine proprement dite ? Et ce passage se fait par la reconnaissance de son désir pour une femme vécue comme

18. George Sand, *Histoire de ma vie*, *op. cit.*, p. 197.

« différente » tout en ayant avec elle une identité commune. En désirant sa sœur, Pulchérie intègre une autre dimension de son être (expérience qu'elle nomme concrètement initiation), transformant cet événement en véritable avènement. Le désir joue le rôle catalyseur. C'est lui qui donne une nouvelle valeur (humaine, esthétique, morale) à la femme, suscitant chez l'initiée le besoin de l'admirer et de l'aimer.

On comprend que ce message ait pu choquer les contemporains de George Sand ! Cependant, tous n'ont pas crié au scandale et certains, comme Sainte-Beuve, en ont lucidement tiré les enseignements politiques : « On doit être frappé du singulier mouvement moral et littéraire qui se déclare en France chez les femmes, d'une manière frappante, écrit-il. [...] Or voici que depuis trois ans environ, depuis que d'une part, le bon ton rangé et le vernis moral de la Restauration ont disparu, et que, d'autre part, le saint-simonisme a fait entendre ses cris d'émancipation et ses appels multipliés, voici que l'esprit d'émancipation a remué les femmes comme le reste, et qu'une multitude d'entre elles prenant la parole, dans des journaux, dans des livres de contes, dans de longs romans, sont en train de confesser leurs peines, de réclamer une part de destinée plus égale, et de plaider contre la société [19]. »

Malgré cette légitimation de leur révolte, la violence symbolique infligée par George Sand à la culture patriarcale est bien réelle et vient d'abord de ce qu'elle n'utilise pas d'étiquettes pour identifier la transgression. Elles ne sont ni des tribades ni des lesbiennes, mais des femmes simplement sans tabou qui découvrent de manière inattendue les « puissances de la vie ». Mais c'est peut-être surtout parce que *Lélia* se nourrit de l'expérience de Sand que son poids d'incarnation s'en trouve accru.

L'« amitié » de la romancière avec Marie Dorval a beaucoup compté dans ce passage, comme l'ont soupçonné de nombreux critiques, dont André Maurois qui remarque : « Il est probable que les dialogues de Lélia et de la sage courtisane Pulchérie sont transposés des conversations de George et Marie [20]. » Conversations... et

19. Sainte-Beuve, article cité dans *Lélia*, p. 590.
20. André Maurois, *Lélia ou la vie de George Sand*, Hachette, 1952, p. 170.

peut-être surtout sentiments éprouvés par les deux femmes, comme le murmure une lettre de George Sand à Marie Dorval datée du 22 juin 1833, alors que le roman est quasi achevé : « Tu es la seule femme que j'*aime*, Marie : la seule que je *contemple* avec *admiration*, avec étonnement. Tu as des défauts que j'aime et des vertus que je vénère. Seules parmi toutes celles que j'ai observées attentivement, tu n'as jamais un instant de petitesse ou de médiocrité [21]. »

La séquence « aime... contemple... admire... » est la même que dans le texte, mais dans un ordre inverse : « J'avais besoin de trouver hors de moi un objet d'*admiration* et d'*amour*. Je me soulevai doucement et je vous *contemplai* avec une singulière curiosité. » La correspondance fait-elle écho au roman, ou l'inverse ? En tout cas, le cheminement inconscient de la création circule d'un support à l'autre, et l'on peut affirmer au moins cette évidence : Sand pensait à Marie en décrivant le trouble de Pulchérie.

Plusieurs lettres datées de 1833 restituent cette atmosphère si particulière du roman. Celle-ci par exemple : « Je ne peux pas vous voir aujourd'hui, ma chérie. Je n'ai pas tant de bonheur. Lundi, matin ou soir, au théâtre ou dans votre lit, il faudra que j'aille vous embrasser, ma dame, ou que je fasse quelque folie [22]. » Mais la lettre qui exprime le mieux son élan amoureux, et que l'on cite souvent d'ailleurs, date du 18 juillet 1833 : « Si tu me réponds vite en disant pour toute littérature : Viens ! je partirai, eussé-je le choléra ou un amant. À toi toujours. » Or cette lettre n'aurait pas été plus compromettante que l'autre si Vigny, qui était l'amant de Marie à cette époque, n'avait écrit au crayon : « J'ai défendu à Marie de répondre à cette Sapho qui l'ennuie [23]. »

Ce n'est apparemment pas à la « chaste poétesse » qu'il pensait en exprimant ainsi sa jalousie. Arsène Houssaye, qui écrira un drame intitulé *Sapho*, soutient cette idée dans un chapitre de ses

21. *Correspondance* de George Sand, éditée par G. Lubin, Paris, Garnier, 1966, tome III, p. 339. Souligné par nous.
22. George Sand-Marie Duval, *Correspondance inédite*, publiée avec une introduction et des notes par Simone André-Maurois, Paris, Gallimard, 1953, p. 212.
23. George Sand-Marie Duval, *op. cit.*, p. 222.

Confessions consacré à la relation des deux femmes sous un titre explicite : « Où il n'est pas question du rocher de Leucade » : « En ce temps-là Sapho ressuscita dans Paris, ne sachant pas si elle aimait Phaon ou Érinne. Pourquoi ne pas le dire ? Ce fut des hautes régions de l'intelligence que descendirent les voluptés inavouées. [...] C'est alors qu'une femme superbe, qui avait les fascinations de l'abyme et qui donna le vertige à plus d'un, alla tomber les bras ouverts sur une grande comédienne qui donnait la vie à la passion [24]. »

Le ton de semi-clandestinité qui voile le récit n'est pas un procédé littéraire. C'est celui qu'exigeait un sujet tellement explosif que la seule publication du roman déclencha la violence indignée des bons pères de famille. « Le jour où vous ouvrirez *Lélia*, écrit *L'Europe littéraire*, renfermez-vous dans votre cabinet pour ne contaminer personne. Si vous avez une fille dont vous voulez que l'âme reste vierge et naïve, envoyez-la jouer aux champs [25]. » Quant à leur correspondance, elle déclencha une telle « psychose de scandale » que, léguée en 1907 à l'Institut par le vicomte de Spoelberch de Lovenjoul, elle dû rester en « zone interdite » jusqu'en 1953 par décision testamentaire [26].

Ces réactions donnent la mesure du danger incarné par George Sand. Même Simone André-Maurois éprouve encore le besoin de défendre en 1953 son « lien d'amitié pure » avec Marie. « Si elle avait eu une passion physique, l'aurait-elle chérie pendant dix-sept ans ? questionne-t-elle. Elle ne sut jamais faire d'un amour une amitié [27]. » Peut-être sut-elle le faire avec Marie, parce qu'elle était une femme précisément, et une grande tragédienne dont la romancière reconnut immédiatement le talent en lui écrivant une lettre d'admiration qui attira Marie chez George le jour même. Plutôt que de défendre la « pureté » de George Sand, Simone André-Maurois

24. Arsène Houssaye, *Les Confessions. Souvenirs d'un demi-siècle. 1830-1880*, Paris, Le Dentu, 1885, p. 13.
25. Cité à la suite de *Lélia*, *op. cit.*, p. 589.
26. Simone André-Maurois, « Histoire d'une correspondance », dans George Sand-Marie Duval, *op. cit.*, p. 17.
27. *Ibid.*, p. 199.

eût mieux fait de s'interroger sur la nature de cette « psychose de scandale » qui s'avéra, à la lecture des lettres, sans objet tangible. Ce qui fait peur ne gît ni dans le roman ni dans les lettres pris isolément, mais dans les liens qui existent entre la littérature et la vie. C'est pourquoi *Lélia* marque une date dans l'émancipation des lesbiennes. Non seulement c'est la première fois qu'une femme aborde ouvertement dans un roman le désir de la femme pour la femme, mais en le plaçant dans l'orbe de l'amour, elle montre que ce n'est pas tant le plaisir des tribades qui met en danger la cohésion du patriarcat que l'amour vécu et exprimé de la femme pour la femme.

On jugera de la différence de ton avec cet autre texte paru la même année que *Lélia*, mais à Bruxelles, sous le titre *Gamiani ou deux nuits d'excès*. Signé Alcide, baron de M..., attribué à Alfred de Musset, il deviendra un best-seller de la littérature érotique du XIXe siècle. En voici un extrait sur le thème de la tribade :

« Une tribade ! Oh ! ce mot retentit à l'oreille d'une manière étrange ; puis il élève en vous je ne sais quelles images confuses de voluptés inouïes, lascives à l'excès. C'est la rage luxurieuse, la lubricité forcenée, la jouissance horrible qui reste inachevée.

« Vainement j'écartai ces idées ; elles mirent en un instant mon imagination en débauche. Je voyais déjà la comtesse nue dans les bras d'une autre femme, les cheveux épars, pantelante, abattue, et que tourmente encore un plaisir avorté [...]. Revenu de cette émotion, je calculai froidement ce que j'avais à faire pour surprendre la comtesse : il le fallait à tout prix.

« Je me décidai à l'observer pendant la nuit, à me cacher dans sa chambre à coucher [28]. »

La fascination du bourgeois frustré pour le « plaisir avorté » des tribades prendra une ampleur considérable dans la littérature décadente fin du siècle, grâce au développement d'une littérature médicale qui ne ménagera ni ses forces ni son sens de l'observation pour

28. *Gamiani ou deux nuits d'excès*, Filipacchi, 1974, p. 10.

alimenter en termes techniques et savants les amateurs d'onanisme, de clitorisme et de tribadisme en tous genres.

Mais cela nous éloigne de la poésie, et de Vigny, qui manifeste certainement plus de respect à George Sand en la qualifiant de Sapho que s'il l'avait traitée de tribade. C'est une culture qu'il reconnaît à travers ce qualificatif, une culture de femme et une voix émancipatrice auxquelles Victor Hugo rendra hommage dans son oraison funèbre en disant : « Elle avait en elle la lyre [29]. »

« *Femmes damnées* »

Lélia est donc un événement important de la culture des femmes. Non seulement parce qu'il rompt avec le silence des femmes sur l'amour au féminin, mais aussi parce que, de par la personnalité même de George Sand, il annonce et prépare le retour des « Deux Amies » dans la cité des hommes. George Sand incarne un nouveau rôle de femme dans la société, celui de l'écrivaine aux mœurs libres. Constance Pipelet et Mme de Staël s'étaient bien réclamées de Sappho pour revendiquer un statut d'écrivain, mais elles avaient laissé dans l'ombre « la grande question de l'amour ». George Sand les associe et c'est toute sa grandeur en un siècle où Baudelaire va s'emparer de Sappho pour en faire l'héroïne d'un culte décadent de l'art pour l'art.

On date ordinairement de Baudelaire et de la moitié du XIXe siècle l'émergence du nouveau contenu du mot « lesbienne », à cause du procès dont furent victimes *Les Fleurs du Mal* et surtout de la publicité qui entoura la condamnation de certaines pièces parmi lesquelles figuraient « Lesbos » et « Femmes damnées ». Et l'on étaye ces éléments avec le fait qu'en 1847 Baudelaire songeait déjà à intituler son futur recueil des *Fleurs du Mal, Les Lesbiennes.* Mais si la Sappho d'Ovide n'était plus une inconnue pour les artistes – Baudelaire remarque d'ailleurs, au Salon de 1845, une

29. Victor Hugo, « Depuis l'exil », in *Œuvres complètes. Actes et paroles*, Éd. A. Martel, 1954, p. 420.

peinture de Dugasseau représentant Sappho faisant le saut de Leucade qu'il trouve d'« une jolie composition [30] » – la lesbienne était toujours autant occultée, et c'est grâce au renouveau d'intérêt des hellénistes pour les fragments de ses poèmes récemment découverts que le silence put être rompu. En 1847, Émile Deschanel publie dans la *Revue des Deux Mondes* une étude sur l'Antiquité intitulée « Sapho et les lesbiennes », suivie de l'étude et de la traduction de soixante-dix-neuf fragments. Si cet article fait date pour le nombre de fragments rassemblés dans une même publication, il renverse aussi un tabou de taille, celui des mœurs de la poétesse. Passant de la désignation ethnique à la qualification sexuelle, Deschanel démontre que si la lesbienne Sappho était une courtisane cultivée, elle n'en fut pas moins une lesbienne. « Bien plus, d'après une tradition très répandue et arbitrairement contestée, elle fut lesbienne dans toute l'étendue de ce terme. " Ce ne sont pas les hommes, dit Lucien, qu'aiment les lesbiennes. " Et en effet, le nom de *lesbienne* et le verbe *aimer à la lesbienne* sont demeurés dans la langue grecque comme des témoignages irrécusables de cette affreuse dissolution. Certes, nous voudrions pouvoir penser que notre Sapho, un si grand poète, fut exempte de ses souillures ; mais comme nous aimons encore plus la vérité que l'idéal, c'est à l'opinion contraire que nous nous rangeons à regret [31]. »

Quand dix ans plus tard le procès intenté aux *Fleurs du Mal* attire l'attention sur les poèmes « lesbos », le nom de la lesbienne est donc largement connu du public cultivé. Connu, mais non reconnu ; et il se pourrait bien que ce pas supplémentaire ait été franchi grâce au concours des « Femmes damnées ». Que dit en effet l'avocat de Baudelaire, Maître Gustave Chaix d'Est-Ange, dans sa plaidoirie ? « Quant aux " Femmes damnées " que M. le Substitut a appelées les deux tribades ! ! ! – ce qui est vif comme langage... et certes nous n'aurions jamais osé nous permettre de pareils mots devant le tribunal –, quant aux " Femmes damnées ", car je demande la per-

30. Charles Baudelaire, *Écrits sur l'art*, Le Livre de Poche, 1992, p. 27.
31. Émile Deschanel, « Études sur l'Antiquité. Sapho et les lesbiennes », *Revue des Deux Mondes*, 15 juin 1847, p. 343.

mission de préférer l'expression de mon client à celle du Ministère public, écoutez ces strophes [32] », et il récite le poème...

En quoi l'expression « femmes damnées » serait-elle plus acceptable que le terme « tribades » ? Précisément parce qu'elles sont damnées, c'est-à dire exclues de la cité des hommes et de la cité de Dieu. La damnation est l'exclusion totale [33] », ce qui est moralement plus légitime que la tolérance affichée pour le plaisir des tribades. Un plaisir marqué, soit dit en passant, de la stérilité, comme l'exprime Baudelaire à plusieurs reprises en évoquant « l'âpre stérilité de votre jouissance ». Le poète se réfère à la fonction reproductrice de la femme pour aborder son plaisir, exactement comme le fait la religion depuis des siècles.

Y a-t-il alors une différence entre la lesbienne et la femme damnée ? *A priori* oui, car pour le poète, Lesbos est d'abord la « Mère des jeux latins et des voluptés grecques », autrement dit elle pratique un jeu érotique familier des Anciens. Mais en fait de Grèce, c'est la seule tradition latine qui est conviée dans ses références avec l'épithète de *mâle* Sappho, qui vient directement d'Horace ; de même, le vers « De Sapho qui mourut le jour de son blasphème » reprend la légende d'Ovide de son suicide au rocher de Laucade. De toute évidence, Baudelaire n'a pas lu Sappho ! Il veut se mesurer à elle comme poète, et peut-être comme amant, mais comme homme il reproduit tous les poncifs de son siècle en associant la volupté au fatras religieux du blasphème, du péché et de la culpabilité. Dans « Lesbos », il superpose à la tradition latine, qui constitue le fonds de sa culture d'homme du XIXe siècle, sa propre vision de la femme : une femme excitante, langoureuse, volcanique, fraîche, parfumée, qui incite aux voyages lointains. En un mot, il réifie la femme, il en fait un objet, voire une esclave et un moyen d'atteindre *l'infini* qu'elle porte en elle. Peut-être Baudelaire s'est-il

32. Charles Baudelaire, *Procès des « Fleurs du Mal »*, édition critique établie par J. Crépet, Librairie José Corti, 1968, p. 442.

33. Sous l'Ancien Régime, la « damnation » était une pratique des compagnons ayant pour but de priver les maîtres de main-d'œuvre en plaçant un interdit sur toutes les boutiques. La damnation d'une ville entraînait le départ de tous les compagnons qui allaient chercher du travail ailleurs.

inspiré des amitiés féminines de Jeanne Duval, sa maîtresse ; mais il a surtout projeté sur les lesbiennes une érotique masculine de la damnation, où l'excitation née de la culpabilité se renforce d'un profond mépris pour la femme. Dans un article sur « L'École païenne », ne va-t-il pas jusqu'à traiter la « brûlante » Sappho de « patronne des hystériques [34] » ?

Les aspirations de son génie poétique à trouver auprès de Lesbos de *l'inconnu*, du *nouveau*, avortent violemment dans ses propres limites d'homme du XIXe siècle. Sappho est à nouveau privée de sa dimension culturelle au profit de ce côté sulfureux, *fleur du mal*, nécessaire apparemment à sa propre jouissance. Quant à Lesbos, elle est complètement dénaturée par un homme qui en fait un élément de consommation supplémentaire d'une société patriarcale ayant besoin de se restructurer après les coups portés par les femmes lors de la Révolution de 1848. « Pourquoi ce nom, Sapho, voltige-t-il sur toutes les lèvres ? » demande Théodore de Banville dans sa critique d'un roman paru alors sur Sapho. « Pourquoi est-il comme un remords et comme une menace au fond de tous les cœurs inquiets [...] ? Le roman de Sapho, c'est notre histoire, sa folie, c'est la folie furieuse des femmes qui nous entourent [35]. »

C'est surtout une menace pour la société, effrayée devant le ressurgissement d'un collectif de femmes en révolte. Un collectif mieux organisé que sous la Révolution et plus conscient de ses droits. Ils ont vu les femmes de 1848 réclamer le droit de vote, créer des journaux comme *La Voix des Femmes*, *L'Amazone*, *La Politique des Femmes* ; former des clubs, demander le divorce, critiquer « le Code de l'infamie », former des régiments d'Amazones... Et si George Sand elle-même recule devant l'audace de celles qui ne se réclament pas seulement du divorce mais du suffrage universel que dire des républicains ! Mais cette fois-ci il n'est plus question de se suicider sous prétexte d'abandon masculin (le refus de la IIe République de leur accorder leurs droits politiques). Et c'est ce

34. Charles Baudelaire, article sur « L'École païenne » du 22 janvier 1851, publié dans *L'Art romantique*, Julliard, p. 68.
35. Théodore de Banville, « Le pouvoir », 18 novembre 1850. Cité par Édith Mora, *op. cit.*, p. 191.

qu'ils ont bien senti en réinvestissant le mythe d'Ovide d'une double mission : figurer la défaite des femmes tout en neutralisant leur possible révolte en montrant la fin tragique de Sappho. Une deuxième vague de suicides envahit les arts, initiée cette fois-ci par les hommes. Le peintre Chasseriau en 1850, les sculpteurs Pradier en 1852 (avec sa lyre) et Clessinger en 1859 [36], sans oublier les drames de Houssaye, de P. Boyer et le poème « Lesbos » paru en 1850 dans *Les Poètes et l'Amour*. Mais sous l'inspiration de Baudelaire la fonction du mythe change insensiblement. Sappho devient une héroïne moderne de la perversité, une « fleur du mal » incarnant les excès de la liberté érotique féminine. Dans son roman *Sapho*, publié en 1884, Daudet donnera toute son ampleur à cette peur bourgeoise de voir des femmes « libres » gâcher la vie de jeunes gens « biens » en les détournant de la famille. Dans les nombreux romans fin de siècle qui lui emboîtent le pas, Sappho personnifie la prostituée, la femme facile ou la grande amoureuse. Les seuls à se situer dans le sillage des espoirs soulevés par la Révolution de 1848 sont Émile Augier et Gounod, qui font de Sappho une héroïne révolutionnaire dans l'opéra qui porte son nom. Le dénouement du drame innove sur le mythe ovidien, puisque c'est par amour de la liberté (politique) qu'elle se suicide.

Le décalage entre cette littérature de la peur des femmes et l'absence de liberté n'en demeure pas moins immense. L'espoir a duré trop peu de temps pour que les femmes profitent de la révolution de 1848. Dans ses *Mémoires*, le comte Horace de Viel Castel, secrétaire général du musée du Louvre sous le Second Empire, donne le ton de la question en écrivant, à la date du mardi 7 décembre 1852 : « Hier en dînant avec Romieu au café de Paris, nous causions du progrès que faisait la t... parmi les femmes, et loin de nous en étonner, nous les comprenions et nous les attribuions en grande partie à la grossièreté des hommes qui apportent en général peu de délicatesse dans leurs relations avec les femmes. Parmi les actrices, la t... fait de grands progrès. L'actrice Cico a été

36. « Je ne veux pas parler de ses malheureuses Sapho, je sais que maintes fois il a fait beaucoup mieux. » Baudelaire, Salon de 1859, Le Livre de Poche, p. 311. Clésinger (1814-1883) épousa la fille de George Sand.

séduite, il y a huit jours, par Mme Delacour, sœur d'un ancien directeur de je ne sais quel théâtre. Mme Delacour fait un héritage de dix mille francs, dont elle touche le montant vendredi dernier, elle court chez Cico, se jette dans ses bras et sème sur le lit les dix billets de mille francs. »

À la date du dimanche 4 janvier 1852, il poursuit : « Mme Després cache, je crois en être certain, le goût des femmes qu'elle a. Plusieurs histoires de tentations faites prés d'elle et sur elle, par la maréchale Sébastiani, me le donnent à penser. Puis elle affecte des pruderies merveilleuses, elle a horreur des statues de femmes parce qu'elles sont nues !... Elle a, je crois, fait de nombreuses campagnes sous les bannières masculines ou féminines [37]. »

Même chez les Goncourt, qui sont pourtant les premiers à avoir osé parler des « goûts contre nature » de Sophie Arnould pour Françoise Raucourt, le sujet ne dépasse pas le « propos de table » : « Morny a soutenu que les femmes n'avaient pas de goût, qu'elles ne savaient point ce qui est bon, qu'elles n'étaient ni gourmandes ni libertines, qu'en fait de goût elles n'avaient que du caprice. Puis il a émis cet axiome qu'un peu de libertinage adoucit les mœurs. Puis de là, à la grande indignation de la Princesse, il a commencé une apologie de la tribaderie, qui donne du goût à la femme, lui apporte son raffinement, l'accomplit. Tels sont les propos de table d'un empire [38]. »

La discrétion absolue avec laquelle des écrivains comme Balzac (*La Fille aux yeux d'or*, 1835), Théophile Gauthier (*Mademoiselle de Maupin*, 1835-1836) ou plus tard Zola (*Nana*, 1879) abordent le sujet fait ressortir le courage identitaire de George Sand. Par exemple, ce n'est qu'avec moultes pincettes que Stendhal ose ouvrir une parenthèse sur le sujet dans sa *Vie de Henri Brulard* : « Il y avait une jolie femme dans cette société : Mme B. mais elle faisait

37. *Mémoires du comte Horace de Viel-Castel sur le règne de Napoélon III* (1851-1864), publié d'après le manuscrit original, avec une préface de L. Leouzou Le Duc, Paris, 1883, tome I, p. 128.

38. Goncourt, *Journal*, à la date du 17 mai 1863. Paris, Flammarion, 1956, tome I, p. 1273.

l'amour avec un autre point d'interrogation noir et crochu, Mlle de M. (et, en vérité j'approuve ces pauvres femmes) [39]. »

Courbet : du libertin au libertaire

L'audace masculine, le véritable courage de braver la morale bourgeoise, c'est Courbet qui va la déployer sous le Second Empire à travers une série de tableaux consacrés au thème de l'érotisme entre deux femmes. Certes, il n'est pas le premier à représenter la tendresse féminine : Rubens, Boucher, Greuze, pour ne citer que ceux-là, s'y sont déjà essayés ; mais il est le premier à quitter le terrain allégorique (*La Justice et La Paix s'embrassant dans un beau paysage* de Laurent de la Hire) ou mythologique (*Jupiter sous les traits de Diane séduisant Callisto* de François Boucher) pour l'aborder sur le terrain de prédilection de la peinture : le nu. Dès son arrivée à Paris, en 1841, il exécute un croquis de deux femmes enlacées dans un lit [40], mais ce n'est que quinze ans plus tard qu'il se lance véritablement dans son exploration avec un dessin au fusain intitulé *Femmes dans les blés*. En 1856, ce seront *Les Demoiselles des bords de la Seine*, puis *Les Baigneuses* (1858), *Vénus poursuivant Psyché de sa jalousie* (1864), *Vénus et Psyché*, pour aboutir avec *Le Sommeil* ou *Les Deux Amies* (1866) à son chef-d'œuvre [41]. Or quand on sait qu'à son arrivée à Paris, en 1841, « il était fouriériste », comme il l'écrit dans une autobiographie, et « suivit les élèves de Cobet et de Pierre Leroux [42] » ; qu'à l'instar de Fourrier et

39. Stendhal, *Vie de Henri Brulard*, Paris, Charpenier, 1890, p. 100.

40. Signalé par Hélène Toussaint dans *Gustave Courbet, 1819-1877*, catalogue de l'exposition du Grand Palais, Éd. de la Réunion des Musées nationaux, 1977, p. 186.

41. *Femmes dans les blés*, 1855, fusain, Musée des Beaux-Arts de Lyon. *Les Demoiselles des bords de la Seine*, 1856-1857, huile sur toile, 174 x 206 cm, s.b.g. : G. Courbet, Paris, Musée du Petit-Palais. *Les Baigneuses*, 1858, huile sur toile, 116 x 155 cm, Paris, Musée d'Orsay. *Vénus poursuivant Psyché de sa jalousie*, 1864, a été détruit pendant la guerre, mais il en reste une variante intitulée *Le Réveil*, 1866, Kunsthaus Museum de Berne. *Le Sommeil*, 1866 (exposé pour la première fois au Salon de 1878), huile sur toile, 133 x 200 cm, s.d., s.b.g., Paris, Musée du Petit-Palais.

42. *Courbet raconté par lui-même et par ses amis*, Genève, Pierre Cailler Éditeur, 1948, 2 volumes, tome II, p. 27.

Proudhon il était originaire de la région de Besançon et que sa deuxième incursion dans le sujet est liée au roman de George Sand, *Lélia* ; on peut s'attendre à une recherche esthétique politiquement neuve qui intègre la question de l'émancipation féminine dans celle des rapports entre le beau et le bon, l'esthétique et la morale, qu'il renouvelle complètement.

Déjà, son étude au fusain représentant deux jeunes femmes endormies dans les blés nous délivre du regard moralisateur de son époque du seul fait qu'il dégage la même atmosphère de tendresse qu'un dessin antérieur intitulé *Sieste champêtre* où Courbet représentait un couple hétérosexuel endormi lui aussi dans la campagne, mais vu de face. Mais c'est avec *Les Demoiselles des bords de la Seine*, peintes l'année suivante, qu'il se confronte pour de bon au problème moral posé par la représentation de l'érotisme lesbien. Cette fois-ci les deux jeunes filles sont allongées l'une à côté de l'autre dans l'herbe verte, par une chaude journée d'été. La demoiselle du premier plan dort, à demi-déshabillée, l'autre entoure un bouquet de fleurs de son avant-bras droit et regarde dans le vague, la tête appuyée sur la main gauche, laissant croire qu'elles se livrent à une sieste réparatrice après avoir fait l'amour. À l'arrière-plan coule une rivière, une barque est amarrée à leurs pieds, deux arbres forment une ombrelle rafraîchissante au-dessus des jeunes filles, mais la rivière renforce l'équivoque du fait qu'elle renvoie au thème de la prostitution, les bordels étant installés près de l'eau. Cet élément n'échappa pas aux critiques du Salon de 1857 où le tableau fut exposé ; les uns commentèrent le jeu de mots du titre sans l'expliquer, les autres furent outrés devant l'ambiguïté de cet érotisme de plein air. « M. Courbet [...] n'a fait que du mauvais réalisme, écrit B. de Lepinois, car il n'a donné ni la moyenne exacte de la carnation féminine moderne, ni la moyenne exacte des mœurs féminines modernes. Il a peint des êtres déclassés par la forme comme par l'esprit ; il est tombé dans l'exception [43]. » Nous sommes en plein cœur du sujet, car « l'exception » est à l'opposé de la beauté idéale chère aux peintres académistes. C'est d'ailleurs sur ce ter-

43. E. de B. de Lepinois, *L'Art dans la rue et l'art au salon*, Paris, Le Dentu, 1859, p. 146.

rain-là que Thoré-Burger le défend dans *Le Temps* en s'écriant : « Oh le grand art ! Oh l'Italie ! Italia ! Italia ! [...] Le public accepte des monstres à pied de bouc, qui enlèvent de grosses femmes toutes nues, mais il ne veut pas voir les jarretières des *Demoiselles de la Seine* [44]. » Ses amis, cependant, sont bien embarrassés et ne savent pas comment l'excuser. Castagnary y voit une peinture du « vice bas et honteux [...] et [...] de ce monde interlope [45] » ; Proudhon, « une image du vice » et « une condamnation des mœurs du Second Empire [46] », mais il est malgré tout le seul à voir l'analogie entre cette scène et *Lélia* de George Sand : « Demoiselles, oui : car elles ne sont ni mariées ni veuves [...]. La première est une belle brune, aux traits accentués, légèrement virils, de ces traits qui donnent à une femme de dix-huit à vingt-deux ans des séductions sataniques [...]. C'est Lélia qui accuse les hommes des infortunes de son cœur [...]. On a une peur instinctive de ces créatures aux passions tantôt concentrées, tantôt bondissantes, jamais assouvies. Il y a en elles du vampire [...].

« L'autre est blonde, assise, semblable à un buste de marbre [...]. Elle possède des actions et des titres de rente ; elle se connaît aux affaires et suit attentivement les cours. [...] Bien différente de son amie, elle est maîtresse de son cœur et sait commander à ses désirs [47]. »

Si Proudhon n'avait pas été aveuglé par ses préceptes moraux d'homme du XIXe siècle, il aurait pu développer son intuition en réfléchissant sur la filiation de Courbet avec George Sand. Mais les préjugés sont si forts qu'il a fallu attendre une époque toute récente pour remarquer la parenté de ce tableau avec un dessin réalisé par le fils de George Sand, Maurice, pour l'édition illustrée de *Lélia* parue chez Hetzel en 1854. C'est le passage où Pulchérie dit : « Et je vous contemplai avec une singulière curiosité » que Maurice Sand a illustré. Il montre les deux jeunes femmes allongées dans

44. Cité par A. Tabarant, *La Vie artistique au temps de Baudelaire*, Paris, 1963.
45. Cité dans *Courbet raconté par lui-même...*, *op. cit.*, tome I, p. 188.
46. Proudhon, *Du principe de l'art et de sa destination sociale*, Paris, 1875. Cité par Robert Fernier dans *Courbet, 1819-1865*, tome I, La Bibliothèque des Arts, 1977, p. 126.
47. *Ibid.*, p. 126.

l'herbe au bord de l'eau. La brune dort tournée vers nous, la tête appuyée sur son bras, au bord d'une rivière. L'autre est allongée derrière elle, à demi dressée sur ses bras, et la contemple tandis que nous voyons à l'arrière-plan deux arbres qui forment une sorte d'ombrelle naturelle sur les deux femmes. Les points communs entre les deux œuvres sont si évidents que Michèle Haddad n'a pas de mal à nous convaincre, dans le dossier comparatif rassemblé par ses soins, que « Courbet ne s'est pas contenté de regarder l'illustration », il « s'est fortement inspiré du roman [48] ». Deux éléments diffèrent cependant : l'emplacement de l'eau, située ici au premier plan, et la position de la jeune femme blonde qui regarde la belle endormie au lieu d'être plongée dans ses pensées comme chez Courbet. Cette filiation directe avec George Sand, dont il connaissait la fille Solange, épouse du sculpteur Clésinger, aurait pu inciter Michèle Haddad à quitter le terrain des interprétations moralisantes qui ont submergé le tableau – comme celle de Castagnary par exemple, qui voit dans ces *Demoiselles* un pendant aux *Demoiselles de village* (plutôt qu'aux *Casseurs de pierres*, comme le pensait Proudhon), car « celles-ci sont vertueuses. Celles-là sont vouées au vice [49] » –, pour celui du fouriérisme, point commun entre les deux artistes. Au lieu de quoi, elle termine sur une analyse du jeu de mots du titre, privant le tableau de son principal intérêt : sa position inaugurale dans la série consacrée à l'érotisme féminin des « Deux Amies ».

Il s'agit bien d'érotisme féminin pour Courbet, car il n'emploie jamais dans ses titres les termes de lesbiennes, tribades, ou gougnottes, comme le fera un critique bruxellois à propos de *Vénus et Psyché*. Pour lui, *Vénus et Psyché*, ce sont « les Femmes [50] », et si *Le Sommeil* est aussi désigné par *Paresse et Luxure*, ce titre typique du XIXe siècle ne vient très certainement pas de lui.

48. Michèle Haddad, « Des origines littéraires pour des " demoiselles " bien réalistes. Courbet et George Sand », *Bulletin de la Société d'Histoire de l'Art français*, 1989, p. 159-167.

49. Cité dans *Courbet raconté par lui-même...*, *op. cit.*, tome I, p. 188.

50. Expression employée dans une lettre de Courbet citée dans le catalogue de l'exposition Courbet, *op. cit.*, p. 40.

Les Baigneuses, peintes en 1858, sont moins connues parce que d'une part elles ne furent pas exposées du vivant de Courbet et que, d'autre part, elles furent mutilées par les Allemands pendant la Deuxième Guerre mondiale. Ce tableau renoue avec l'atmosphère de tendresse qui caractérise sa première approche, comme si Courbet devait y ressourcer ses pinceaux avant de se lancer dans un sujet encore plus « immoral » : *Vénus et Psyché*. Le jury du Salon de 1864 ne lui donna d'ailleurs même pas une chance de salut, puisqu'il le refusa d'emblée, obligeant Courbet à l'envoyer à l'Exposition de Bruxelles où le critique de *Sancho* étala son incontestable supériorité morale en écrivant : « Est-ce que la commission de l'Exposition est bien certaine que le tableau de Courbet représentant Deux Gougnottes – les initiés comprendront ce mot inventé pour les besoins de la chose dans quelque lupanar de bas étage – était destiné à une exposition publique ? À une maison publique. À la bonne heure [51]. »

La bonne conscience bourgeoise, prompte à condamner le libertinage de la chair quand elle est émue par la beauté d'un nu féminin, parla de tout, sauf du titre, considéré comme un cache-sexe mythologique alors qu'il détient la clé de l'intérêt de Courbet pour la peinture du désir féminin. Car les représentations de Vénus et Psyché sont très rares dans l'histoire de l'art, contrairement à celles de Cupidon (le fils de Vénus) et Psyché dont les amours n'ont cessé de mobiliser l'imagination des artistes depuis les récit de Platon et d'Apullée dans *Les Métamorphoses* [52]. Dans le tableau de Courbet, la confrontation a lieu entre Vénus et Psyché, entre la mère de Cupidon et sa future épouse, sur le thème de la beauté ; car, nous dit le mythe, c'est en découvrant la beauté de Psyché endormie que Vénus conçut une jalousie intense pour cette mortelle qui osait

51. Cité par H. Toussaint dans le catalogue de l'exposition Courbet, *op. cit.*, p. 185. À propos de « gougnotte », l'auteur fait montre d'une connaissance approfondie de la littérature érotique masculine enfantée par son époque, puisque venait de paraître à Bruxelles *Deux gougnottes*, sténographie de Joseph Prud'homme (Henri Monnier), élève de Brad... Partout et nulle part l'an de joie 1864. Jules Gay donne la définition suivante du mot dans sa *Bibliographie des principaux ouvrages relatifs à l'amour, aux femmes et au mariage* : « Gougnotte est un terme populaire employé aujourd'hui pour désigner une femme entachée du vice lesbien. » C'est en quelque sorte l'ancêtre de « gouine ».

52. Voir Marie-Louise von Frantz, *L'Âne d'or. Interprétation d'un conte*, La Fontaine de Pierre, 1981.

rivaliser avec une déesse. C'est ce moment que Courbet a choisi, celui où Vénus soulève le rideau, voit la belle Psyché endormie et trame sa perte. Cupidon interviendra plus tard dans le récit, puisque c'est grâce à son amour pour la jeune mortelle que Vénus lui pardonne et accepte leur mariage, non sans l'avoir fait passer par de nombreuses aventures initiatiques amplement traitées par les peintres. Si nous analysons le mythe à un autre niveau, nous pouvons dire que Courbet traite de la fascination de la beauté formelle (Vénus) pour l'âme des choses (Psyché), ou plus précisément de la rivalité entre la beauté idéale, devenue académique au XIXe siècle, et le réalisme.

Castagnary a bien senti le problème dans sa description du tableau : « Sur un lit de repos, dans la pénombre d'un jour étouffé par de pesants rideaux, une jeune fille est endormie. Aucun rayon de lumière ne glisse sur son visage, ses beaux seins et son flanc pur ; ses cheveux blonds sont épars, sa main droite repose, étendue. Une femme brune, nue en partie, s'est approchée et, soulevant la draperie qui cache la dormeuse, la regarde d'un œil allumé par le désir ou la jalousie [53]. » L'œil allumé par le désir *ou* la jalousie... Toute la question est là. Car Courbet a beau s'affirmer peintre de son temps, faire construire un « Pavillon du Réalisme » pour accueillir ses œuvres rejetées par le jury de l'Exposition universelle de 1855, lancer des manifestes contre le beau idéal, il est aussi un héritier du XVIIIe siècle français et de la tradition d'un Rubens, d'un Titien et des grands peintres du nu féminin.

Comme si Castagnary était gêné d'avoir soulevé lui-même ce coin du voile qui fait apparaître l'enjeu esthétique du thème mythologique, il termine son texte par une leçon de morale politique : « Dans le tableau il n'y a pas le moindre geste indécent, pas la moindre attitude lubrique. Il n'y a même pas de nudité complète, aussi personne ne devait comprendre. Courbet, lui, avait eu une intention. Il poussait à sa façon un cri d'alarme. Il disait à la bourgeoisie de son temps : " Vous tolérez l'Empire, prenez garde : voilà les femmes qu'il est en train de vous faire. " »

53. Castagnary, manuscrit inédit publié dans *Courbet raconté par lui-même...*, *op. cit.*, p. 188.

La nudité complète, c'est dans *Le Sommeil* que Courbet va se permettre de l'aborder grâce à la commande de Khalil Bey, ancien ambassadeur Turc qui possédait déjà *Le Bain turc* d'Ingres. Il désirait une copie de *Vénus et Psyché*, mais Courbet proposa « autre chose » ; ce fut *Le Sommeil*, autrement dit après... l'avant... L'aspect secret de la commande fit le reste... lui apportant la liberté intérieure nécessaire à ce dépassement sublime de la morale du XIXe siècle. Point d'aboutissement de sa recherche, *Le Sommeil* la récapitule dans une sorte d'épiphanie des qualités intemporelles du peintre. Pour la première fois, les deux amies sont nues, allongées sur un lit, enlacées ; elles dorment. Nul ne sait si elles dorment du sommeil de Psyché survenu après avoir ouvert la boîte d'onguents demandée par Vénus, ou du sommeil de la conscience qui ne doit pas voir l'Amour afin que l'âme reste unie à son bonheur charnel ; mais ce thème même de la femme endormie, sans défense, exposée aux convoitises masculines, dont le sommeil cependant ouvre l'accès à un autre monde, est un des thèmes récurrents de l'œuvre de Courbet et surtout de ses premiers autoportraits – *L'Homme blessé* ou *Sieste champêtre* –, montrant le lien intime qu'il a noué à travers son travail de peintre avec les lesbiennes. Avec une caractéristique supplémentaire dans ce tableau, c'est que le voyeur est impliqué dans son propre voyeurisme du fait qu'il se voit contraint de ne pas déranger leur sommeil sous peine de briser le charme de cette union.

Il serait tentant de penser que l'artiste républicain s'identifie aux lesbiennes dans un acte de protestation contre les ravages de la morale religieuse et napoléonienne. *Le Retour de la Conférence*, refusé au Salon de 1863 « pour cause d'outrage à la morale religieuse » et qui ne fut même pas admis au Salon des Refusés, participerait de cette protestation. Mais celui-ci va plus loin encore parce qu'il s'agit d'un nu. On a souvent reproché à Courbet la vulgarité de ses nus féminins, de ces corps de femmes aux hanches massives de percheronnes, traitées avec réalisme, c'est-à-dire dans leur « grandeur animale et sensuelle », comme l'écrit Kenneth

Clark[54]. Or rien de tel dans cette œuvre qui frappe surtout par la forte spiritualisation de l'érotisme féminin. Ici, pas d'œil allumé par le désir ou la jalousie, pas de jeux de lumière qui font ressortir la nudité de Psyché en écho, si l'on peut dire, au mythe de la caverne platonicienne. C'est la tradition du XVIIIe siècle retrouvée et comme épurée par sa confrontation avec la morale religieuse, celle où le plaisir est sans péché et répond au libre jeu de l'amour. Les deux petites natures mortes qui encadrent le lit participent de cette jubilation du peintre en train de conquérir sa propre liberté. C'est en libertaire que Courbet peint les « Deux Amies », celui qui renoue avec le Fourier de sa jeunesse, avec le républicain de 1848, avec la pensée sociale de Proudhon, pour s'épanouir dans une œuvre qui intègre l'héritage libertin du XVIIIe siècle tout en l'épurant.

Finalement, c'est le prosaphien qui a peint ce tableau. Un prosaphien fasciné par le corps féminin, auquel il redonne sa singularité en s'autorisant « le plaisir presque défendu[55] » de lui rendre hommage en pleine décadence du nu. Étrange coïncidence... C'est au moment même où Courbet tente de renouveler le nu en créant un choc émotif dû au sujet que Manet donne des coups décisifs au nu académique en peignant *Olympia*. Le choc, cette fois, ne vient pas de l'érotisme interdit ni de la nudité provocante du modèle, mais, comme l'écrit K. Clark, du fait que Manet a « placé sur un corps nu un visage d'une personnalité si accusée [qu'il] remet en question le principe même du nu[56] ». Autrement dit, dans un cas comme dans l'autre, le choc vient de la singularité de la situation qui s'oppose à la beauté idéale professée par l'académisme. « Il est tombé dans l'exception », disait de Lepinois des *Demoiselles*. Manet aussi, et quand on sait que Victorine Meurent, le modèle, était non

54. Kenneth Clark, *Le Nu*, Hachette, coll. Pluriel, tome II, p. 255.

55. Expression de Pierre Schneider dans « Le mythe de Psyché dans l'art français depuis la Révolution », *Revue de l'Art Ancien et Moderne*, octobre et novembre 1912. Malheureusement, il ne développe pas cette question de Vénus et Psyché. Voir aussi pour *Le Sommeil* l'article de Linda Nochlin dans *Courbet Reconsidered*, exposition du Brooklyn Museum Faunce, 1988, p. 37 *sq.* Nochlin l'aborde sous l'angle de la transgression comme centrale à la stratégie du modernisme français. Elle propose de lire dans *Le Sommeil* « the transgressive content of the work as a metaphor for the transgressive formal practices involved ».

56. Kenneth Clark, *op. cit.*, tome I, p. 258.

seulement peintre, mais lesbienne [57], on s'aperçoit que l'exception féminine devient un des vecteurs de la révolution artistique du XIXe siècle.

Courbet a tellement conscience de transgresser un système politico-moral de normes artistiques qu'il en abandonne son réalisme. L'émotion ressentie affleure, vibre, se spiritualise et donne à ces *Deux Amies* une aura colorée assez exceptionnelle dans son œuvre.

Devant cette fascination pour la beauté des lesbiennes endormies, fascination qui nous paraît aux antipodes de celle que Baudelaire éprouva pour les femmes damnées, on se demande si Courbet ne poursuivait pas inconsciemment un projet émancipateur. On pourrait le penser à la lecture du texte suivant, écrit en 1861 : « En concluant à la négation de l'idéal et de tout ce qui s'ensuit, j'arrive en plein à l'émancipation de l'individu, et finalement à la démocratie. Le réalisme est par essence l'art démocratique [58]. »

Émanciper l'individu femme pour Courbet, n'est-ce pas libérer son corps du carcan académique qui l'enferme dans des schémas « idéaux » et des comportements convenus ? Dans le sillage de Fourier et du saint-simonisme, Courbet fait ainsi éclater la collusion entre le politique et l'artistique à son point de résistance le plus faible : l'érotisme lesbien. L'archétype de la femme émancipée du XIXe siècle devient à travers Courbet un nouveau modèle d'érotisme féminin qui va connaître un développement considérable dans la première moitié du XXe siècle. De Rodin à Bourdelle, de Toulouse-Lautrec à Foujita, en passant par Louise Breslau, Marie Laurecin, Pascin, Tamara de Lempicka et Mariette Lydis, on ne compte plus les œuvres représentant sous le titre des *Deux Amies* deux femmes nues tendrement enlacées. L'attirance pour ce sujet provocateur et « d'avant-garde » est si grande que les *Deux Amies* vont presque totalement éclipser les *femmes damnées*, maintenues par la seule vitalité de l'édition illustrée. C'est ainsi que Rodin réalise en 1885 pour Gallimard ses premiers dessins saphiques destinés à une édi-

57. Voir Eunice Lipton, *Alias Olympia*, A woman's search for Manet's notorious Model and her own Desire. A Meridian Book, New York, 1994 ; et « Women, Pleasure and Painting », *Genders*, 7, 1990, p. 69-86.

58. *Courbet raconté par lui-même...*, tome II.

tion illustrée des *Fleurs du Mal*. Or sa découverte du thème baudelérien coïncide avec sa rencontre de Camille Claudel, ce qui explique probablement sa fascination pour l'érotisme de la femme d'exception qu'il traite dans la sculpture à travers *Les Bacchantes*, *Les Métamorphoses d'Ovide*, ses couples de *Femmes enlacées* et dans ses fameux dessins saphiques.

En revanche, la fascination de Toulouse-Lautrec pour les « Deux Amies » procède plus d'une frustration, génératrice de fantasmes, que d'une admiration pour la femme d'exception ou d'un projet émancipateur. Ses « amies » se rencontrent d'ailleurs presque exclusivement dans les bordels et ses tableaux sont « réservés aux messieurs qui voulaient les examiner ou en faire l'acquisition confidentiellement [59] ». Ce qui ne l'empêchera pas d'être victime, lui aussi, de la morale bourgeoise lorsqu'en 1892 Le Barc de Boutteville sera sommé par la police d'enlever de la vitrine de sa galerie une des *Lesbiennes* de Lautrec [60].

Domaines de l'Amitié (R. Bonheur,
L. Breslau, N. Clifford Barney)

Le fait nouveau en ce XIXe siècle émancipateur est l'apparition des premières artistes lesbiennes qui vont, à la suite de Rosa Bonheur, oser représenter leur propre vision de l'amitié entre femmes. Bien avant Renée Vivien et Natalie Clifford Barney, la Suissesse Louise Breslau, arrivée à Paris en 1877, expose plusieurs portraits d'« amies » qui se prolongeront par des autoportraits avec sa compagne Madeleine Zillhardt.

Mais si une femme a ouvert la voie de l'indépendance aux femmes artistes du XIXe siècle, fait preuve d'audace et de courage identitaire en vivant ouvertement pendant cinquante ans avec Nathalie Micas, c'est bien Rosa Bonheur. Dans l'atmosphère moraliste de son époque, elle constitue même un cas d'espèce, une expé-

59. Richard Thomson dans *Toulouse-Lautrec*, catalogue de l'exposition du Grand Palais, 18 février-1er juin 1992, Éd. de la Réunion des Musées nationaux, p. 428.
60. *Ibid.*, p. 429.

rience unique, le paradoxe vivant et incontestable qu'une femme peut réussir dans son art tout en transgressant les conventions sociales les plus unanimement admises.

Née à Bordeaux en 1822, Rosa est la fille d'un saint-simonien, Raymond Bonheur, peintre et professeur de dessin, qui emmène sa famille à Paris en 1929 dans l'espoir de trouver du travail après la mort de leur protecteur. Dès l'année suivante, il figure sur la liste des affiliés au saint-simonisme et n'hésite pas, deux ans plus tard, à rejoindre la communauté du Père Enfantin à Ménilmontant, laissant ses enfants à la charge de son épouse, Christine Marchisio, qui mourra d'épuisement l'année suivante. Rosa Bonheur n'en conçoit aucune amertume envers son père, bien au contraire ; portant en elle l'image de sa mère au travail, elle puisera dans le message émancipateur de son père sa propre légitimité de femme artiste libre de vivre hors du mariage.

À sa biographe Anna Klumpke, venue habiter au château de By après la mort de Nathalie Micas, en 1889, elle dira, quarante ans après la disparition de son père : « Pourquoi ne serais-je pas fière d'être une femme ? Mon père, cet apôtre enthousiaste de l'humanité, m'a bien des fois répété que la mission de la femme était de relever le genre humain, qu'elle était le Messie des siècles futurs. Je dois à ses doctrines la grande et fière ambition que j'ai conçue pour le sexe auquel je me fais gloire d'appartenir et dont je soutiendrai l'indépendance jusqu'à mon dernier jour. Du reste, je suis persuadée qu'à nous appartient l'avenir.

« Comme Rachel, comme George Sand et tant d'autres, j'aurais pu, assurément, profiter de la tolérance dont bénéficient vis-à-vis de l'opinion des femmes qui se distinguent dans les sciences et dans les arts, et l'on aurait pu dire de moi tout ce que l'on eût voulu. Au lieu de cela j'ai toujours mené une vie honorable, je suis restée pure et je n'ai jamais eu ni amants ni enfants [61]. »

Sublime Rosa Bonheur, pour qui l'honneur consiste à aimer une femme ! Sa façon d'affirmer son individualité est tout entière conte-

61. Cité par Anna Klumpke, *Rosa Bonheur, sa vie, son œuvre*, Paris, Flammarion, 1908, p. 311.

nue dans cette réflexion qui ferait sourire si elle n'émanait d'une femme vivant sous le joug du Code civil napoléonien.

« Souvent je me suis enfermée dans la chambre de Natalie (après sa mort) pour songer aux côtés tragiques de ma vie. Quelle aurait été mon existence sans le dévouement et l'affection de cette amie !... Et pourtant on a cherché à rendre suspecte l'affection que nous éprouvions l'une pour l'autre. Il semblait extraordinaire que nous fassions bourse commune, que nous nous soyons légué réciproquement tous nos biens. Si j'avais été un homme je l'aurais épousée et l'on n'eût pu inventer toutes ces sottes histoires. Je me serais créé une famille, j'aurais eu des enfants qui auraient hérité de moi et personne n'aurait eu le droit de réclamer [62]. »

Rosa Bonheur et Nathalie Micas se rencontrèrent dès leur jeunesse, à l'âge de quatorze ans, dans l'atelier de Raymond Bonheur où la mère de Nathalie était venue commander le portrait de sa fille. Immédiatement attirées, les deux jeunes filles vont se voir tous les jours dans l'atelier jusqu'à ce que Rosa emménage chez les Micas après le remariage de son père. Nous sommes en 1844. Entre-temps, Rosa Bonheur débute au Salon (1841), et elle obtient sa première médaille (Troisième classe) en 1845 en exposant des brebis, vaches, taureaux et béliers. Trois ans plus tard, en pleine révolution, elle obtient la médaille d'or, victoire décisive pour cette jeune fille de vingt-six ans car elle va légitimer les idées saint-simoniennes de son père et, à travers son amour pour lui, affermir son goût de l'indépendance qui ira jusqu'à la transgression de tous les modèles de réussite pratiqués par les femmes artistes. Ainsi :

– Fille d'un « utopiste », elle se révélera une vraie saint-simonienne dans sa capacité à anticiper l'avenir et dans son admiration pour la liberté des femmes aux États-Unis. « Je n'ai jamais consenti à aliéner ma liberté », dit-elle ;

– elle ne veut pas se marier ;

– elle vit avec une femme, Nathalie Micas, sa compagne de toujours, avec laquelle elle fonde à partir de 1859, dans leur demeure

62. *Ibid.*, p. 358.

du château de By, située à la lisière de la forêt de Fontainebleau, « le domaine de la parfaite amitié » ;

– elle veut rester indépendante, et le restera. Elle s'habille en homme à partir de 1851 pour voyager et fréquenter les abattoirs où elle étudie les animaux. Elle quitte le Salon quand il ne lui apporte plus rien. Elle innove dans sa carrière en s'associant à un marchand qui vend ses œuvres en Angleterre et en Amérique du Nord.

Cet anti-modèle, non conformiste, peintre animalier, la première en France à égaler les hommes dans ce genre, va réussir la plus belle carrière qu'une femme puisse envisager au XIXe siècle. D'abord, elle rivalise avec les plus grands, tant par le nombre des médailles que par la notoriété internationale et l'argent gagné. Elle dispose d'une puissance d'affirmation sans pareille, mais qui nécessite, pour s'imposer, de rompre avec les conventions. Jusqu'en 1855, elle participe régulièrement au salon, obtient une deuxième médaille d'or à l'Exposition universelle, et n'y participe plus jusqu'à celle de 1867. « M. Tedesco et M. Gambart, [...] mettaient une telle hâte à s'emparer de mes peintures à peine sèches, qu'ils m'avaient rendu impossible toute participation aux Salons [63] », dit-elle pour expliquer sa « défection ».

Mais c'est surtout l'aventure du *Marché aux chevaux de Paris* qui va être le détonateur de cette prise d'indépendance, assez unique pour l'époque. Car si *La Fenaison*, commande d'État, lui procure la médaille d'or à l'Exposition universelle de 1855, où le tableau restera accroché six mois, *Le Marché aux chevaux de Paris*, contribue beaucoup plus à sa notoriété internationale en lui ouvrant les frontières : la France le laisse partir, déconcertée par le gigantisme de l'œuvre (cinq mètres de long) et la maîtrise avec laquelle Rosa Bonheur traduit la force du bras humain domptant la vitalité animale.

L'aventure commence par le refus de l'État de lui commander cette œuvre (après le coup d'État de Napoléon III). Le duc de Morny, qui avait à choisir sur esquisse entre les chevaux du marché et les bœufs de *La Fenaison*, déclare à Rosa Bonheur : « Vous vous

63. *Ibid.*, p. 227.

êtes rendue célèbre par les représentations que vous avez données de diverses scènes de la vie des bœufs et des moutons, mais votre pinceau s'est trop rarement occupé des chevaux pour que nous vous chargions de peindre une scène aussi mouvementée qu'un Marché aux Chevaux. Nous n'avons pas assez vu de ces animaux peints par vous [64]. » Elle le réalise malgré tout. Exposé au Salon de 1853, il obtient un « succès fou » qui lui vaut d'être exemptée de jury ; mais n'arrivant pas à le vendre, elle le propose au musée de Bordeaux, sa ville natale, qui trouve ses « prétentions trop élevées » et refuse. C'est alors qu'apparaît un marchand de tableaux anglais, M. Gambart, qui le lui achète au prix de quarante mille francs, avec les droits de la vente des gravures. M. Gambart fait faire au tableau une tournée en Angleterre et le vend trois cent mille francs à un Américain, M. Wright, qui le revend ensuite. En 1887, le tableau passe aux enchères et atteint le prix de deux cent soixante-huit mille francs. C'est M. Cornelius Vanderbilt qui « paya de cette somme le plaisir d'en faire don au musée Metropolitan de New York [65] », où il est aujourd'hui exposé en bonne place.

Dernier effet de sa singularité, Rosa Bonheur est la première femme a être nommée Chevalier dans l'ordre de la Légion d'honneur « pour son talent artistique ». L'impératrice Eugénie, qui en fait une affaire personnelle, lui remet la décoration le 8 juin 1865, en disant : « Je suis toute heureuse d'être la marraine de la première femme artiste qui reçoive cette haute distinction. J'ai voulu que le dernier acte de ma régence fût consacré à montrer qu'à mes yeux le génie n'a pas de sexe [66]. »

Si l'impératrice restaurait par cet acte l'ancien lien de solidarité féminine entre le pouvoir d'État et la femme artiste qui avait été si bénéfique au XVIIIe siècle, elle le renouait à un niveau bien plus bas, révélateur de la régression du statut politique des femmes. Car ce qui apparaît comme une révolution au yeux de la France du Second Empire, s'inscrivait en fait dans la série déjà longue des reconnaissances officielles données à Rosa Bonheur depuis déjà dix

64. *Ibid.*, p. 223.
65. *Ibid.*, p. 228.
66. *Ibid.*, p. 264.

ans par les pays et académies étrangers depuis 1854, en Europe comme aux États-Unis.

Mais il ne faudrait pas croire que pendant ce temps-là, son « inséparable amie [67] » jouait le rôle d'une épouse effacée. Une gravure de Hattelin et Régnier datant de 1852 la représente dans l'atelier de Rosa Bonheur où l'on voit au premier plan un cheval, des brebis, des têtes d'animaux empaillées, du foin, une charrette, des outils et, dans l'atelier proprement dit, les deux amies installées chacune devant un chevalet... car Nathalie était peintre de natures mortes et aida beaucoup Rosa Bonheur dans la préparation de son travail. C'est elle aussi qui inventa le frein à patins dont elle fait une première expérimentation en 1862 dans le parc de leur domaine, à By, mais faute de compétences commerciales elle ne réussit pas à vendre le brevet à la Compagnie de chemins de fer. Elle est également de tous les voyages, en France (en Auvergne et dans les Pyrénées) comme à l'étranger (en Prusse et en Angleterre).

« L'amitié de ces deux femmes, Nathalie et sa mère, a contribué pour beaucoup au développement de mon talent », confie Rosa Bonheur à sa biographe, et ajoute : « Bien des auteurs de talent ont écrit à mon sujet une foule d'anecdotes. Malheureusement mes biographes ont toujours laissé dans l'ombre l'amitié que j'ai éprouvée pour ma chère Nathalie et le culte que j'ai voué à la mémoire de ma pauvre mère. À ceux qui m'interrogeaient, j'ai toujours répondu avec la plus entière bonne foi ; cependant, je ne pouvais jamais oublier que je parlais à des hommes. Si je vous ai choisie pour être mon interprète auprès de la postérité, c'est parce que vous êtes une femme et que je puis m'ouvrir à vous avec une confiance plus entière. Vous comprendrez que Nathalie et ma mère ont formé à elles deux mon étoile polaire. Vous saurez exprimer mes pensées avec toute la délicatesse qui est le privilège de notre sexe. D'autre part vous appartenez à la nation américaine. C'est là que la femme

67. L'expression est employée par Léon Sarty dans *Nice d'antan. Notes et souvenirs*, Nice, Jos. Isnard Éd., 1921, p. 193. Rosa Bonheur louait la Villa Africaine à Nice. Je remercie Nadine Bovis-Aimar, de la bibliothèque du Chevalier de Cressole, à Nice, pour me l'avoir signalée.

occupe depuis longtemps la situation exceptionnellement favorable que j'ai toujours rêvée pour mes sœurs françaises. Mon féminisme et mon costume ne sont pas faits pour vous surprendre. Vous en expliquerez facilement les causes. Je vous dirai tout [68]. »

On a souvent édulcoré la peinture de Rosa Bonheur, qui fut même qualifiée de « Bougereau des vaches », bien qu'elle n'ait rien d'une sentimentale. En fait, si elle partage avec George Sand le même amour des bêtes, de la nature et de la vie bucolique, c'est surtout l'énergie contenue dans l'animal qui l'attire, sa force, sa vitalité et souvent sa violence ; *Le Marché au Chevaux*, *La Bousculade* (1867), *Le Duel* (1895), *La Foulaison du Blé en Camargue* [69] (1875-1899) ne sont-ils pas l'œuvre d'une lionne obligée par son époque de vivre dans une bergerie, plutôt que l'expression d'une tendre amie de la nature ? Elle a transposé sur l'animal l'énergie émancipatrice qui l'anime, retrouvant la force primitive de l'instinct de vie qui manquait tant à ses contemporaines pour l'insuffler dans ses œuvres au moyen d'une technique de dessin remarquable qui annonce l'hyperréalisme. « Nos beautés timides de la vieille Europe se laissent trop facilement conduire à l'autel comme les brebis allaient jadis au sacrifice dans les temples païens », déplorait-elle [70]. Mais pour retrouver cette Rosa Bonheur-là, encore faudrait-il avoir plus souvent accès à ses œuvres grandioses qui dorment dans les réserves des musées français.

Rosa Bonheur mourut à l'aube du XXe siècle et se fit enterrer aux côtés de Nathalie dans le caveau qu'elle avait soigneusement préparé au Père-Lachaise en faisant graver ces mots : « L'amitié c'est l'affection divine. » « Cette affection divine ne vieillit pas, commenta-t-elle, elle dure au-delà de notre existence terrestre. Rien n'est aussi grand ni aussi pur. L'amitié de l'âme est la vraie parenté ; elle est supérieure à celle que Dieu nous donne, puisqu'au lieu de l'accepter de ses mains nous la choisissons nous-mêmes [71]. »

68. A. Klumpke, *op. cit.*, p. 124.
69. Ce tableau (313 x 654 cm) se trouve dans la réserve du musée de Fontainebleau.
70. *Ibid.*, p. 125.
71. *Ibid.*, p. 123. Le Domaine de la Parfaite Amitié est ouvert au public grâce aux descendants d'Anna Klumpke et de la ville de Thomery. L'atelier-musée Rosa Bonheur se

Amitié ou amour... ? Si le secret fut bien gardé, quoiqu'il souffrît certaines entorses, comme nous le verrons plus loin, on ne peut s'empêcher de lui demander, à la suite de George Sand : mais quel est ce prétendu amour d'amitié ? Le chemin peut être enfin ouvert vers l'indépendance, nous répondrait certainement Rosa Bonheur en nous invitant à mieux voir dans son œuvre comment une femme si proche de l'animal ne fut pas si loin du désir amoureux.

« Ah ce premier été passé tout entier à l'atelier Julian, sous les toits de plomb du passage des Panoramas, à dessiner, quel bonheur suprême ! À Paris donc, une femme artiste n'était pas un monstre, une toquée, une téméraire orgueilleuse ; on en parlait comme d'une privilégiée, on l'aimait, on la fêtait [72]. »

Et de fait, dans ce monde où la séparation entre les sexes est le fondement de toute organisation sociale, Louise Catherine Breslau commence une aventure artistique et humaine qui va lui permettre d'affirmer l'importance de « l'amitié » entre femmes dans la création, tout en prouvant qu'une lesbienne peut réussir une belle carrière de portraitiste mondaine.

Née à Munich en 1856, elle passe sa jeunesse en Suisse où son père, médecin-chef dans un hôpital, meurt quand elle a sept ans. Souffrant d'asthme, on l'envoie se soigner dans les montagnes, sans succès, et c'est à Paris, où elle arrive en 1876 avec sa mère, qu'elle guérit définitivement. Tout de suite, elle s'inscrit à l'Académie Julian, seul endroit de la capitale où les femmes peuvent étudier d'après le modèle vivant et qui va jouer pour cette raison un rôle exceptionnel dans l'émancipation sociale et artistique des femmes jusqu'à la Première Guerre mondiale. C'est là qu'est formée la première génération d'artistes féministes qui conquiert places et médailles dans les Salons. Quand Louise Breslau s'inscrit, l'atelier

visite les mercredis et samedis après-midi (tél. : 60-70-06-19). Il contient les souvenirs de l'artiste, les œuvres inachevées, son portrait par Anna Klumpke et bien d'autres choses... Voir M.-J. Bonnet, « Le musée de l'atelier de Rosa Bonheur », *Lesbia Magazine*, juillet-août 1994.

72. Louise Breslau, *Extrait d'une causerie dans un cercle féminin*, cité par Madeleine Zillhardt, *Louise Catherine Breslau et ses amis*, Éditions des Portiques, 1932, p. 246.

des filles vient tout juste d'ouvrir. Ses compagnes se nomment Amélie Beaury-Saurel, portraitiste de Séverine notamment, et future épouse de Julian ; Jenny Zillhardt, sœur de Madeleine, avec laquelle Louise Breslau vivra presque quarante ans ; Sarah Purser, Irlandaise qui fondera dans son pays une association pour rénover l'art du vitrail ; Sophie Schoeppi, qui vient de Suisse ; Alice Brisbane, Magdeleine del Sarte, Marthe Brandes, Claire Canrobert, la future baronne de Navacelle ; et bien sûr Marie Bashkirtseff, dont l'œuvre littéraire et artistique témoigne avec une singulière spontanéité de ses aspirations à l'indépendance. Dans son merveilleux *Journal,* où elle parle de l'Atelier tous les jours, elle retrouve l'éloquence sauvage de Rosa Bonheur pour revendiquer « l'indépendance absolue dans la vie ordinaire, la liberté d'aller et venir, sortir [...] d'aller à pied au bois ou au café ; cette liberté-là est la moitié du talent et les trois quarts du bonheur ordinaire. [...] La femme qui s'émancipe ainsi, la femme jeune et jolie s'entend, est presque mise à l'index ; elle devient singulière, remarquée, blâmée, toquée, et par conséquent, encore moins libre que ne choquant point les usages idiots [73] ».

Fauchée par la tuberculose, à l'âge de vingt-cinq ans, en 1884, Marie Bashkirtseff n'aura pas le temps de donner la vraie mesure de son talent, dont on pressent toutefois la vitalité dans son *Autoportrait à la palette,* conservé au musée Jules-Chéret de Nice. Elle aura le temps cependant de rencontrer Hubertine Auclert (en 1880), d'adhérer à sa société Le Droit des Femmes et de financer son journal, *La Citoyenne,* où elle publie un des premiers textes dénonçant l'exclusion des femmes de l'École des beaux-arts. Confrontée, à l'Académie Julian, à un milieu si différent du sien, cette jeune fille qui avait l'habitude de tomber amoureuse des princes et adorait les mondanités découvre l'importance du milieu dans l'élaboration d'une œuvre : « Breslau est pauvre, écrit-elle dans son *Journal,* mais elle vit dans une atmosphère éminemment artistique. La meilleure amie de Maria est musicienne ; Schoeppi est originale, quoique commune, et il y a en plus Sarah Purser, peintre et philosophe,

73. Marie Bashkirtseff, *Journal,* Éditions Mazarine, 1980, p. 572.

avec laquelle on a des discussions sur le kantisme, sur la vie, sur le *moi* et sur la mort qui font réfléchir et qui gravent dans l'esprit ce qu'on a lu ou entendu [...] je constate que l'aisance empêche le développement artistique et que le milieu dans lequel on vit est la moitié de l'homme [74]. »

Beaucoup plus sensible à « cette originale personnalité » qu'elle ne le prétend, Breslau écrira à l'occasion de la première rétrospective consacrée à Marie Bashkirtseff, qui rassemblait quelque cent cinquante œuvres : « Nous la voyons elle-même en ces œuvres incomplètes, violente, barbare, mais personnelle [75]. » Quant à Marie, si ses relations avec Breslau sont animées d'un constant sentiment de rivalité, nécessaire apparemment à sa dynamique créatrice, elle est capable de ressentir les émotions les plus inattendues, comme celle qu'elle exprime un jour devant une des toiles de son amie : « Breslau a peint une joue si nature et si vraie, que moi, femme, artiste rivale, j'ai eu envie d'embrasser cette joue de femme [76]. »

C'est dans ce milieu international de femmes cultivées, courageuses et célibataires, que Louise Breslau va puiser les éléments nécessaires à sa propre émancipation de femme et d'artiste. Dès 1881, elle peint son premier *Portrait des Amies*. On y voit, à gauche, de profil, Maria F. ; au centre, Sophie Schoeppi, vêtue d'une robe noire agrémentée d'une large dentelle blanche ; et à droite, elle-même, vue de dos, en train de travailler devant son chevalet. Breslau n'a pas osé se représenter seule avec son amie Maria, jeune chanteuse italienne pour laquelle elle éprouvait alors « une amitié passionnée » et à laquelle elle livrera au cours d'un voyage en Suisse sa conception de la vie : « Je reviens d'une partie sur le lac, la lune plongeait dans l'eau troublante et la silhouette si variée des montagnes ne se dessinait qu'en rêve sur le lac profond du firmament. Mon amie, donne-moi la main et traversons fidèlement les ténèbres de la vie [77]. »

74. *Ibid.*, à la date du 18 décembre 1881, p. 572.
75. Cité par M. Zillhardt, *op. cit.*, p. 234.
76. Journal de Marie Barhkvitseff, 21 novembre 1878, *op. cit.*, p. 387.
77. Cité par M. Zillhardt, *op. cit.*, p. 250.

Cette œuvre de jeunesse fut importante dans sa carrière. Considérée comme « très révolutionnaire, à une époque où régnait Bouguereau [78] », elle lui valut une médaille d'honneur au Salon des artistes français où elle fut exposée, et lui attira ses premières commandes.

D'autres portraits joueront un rôle important alors. Celui du sculpteur Carries et surtout celui du poète Dawison, qui lui attira l'amitié de Degas. Contrairement à sa réputation de misogyne, Degas était attentif au travail des femmes. Parmi les artistes les plus importantes qu'il soutint, citons Mary Cassatt, Suzanne Valadon et, ce que l'on sait moins, Louise Breslau, comme elle le reconnaît dans un texte qui lui rend justice : « Degas, connu pour son peu de tendresse à l'égard des femmes, était cependant incapable de se montrer injuste envers leurs efforts artistiques, loin de là, seulement il avait sa façon à lui de les qualifier : " On dit que je suis méchant, me dit-il, mais qui donc regarde vos tableaux si ce n'est moi [79] ! " »

La singularité de Louise Breslau frappait tous ceux qui la rencontraient. « Son atmosphère était vivifiante, écrit Élisabeth de Gramont dans ses *Mémoires*. Échappant aux déviations que la mode et l'engouement font souvent subir aux artistes, concentrée sur sa peinture, elle exerçait sur son entourage une influence très pure et très élevée [80]. » Elle va ainsi imposer une nouvelle image de la femme artiste dégagée du mariage et de la maternité. À une époque où il faut être mariée – de préférence à un artiste – pour réussir, où Mary Cassatt inonde les expositions de ses maternités, attirant à Degas ce sublime commentaire : « C'est le petit Jésus avec sa nurse », Louise Breslau va montrer qu'une certaine émancipation sexuelle ne nuit pas à l'originalité, qu'elle permet même d'évoluer dans des territoires non répertoriés par les hommes. Octave Mirbeau le remarque dès 1885 en écrivant : « Parmi les artistes qui se possèdent, il faut citer une femme, Louise Breslau, dont les toiles

78. *Ibid.*, p. 39.
79. Cité par M. Zillhardt, p. 245.
80. Élisabeth de Gramont, *Mémoires*, tome II : « Les Marronniers en fleur », Paris, Grasset, 1929, p. 116.

ne rappellent aucune école, aucune tendance consacrée, et qui peint bien avec sa propre volonté et son fier talent d'observation et de méditation [81]. »

À cette époque, plusieurs changements surviennent dans sa vie affective sans que l'impulsion initiale ne dévie. Maria, qui habitait avec elle avenue des Ternes à Paris, la quitte pour épouser un ami du poète Dawison. Pour surmonter son chagrin, elle décide d'aller se ressourcer à l'Académie Julian, où elle rencontre Madeleine Zillhardt, qui décrit ainsi sa première impression en ouvrant la porte de l'atelier : « [...] les mèches rebelles de ses cheveux noirs et frisés voltigeaient autour d'un front puissant et volontaire, sous lequel étaient enchâssés des yeux verdâtres, largement entrouverts, au regard perçant et fixe comme celui de certains oiseaux sauvages, qui scrutaient le modèle avec une volonté si intense de compréhension qu'ils semblaient en absorber la forme et la couleur. Au bruit de la porte cette bizarre personne tourna la tête, un pli se creusa entre ses sourcils rapprochés, les coins de sa bouche, légèrement arquée aux lèvres serrées, s'abaissèrent un peu plus, et mécontente sans doute d'être dérangée dans son travail, elle me jeta un regard courroucé qui me fit battre précipitamment en retraite. » Mais le courroux fut vite apaisé et « c'est là que, travaillant l'une près de l'autre, commença entre nous une amitié qui ne devait finir qu'à sa mort, ou plutôt, je veux l'espérer, qui ne finira jamais [82] ».

Plusieurs tableaux témoignent de cette amitié si nécessaire à la création de Louise Breslau qu'elle ne se représentera jamais seule. Des portraits de Madeleine, bien sûr, qui « ressemble beaucoup à Saskia, la femme de Rembrandt jeune, confie Louise dans une lettre à Dawison. Elle a des cheveux délicieux, comme un nuage doré, et des yeux vagues, le nez retroussé et des lèvres épaisses, rose de camélia [83] ». Et surtout des scènes les représentant dans leur intimité, comme « son grand tableau du *Contrejour* qui devait, dans sa pensée, être l'image de notre vie amicale », rapporte Madeleine Zill-

81. Octave Mirbeau, *Écrits*, tome I, Paris, Séguier, 1994, p. 182.
82. M. Zillhardt, *op. cit.*, p. 34.
83. *Ibid.*, p. 252.

hardt [84], et qui représente Madeleine à droite, assise sur une chaise, un chat sur les genoux, et Louise Breslau, debout de face, inscrite dans le cadre d'une fenêtre. Quelques années plus tard, dans *La Vie pensive* (1908), un splendide chien de race, image de la fidélité, relie la belle Madeleine Zillhardt, assise d'un côté d'une table, à Louise Breslau, qui se représente à nouveau de dos, montrant juste son visage de profil. Mais ce sont surtout les deux œuvres présentées à l'Exposition universelle de 1889 – *Portrait des amies* et *Contrejour* – qui vont asseoir sa réputation de peintre de l'intimité féminine, dans un registre toutefois bien différent des intimités féminines classiques qui montrent des tendresses maternelles ou des scènes de la vie bourgeoise centrées sur des femmes prenant le thé ou faisant de la couture.

Comme l'indique le titre de *Contrejour*, ces toiles expriment la volonté de Breslau de montrer un autre regard sur la femme artiste, celui-là même que Berthe Morisot n'osera investir, une autre façon de vivre, voire une contre-position de son intimité. Élisabeth de Gramont a remarqué comment ce « goût pour l'intimité profonde était souvent contrarié par des tracas domestiques qu'elle prenait trop à cœur. D'autres fois elle était soulevée par le jaillissement d'un esprit démoniaque. L. C. Breslau était un être rare et marquait ses amis de son empreinte [85] ». Elle se représente donc dans son cadre, avec sa façon d'être, de créer, avec ses animaux familiers et la femme aimée, qui devient une présence indispensable à son activité créatrice. Son travail se conçoit dans l'altérité et la reconnaissance de la dualité. Elle a besoin de l'autre pour créer et ce thème dynamique qui s'impose à elle sous l'angle amoureux constitue l'élément essentiel de son développement artistique.

Mais le tableau où elle s'autorise vraiment l'expression de sa sensualité est encore celui des *Gamines* [86], peint dans le parc de la

84. *Les Amies, Effet de contrejour*, huile sur toile, 113 x 181 cm, S.D., *L. Breslau, 1888-21-XII*, musée de Berne, Suisse. Ces œuvres sont reproduites dans le livre d'Arsène Alexandre, *Louise Catherine Breslau*, 60 planches hors texte, Éditions Reider, 1928.

85. Élisabeth de Gramont, *op. cit.*, p. 117.

86. *Les Gamines* (1895). Huile sur toile, 108 x 122 cm. Musée de Carpentras. Voir M.-J. Bonnet, « Louise Breslau », *Lesbia Magazine*, juin 1994.

comtesse de Martel. Exposé une première fois en 1895, au Salon de la Société nationale des Beaux-Arts, il obtiendra une médaille d'or et lui vaudra la Légion d'honneur à l'Exposition universelle de 1900, où il est exposé dans la section suisse. Si ce n'est pas la première fois qu'elle aborde le thème de la dualité féminine, c'est la première fois que Louise Breslau ose allonger son modèle dans l'herbe verte, la tête reposant sur les genoux de la « gamine » qui la regarde affectueusement. C'est la première fois aussi qu'une femme artiste laisse transparaître une certaine sensualité de la femme pour la femme qui justifie ces mots d'Anatole France à son égard : « Vous savez beaucoup mieux que Zola ce que sont en réalité les jeunes filles et ce qui se passe dans leur âme. » Mais Zola, ici, est dépassé par l'aspect champêtre, joyeux et frais du propos. On pense aux *Demoiselles des bords de la Seine* de Courbet, peintes trente ans plus tôt, mais c'est peut-être la propre sensualité de Breslau qu'il faut évoquer devant cette scène, elle qui écrivait à son amie : « Oui les maîtres sont beaux, mais la nature et toi, c'est mieux pour vivre. C'est une envie de créer moi-même et de dire, à mon tour, un petit mot dans le grand concert des esprits qui chantent la beauté de ce qui existe. Ne fût-ce qu'un tout petit mot [87]. »

Voilà qui est dit ! et même si nous trouvons ce mot un peu timide au regard de Courbet, voire de Marie Bashkirtseff, il n'en reste pas moins que Louise Breslau inaugure un nouveau sujet chez les femmes artistes : la représentation du couple d'amantes placé sous le signe de l'amitié.

Au terme de ce parcours du XIXe siècle, une question se pose : pourquoi les lesbiennes ont-elles tant parlé d'amitié et si peu d'amour ?

Faut-il les prendre au mot et penser, à la suite de l'historienne américaine Lilian Faderman, qu'elles vivaient plus une « romantic friendship » qu'un « sexual love », position qui s'expliquerait assez bien dans le contexte de répression sexuelle propre à l'ère victo-

87. Cité dans M. Zillhardt, *op. cit.*, p. 250.

rienne[88] ? À première vue, cette conclusion s'accorderait effectivement avec les lettres de Flora Tristan à Olympe et Éléonore Blanc ou, comme nous venons de le voir, avec les propos rassurants de Rosa Bonheur sur la pureté de sa relation avec Nathalie Micas et leur « affection divine ».

Mais Rosa Bonheur n'a pas tout dit à sa biographe ; elle a tu notamment une aventure avec la cantatrice Miolan Carvalho qui sema une certaine discorde dans le « domaine de la parfaite amitié » entre 1866 et 1872. Danielle Digne cite ainsi une lettre de Rosa Bonheur à sa sœur Juliette Peyrol (qui était peintre également) dans laquelle elle s'excuse en disant : « Ce n'est pas notre faute si nous ne parvenons pas à surmonter notre nature. Je trouve que le vieil Adam est terrible en moi[89]. » Référence qui tendrait à montrer qu'elle a bien croqué la pomme...

Quant à Flora Tristan, le problème est d'une autre nature, si l'on peut dire. Pourquoi éprouve-t-elle le besoin de réfléchir à « l'ineffable amour » qu'a suscité la rencontre d'Éléonore Blanc ? Cette jeune blanchisseuse, mariée qui plus est, qu'elle rencontre pendant son tour de France, peu avant sa mort, aurait pu être aimée comme une sœur. Mais le bonheur est si fort, l'élan si troublant qu'elle se résout à en analyser la nature dans son *Journal* :

« Chaque fois qu'elle me regardait, il s'échappait de ses beaux yeux noirs à l'expression amoureuse et fière des regards d'ineffable amour, c'était de l'amour surhumain, quelque chose de pur, d'élevé, de vrai, des regards enfin tels que doivent en avoir les anges et tels que je n'en avais encore jamais rencontré sur la terre. [...] J'en éprouvai un tel ravissement que je me contentai d'en jouir avec bonheur sans chercher à comprendre. [...]

« Cette nuit j'ai cherché à comprendre ce que cette enfant avait éprouvé à mon sujet et ce que moi-même j'avais éprouvé et j'ai eu la révélation qu'un nouvel amour plus grand, plus sublime que tous les amours connus jusqu'à ce jour allait éclore dans l'humanité.

88. Voir Lilian Faderman, *Surpassing the Love of Men. Romantic Friendship and Love Between Women from the Renaissance to the Present*, London, Junction Books, 1981.
89. Citée par Danielle Digne, *Rosa Bonheur ou l'insolence*, Paris, Denoël-Gonthier, 1980, p. 120. Voir aussi Christian Gury, « Les bonheurs de Rosa Bonheur », *Arcadie*, juin 1982.

Quel nom donnera-t-on à cet amour ? Je ne sais encore. Oh, quel sublime amour ! celui-là n'aura pas de sexe. [...]

« Il se passe entre Éléonore et moi ce qui se passait entre Jésus et saint Jean. Il vivait en son maître parce que son maître avait la puissance de vivre en lui. De même Éléonore vit en moi parce que j'ai eu la puissance de m'incarner en elle. Je me rappelle maintenant la mine que faisait son mari en la voyant pleurer... il ne comprenait pas et pourtant il était jaloux. Il sentait et comprenait bien que sa femme dans ses démonstrations affectueuses ne l'avait jamais aimé de la même manière qu'elle m'aimait, et instinctivement il comprenait encore qu'elle ne l'aimerait jamais d'un tel amour [90]. »

Flora Tristan pose un problème neuf en comparant sa relation à celle de Jésus et saint Jean. Dans le patriarcat, il n'existe en effet aucun modèle d'amour féminin qui intègre la dimension spirituelle. L'amour n'aura pas de sexe, hasarde-t-elle pour se légitimer, car en principe, l'amour dont il est question ici est sacré et asexué, comme les Droits de l'Homme sont universels. Mais Flora Tristan sent bien qu'il n'en est rien dans la pratique et bute sur le problème posé par la religion catholique aux femmes : la personnification de Dieu dans des divinités masculines : le Père aime le fils qui aime son Père et ses disciples par l'intermédiaire du Saint-Esprit. Et la femme qui aime une femme, où se situe-t-elle dans la spiritualité patriarcale ? Dans l'amitié ? Dans le plaisir ? Dans la pathologie sexuelle et mentale ?

Dans ce contexte si flou, et souvent si malsain, on comprend que celles qui ont vécu l'amour comme un libre choix de femmes émancipées aient préféré investir avec l'amitié un domaine plus « pur » et qui soit capable d'authentifier leur propre expérience humaine. Car dans l'amour entre femmes, ce n'est pas tant la dimension sexuelle qui est niée que la dimension sociale, spirituelle et initiatique. Et parler d'amitié n'est-il pas le moyen de faire surgir ce refoulé tout en valorisant ce qui crée le lien social et spirituel ?

90. Flora Tristan, *Le Tour de France. Journal inédit (1843-1844)*, Éd. Tête de Feuilles, 1973, p. 120.

C'est ce terrain-là que va occuper Natalie Clifford Barney au début du siècle, et presque dans le même langage que Flora Tristan. Cette fois, on ne peut la soupçonner d'avoir éludé la sexualité, car s'il est une femme qui a pleinement incarné son corps et vécu l'érotisme, c'est bien elle. Partant de sa propre expérience, elle nous rappelle ainsi que le corps n'est pas une mécanique mais un médium, aux pouvoirs subtils peut-être, mais bien réels. « Une bête ailée ? Nous oublions trop que notre corps peut devenir un merveilleux médium et chacun de nos sens un centre de transmission, et nous avons tendance, au lieu de développer leurs possibilités, à les humilier en perfectionnant toute cette mécanique qui tend à les remplacer [91]. »

On ne peut mieux poser face à la pulsion masculine, vécue comme un impératif catégorique qui exige l'assouvissement immédiat, la sensibilité d'un corps de femme, capable d'effusion avec la nature, les êtres et les bêtes, aptitudes qui constituent un atout considérable dans une culture orientée par le mystère de l'incarnation. Mais que d'erreurs commises sur les rapports du corps et de l'esprit ! Évoquant sa liaison avec la poétesse Renée Vivien, elle remarque justement : « Païenne, non pas. Je vois à travers ses poèmes nos malentendus de jadis et la compréhension qu'une ferveur directe me valut : l'évolution d'une mystique [...] Aucun [charnel] n'apporta plus de mysticisme dans sa sensualité, plus de sensualité dans ses élans mystiques que Renée Vivien [92]. »

De son côté, Renée Vivien écrit en 1904, dans son roman *Une femme m'apparut* : « Vally [Natalie] me blâmait d'exiger une fidélité chrétienne, contre laquelle se révoltaient ses instincts de jeune Faunesse. Sa joie païenne éclatait en multiples amours. Elle avait pour symboles l'avril variable, l'arc-en-ciel et l'opale, tout ce qui brille et change selon le reflet de l'instant [93]. »

91. Natalie Clifford Barney, *Traits et portraits*, Paris, Mercure de France, 1963, p. 1919.
92. Natalie Clifford Barney, *Aventures de l'esprit*, Paris, Émile Paul, 1929, p. 254. Au sujet des « implications spirituelles, " mystiques ", de l'instinct sexuel », on se reportera aux travaux de Carl Gustav Jung, et particulièrement à *Aïon. Études sur la phénoménologie du Soi*, Paris, Albin Michel, p. 247, et *Psychologie du transfert*, Paris, Albin Michel.
93. Renée Vivien, *Une femme m'apparut*, Paris, Régine Desforges, 1977, p. 32.

Mais le plus intéressant dans cette confrontation menée par Renée Vivien dans son roman entre la mystique et la païenne, c'est le jaillissement d'un discours politique sur le terrain de l'amour. Pour la première fois une femme ose placer le débat des relations entre les sexes sur le terrain politique en remettant l'hétérosexualité en question. « Pourquoi haïssez-vous les hommes ? demanda-t-il enfin à San Giovani, en fixant sur elle ses lourdes prunelles.

– Je ne les aime ni ne les déteste, répondit San Giovani ; je leur en veux d'avoir fait beaucoup de mal aux femmes. Ce sont des adversaires politiques que je me plais à injurier pour les besoins de la cause. Hors du champ de bataille des Idées, ils me sont inconnus et indifférents [94]. »

Vers la fin du livre, Renée Vivien va plus loin encore, en revendiquant le droit de les juger sans avoir besoin d'en faire l'expérience intime. Autrement dit, elle revendique une position universelle du jugement critique : « On peut, sans être l'épouse ni l'amante d'un homme, juger le sexe tout entier par ses actions et par ses paroles. Or les actions des hommes ont toujours eu pour but unique l'asservissement de la femme à leur caprice stupide, à leur sensualité, à leur tyrannie injuste et féroce. Et comment ne point haïr un individu qui se présente à vous sous les espèces d'un maître ? Tout être intelligent et fier se révolte nécessairement contre le joug d'un autre être, parfois son égal mais souvent son inférieur [95]. »

Renée Vivien, précurseur du Mouvement de libération des femmes ? Sans aucun doute... Et c'est d'ailleurs au moment où les féministes assumeront le corps et la sexualité – à partir des années 1970 – qu'une remise en question de l'hétérosexualité comme système d'oppression sociale des femmes sera possible. Une remise en question initiée par les lesbiennes, évidemment, car il faut être « vierge », s'appartenir à soi-même, et savoir ce que l'exclusion signifie pour oser affronter le consensus patriarcal.

En 1900, ces propos sont à proprement parler inouïs et n'auront du reste qu'un très faible écho auprès des féministes, peu prêtes à

94. *Ibid.*, p. 41.
95. *Ibid.*, p. 103.

les « entendre » faute d'une culture propre. N'est-ce pas en effet le préalable à toute libération ? Sans culture propre, où trouver l'énergie de changer la « nature des choses » ?

C'est la fonction que va remplir Natalie Clifford Barney en ce début du siècle en incarnant à travers son salon ces « aventures de l'esprit » qui vont faire de Paris un centre d'attraction unique en son genre. Son magnétisme est d'ailleurs si grand qu'aucune de ses amantes n'y échappe, pas même la courtisane Liane de Pougy qui écrit, peu après leur liaison en 1901, *Idylle sapphique,* un des tout premiers romans à s'attaquer à la double morale sexuelle, comme l'appellent les féministes. « Ils délaissent très honorablement une femme et un enfant, puis ils s'en vont crier : " C'est hors nature, c'est répugnant, les femmes qui s'aiment entre elles ! " Tous ces imbéciles – ils sont légion ! – qui les écoutent sans raisonner répètent ce refrain et le monde entier vibre d'injustice et d'inhumanité. La Beauté doit se cacher pour échapper au châtiment et les lesbiennes courbent la tête, comme si leur douce union était un crime, car c'est un crime d'oser avoir une opinion contraire à celle de la masse ! Il faut se soumettre et apprendre à se taire, à cacher ce qui est sublime et au-delà de l'ordinaire compréhension [96]. »

Si la critique des contradictions entre la parole et les actes, la norme sociale et la morale sexuelle n'est pas une nouveauté, la remise en question de l'hétérosexualité comme modèle de moralité constituait en revanche une véritable audace, surtout de la part d'une courtisane qui vivait de ce système. Elle n'hésite pas à dénoncer « la bestialité des couples bourgeois formés selon les règles de l'austère morale » et devient particulièrement éloquente lorsqu'elle évoque ce qui ressemble pour elle à une rédemption : l'amour entre femmes. « Ah ! Nine, quelle stupidité que ces groupes corrects et bourgeois seuls permis ! [...] Vois... À l'encontre, quelque chose rayonne autour de ces femmes ! Toutes elles ont une flamme dans le regard, une beauté qui vibre, qui frappe et intéresse [97]. »

Ayant vécu les déchirements de l'âme et de la chair, Liane de

96. Liane de Pougy, *Idylle sapphique*, Librairie de la Plume, 1901, p. 168 et 283.
97. *Ibid.*

Pougy sait que ce n'est pas la sexualité qui donne une identité, mais la conscience de soi, l'amitié, la création, tout ce qui contribue à édifier l'être dans le corps et donne le courage d'être soi-même en toute circonstance.

L'exemple de Lucie Delarue Mardrus, poétesse, écrivain, mariée au docteur Mardrus, le traducteur des *Mille et Une Nuits*, et qui eut une relation avec Natalie Barney dans les années 1900, montre s'il en était besoin que la libre sexualité ne suffit pas pour s'émanciper. Élisabeth de Gramont remarque finement cet aspect des choses dans ses *Mémoires*, lorsqu'elle évoque le couple Mardrus qu'elle rencontra au cours d'un voyage en Tunisie où le mari avait emmené sa « Princesse Amande » dans l'espoir qu'elle oublie ses « secrètes amours » avec Natalie. « La Princesse Amande, habillée souvent en cavalier arabe pour faciliter ses chevauchées dans le désert, excitait par sa beauté de jeune adolescent l'envie et la jalousie des bourgeoises qui vivent à Tunis comme à Chartres ou à Béziers [98]. »

Effectivement, ce genre de vie ne menace pas l'institution du mariage et maintient un *statu quo* qui peut être favorable... au désir, mais certainement pas à l'affirmation de son individualité, si l'on en juge par « Énervements », l'un de ses poèmes composés en 1905 et regroupés sous le titre de *Nos secrètes Amours* :

> [...]
> *Ah ! ce désir des hanches amoureuses !*
> *Ah ! céder ! Défaillir ensemble !...*
> *Mourir !... Prendre...*
> *Cherchons nos doigts ; tâchons d'unir nos paumes creuses*
> *Des profondeurs, en nous, grandissent, inconnues ;*
> *Étreignons-nous au moins de toutes nos mains nues.*

« Femmes élues » montre encore mieux l'impasse politique dans laquelle s'enferme le désir lorsqu'il se nourrit du secret :

98. Élisabeth de Gramont, *op. cit.*, p. 161.

Comme un courant d'eau douce à travers l'âcre mer,
Nos secrètes amours, tendrement enlacées,
Passent parmi ce siècle impie, à la pensée
Dure, et qui n'a pas mis son âme dans sa chair.

Nous avons le sourire ivre des blanches noces
Qui mêlent nos contours émouvants et lactés,
Et dans nos yeux survit la dernière beauté
Du monde, et dans nos cœurs le dernier sacerdoce.

Nous conduisons parmi les baumes et les fleurs
La lenteur de nos pas rythmés comme des strophes,
Portant seules le faix souverain des étoffes,
Les pierres et les fards, et l'orgueil des couleurs.

Nous sommes le miroir de nous-mêmes, l'aurore
Qui se répète au fond du lac silencieux,
Et notre passion est un vin précieux
Qui brûle, contenu dans une double amphore.

Mais parfois la lueur fauve de nos regards
Épouvante ceux-là qui nous nomment damnées,
Et l'horreur vit en nous ainsi qu'en nos aînées
Qui lamentaient les nuits dans leurs cheveux épars,

Car à travers ta joie et ta grâce indicibles
Et le royal dédain de nos graves amours,
Nous sanglotons tout bas de rencontrer toujours
Devant nous le grand gouffre ouvert de l'impossible [99].

Qu'« impossible » rime avec « indicible » n'est pas pour nous surprendre de la part d'une lectrice de Baudelaire. Impossible, ou plu-

99. Lucie Delarue Mardrus, *Nos secrètes amours*, Paris, Les Isles, 1951, p. 7. Le manuscrit autographe conservé à la Bibliothèque Jacques-Doucet est daté 17 novembre 1902-27 août 1903. C'est Natalie qui le publia sans nom d'auteur après la mort de Lucie Delarue Mardrus en 1943.

tôt insatiable désir... et qui ne risque pas de s'étancher, pris qu'il est entre les Charybde et Scylla que sont la peur de la condamnation sociale et le vertige du gouffre, la peur du qu'en-dira-t-on et le désir de jouir de sa transgression...

De toutes les amantes/amies de Natalie Clifford Barney, Lucie Delarue Mardrus est la seule qui ne publiera pas de son vivant les poèmes inspirés par sa liaison avec elle. Les autres, celles et ceux qui bénéficieront de son influence déculpabilisante, vont au contraire la remercier publiquement de sa liberté d'être. Elle est ainsi la dédicataire d'*Études et Préludes* de Renée Vivien (1901) et la Vally de *Une femme m'apparut* (1904), « Miss Flossie » dans *Claudine s'en va* de Colette (1902), *L'Amazone* de Rémy de Gourmont (1912), celle aussi de Romaine Brooks dans son portrait peint rue Jacob (1920, musée Carnavalet), Évangéline Musset dans *Ladies Almanach* de Djuna Barnes (1928), Laurette dans *L'Ange et les Pervers* de Lucie Delarue Mardrus (1930), et Valérie Seymour dans *Le Puits de solitude* de Radclyffe Hall (1928), qui décrit ainsi à propos de son Salon : « Valérie, paisible et assurée, créait une atmosphère de courage ; tout le monde se sentait normal et brave quand on se réunissait chez Valérie Seymour [...]. Elle ne faisait rien et, d'habitude, parlait très peu, ne ressentant nulle impulsion philanthropique. Mais ce qu'elle offrait largement à ses frères était la liberté de son salon, la protection de son amitié [100]. »

Inauguré en 1905 à Neuilly pour se fixer définitivement au 20, rue Jacob à Paris, autour du « Temple de l'Amitié », le fameux salon de Natalie Clifford Barney est un espace identitaire fondamental qui renoue non seulement avec la tradition du XVIIIe siècle, mais assigne à l'amitié féminine une fonction culturelle et sociale qu'elle n'avait jamais eue : devenir le vecteur d'une liberté individuelle.

Comme elle l'explique elle-même dans une autobiographie, c'est à la suite de bruits courant sur son compte qu'elle prit brusquement conscience de sa « différence » et décida de l'assumer pleinement en mettant tous les atouts de son côté. « Je me regarde sans honte :

100. Cité dans *Autour de Natalie Clifford Barney*, Bibliothèque littéraire Jacques-Doucet, 1976, p. 39. Ce recueil contient de précieuses informations et le détail de la nombreuse correspondance de Natalie.

on n'a jamais blâmé les albinos d'avoir les yeux roses et les cheveux blanchâtres, pourquoi m'en voudrait-on d'être lesbienne ? C'est une affaire de nature : mon étrangeté n'est pas un vice, n'est pas " voulue " et ne nuit à personne. Que m'importe après tout qu'ils médisent de moi ou me jugent d'après leurs préjugés ? Leurs " tabous " ont courbé des têtes qui les dépassaient, coupé les ailes à assez d'élans pour qu'on les méprise. Les soi-disant vertueux ont le tort de s'apitoyer sur leurs dissemblables, sur le sort de ceux qu'ils réprouvent [...]. Il n'y a pas de place pour rien d'autre dans un tel amour (l'amour lesbien). Ses joies et ses douleurs lui font une solitude où l'âme plane seule [...] Autant que je vivrai l'amour du Beau sera mon guide [...]. Mes parents m'ont-ils donc créée telle que je suis pour que je renonce à être moi-même ? [...] Il me faudrait donc trouver ou fonder un milieu en accord avec mes aspirations, un monde composé de tous ceux qui cherchent à fixer et à élever leur vie à travers un art ou un amour capable de les rendre de pures présences. [...] Découvrons de vraies valeurs qui seules nous inspirent ou nous interprètent. Je me plierai à leurs lois bien plus strictes que les devoirs mondains, qui protègent leurs tours d'égoïsme par une froide philanthropie prouvant qu'ils n'ont jamais rencontré personne [101]. »

Voilà comment l'amour déboucha sur l'« aventure de l'esprit » et comment son salon devint un pôle d'attraction exceptionnel pour toutes celles et ceux qui cherchaient un espace socialisé de liberté. Car c'est là que se situe la grande conquête de Natalie Clifford Barney. Elle a su protéger cet espace, en le sacralisant dans le « Temple de l'amitié ». Car si l'amour entre femmes isole de la société, l'amitié socialise ; elle est même, face à la famille, la grande, la seule créatrice de lien social entre des êtres individualisés.

On comprend mieux pourquoi Marguerite Yourcenar regretta, dans les années 1960, de n'avoir pas vécu à cette époque, comme elle le confia dans une lettre à Natalie Clifford Barney : « [...] je me suis dit que vous aviez eu la chance de vivre à une époque où la

101. Natalie Clifford Barney, *Autobiographie*, cité par Jean Chalon dans *Portrait d'une séductrice*, Stock, 1976, p. 80-81.

notion de plaisir restait une notion civilisatrice (elle ne l'est plus aujourd'hui) ; je vous ai particulièrement su gré d'avoir échappé aux grippes intellectuelles de ce demi-siècle, de n'avoir été ni psychanalysée, ni existentialiste, ni occupée d'accomplir des actes gratuits, mais d'être au contraire restée fidèle à l'évidence de votre esprit, de vos sens, voire de votre bon sens. Je ne puis m'empêcher de comparer votre existence à la mienne, qui n'aura pas été une œuvre d'art, mais tellement plus soumise aux hasards de l'événement, rapide ou lente, compliquée ou simple, ou tout au moins simplifiée, changeante et informe... Que les rythmes changent vite, d'une génération à l'autre, et aussi les buts... [102]. »

Effectivement ! Mais ce ne sont peut-être pas tant les générations qui ont changé que l'aptitude de chacune à vivre avec ou sans masque. Chaque génération porte avec elle conjointement l'amour du secret et l'amour de la transparence. Et si Marguerite Yourcenar « admire surtout, sans bien se l'expliquer, la durée tranquille de ce tour de force qu'est une vie libre [103] », n'est-ce pas parce que la sienne a buté devant des problèmes identitaires insurmontables ? « Rien n'est plus secret qu'une existence féminine », écrit-elle dans sa préface à *Alexis*. « J'ai renoncé à composer une réponse de Monique. Le récit de Monique serait plus difficile à écrire que les aveux d'Alexis [104]. »

Toute son œuvre est marquée par cette mise au secret de la femme dont l'existence, confia-t-elle dans une interview, est trop limitée pour exciter son imagination. « Quand on veut donner une image du monde à travers un être, il est très difficile de choisir une femme : les femmes ont une existence trop limitée [105]. »

Terrible aveu ! qui met en lumière la façon dont elle a en quelque sorte déserté la France et avec elle les problèmes posés par son identité féminine.

Paradoxes des générations ou des individus ? L'Américaine Natalie Clifford Barney vient chercher en France un espace de

102. Lettre du 29 juillet 1963, citée dans *Autour de Natalie Clifford Barney*, *op. cit.*, p. 87.
103. *Ibid.*
104. Marguerite Yourcenar, préface à *Alexis ou le vain combat*, Gallimard, Folio.
105. *L'Express*, 1er décembre 1979.

liberté qu'elle met à la disposition de tous ses ami(e)s, la Française Marguerite Yourcenar va enfouir la sienne dans une île d'Amérique du Nord en compagnie de Grace Frick [106].

Une chose est certaine en tout cas : c'est à Paris, dans le Temple de l'Amitié, que se rencontrèrent les femmes qui contribuèrent tant au rayonnement littéraire et artistique de ce Paris de la première moitié du XXe siècle [107]. Renée Vivien, Romaine Brooks, bien sûr, l'amante puis l'amie fidèle, Colette, Marguerite Moreno, Lucie Delarue Mardrus, Eva Palmer, Élisabeth de Gramont, Gertrude Stein, Alice Toklas, Wanda Landowska (claveciniste), Louise Janin (peintre), Séverine (journaliste féministe), Aurel, Rachilde, Marie Lénéru (écrivain), Marie Laurencin (peintre), Isadora Duncan (danseuse), Renata Borgatti (pianiste), Emma Calvé (chanteuse d'opéra), Ida Rubinstein, Janet Flanner, Djuna Barnes, l'inoubliable auteur du *Bois de la nuit* et de *L'Almanach des dames*, Radclyffe Hall, Adrienne Monnier, Sylvia Beach, Dolly Wilde, Mina Loy (poète), Janet Flanner (journaliste), Louise Weiss, Rosamond Lehmann, la sculptrice Chana Orloff... pour ne parler que des femmes, et sans oublier tous ceux et celles dont le nom figure dans le dessin publié en 1929 par Natalie Clifford Barney sur la première page des *Aventures de l'esprit*. Que venaient-elles chercher d'autre dans son salon, si ce n'est la chaleur structurante d'un groupe social, d'une force, d'une contre-culture, en un mot un contre-pouvoir capable un jour ou l'autre d'instaurer les conditions de sa propre visibilité ?

106. Voir la biographie de Josyane Savigneau, *Marguerite Yourcenar, l'invention d'une vie*, Paris, Gallimard, 1990.

107. Voir le très intéressant témoignage de sa « gouvernante » dans *Berthe ou un demi-siècle auprès de l'Amazone*, souvenirs de Berthe Cleyrergue recueillis et préfacés par Michèle Causse, Paris, Tierce, 1980. Voir aussi l'essai introductif de Michèle Causse, « Amazone, ange, androgyne ».

CHAPITRE 2

Les habits neufs de la tribade

Dynamique de l'émancipation des femmes au XIXe siècle, le discours amoureux est l'un des leviers les plus importants de la manifestation des « Deux Amies » dans la cité des hommes. Mais il ne faudrait pas croire que cette brèche ouverte dans l'exclusion ne provoqua pas de vives réactions de la part des défenseurs du patriarcat.

Baudelaire joua, nous l'avons vu, un rôle non négligeable dans cette mobilisation masculine, car au lieu de libérer la sexualité du poids écrasant de la morale bourgeoise, il a reconditionné l'emprise de l'homme sur la femme en associant la singularité sexuelle à la damnation, c'est-à-dire à l'exclusion sociale. Dans son sillage, un puissant courant littéraire fin de siècle va amplifier cette vision de la femme damnée en s'emparant à nouveau du personnage de Sappho, qui devint non seulement « l'alter ego du marginal décadent masculin », comme le dit Joan Dejean, mais une composante de la modernité dont les écrivains vont se servir comme d'un épouvantail à l'émancipation des femmes.

Daudet ouvre le feu en 1884 avec son roman *Sapho*, dédié à ses fils « quand ils auront vingt ans » et qui connaîtra un immense succès. Or, contrairement à ce que le titre suggère, il ne raconte pas une histoire de lesbiennes, mais celle d'une femme entretenue qui a posé dans sa jeunesse pour un sculpteur – la *Sapho* de Pradier, dont le corps par conséquent est public puisqu'il a été vu de tous, et qui séduit un fils de famille, l'entraînant loin de son légitime désir initial : fonder une famille. Après une descente des échelons sociaux, sa vieille maîtresse se repent pour se transformer en prostituée au cœur d'or, qui aide le jeune homme devenu diplomate de seconde zone à sortir d'une totale déchéance. Toute une série de romans « décadents » développe, à la suite de Daudet, cette vision de la femme érotiquement attirante mais destructrice de la famille, préparant sans le savoir l'entrée du mot « lesbienne » dans le lexique commun. Après *La femme de Paul* de Maupassant (1881), c'est *Un crime d'amour* de Paul Bourget (1886), *Paris impur* de Charles Vimaire (1889), *Adolphine la lesbienne* d'Albert Cim (1891), réputé pour sa haine envers les « bas bleus », *Paris Gomorrhe* de Victore Joze *(sic)* (1894), *Le Journal d'une saphiste* de Charles Montfort (1902), *Notre Dame de Lesbos* de Charles Estienne (1919), sans oublier *Les Chansons de Bilitis* de Pierre Louÿs, dédiées « aux jeunes filles de la société future », livre qui renoue avec l'érotisme à l'antique dans un esprit XVIIIe siècle et qui aura, contrairement aux autres, une influence libératrice. Du côté des historiens, ce sont les premières études de Jean de Reuilly consacrées à *La Raucourt et ses amies,* celles d'Hector Fleischmann sur *Les Maîtresses de Marie-Antoinette* (1910) suivies du *Cénacle libertin de Mlle Raucourt* (1912) ; mais c'est surtout du côté de la vulgarisation médicale que l'offensive contre les lesbiennes s'affiche avec le plus d'arrogance. Le Dr Caufeynon (pseudonyme de Jean Fauconnay) publie *Les Vices lesbiens, scènes d'amour morbide*, qui seront suivis en 1925 de *La Masturbation et la sodomie féminine. Clitorisme, saphisme tribadisme, déformation des organes*.

Pourquoi cette réaction patriarcale prend-elle la forme d'une fascination de l'homme pour la lesbienne ? D'après l'historien Alain Corbin, « la fascination que la lesbienne exerce sur les imaginations masculines de son temps » serait un des « symptômes de ce rapport défectueux au désir qui mine les hommes du XIXe siècle. Le discours sur les pratiques saphiques ne se structure pas de la même manière que celui qui constitue l'image du pédéraste. Les fantasmes masculins qui conduisent à médicaliser le second incitent à poétiser le premier [1]. » Curieuse interprétation, qui trouve poétiques les humiliations répétées des lesbiennes par les poètes et les romanciers, sans s'étonner de ce qu'un Verlaine, par exemple, s'approprie Sappho en s'identifiant à son génie poétique tout en composant des vers insipides sur le thème des « Deux Amies [2] ».

Ne faudrait-il pas plutôt voir dans cette fascination masculine pour la lesbienne l'expression littéraire d'une réaction patriarcale viscérale qui cherche depuis le début du siècle et par tous les moyens à édifier un rempart contre l'émancipation des femmes ?

Cela commence en 1800, avec une ordonnance promulguée par Bonaparte qui interdit aux femmes de se « travestir en homme », et qui montre la volonté du futur empereur de mettre en place les éléments d'un contrôle social des femmes.

Si, au milieu du siècle, la découverte de nouveaux fragments de poèmes de Sappho desserre l'étau idéologique en obligeant les érudits à reconnaître les mœurs particulières de la poétesse, l'influence de Baudelaire qui, du fait qu'il redéfinit l'amour entre femmes dans un cadre acceptable par le patriarcat, en neutralise presque immédiatement l'effet.

Cependant, même sous l'autorité poétique de Baudelaire, cette redéfinition a du mal à passer, comme le souligne Larousse en 1875, en conclusion de son article sur Sappho : « Il est plus difficile de savoir ce qu'il y a de fondé dans les allégations des anciens touchant les mauvaises mœurs de Sapho et surtout relativement à la dépravation particulière aux lesbiennes, dont elle est véhémentement accusée. La critique moderne, embarrassée de trouver réunis dans la même personne tant de talent poétique et une liberté de mœurs qui ne cadre plus avec nos usages, avait pris au siècle dernier un excellent parti : c'était de dédoubler le personnage [3]. »

1. Alain Corbin, « Amour et sexualité », in *Histoire de la vie privée*, t. 4, « De la Révolution à la Grande Guerre », ouvrage collectif sous la direction de Georges Duby et Philippe Ariès, Paris, Éd. du Seuil, coll. L'Univers historique, 1988, p. 589.

2. « Je suis pareil à la grande Sapho. » Verlaine, *Œuvres libres*, agrémenté de 50 pointes-sèches et eaux-fortes par Roger Descombes, sous le nom du licencié Pablo de Herlagnez, à Segovia, 1868. Voir par exemple « Der amica silentia » : « Aimez, aimez / Ô chères esseulées / Puisque, en ces jours de malheur, vous encore / Le glorieux stigmate vous dévore. »

3. *Dictionnaire universel du XIXᵉ siècle*.

En fait, il faudra encore un siècle pour que les lexicographes admettent que Sappho aimait les femmes, et sans la pression des mouvements de libération des femmes on se demande si le dictionnaire Robert aurait reconnu ce qu'il tient en 1976 pour une évidence : « Par contre ses affinités pour certaines de ses élèves sont évidentes dans ses vers et firent scandale dès l'Antiquité. Explicable et tolérées dans le contexte de l'émancipation de la femme éolienne, elles furent tournées en dérision par les comiques attiques désireux d'enrayer le mouvement féministe des Athéniennes (d'où le nom de lesbienne pour désigner la femme homosexuelle [4]). »

Est-ce qu'une lesbienne est une homosexuelle féministe ? Le Robert ne le dit pas. Pourrait-il d'ailleurs le dire quand on voit à quel point le lexique lui-même n'est pas fixe ? On constate par exemple que si le mot « lesbienne » fait son entrée dans l'édition du *Nouveau Larousse* illustré de 1904 avec le sens de « femme aimant les femmes », c'est essentiellement comme synonyme de « tribade », synonymie qui se résoudra par la disparition complète de ce mot. Or une telle substitution aurait-elle été tolérable sans la création d'un puissant antidote à la lesbienne féministe : l'homosexuelle, rescapée des bûchers et des asiles d'aliénés ?

Écoutons le Dr Forel nous raconter comment, en 1906, il fut contraint d'emmener à l'asile d'aliénés une « invertie se donnant pour un jeune homme » : « Une invertie habillée en garçon, et se donnant pour un jeune homme, réussit à gagner par ses ferventes ardeurs l'amour d'une jeune fille normale et se fiança officiellement avec elle. Mais peu après, cet escroc femme fut démasqué, appréhendé puis conduit en observation à l'asile d'aliénés, où je la fis revêtir de vêtements féminins. Eh bien ! La jeune fille trompée demeura amoureuse et rendit visite à son “ amant ” qui dès qu'il (elle) l'aperçut, se jeta à son cou, la baisa partout et l'embrassa devant tout le monde dans de vraies convulsions voluptueuses impossibles à décrire. » Le docteur, comme le libertin du XVIIIe siècle, sur le point d'en perdre son latin, lui fait part alors de sa stupéfaction de la voir conserver les mêmes sentiments vis-à-vis

4. *Dictionnaire des noms propres*, article « Sappho », édition de 1976.

de ce faux jeune homme qui l'a indignement trompée : « Sa réponse fut bien le soupir caractéristique de la vraie femme : “ Ah ! voyez-vous monsieur le Docteur, je l'aime, que voulez-vous et je ne peux faire autrement [5] ”. »

Étranges bégaiements de l'histoire patriarcale... Quatre siècles auparavant, cette femme eût été brûlée ; à la Belle Époque, on lui impose des vêtements féminins. La répression s'humanise avec le temps, mais l'objectif ne varie pas : exercer un contrôle quotidien et permanent sur le corps des femmes au moyen du vêtement et faire de ce contrôle la base d'une redéfinition de la différence des sexes.

L'habit fait-il toujours la femme ?

Ordonnance concernant
le travestissement des femmes

Paris, le 16 brumaire an IX
(7 novembre 1800)

Le préfet de police,

Informé que beaucoup de femmes se travestissent ; et persuadé qu'aucune d'elles ne quitte les habits de son sexe que pour cause de santé ;

Considérant que les femmes travesties sont exposées à une infinité de désagréments, et même aux méprises des agents de police, si elles ne sont pas munies d'une autorisation spéciale qu'elles puissent représenter au besoin ; [...]

Considérant enfin, que toute femme qui, après la publication de la présente ordonnance, s'habillerait en homme, sans avoir rempli les formalités prescrites, donnerait lieu de croire qu'elle aurait l'intention coupable d'abuser de son travestissement,

Ordonne ce qui suit :

1. Toutes les permissions de travestissement accordées jusqu'à

5. A. Forel, *La Question sexuelle exposée aux adultes cultivés*, Paris, 1906, p. 276.

ce jour par les sous-préfets ou les maires du département de la Seine sont et demeurent annulées.

2. Toute femme, désirant s'habiller en homme, devra se présenter à la Préfecture pour en obtenir l'autorisation.

3. Cette autorisation ne sera donnée que sur le certificat d'un officier de santé, dont la signature sera dûment légalisée, et, en outre, sur l'attestation des maires et commissaires de police, portant les nom et prénoms, profession et demeure de la requérante.

4. Toute femme trouvée travestie qui ne se sera pas conformée aux dispositions des articles précédents sera arrêtée et conduite à la Préfecture de police.

5. La présente ordonnance sera imprimée, affichée [...].

Le préfet de police, DUBOIS [6].

Si la promulgation de l'ordonnance soumettant le port du pantalon à une autorisation de police coïncide avec la mise en place de la dictature napoléonienne, elle répond aussi à un besoin typiquement masculin de retrouver dans la Femme son éternel féminin menacé par la Révolution. « Quelles sont ces tournures de Ganymède que je rencontre partout ? s'indigne Henrion dans son *Tableau de Paris*. Ce sont des femmes qui ont la manie de s'habiller en homme. Je trouve les mœurs et le bon goût également offensés par ces travestissements. Ô femmes ! vous que le génie de la galanterie inspire tant, comme il vous égare quand il vous fait prendre nos habits ! Que vous perdez d'appâts en perdant vos chiffons !... Vous êtes Vénus sans sa ceinture !... L'air martial qui vous caractérise n'est pas l'aimable timidité qui doit vous embellir. Sous nos habits, vous perdez toutes les grâces de votre sexe, sans en prendre jamais aucun du nôtre ; tous ces heureux vestiges qui vous font tant aimer sont dans vos gazes légères et dans vos rubans ! Ah ! combien nous sommes peu inspirés par celles qui ont emprunté ces étoffes, ces coupes, ces formes qui ne sont faites que pour nous ! Que je plains celui qui ne sentit pas la puissance qui existe entre la diffé-

6. *Collection officielle des ordonnances de police*, imprimée par ordre de M. le Préfet de Police (1800-1848), tome II, Paris, 1880, p. 33.

rence des habits ! Femmes, pour toujours nous plaire, soyez toujours femmes [7]. » Le bel aveu ! On croirait entendre les cris scandalisés des journalistes qui, en 1830, 1920, 1971, s'indignent de voir manifester les « amazones aux seins nus »... Heureusement, Fourier, devant le même spectacle, en tirera de tout autres conclusions, germes d'une nouvelle espèce, peut-être enfin humaine...

L'ordonnance n'en fut pas moins appliquée. En 1830, Adèle Pecquet est condamnée à trois francs d'amende pour avoir porté l'habit d'homme, mais, si l'on en juge par le compte rendu de *La Gazette des tribunaux*, le délit paraît à l'image de la femme : mineur. « Dans une modeste chambre de la rue Bertin-Poirée, habitait une jeune et jolie fille nommée Adèle Pecquet, exerçant l'état de brunisseuse. Elle portait ordinairement le costume masculin et cette habitude qui l'avait fait remarquer avait éveillé l'attention. Traduite devant le tribunal de simple police pour cette légère contravention, elle ne comparut pas et fut condamnée à trois francs d'amende [8]. »

La *Gazette* ne dit pas si elle s'habillait en homme pour toucher le même salaire qu'eux ou par goût personnel. Quoi qu'il en soit, la répression semble peu féroce et le nombre de femmes qui demandèrent l'autorisation également assez faible. D'après Évelyne Sullerot, qui dépouilla les dossiers d'autorisation de travestissement à la préfecture de police, on ne rencontre que « quelques excentriques, comme le peintre Rosa Bonheur ou Mme Dieulafoy [...], les femmes à barbe et quelques ouvrières désireuses d'être payées au même tarif que les hommes dont elles porteraient le costume [9] ».

En fait d'excentrique, Mme Dieulafoy était une grande archéologue qui découvrit en Perse, avec son époux, la « frise des archers », exposée depuis au musée du Louvre. Quant à Rosa Bonheur, elle s'est expliquée elle-même sur son costume auprès de sa biographe : « En ce qui la concerne, que n'a-t-on pas dit ou pensé

7. Henrion, *Encore un tableau de Paris* [en référence à celui de L. S. Mercier], Paris, Favre, an VIII, p. 42-43. « Ganymède : en style d'amour antiphysique, homme qui sert au plaisir d'un autre » (Dictionnaire de Trévoux).

8. Cité par J.-P. Aron et R. Kempf dans *Le Pénis et la démoralisation de l'Occident*, Paris, Grasset, 1978, p. 91.

9. Cité par Y. Deslandres dans *Le Costume, image de l'homme*, Paris, Albin Michel, 1970, p. 244.

de son habitude de porter des vêtements masculins ? N'était-ce pas l'indice d'une émancipation audacieuse ? Combien de fois pourtant ne l'ai-je pas entendue [...] tenir à ce sujet des propos comme ceux-ci : " Je blâme énergiquement les femmes qui renoncent à leur vêtement habituel dans le désir de se faire passer pour des hommes. [...] Si cependant vous me voyez vêtue comme je le suis, ce n'est pas le moins du monde dans le désir de me rendre originale, ainsi que trop de femmes l'ont fait, mais tout simplement pour faciliter mon travail. Songez qu'à une certaine époque je passais des journées entières aux abattoirs. Oh ! il faut avoir le culte de son art pour vivre dans des mares de sang au milieu des tueurs de bêtes. J'avais aussi la passion des chevaux ; or, où peut-on mieux étudier les animaux que dans les foires, et mêlée aux maquignons ? Force m'était bien de reconnaître que les vêtements de mon sexe étaient une gêne de tous les instants. C'est pourquoi je me suis décidée à solliciter du préfet de police l'autorisation de porter des habits masculins. Le costume que je porte est ma tenue de travail, et rien autre chose. Les quolibets des imbéciles ne m'ont jamais troublée ; Natalie s'en moquait autant que moi. Cela ne la gênait aucunement de me voir habillée comme un homme. Mes pantalons ont été pour moi de grands protecteurs. Bien des fois je me suis félicitée d'avoir osé rompre avec des traditions qui m'auraient condamnée, faute de pouvoir traîner mes jupes partout, à m'abstenir de certains travaux [10]. " »

Rosa Bonheur réussit à s'imposer avec ses pantalons et sa blouse bleue de maquignon, comme on le voit dans le portrait qu'a fait d'elle George Achille-Fould [11]. Mais elle ne s'identifia pas pour autant à son costume car, lorsque Anna Klumpke voulut la portraiturer, elle accepta à condition d'être représentée en « costume féminin ». « Je n'aimerai pas figurer au Salon en blouse, lui dit-elle, c'est dans mon costume féminin que je veux que mon image soit transmise à la postérité. » Comme quoi *le* peintre Rosa Bonheur n'avait pas de problème avec son identité féminine – bien au

10. A. Klumpke, *op. cit.*, p. 308-310.
11. Il se trouve au musée des Beaux-Arts de Bordeaux.

contraire. Alors, pourquoi demanda-t-elle l'autorisation de se travestir ? Pour se faciliter l'existence, très probablement, et peut-être aussi pour provoquer le « vieil Adam ».

George Sand, en revanche, se passa très bien d'une telle autorisation. Comme elle le raconte dans *Histoire de ma vie*, elle profita de son audace pour faire l'expérience sociale de la différence des sexes : « J'appelais cela crûment alors ma vie de gamin [...], au fond, mon caractère se formait sous cet habit d'emprunt qui me permettait d'être assez homme pour voir un milieu à jamais fermé sans cela à la campagnarde engourdie que j'avais été jusqu'alors [12]. » George Sand a beau chercher à dédramatiser son passage à l'acte, il inquiéta suffisamment les hommes pour qu'ils se sentent menacés dans leur pouvoir. « Le pantalon féminin est une insulte directe aux droits de l'homme », aurait dit Delacroix [13], ce qui, hélas, n'est que trop vrai, puisque quinze ans plus tard une caricature de Lorentz la représente en costume masculin, accoudée à de larges feuilles de papier sur lesquelles est écrit : « Chambre des députées », « Chambre des mères », puis « Indiana », etc. au-dessus du quatrain suivant :

Si de Georges (sic) *Sand ce portrait,*
Laisse l'esprit un peu perplexe,
C'est que le Génie est abstrait,
Et comme on sait n'a pas de sexe.

À quoi George Sand répondit dignement : « Une sorte de destinée me poussait cependant. Je la sentais invincible et m'y jetais résolument [...], une destinée de liberté morale et d'isolement poétique, dans une société à laquelle je ne demandais que de m'oublier en me laissant gagner sans esclavage le pain quotidien [14]. »

Finalement, trop peu de femmes se sont travesties pour que l'ordonnance ait été un instrument de contrôle social suffisant. D'ailleurs, la notion de travestissement n'était pas adaptée à la

12. George Sand, *op. cit.*, IVe partie, chap. XIII, p. 117.
13. Cité par Y. Deslandres, *op. cit.*, p. 243.
14. George Sand, *op. cit.*, p. 133.

situation. À la fin du siècle, la peintre Louise Abbéma, l'amie et portraitiste de Sarah Bernhardt, aura beau jeu d'utiliser le vêtement comme moyen de provocation sociale et d'affirmation de soi, parallèlement à sa fameuse devise : « Je veux. » Un journaliste de *La Vie moderne* la qualifie ainsi d'« étrange jeune fille qui s'habille en femme par pure originalité [15] ». Les cheveux coupés, elle aimait recevoir les journalistes dans son atelier « en compagnie de quelques dames qui fument la cigarette [16] ». L'écrivain Rachilde poussera plus loin la provocation avec des romans comme *Monsieur Venus* (1884), qui lui vaudra un procès et une condamnation, *Madame Adonis* (1888), *Les Hors-nature* (1903, inceste entre deux frères), etc., mais quand elle se mariera avec Alexandre Valette, le puissant directeur du Mercure de France, elle endossera la livrée : « Quand je me suis mariée, très simplement je me suis habillée comme tout le monde et j'ai laissé repousser mes cheveux : j'avais enterré ma vie de garçon [17]. »

Ce qui devait servir à contrôler les femmes se retourna finalement contre leurs auteurs. Mais ce terrain-là n'avait plus guère d'importance, il faut l'avouer. Car pendant que la Ligue pour l'Affranchissement des Femmes lançait en 1886 une campagne « pour obtenir la liberté du costume par tous les moyens possibles », les médecins inventaient dans le secret de leurs cabinets un moyen de répression beaucoup plus efficace : la théorie de l'homosexualité.

Naissance de l'homosexuelle

Conçue en Allemagne, à la fin du XIXe siècle, dans un contexte de lutte contre la loi pénale qui réprimait la sodomie, la théorie de l'homosexualité plonge, en France, ses obscures racines dans le savoir médical de l'âge classique. Assez peu influent jusqu'au

15. Cité par Olivia Droin, *Louise Abbéma*, mémoire de DEA, université de Paris-I, octobre 1993, p. 17. Un chapitre est consacré au « prétendu saphisme de Louise Abbéma ». Ce qui reste malgré tout à prouver...
16. Article reproduit dans le *Journal des femmes artistes* du 15 mai 1891.
17. Rachilde, *Pourquoi je ne suis pas féministe*, Paris, Éd. de France, 1928, p. 71.

XIXe siècle, ce savoir axé sur l'anatomie et la cause anatomique des « anomalies » amoureuses va connaître un développement fantastique. Pierre Larousse s'en fait l'écho en 1876 dans son dictionnaire où il définit la tribade comme une « femme dont le clitoris a pris un développement exagéré et qui abuse de son sexe ».

Quand on sait que Larousse entendait faire dans son dictionnaire une mise au point des connaissances de l'époque afin d'instaurer une société laïque et démocratique, on frémit devant une telle absence de jugement critique dans un contexte littéraire et artistique si dynamique, comme nous l'avons vu. Il est clair que la science et, pour ce qui nous concerne, la médecine joueront un rôle important dans l'édification de la société laïque désirée par les républicains. N'est-ce pas sous la IIIe République, en 1904, en pleine séparation de l'Église et de l'État, que la psychiatrisation de l'amour « anormal, pervers ou inverti » prend son essor ? Garante de la laïcité, la médecine va non seulement remplacer la théologie comme discours de vérité sur l'amour et la sexualité, mais être politiquement engagée dans le processus démocratique d'une société patriarcale qui résiste de toutes ses forces à la reconnaissance de l'égalité entre les hommes et les femmes.

Si son engagement au service du patriarcat commence au XVIIe siècle à travers les écrits de Thomas Bartholin sur le clitoris notamment, il se systématise au XIXe siècle par la conquête d'une légitimité scientifique qui s'inscrit dans les institutions universitaires, les hôpitaux publics et tous les corps institués réservés à la recherche scientifique masculine. L'objet d'étude privilégié ? La femme, l'hystérie, la masturbation, l'onanisme, la prostitution, les perversions, en un mot le contrôle de la liberté sexuelle de la femme qui représente une menace toujours aussi grande pour la cohésion des familles et la pureté de la lignée spermatique. Pas de bâtards ni de divorce. La liberté sexuelle n'est-elle pas créatrice de désordre social, voire un danger politique, comme l'ont montré les saint-simoniens ? Pour verrouiller le dispositif social, les médecins vont s'employer à conjurer le mal en identifiant le danger, en l'occurrence le clitoris dont l'activité est singulièrement incontrôlable. En 1820, une nouvelle maladie apparaît dans les dictionnaires médicaux, le clitorisme, qui inspire au Dr Fournier la définition suivante :

« Clitorisme : Ce mot n'est point usité dans nos dictionnaires ; mais il nous semble expressif, et il convient de lui donner une place dans celui-ci. Le clitorisme est cet acte au moyen duquel les femmes suppléent, par une sorte d'artifice, aux plaisirs que la nature réserve aux seules approches amoureuses des deux sexes. C'est, chez les femmes, la même chose que la masturbation chez les hommes.

« Les dames de Lesbos se livraient, dit-on, avec excès au clitorisme, et s'adonnaient même entre elles, par un raffinement d'immoralité, à cette pratique réprouvée par l'amour et si contraire à la population. L'amante de Phaon elle-même partageait avec ses concitoyennes ce goût bizarre mais séduisant toutefois par les plaisirs qu'une imagination exaltée fait trouver dans le clitorisme et surtout à cause de la facilité que les femmes ont à se le procurer [18]. »

Un jalon est posé et le grand mot lancé : le clitorisme est « la même chose que la masturbation chez les hommes ». Mais comment se fait-il que le Dr Fournier ait identifié si tôt « ce raffinement d'immoralité » qui se présente en réalité comme un effet secondaire d'un mal qui ne tardera pas à se montrer diabolique en se répandant sournoisement dans les couches saines de la jeunesse : l'onanisme ?

La réponse est simple. Comme ses collègues des XVIIe et XVIIIe siècles, Fournier a appris la pathologie du clitoris dans les livres de médecine, il retranscrit donc fidèlement ce qu'il a lu, se contentant d'inventer un mot aux consonances plus scientifiques. Son article développe en fait les propos que le Dr Tissot exposa en 1760 dans son livre sur *L'Onanisme ou Dissertation physique sur les maladies produites par la masturbation* : « Outre la masturbation ou

18. *Dictionnaire des sciences médicales par une société de médecins et de chirurgiens*, Paris, Éd. Panckouke (1812-1822). Dr Fournier, article « Clitorisme ». Ce dictionnaire s'étend sur soixante volumes. Dans l'article « Clitoris », le Dr Renauldin affirme que ce dernier est à l'origine de « ce vice honteux qui rapproche les unes des autres certaines femmes dissolues » (p. 101).

souillure manuelle, écrivait-il dans les quelques pages consacrées aux femmes, il est une autre souillure qu'on pourrait appeler *clitoridienne,* dont l'origine connue remonte jusqu'à la féconde Sapho [...]. La taille surnaturelle d'une partie très petite à l'ordinaire, et sur laquelle M. Tronchin a donné une savante dissertation opère tout le miracle, et l'abus odieux de cette partie tout le mal [...]. Toutes ces routes mènent à l'épuisement, aux langueurs, aux douleurs, à la mort [19]. »

Si le discours sur le clitorisme est en place dès la moitié du XVIIIe siècle, il lui manque bien des aspects techniques, que le Dr Fournier va se faire un devoir d'exposer. « Elles associent d'autres femmes à leurs débauches ; ces cyniques, à force de tirailler, d'exciter leur clitoris, parviennent à lui faire atteindre un développement qui simule le pénis. Orgueilleuses de ce succès, elles deviennent les amants de celles qu'elles ont séduites. Elles ne gardent plus de mesure ; leur effronterie est telle que partout elles dédaignent les coutumes et jusqu'aux habits de leur sexe. Honteuses de lui appartenir, elles s'affublent de nos vêtements, prennent toute la liberté de nos mœurs. Fières de braver tous les usages sociaux, les préjugés les plus respectables, elles renoncent aux douces prérogatives que nous accordons aux femmes, et se font hommes pour avoir le droit d'offrir à leurs égales un culte honteux, dont l'amour et les mœurs s'offensent également. Ces sortes de femmes portent sur leur figure tous les stigmates de la débauche. Pour ranimer leurs forces qui s'éteignent incessamment, elles font un abus excessif des boissons spiritueuses ; ce qui met le comble à l'horreur qu'elles inspirent [20]. »

La contribution de la médecine au contrôle des mœurs féminines est donc moralement nécessaire et scientifiquement souhaitée. C'est que nous ne sommes plus au XVIIIe siècle, quand les mises en garde du Dr Tissot sur « les maladies produites par la masturbation » n'étaient écoutées ni par les philosophes, ni par le public éclairé, bien que Diderot se soit largement inspiré de

19. *L'Onanisme ou Dissertation physique sur les maladies produites par la masturbation,* par M. Tissot, Paris, 1764, 3e édition, p. 64. La 1re édition date de 1760 et est en latin.
20. Dr Fournier, article cité.

son livre sur l'onanisme pour écrire l'article « Manstrupation ou Manustrupation » de *L'Encyclopédie*. En fait, la renommée européenne dont jouissait le Dr Tissot ne venait pas de son combat contre l'onanisme, mais de ses succès dans le traitement de la petite vérole et surtout de la publication d'un *Avis au peuple sur sa santé* où, pour la première fois, la médecine était traitée en langue vulgaire.

Or au XIXe siècle les courants s'inversent. Le discours médical qui avait été étouffé par la vitalité du libertinage rejaillit, plus impressionnant que jamais face au danger représenté par le plaisir, qui incarne à la fois les valeurs d'Ancien Régime et ce que le bourgeois redoute le plus : le détournement de sa libido vers des activités sans profit. Investi dans la découverte du monde extérieur et l'accumulation des richesses matérielles, le plaisir « inutile » ne lui avait jamais fait aussi peur. Non seulement il est incontrôlable, mais il rend malade. Et c'est dans ce terrain ensemencé par la peur que le livre du Dr Tissot devient le fer de lance de la lutte contre l'onanisme. Tiré à plus de cent mille exemplaires en 1856, il en est à sa trente-huitième édition en 1905, et l'on ne compte plus les *Tissot des familles* et autres *Traités sur les habitudes et plaisirs secrets* inspirés de son travail de pionnier. Mais ne nous alarmons pas outre mesure. Si le plaisir solitaire masculin est en augmentation certaine, le clitorisme n'est pas si répandu qu'on pourrait le craindre. Il représente même une infime partie du danger qui menace les familles, si infime qu'en 1877 le Dr Pouillet commence à s'inquiéter de ce que « jusqu'ici personne n'avait envisagé l'onanisme ailleurs que chez l'homme, à peine si par hasard on rencontre dans les auteurs quelques observations qui aient trait à la femme [21] ». Peine perdue... Dans l'immense (cent volumes) *Dictionnaire encyclopédique des sciences médicales*, qui paraît entre 1864 et 1889, le Dr J. Christian décourage cette initiative en remarquant que « d'une façon absolue [...] l'onanisme est bien plus répandu chez

21. *Essai médico-philosophique sur les formes, les causes, les signes, les conséquences et le traitement de l'onanisme chez la femme*, par le Dr Pouillet, Paris, 2e édition, 1877 (1re édition 1876).

l'homme que chez la femme car dans toute l'échelle animale la femme reste plus ou moins passive dans l'acte sexuel, le mâle seul est actif [22] ».

Le premier médecin qui arrive à ébranler cette montagne de certitudes est Parent-Duchâtelet. Spécialiste des prostituées, il ose braver l'autorité au nom de l'expérience. Contestant les affirmations de Renauldin selon lesquelles le clitoris serait la cause du rapprochement de « certaines femmes dissolues [23] », Parent-Duchâtelet se permet d'écrire : « M. Renauldin dit, en parlant des femmes chez lesquelles le clitoris est assez prononcé pour leur permettre d'abuser réciproquement de leur sexe, “ qu'elles tiennent beaucoup plus de l'homme que de la femme ” [...]. J'ai pour l'auteur de cet article la plus grande estime, mais je ne puis admettre les caractères qu'il vient d'assigner à la femme dont le clitoris s'est développé outre mesure, et chez laquelle ce développement a fait naître des gestes et des habitudes qui répugnent à la nature ; on ne peut pas, dans les prisons, distinguer une tribade à ces caractères extérieurs ; il faut pour cela, la voir avec les autres et l'étudier d'une manière spéciale. J'ai connu nombre de filles adonnées à cet abominable vice se faire remarquer au contraire par leur jeunesse, leur délicatesse, la douceur de leur voix et par d'autres charmes qui n'ont pas moins d'influence sur leurs semblables que sur les individus appartenant à l'autre sexe [24]. »

Il y a des charmes qu'il ne faut pas trop dévoiler ; des évidences sur lesquelles il ne faut pas trop insister ; car si le clitoris est, comme le dit Parent-Duchâtelet, « le siège de la sensibilité des organes génitaux », il devient de ce fait un rival encombrant du pénis. On observera d'ailleurs que l'hystérie, maladie spécifique de la féminité au XIXe siècle, ne menace jamais les tribades, du fait qu'elles sont pourvues d'un clitoris qui ne les apparente que trop à

22. *Dictionnaire encyclopédique des sciences médicales*, publié sous la direction de MM. les Drs Lereboullet et Dechambre, Paris, Masson, 1864-1899. Article « Onanisme », par J. Christian, tome XV, 1881.

23. Article « Clitoris » du Dr Renauldin, *Dictionnaire des sciences médicales* (1812-1822), p. 101.

24. A. J. B. Parent-Duchâtelet, *De la prostitution dans la ville de Paris*, Paris, Baillère, tome I, p. 211.

des hommes... Mais comme la médaille comporte toujours un revers, ce sont précisément ses pouvoirs « surnaturels » qui menacent leur santé. Comment prévenir le mal ? Tout simplement en poussant cette logique jusqu'au bout, comme le faisait froidement le Dr Renauldin à la fin de son article sur le clitoris : « Lorsque, soit naturellement, soit par suite de maladie, le clitoris présente des dimensions excessives [...] il faut faire la résection de cet organe. Pour cela, on n'emploiera ni la ligature, qui peut enflammer toutes les parties adjacentes à cause de leur vive sensibilité, ni le feu qui est un moyen cruel et susceptible de développer les mêmes accidents, mais bien le tranchant du bistouri ou des ciseaux. La malade étant placée comme pour l'opération de la taille, le chirurgien tient l'organe de la main gauche, et coupe de la droite la portion qu'il croit devoir retrancher [25]. »

Cette thérapie de l'excès (de plaisir ? ou de concurrence ?) n'a pas été inventée par Renauldin, ni même rapportée d'Égypte lors des expéditions napoléoniennes. Elle figurait en toutes lettres dans les traités d'anatomie ou de chirurgie des siècles précédents, à commencer par *L'Encyclopédie* : « Lorsqu'il avance en dehors de la femme, on en retranche une partie ; et c'est en quoi peut constituer la circoncision des femmes [26]. »

Cependant, jusqu'au XVIIIe siècle, cette audacieuse thérapeutique ne constituait pas un impératif catégorique et ce pour plusieurs raisons. Les femmes en étaient « détournées », « les unes par motif de lubricité, les autres par honte et plusieurs par crainte de la douleur » comme le remarquait Heister en 1770 dans ses *Institutions de chirurgie* [27], chapitre 148 : « De quelle manière on remédie à l'excessive longueur du clitoris. »

Pour James, « si cette opération est moins fréquente parmi les Européens qu'elle ne l'était parmi ces peuples [les Arabes et les Égyptiens], on doit en attribuer la cause à la modestie ou à la crainte qu'ont du bistouri les personnes sujettes à cette incommodité ». Néanmoins, si un tel cas se présente, le médecin ne doit pas

25. *Dictionnaire des sciences médicales*, article « Clitoris » par Renauldin.
26. *L'Encyclopédie*, article « Clitoris ».
27. Heister, *Institutions de chirurgie*, Paris, 1770, p. 504.

se trouver embarrassé dans sa pratique : « *Manière d'extirper le clitoris lorsqu'il est trop grand* : Après avoir placé la fille sur un siège commode, un homme robuste qui est derrière elle la saisit par les cuisses et la tient dans une posture convenable à l'opération. Cela fait, le chirurgien se place vis-à-vis et saisissant avec de grosses pinces qu'il tient de la main gauche le clitoris, il le tire vers lui autant qu'il le faut et le coupe de la main droite au niveau des dents de la tenaille. Mais on doit prendre garde [...] de n'en retrancher que ce qu'il y a de superflu [28]. »

Même Ambroise Paré, pionnier des grands chirurgiens français, décrit les nymphes comme ses confrères décriront le clitoris : « Les Grecs les appellent nymphes, qui pendent et sortent à aucunes femmes hors le col de la matrice, et s'allongent et acourcissent, comme faict la creste d'un coq d'inde, principalement lorsqu'elles désirent le coït, et que leurs maris les veulent approcher, se dressent comme la verge virile, tellement qu'elles s'en jouent avec les autres femmes : aussi les rendent fort honteuses et difformes estant veues nues, et à telles femmes on leur doit lier, et couper ce qui est superflu, parce qu'elles en peuvent abuser, se donnant le chirurgien garde de n'inciser trop profondément de peur d'un grand flux de sang, ou de couper le col de la vessie, car après ne pourroient tenir leur urine, mais découleroit goutte à goutte [29]. »

La grande originalité du XIXe siècle n'est donc pas d'avoir inventé la méthode mais de l'avoir appliquée. En France, le Dr Martineau, médecin à l'hôpital de Lourcine, a pratiqué dans les années 1880 plusieurs ablations du clitoris. Voici comment il explique à ses élèves la façon de s'y prendre : « S'il n'existe aucune lésion, s'il s'agit d'une perturbation nerveuse telle que ces actes s'accomplissent frénétiquement, s'il s'agit d'un organe anormalement développé comme dans le cas relaté par M. Bousquet, le médecin doit recourir à des moyens chirurgicaux. On peut avoir recours soit à l'ablation, soit à l'excision, soit à la cautérisation du clitoris [...]. Cette opération est des plus faciles. Mais n'allez pas croire, messieurs, qu'elle

28. *Dictionnaire universel de médecine*, traduit de l'anglais de M. James par Diderot, Eidous et Toussaint, Paris, 1747, article « Clitoris ».

29. Ambroise Paré, *Des monstres et des prodiges*, *op. cit.*, p. 26.

soit exempte de dangers ; de graves accidents, la mort même, peuvent en être la conséquence. C'est ainsi qu'après des tentatives de destruction du clitoris à l'aide du thermocautère, on a vu des abcès se développer, des péritonites survenir [3]. »

Mais sous la IIIe République les « moyens chirurgicaux » expérimentés par Martineau en France, Riberi ou Baker Brown à l'étranger, ne suscitaient plus la même unanimité auprès de leurs confrères. « Je laisse à Martineau la responsabilité de ses assertions qui me paraissent bien absolues », écrit J. Christian dans son article sur l'onanisme. Dans ce même *Dictionnaire encyclopédique*, L. H. Petit fait le point de la question dans un article sur la « pathologie de la vulve », et non plus du clitoris : « Le clitoris a été accusé, il y a une vingtaine d'années, de produire la folie, la catalepsie, l'épilepsie, l'hystérie, le vaginisme, etc. Baker Brown, dans ses travaux sur ce sujet, en a rapporté un certain nombre d'exemples, qu'il a traités par l'extirpation de l'organe incriminé (1866). Mais cette pratique que Riberi avait déjà adoptée vers 1834, après avoir fait beaucoup de bruit et trouvé quelques imitateurs en Allemagne, en Amérique et en Italie, fut très sévèrement jugée par les compatriotes de B. Brown, et rapidement délaissée. G. Engelmann a rappelé récemment l'attention sur elle [31]. »

Cette pratique ne fut pas abandonnée parce qu'elle était en soi scandaleuse, mais à la suite d'une évolution de la conscience médicale qui dissocia le médecin du légiste et du moraliste. « Au point de vue moral, écrit J. Christian, l'onanisme est un vice contre nature, un crime contre l'espèce, et on ne saurait le flétrir assez énergiquement. Mais comme médecin je suis obligé de reconnaître qu'il n'offre plus les dangers qu'on lui attribue. [...] On a préconisé la clitoridectomie, c'est-à-dire l'amputation du clitoris. Cette opération a eu un grand retentissement il y a quelques années mais, quoiqu'elle ait donné des résultats favorables entre les mains

30. *Leçons sur les déformations vulvaires et anales produites par la masturbation, le saphisme, la défloration et la sodomie*, par M. le Dr L. Martineau, hôpital de Lourcine, recueillies par M. Lormand, 1884, p. 55.

31. L. H. Petit, article « Vulve », *Dictionnaire encyclopédique des sciences médicales*, *op. cit.*

d'opérateurs consciencieux, elle est généralement abandonnée aujourd'hui. Répond-elle d'ailleurs au but qu'on se propose ? Trop d'exemples sont là pour démontrer que le clitoris ne joue pas un rôle exclusif, ni même prépondérant dans l'orgasme vénérien, et les désirs ne sont nullement en rapport constant avec le developpement de cet organe [32]. »

On comprend mieux pourquoi le clitoris n'occupe plus dans ce dictionnaire que deux lignes de description et pourquoi « tribadisme » est renvoyé sans autre forme de discours à « onanisme ». Bouté au pied du mur par le grave problème de l'ablation réelle du clitoris, ce discours médical est arrivé à une impasse et tourne en rond dans le cercle vicieux de la synonymie. Comme l'écrit J. Christian : « L'onanisme a une synonymie extrêmement riche chez la femme, tribadisme, clitoridisme, lesbianisme, etc. » Et il complète ce laconique constat par une sorte de technologie du plaisir où chaque terme délimite à la fois la fonction et la partie du corps féminin censée produire le plaisir dans une spécialisation des fonctions sexuelles encore jamais atteinte : « La masturbation clitoridienne se fait chez la femme par la main ou par la bouche. Sapho est accusée d'avoir la première introduit et répandu la pratique de l'onanisme buccal parmi les jeunes femmes de Lesbos, d'où le nom de lesbianisme [...].

« La masturbation vaginale consiste en manœuvres faites dans le vagin à la [*page déchirée*] du doigt ou au moyen de corps arrondis rappelant plus ou moins fidèlement [??] la forme du pénis.

« Une variété d'onanisme qui reste à signaler, c'est le clitoridisme, coït incomplet que peuvent exercer sur des personnes de leur sexe certaines femmes pourvues d'un clitoris très developpé. Mais c'est là une condition tératologique, et qui doit être fort rare, car Parent-Duchâtelet ne l'a observée que trois fois, et les trois prostituées qui présentaient ce développement exagéré du clitoris se faisaient remarquer par leur indifférence pour les hommes et pour les femmes [33]. »

32. *Ibid.*
33. J. Christian, article « Onanisme », *Dictionnaire encyclopédique des sciences médicales*, 1881, tome XV.

Le discours sur les tribades aurait pu s'étioler lentement après ce fiasco reconnu par la médecine officielle, si la psychiatrie n'était venue lui prêter main forte. Et c'est à une véritable renaissance que nous allons assister en cette fin du XIXe siècle, une quasi-résurrection du discours sur la pathologie sexuelle, qui va briser les anciennes idoles (le clitoris), inventer un nouveau langage (l'inversion du sens génital) et s'imposer comme la seule explication « scientifique », donc rationnelle, de ce que l'esprit bourgeois ne s'explique pas.

Déplaçant les zones pathologiques du physique au mental, superposant les structures pathologiques les unes aux autres, distinguant les perversions innées des acquises, les inversions des déviations sexuelles, les psychiatres vont accomplir un savant et délicat travail de restructuration des normes sexuelles et de reformulation de nouveaux critères de contrôle social des comportements sexuels.

Mais, ô ironie de l'histoire, c'est un magistral détournement psychiatrique qui a lieu, détournement de la notion d'homosexualité, qui avait été inventée par un « homosexuel » pour lutter contre l'ostracisme et la répression dont sa communauté faisait l'objet en Allemagne.

En 1869, Karoly Maria Benkert, d'origine hongroise mais ayant vécu en France et surtout en Allemagne, emploie pour la première fois le mot « homosexuel » dans une lettre ouverte au ministre allemand de la Justice, Leonhard, écrite dans le but de supprimer de la législation pénale le paragraphe 143 réprimant les relations sexuelles entre hommes [34].

À cette époque se préparait avec Bismarck l'unification de l'Allemagne sous la domination prussienne, et Benkert pensait que c'était le moment d'agir pour que le paragraphe 143, provenant du vieux code prussien, ne soit pas étendu aux autres *Land* allemands. Peine perdue. Non seulement il sera adopté dans le nouveau Code pénal de la Confédération de l'Allemagne du Nord, mais on l'éten-

34. *Preussichen Strafgesetzbuches vom 14.4.1851 und seine Aufrechterhaltung als Paragraphe 152 im Entwurf eines Strafgesechtbuches für den Norddentschen Bund...*, Leipzig, Serbes, 1869.

dra à toute l'Allemagne lors de la constitution du IIe Reich en 1871, sous le nom de paragraphe 175, où était menacé d'une peine de prison pouvant aller jusqu'à cinq ans tout homme pratiquant des « rapports contre nature » (la législation antihomosexuelle ne sera abolie en Allemagne qu'en 1968).

Cependant, la lutte contre la répression pénale ne faisait que commencer. Elle va prendre en Allemagne une ampleur considérable et donner naissance à un mouvement d'émancipation des homosexuels – qui n'aura pas son pareil en France – au sein duquel les psychiatres joueront un rôle à la fois redoutable et ambigu puisque, élaborée pour protéger les homosexuels de la prison, la théorie scientifique de l'homosexualité se retournera contre ceux qu'elle prétendait servir.

Auparavant, il nous faut comprendre pourquoi le mot « homosexuel » fut inventé par Benkert.

Pour cet homme, qui, soit dit en passant, était médecin, ce nouveau mot aux connotations savantes et descriptives avait l'avantage de donner une image positive de l'amour entre hommes, qualifié jusqu'alors par les termes infamants de « sodomie », « pédérastie » ou *knabenschänder* (littéralement, « ravisseur de garçon »), termes évoquant principalement le vice et la folie. Il est à remarquer d'ailleurs que, dans l'esprit de Benkert, ce mot désignait les seules relations entre hommes ; peut-être parce que non visées par la loi, les tribades, ainsi qu'elles étaient également dénommées outre-Rhin [35], n'étaient pas concernées par la lutte émancipatrice.

Or, par un de ces paradoxes dont l'histoire patriarcale a le secret, le premier individu dont le cas fut analysé par un psychiatre est une femme. En 1869, dans le but de forger les premières « armes scientifiques » de la lutte contre la répression, le psychiatre libéral berlinois Carl von Westphal publie dans les *Archives für Psychiatrie und Nervenkrankheiten* (Archives de psychiatrie et de maladies nerveuses) l'analyse d'un cas qu'il nomme,

35. Voir par exemple le livre de Wilhelm Hamhamer, *Die Tribadie Berlins*, Berlin, Hermann Seemann, 1906. Les femmes employaient le mot *Frauenliebe*, « amour des femmes ».

influencé par les théories uranistes de Karl Heinrich Ulrichs, *Die Conträre Sexualempfindung*, « le sentiment sexuel contraire ». Contraire à quoi ? À la norme hétérosexuelle, et plus spécialement à l'image de la féminité que l'homme européen ne cesse de façonner et remodeler en réponse aux révoltes des femmes. Car de la contrefaçon au sentiment sexuel contraire, en passant par l'inversion, il n'y a guère que le mot qui change, le danger restant toujours le même pour le patriarche. Pour s'en convaincre, il n'est qu'à lire un extrait de ce texte, tel que le résuma Havelock Ellis dans son livre sur *L'Inversion sexuelle* : « Westphal peut être considéré comme ayant été le premier à fonder l'inversion sexuelle sur des bases scientifiques. En 1870 il publia dans *Archiv für Psychiatrie* l'histoire détaillée d'une jeune femme qui dès ses premières années, différa de ses compagnes : elle aimait à s'habiller en garçon, ne s'intéressait qu'aux jeux de garçons et en grandissant se sentit attirée sexuellement par les femmes, avec qui elle se lia à plusieurs reprises d'une amitié tendre où les amies obtenaient de la jouissance sexuelle par des caresses mutuelles. Elle rougissait et devenait timide en présence des femmes et surtout de la jeune fille qu'elle aimait alors, mais était absolument indifférente aux hommes.

« [...] Westphal comprit que cette anormalité était congénitale mais non pas acquise de sorte qu'on ne pouvait pas l'appeler vice [...]. Il démontra que rien ne permettait d'y voir de la folie. Il donna à cette condition le nom de " sentiment sexuel contraire " [36]. »

On mesure mieux dans quel contexte psychiatres et homosexuels eurent à se battre au début pour faire bouger les choses et quel était l'enjeu de la psychiatrisation de ce sentiment « congénital ». Il fallait, selon eux, donner un caractère scientifique, donc objectif, à ce qui était perçu comme de l'irrationnel et de l'immoral. Et c'est dans cette optique que Westphal convie à la fin de son article tous les « pervertis » à venir témoigner auprès des médecins : « Au cas

36. Havelock Ellis, *Études de psychologie sexuelle*, tome II : « L'inversion sexuelle », traduit de l'anglais par A. van Gennep, Mercure de France, 1909, p. 54.

où le paragraphe 143 du Code pénal serait révoqué et où le spectre de la prison ne se profilerait plus menaçant ceux qui confesseraient des inclinations perverses, de tels cas viendront certainement à la connaissance des médecins – au secteur desquels ils appartiennent – en plus grand nombre [37]. »

Ainsi l'objectif est-il clairement énoncé : bâtir la loi scientifique pour faire autorité sur la loi pénale. Le mouvement d'émancipation des homosexuels, qui commença à s'organiser dans les années 1880, ne put jamais tout à fait sortir de cette problématique, et l'on peut dire qu'il a contribué dans une large mesure à renforcer le contrôle psychiatrique de sa sexualité, puisque non seulement l'un des groupes les plus importants du mouvement se qualifie d'« homosexuels congénitaux », mais que, sous l'impulsion de Magnus Hirschfeld, ils ont eux-mêmes apporté leur contribution en publiant, entre autres, un étonnant *Jahrbuch für Sexuelle Zwischenstufen* (Annuaire des différences intersexuelles), dirigé pendant près d'un quart de siècle (de 1899 à 1923) par Magnus Hirschfeld et dans lequel étaient analysés les différents aspects légaux, médicaux, historiques, anthropologiques et littéraires de la question.

Le mouvement se rassembla autour de deux grands pôles. Le Wissenschaftlich humanitäres Komitee (Comité scientifique humanitaire), fondé en mai 1897 par Hirschfeld, Spohr et Oberg, dont le but était de lutter « pour la justification et la défense des homosexuels congénitaux contre la persécution légale et sociale [38] » ; et le Gemeimschaft der Eigenen (Communauté du particulier), fondé en 1902 par Brand, Jansen et Benedict Friedlander, de tendance plus littéraire et hellénisante, qui avait pour originalité de n'accepter dans ses rangs que des hommes et qui défendait des valeurs viriles, nationalistes, élitistes – autant dire qu'il était à la fois anti-femme et anti-féministe.

Partie prenante du vaste « mouvement pour la réforme de la

37. Cité par James D. Steakley, *The Homosexual Emancipation Movement in Germany*, Arno Press, New York, 1975, p. 9. Voir aussi les articles de Guy Hocquenghem, « Naissance de l'homosexualité », dans *Libération* des 8, 9 et 11 septembre 1978.

38. Voir James D. Steakley, *op. cit.*, p. 26 et *sq.* pour la comparaison entre les deux groupes.

vie » qui gagnait les grandes villes d'Allemagne, le comité de Hirschfeld était très organisé ; il avait réussi à implanter des sections dans des capitales européennes comme Londres, Vienne et Amsterdam (à l'exception de Paris), et déploya une intense activité pour gagner des alliés de renom à sa cause et agir auprès de l'opinion publique. C'est ainsi qu'une campagne de pétitions lancée pour amender le paragraphe 175 avait recueilli en 1898 plus de neuf cents signatures dont celles des deux dirigeants du Parti social démocrate, A. Bebel et K. Kautsky, de psychiatres comme R. von Krafft-Ebing, de philosophes comme K. Jaspers, d'écrivains, Lou Andreas-Salomé, Hermann Hesse, T. et H. Mann, de savants, médecins, avocats, etc.

Dans un tel contexte, on se demande comment la théorie de l'homosexualité a pu s'imposer en France alors qu'il n'existait aucune législation répressive pour la justifier. Ce sera l'œuvre des psychiatres, dont les liens très serrés avec leurs collègues d'outre-Rhin faciliteront l'expansion de la théorie. À une différence près cependant, c'est que les Français feront de l'homosexualité non plus une inversion congénitale, mais acquise, privant le mouvement d'émancipation des homosexuels de son principal argument scientifique, et les livrant à des juges susceptibles de les accuser d'être « responsables » de leur « inversion ».

En 1882, Charcot et Magnan, tous deux neuropsychiatres, publient pour la première fois en France dans les *Archives de neurologie* un compte rendu des théories de Westphal qu'ils intitulent « Pathologie mentale. L'inversion du sens génital ». La même année, ils publient un compte rendu du XIVe Congrès des aliénistes de l'Allemagne du Sud-Ouest comportant une discussion sur l'importance médico-légale de l'impulsion sexuelle perverse et, l'année suivante, un article de R. von Krafft-Ebing sur « Contribution à la sensation sexuelle contraire au point de vue médico-légal ».

La machine était lancée et travaillera si bien qu'à peine vingt ans plus tard le terme « homosexuel(le) » fait son entrée dans le supplément du *Nouveau Larousse illustré*. Pour mieux situer l'événement, rappelons qu'à cette époque Colette écrit *Claudine à l'école*, Renée Vivien publie ses poèmes, et la séparation de l'Église et de l'État devient une règle de la IIIe République.

« Homosexuel, elle : Pathologie. Individu homme ou femme qui n'éprouve d'affinité sexuelle que pour les personnes de son propre sexe. » Apparemment, cette définition marque un progrès considérable sur le passé, car un champ de la différence commun aux deux sexes y est reconnu. C'est toute la vision de la sexualité qui change, ou du moins se déplace d'une norme à l'autre. Auparavant, la différence distinguait l'acte sexuel conçu dans le but de la procréation de celui pratiqué pour le seul plaisir, que ce soit dans le cadre de l'adultère, de la sodomie, de la masturbation ou de l'abus entre femmes. À présent, elle distingue le même du différent, quel que soit le sexe, entraînant un inévitable effet de miroir dans lequel les femmes ne vont pas tarder à échapper de nouveau à... la différence.

L'exemple est donné dès le début, si l'on peut dire, par Charcot et Magnan qui écrivent dans leur article : « Dans les deux sexes les phénomènes sont identiques et se déroulent de la même manière. Des cas assez nombreux ont déjà été publiés chez l'homme, les observations relatives à la femme sont rares peut-être à cause de la facilité plus grande avec laquelle celles-ci parviennent à cacher ce trouble instinctif. Toutefois nous avons deux observations, celle de Westphal et un cas de Gock chez une jeune fille de vingt-huit ans, qui suffisent à donner une idée de cette perversion sexuelle chez la femme [39]. »

C'est donc bien une idéologie qui se met en place, puisque la théorisation de la perversion sexuelle chez la femme se passe si facilement de l'observation. De plus, le couple de femmes, la relation proprement dite entre deux personnes, disparaît complètement du champ théorique. Seule mobilise la curiosité des psychiatres celle « qui se sent homme », l'autre n'ayant pas d'intérêt du fait qu'elle joue le rôle connu de la femme. Encore un moyen utilisé par le patriarcat pour isoler les femmes en ne leur offrant d'autre

39. MM. Charcot et Magnan, « Pathologie mentale. Inversion du sens génital », dans *Archives de neurologie*, revue des maladies nerveuses et mentales publiée sous la direction de J.-M. Charcot, Paris (1880-1893), tome III, 1882, p. 53.

alternative à la famille que la folie. « L'invertie pure se sent homme », écrit Forel en 1906. « L'idée du coït avec les hommes lui fait horreur. Elle aime prendre des habitudes, des mœurs, des vêtements masculins [40]. »

Même constat chez Havelock Ellis, bien qu'en bon libéral il souhaite « éviter toute supériorité morale », sans doute parce que son épouse, Édith Lee, était lesbienne. « Le caractère principal de la femme invertie sexuellement c'est un certain degré de masculinité [...]. Les mouvements brusques et énergiques, l'attitude, la marche, le regard direct, les inflexions de la voix, la franchise dans le sens de l'honneur masculin et surtout la manière d'être avec un homme, sans timidité ni audace, autant de signes pour un observateur averti qu'il existe une anormalité psychique sous-jacente [...]. Sur le conseil de Moll, Flateau examina le larynx d'un grand nombre d'inverties et reconnut que la plupart avaient un larynx décidément masculin ou tendant à l'être lorsque l'inversion était nettement congénitale [41]. »

De là à dire que la parole est un caractère sexuel secondaire... Mais poursuivons notre voyage à travers le temps avec Hélène Deutsch : « Il faut distinguer deux sortes d'homosexuelles : – ce sont d'abord les femmes qui font preuve d'un caractère fortement masculin dans le choix de leurs objets et dans toutes les manifestations de leur vie. La structure physique peut être elle aussi masculine [...] ; et ces cas où il n'existe aucun signe physique anormal, où la constitution est entièrement féminine. Les tendances bissexuelles nous aident à comprendre [42]. » Ce qui signifie qu'il n'existe pas d'homosexuelle spécifiquement féminine. La lesbienne passive, sentimentale, identifiée à la mère, déçue des hommes, souvent mariée, d'allure fortement féminine, séduite par sa bonne, une compagne de pensionnat, une patronne de bar ou inversée par la promiscuité des repasseuses, lingères, modistes ou tout simplement par la pratique de l'équitation, qui ne présente aucun signe physique anor-

40. A. Forel, *op. cit.*, p. 278.
41. Havelock Ellis, *op. cit.*, p. 213 et 220.
42. Hélène Deutsch, *La Psychologie des femmes*, Presses Universitaires de France, 1945, p. 277.

mal, plutôt bissexuelle, maternelle, a toutes ses chances de regagner le droit chemin de la sexualité normale sans le secours des médecins. Comme l'explique le Dr Fouque : « Disons-le franchement : ces sortes d'amour laissent les femmes qui s'y livrent terriblement inassouvies. Celle qui représente dans le couple l'élément mâle n'est pas satisfaite par l'intromission ni soulagée par l'éjaculation, celle qui représente l'élément féminin ne ressent pas cette joie merveilleuse, à la fois physique et spirituelle de la pénétration et de la possession [43]. » Voilà un médecin qui s'y connaît en joies féminines !

Au fil des ans, les distinctions vont s'affiner, le vocabulaire s'enrichir, de subtiles osmoses entre le biologisme et le psychisme déterminer de nouveaux classements, jusqu'à ce que Freud convie le couple parental à la noce en enracinant la structure perverse dans une historicité individuelle, qui implique l'entrée en scène (primitive ?) de cet organe qu'on croyait définitivement enterré avec l'onanisme : le clitoris.

Avec sa théorie de la sexualité féminine, Freud a réussi la plus belle synthèse historique qu'on pouvait espérer entre le biologisme médical et la psychiatrie, unifiant dans un même modèle les deux grands courants qui ont porté le discours masculin sur les tribades jusqu'à lui : celui sur le clitoris et celui sur la « contrefaçon ». « [...] Avec l'orientation vers la féminité, le clitoris doit céder du même coup sa sensibilité et son importance au vagin, totalement ou en partie, et ce serait là une des deux tâches que la femme doit résoudre pour son développement. La petite fille doit donc, avec le temps, changer de zone érogène et d'objet [44]. »

Ainsi, le clitoris ne représente plus la potentielle démesure sexuelle féminine, mais l'enfance de la sexualité des femmes ; il n'est plus hiérarchisé au pénis, mais soumis historiquement à l'abandon pur et simple, car « le seul organe vraiment considéré

43. Dr Charles Fouque, *L'Amour qui n'ose pas dire son nom*, Paris, 1947, p. 94.
44. S. Freud, « La féminité », *Nouvelles Conférences d'introduction à la psychanalyse, op. cit.*, p. 159.

comme inférieur, c'est le pénis inachevé, le clitoris de la fillette [45] ». Autrement dit, la théorie ne délimite plus un espace de rivalité potentielle entre le pénis et le clitoris, rivalité qui risquerait de mettre la sexualité masculine en concurrence avec la sexualité féminine, mais neutralise la rivalité en inscrivant le clitoris dans un processus d'évolution temporelle propre à réconcilier les deux sexualités devenues complémentaires en un seul et même espace féminin : le vagin. Même si ce déplacement revient au même puisque dans un cas comme dans l'autre la libido est mâle, il a l'avantage de rendre théoriquement cohérente l'appropriation sexuelle du corps des femmes, rationalisant du même coup l'hétérosexualité qui n'est plus seulement naturelle mais fatale : Demandons-nous « comment la petite fille passe (...) de la phase masculine à la phase féminine qui lui est biologiquement assignée [46] », écrit Freud.

En effet, il y a lieu de se demander comment faire se peut.

Il suffit de prendre les choses à leur origine, de substituer le manque à l'excès, la théorie du complexe de castration au tranchant du bistouri, l'économie temporelle à l'économie spatiale. Par sa « native infériorité sexuelle », la femme ne peut vivre psychiquement sa sexualité que comme un manque et l'envie de ce dont elle a été coupée... à jamais. Comme l'écrit France Paramelle, « les pivots du système (patriarcal) sont le tabou de l'inceste (c'est-à-dire " l'interdiction faite aux mères d'aimer leurs filles et aux femmes de reconnaître la dimension spécifiquement homosexuelle de leur sexualité vécue dans leur première relation à leur mère ") et le mythe de la castration. Le tabou de l'inceste et l'idéologie du " manque " instaurent l'économie du système sur le désir et la poursuite de son impossible réalisation [47]. »

La théorie freudienne pourrait se schématiser de la manière suivante :

45. S. Freud, « Les diverses instances de la personnalité psychique », *Nouvelles Conférences d'introduction à la psychanalyse*, p. 89.

46. S. Freud, « La féminité », p. 159.

47. Maria Lago et France Paramelle, *La Femme homosexuelle*, Paris, Castermann, 1977, p. 46.

– Clitoris = petit pénis = phase phallique infantile = fixation préœdipienne à la mère. « Nous devons admettre que la petite fille est alors un petit homme. »

– « À la vue » de l'organe génital de l'autre sexe naît le complexe de castration. Le clitoris se révèle un « pénis inachevé », un « organe médiocre » et le « préjudice » qui en résulte provoque un « traumatisme » et donne « l'envie du pénis » pour compenser ce manque. Accès au père, au complexe d'Œdipe, au complexe de castration.

– « Poussée de passivité », changement de zone et accès à la félicité. Pour celles qui n'acceptent pas la « dure réalité », persistance de l'activité clitoridienne [48].

On comprend mieux à quel point la femme a été « défavorisée par la nature » et comment « une si longue et pénible évolution » ne peut déboucher que sur sa « préhistoire ».

Prise entre la fatalité (biologique) de la reproduction et le destin (biologique) de son évolution vers l'homme, on voit mal comment elle pouvait accéder à sa propre histoire et faire la lumière sur son propre continent.

Selon le vieux principe : diviser (et hiérarchiser) pour régner, la théorie freudienne reformule avec force l'ancestral objectif patriarcal : délimiter sur le corps des femmes le territoire du plaisir (de l'homme) pour le lier à la reproduction (de l'espèce humaine). Au clitoris l'enfance féminine, au vagin la maturité et la destination masculine. À chaque zone érogène le temps de notre oppression.

Certes, dans la mesure où le principe de plaisir et le principe de rendement (la reproduction) siègent chez les hommes dans le même organe, on conçoit qu'ils soient désorientés par la morphologie sexuelle féminine, où, de plus, le plaisir n'est pas lié à la reproduction, mais avouons qu'on ne pouvait guère faire mieux pour coloniser et s'approprier le destin des femmes. Car tout en reformulant et systématisant le discours de ses prédécesseurs, Freud lui a donné les assises psychiques conscientes et inconscientes qui lui manquaient. Pour sceller le pouvoir mâle, il suffit de le rendre bio-

48. Nous renvoyons les lecteurs à sa conférence sur « La féminité ».

logiquement fatal, inconsciemment désiré et historiquement inévitable. Comment les femmes peuvent-elles se révolter avec un inconscient qui risque de les trahir par des « envies du pénis » inavouables ? Comment peuvent-elles faire confiance à leur inconscient s'il ne recèle que des « manques » ? Cette codification de l'inconscient jette non seulement la suspicion sur toute parole de femme, mais colonise le dernier espace qui restait encore libre : l'inconscient.

Combien de femmes fascinées par ces théories feront la cour à une pensée masculine qui les méprise, les nie dans leur spécificité et les plonge dans des contradictions insurmontables ? Marie Bonaparte en est un exemple presque caricatural, lorsqu'elle tente de réconcilier la théorie du père (de la psychanalyse) avec la réalité de la répression sexuelle qui vise spécialement chez les femmes le clitoris. Si nous la choisissons plus qu'une autre, c'est parce qu'elle est une des rares analystes à avoir comparé « les mutilations physiques des femmes chez les primitifs et leurs parallèles psychiques chez nous ». Autrement dit, elle se demande si « Freud a raison » lorsqu'il dit que « ces opérations auraient pour but [...] de parachever la castration biologique de la femme, que la nature, aux yeux de ces tribus, n'a pas faite assez radicale » et si « le complexe de virilité » ne serait pas plutôt l'effet d'une répression culturelle dont les racines, au lieu d'être biologiques comme le pensent Freud et H. Deutsch, seraient « principalement et tardivement psychogènes » comme le pensent K. Horney, E. Jones et M. Klein.

Pour résoudre la contradiction théorique soulevée par l'existence d'une répression anticlitoridienne que personne ne peut nier, en tout cas « chez les primitifs », la fréquente « frigidité vaginale », que beaucoup peuvent constater, en tout cas chez nous, et la tâche ingrate de « féminiser la femme », Marie Bonaparte préconise une solution fort audacieuse, la « tentative d'adaptation autoplastique (se modifier soi-même en fonction du milieu) : la périphérique ». Soit l'opération Halban-Narjani : « Du temps que je commençais à m'intéresser à la psychanalyse [...] j'étais frappée par le grand nombre de femmes clitoridiennes, et je me demandais quelle pouvait être la cause de cette si fréquente anomalie. J'avais alors eu l'idée de rechercher si quelque chose, dans l'anatomie génitale de ces femmes, pouvait être un support de leurs réactions érotiques déficientes, et, avec la collaboration de quelques médecins [...], je pus observer anatomiquement et interroger un assez grand nombre de femmes, à Paris comme à Vienne. Or, voici ce qui paraissait se dégager de ces observations : la grosseur du clitoris, dans ces cas, restait sans grande importance, mais la distance entre le clitoris et le méat urinaire semblait intéressante [...]. J'eus alors l'idée qu'on pourrait tenter, chez certaines femmes à distance méatoclitoridienne extrême et fixation clitoridienne tenace, un rapprochement clitorido-vaginal, favorable à la fonction érotique normale, par une intervention chirurgicale[49]. »

Cinq femmes se firent opérer. On leur sectionna le ligament suspenseur du clitoris, on fixa le clitoris aux plans profonds avec raccourcissement éventuel des petites lèvres. Deux cas furent perdus de vue, une femme fut furieuse de s'être laissé opérer alors que la plaie de l'opération s'était infectée, mais « une courte analyse montra que cette femme, de nature assez revendiquante, avait espéré, par l'opération, que le chirurgien-père lui donnerait le pénis rêvé. Le complexe de virilité de cette femme était des plus forts[50] ». Enfin, les deux derniers cas furent plutôt favorables ; une attitude féminine accentuée coexistant avec le complexe de virilité put permettre « l'utilisation femelle d'une force mâle, c'est-à-dire en ces cas l'utilisation vaginale du clitoris ».

Quand les hommes feront-ils une utilisation virile de leur force féminine, c'est-à-dire une utilisation clitoridienne de leur pénis ?

Cherchant tout de même une explication à la fréquente « frigidité vaginale » qui, avouons-le, n'est pas drôle pour tout le monde, d'autant moins drôle que « l'instinct sexuel qui incite à l'union sexuelle » a besoin pour s'épanouir d'un « vagin sensibilisé », Marie Bonaparte préconise alors l'existence « d'un instinct vital individuel qui pousse à fuir l'union des sexes » et serait responsable de cette belle expression de Karen Horney : « la négation du vagin ».

49. Marie Bonaparte, *La Sexualité de la femme*, Presses Universitaires de France, 1967 (3e édition), p. 129-131.
50. *Ibid.*

Fi donc des contradictions théoriques et vive l'instinct vital ! La théorie freudienne a ainsi contribué à une valorisation du pénis, en son représentant symbolique, le Phallus, sans précédent dans l'histoire des sciences « humaines » et des discours patriarcaux. Ses effets se font encore sentir de nos jours sur cette damnée par la psychanalyse qu'est l'homosexuelle.

Écoutons la psychanalyste Joyce MacDougall invoquer en 1964 le châtiment de Gomorrhe et raconter l'histoire de la castratrice castrée : « Sous le couvert d'une relation à une autre femme, elle conserve le phallus paternel. Mais la possession fantasmatique du père est payée à un prix élevé. Elle doit renoncer à tout jamais à être objet de désir pour un homme. Et c'est là à mon sens la castration de la femme. L'identification au phallus, si coûteuse qu'elle soit, ne sert pas à enrichir pleinement le moi et ses fonctions, ni à réaliser un destin de femme. Le pacte que la femme homosexuelle conclut avec les images parentales scelle sa propre castration [51]. »

Arme de combat dans une Allemagne répressive, la théorie de l'homosexualité inaugurée par les psychiatres et peaufinée par la psychanalyse freudienne annexe ainsi « la femme » aux objectifs masculins. Une nouvelle fois piégée par la norme masculine, l'homosexuelle est celle qui se sent homme, avant de devenir un homme castré (symboliquement bien sûr). « Pour nous, écrira le lacanien Moustapha Safouan en 1976, l'homosexualité féminine représente un arrêt sur la voie de l'assomption de la castration symbolique [52]. »

Bien que la « féminité » demeure toujours pour Freud la grande « énigme » de l'humanité pensante, c'est-à-dire « le continent noir » des hommes car pour les femmes on n'attend pas cette réflexion de leur part puisqu'« elles sont elles-mêmes cette énigme [53] », cela

51. Joyce MacDougall, « De l'homosexualité féminine », in *La Sexualité féminine. Recherches psychanalytiques nouvelles* de Jeanne Chasseguet-Smirgel, Payot, 1964, p. 310.

52. Moustapha Safouan, *La Sexualité féminine dans la doctrine freudienne*, Éd. du Seuil, coll. Le Champ freudien, 1976, p. 127.

53. À propos de féminité, du savoir de l'homme sur la féminité et de l'Artémise d'Éphèse, Freud a reproduit la même erreur que les archéologues éminents en prenant les testicules de taureau figurés sur son manteau pour des seins. L'absence de mamelons n'a pas été remarquée par le père de la psychanalyse... Voir Odon-Vallet, *Femmes et religion*, Paris, Gallimard, 1994.

n'empêcha ni les psychiatres ni les psychanalystes de postuler que l'homosexualité féminine ne saurait être concernée par la féminité. Or si nous pouvons à présent resituer ce postulat dans le courant historique qui, des Romains aux hommes de la Renaissance, n'ont vu les femmes qu'en référence au modèle masculin, une dernière question demeure : quel bénéfice tirent ces théoriciens de la sexualité de l'occultation de la spécificité du fait lesbien ? Pourquoi l'homosexualité féminine relève-t-elle du « mystère de l'homosexualité » plutôt que de « l'énigme de la féminité » ? S'il est vrai, comme le prétendent ces auteurs, que « dans les deux sexes les phénomènes sont identiques et se déroulent de la même manière », les femmes sont loin d'occuper la même position que les hommes par rapport à leur premier objet d'amour, d'une part, et par rapport à la société dans laquelle chacun vit, d'autre part.

Comme le note France Paramelle, « l'homosexualité féminine est l'objet d'une répression encore plus forte que l'homosexualité masculine. Si l'alliance du fils et du père est non seulement admise mais souhaitée, si l'alliance des hommes entre eux et la sublimation des tendances homosexuelles fondent l'échange social, l'homosexualité féminine est niée [54] ».

Dans le premier cas, il s'agit de réprimer l'expression sexuelle de désirs inter-masculins tout en maintenant leur sublimation fondatrice de l'édifice patriarcal ; dans le deuxième cas, il s'agit de nier l'amour entre femmes pour empêcher toute possibilité d'alliance entre les femmes qui risquerait de remettre en cause la base même de l'ordre patriarcal : le rôle assigné aux femmes de faire en priorité des enfants contrôlés par les hommes. Que ces hommes soient hétérosexuels ou homosexuels ne change rien à l'affaire.

On comprend mieux pourquoi les spécialistes du contrôle sexuel ont fait preuve d'une si grande désinvolture scientifique à l'égard des femmes, se contentant, pour construire la théorie de l'homosexualité féminine, d'un « matériel scientifique » infime quand on le compare à celui amassé sur les hommes. « La science n'a à sa disposition que très peu de cas de sensations homosexuelles chez

54. France Paramelle, *op. cit.*, p. 43.

le sexe feminin », déplore R. von Krafft-Ebing à la fin du XIXe siècle dans son impressionnante *Psychopatia sexualis* [55] qui a pourtant à son passif le nombre record de dix-neuf cas exposés à la science. Quarante ans plus tard, Freud lui fait écho en remarquant, pour s'encourager peut-être à analyser son seul et unique cas, que « l'homosexualité féminine a été négligée par la recherche scientifique [56] ». Et l'on peut dire, malgré tout, qu'il a eu de la chance, car son cas, « belle, intelligente, issue d'une famille socialement haut placée », qui de surcroît « n'était pas malade », lui fut généreusement amenée par ses parents qui « se tournèrent vers le médecin et lui confièrent la tâche de ramener leur fille dans la norme [57] ». Joyce MacDougall a eu quatre cas et « plusieurs avec des tendances ». Quant à H. Deutsch, E. Jones, Marie Bonaparte, F. Caprio ou Moustapha Safouan, ils ne nous font pas l'honneur de nous révéler combien ils en ont réellement analysé.

Alors d'où tirent-ils leur légitimité ? Par quel miracle la théorie de l'homosexualité féminine a-t-elle pu se développer si facilement, imposer ses normes, se présenter comme scientifique alors qu'elle s'appuie sur un matériau si étroit ?

C'est qu'il ne s'agit pas, comme on l'aura deviné, de comprendre l'amour entre femmes, mais de le déprécier aux yeux des femmes elles-mêmes dans le but d'endiguer leur révolte vers des objectifs socialement plus tolérables. Les psychanalystes se sentent d'ailleurs tellement légitimés dans cette tâche qu'ils n'hésitent pas à le dire franchement, tel Havelock Ellis, qui écrit en 1909 : « L'homosexualité augmente chez les femmes. Cela semble vrai : notre civilisation moderne encourage à plusieurs égards cette tendance. Le mouvement moderne d'émancipation des femmes, pour l'équivalence des droits et des devoirs, des libertés et des responsabilités, de l'instruction et du travail, doit être regardé en son tout comme un mou-

55. Krafft-Ebing, *Psychopatia sexualis. Étude médico-légale à l'usage des médecins et des juristes* (1881), 16e et 17e éditions allemandes refondues par le Dr Albert Moll, préface de P. Janet, Payot, 1931.

56. S. Freud, « Sur la psychogenèse d'un cas d'homosexualité féminine » (1920), dans *Névrose, psychose et perversion*, traduit de l'allemand sous la direction de Jean Laplanche, Paris, PUF, 1973, p. 245.

57. *Ibid.*, p. 248.

vement sain et inévitable. Mais il emporte avec lui divers désavantages. Il a entraîné une augmentation de la criminalité et de la folie féminine. Rien d'étonnant à ce qu'on ait à enregistrer l'augmentation de l'homosexualité qui appartient à un groupe connexe de phénomènes [58]. »

Onze ans plus tard, Freud est encore plus clair : « Le plus superficiel (des deux courants de sa libido) pouvait sans hésitation être appelé homosexuel – continuation d'une fixation infantile à la mère. En outre, l'analyse nous apprit que la jeune fille avait rapporté de ses années d'enfance un " complexe de virilité " fortement accentué. Vive, combative, bien décidée à ne pas avoir le dessous face à un frère un peu plus âgé ; depuis qu'elle avait observé les organes génitaux de ce dernier, elle avait développé une puissante envie du pénis dont les rejetons emplissaient encore sa pensée. Elle était proprement une féministe, trouvait injuste que les filles n'aient pas le droit de jouir des mêmes libertés que les garçons et d'une manière générale se révoltait contre le sort de la femme [59]. »

Heureusement, la psychanalyse est là, veillant aux intérêts du patriarcat, et elle se développera parallèlement au féminisme, tel un antidote à la révolte des femmes. En agitant l'épouvantail de la « virilisation » des femmes, les médecins espèrent ainsi démobiliser les tièdes, celles qui adhèrent encore aux « fonctions sacrées de la féminité » : la maternité, le mariage. Ce n'est pas tant l'homosexualité féminine qui fait peur, que ses conséquences sociales et politiques, autrement dit son pouvoir de politisation des femmes. Puisque les homosexuelles sont féministes, risquent de le devenir et d'oser séduire les hétérosexuelles, il faut donc réaffirmer fortement les rôles sexuels. Celles dont l'individualité n'est pas structurée, qui doutent d'elles-mêmes ou ne sont pas mûres pour sacrifier une réussite sociale à leur épanouissement personnel, sont ainsi remises dans les rails respectables du consensus hétérosexuel.

Il faut croire toutefois que le danger est réel, car les psychanalystes ne mâcheront ni leurs mots ni leur marteau pour enfoncer

58. Havelock Ellis, *op. cit.*, p. 223.
59. S. Freud, « Sur la psychogenèse d'un cas d'homosexualité féminine », p. 268.

le clou. « Trop de révolte chez la femme, en accentuant son complexe de virilité, ne peut que troubler profondément sa psychosexualité », écrit Marie Bonaparte dans les années 1950. Cohérente avec elle-même, elle classe donc les femmes en fonction de leur degré d'adaptation à la société patriarcale, en « acceptatrices », « renonciatrices » et... « revendicatrices », parmi lesquelles se trouvent les homosexuelles, du moins « l'autre type d'homosexuelle qui, par-delà l'identification à la mère active primitive, soigneuse de l'enfant, s'est identifiée, pour ainsi dire par superposition, au père qui succéda à la mère dans le défilé des objets à aimer – ou à haïr – par l'enfant. Ces femmes-là présentent des fantasmes clitoridiens bien plus actifs que les premières. Ce sont les homosexuelles à cravate et à veston et qui tentent, par rapport aux femmes aimées, de jouer vraiment à l'homme. Certaines même, dit-on, se contentent de les caresser, de les combler, mais refusent pour elles-mêmes la passivité trop grande à leur gré des caresses, à l'occasion desquelles, sans doute, elles ne sauraient supporter que se constatât une fois de plus, sur leur propre corps, l'absence honteuse du pénis [60] ».

Voilà perpétuée dans la deuxième moitié du XXe siècle occcidental la très vieille histoire fondatrice du discours sur les tribades : « là où il ne se trouve point d'homme », il y a... son absence honteuse... en veston et en cravate.

La théorie de l'homosexualité féminine remodèle et systématise une histoire patriarcale de la tribade qui prétend, aujourd'hui comme hier, faire autorité (« scientifique » à présent) sur la parole des femmes. Fille d'Œdipe et non amante de Sappho ; homme castré et non femme à la libido puissante, l'homosexuelle réintègre ainsi le roman familial dont l'avait libérée les « Amies ». Pour désamorcer la révolte des femmes, le patriarcat restaure les références familiales, renforce les origines biologiques, revient aux conditionnements historiques et collectifs de l'identité qui ont fait leur preuve dans le passé quand l'être humain était défini par les liens du sang et sa place dans le clan. Il ferme ainsi toute issue à un devenir autre qui pourrait engendrer de l'inconnu historique à

60. Marie Bonaparte, *op. cit.*, p. 94-95.

partir d'un double développement de l'individualité féminine et de la libération de son potentiel créateur. Dressant Œdipe contre Sappho, le patriarcat sacralise le *fascinus* et l'aveuglement volontaire du fils, qui n'est plus capable de voir dans la femme autre chose que trou noir, béance, vide... quand ce n'est pas le néant. Comme l'écrit Pascal Quignard, « l'instant du plaisir arrache la scène qui a lieu à la visiblité. Le *fascinus* est le stupéfiant des stupéfiants. Il aveugle [61]. »

Le *fascinus* cessera-t-il un jour d'être l'opium des femmes... et l'aveuglement des hommes ? Il faudrait pour cela légitimer les femmes qui traversent le manque et la perte ; aimer celles qui suivent leur propre étoile ; écouter ce qu'elles ont à nous dire quand elles ont puisé dans la profondeur de l'amour de la femme la vérité de leur vie.

En 1920, en Angleterre, Vita Sackville-West commence son *Journal* par ces mots : « Non, je n'ai pas le droit d'écrire la vérité sur ma vie, tellement d'autres existences y sont mêlées, et je le fais cependant, obsédée par la nécessité de dire cette vérité que pas une âme au monde ne connaît tout entière [62]. » Pourquoi le désir de dire la vérité éclate-t-il comme un fait extraordinaire, une nécessité redoutable, un acte de vérité ? Car tout pourrait continuer comme avant. Mais Vita Sackville-West aime Violet Trefusis. Et parler de cet amour est alors si stupéfiant dans l'Angleterre post-victorienne que c'est dans le secret de son journal intime qu'elle témoigne de ce que l'amour a révélé de soi : « Elle était d'une intelligence et d'une adresse infinies. Elle parvint à ne pas m'effrayer, elle ne me pressa pas ; elle ne me laissa pas voir où j'allais ; elle le faisait en toute lucidité ; moi, en revanche, je vivais seulement l'ivresse de la libération de la moitié de ma personnalité. Elle m'ouvrait une nouvelle sphère. Et c'était de sa part un effort suprême pour conquérir l'amour de la personne qu'elle avait toujours désirée et qui l'avait toujours repoussée (lorsque les choses semblaient aller trop loin)

61. Pascal Quignard, *op. cit.*, p. 220.
62. Vita Sackville-West, *Journal*, cité par Nigel Nicolson dans *Portrait d'un mariage*, Paris, Stock, 1974, p. 145-146.

en raison d'une certaine peur, et de qui elle était jalouse à devenir folle – ce dont je ne m'étais pas rendu compte tant elle était apte à dissimuler, et tant j'étais aveugle à sa nature.

« Elle était étendue sur un sofa, j'étais plongée dans un fauteuil ; elle prit mes mains, écarta mes doigts pour en compter les bouts, tandis qu'elle disait m'aimer. Je n'avais jamais rêvé d'un tel art d'aimer. Ces choses avaient toujours été directes pour moi ; je n'avais connu aucun amour doué de tels raffinements latins (instinctifs ou acquis). J'étais infiniment troublée par la douceur de son toucher, par le murmure délicieux de sa voix. Elle émouvait tous mes sens endormis ; elle portait, je m'en souviens, une robe rouge, exactement de la couleur d'une rose, et qui en faisait, avec sa peau blanche et ses cheveux fauves, l'être le plus séduisant du monde. Elle m'attira vers elle et me fit me pencher et l'embrasser – cela ne m'était pas arrivé depuis tant d'années. Elle fut alors assez avisée pour se lever et aller se coucher ; mais je l'embrassai à nouveau dans le noir, après avoir éteint notre lampe solitaire. Elle se laissa aller entièrement dans mes bras, toute molle et passive (je frémis en pensant à l'expérience cachée derrière cet abandon). Je n'ai sûrement pas dormi au cours de cette nuit-là – du moins, de ce qui en restait [63]. »

Son *Journal* ne fut jamais publié de son vivant. Il fut trouvé après sa mort dans le grenier, par son fils Nigel Nicolson, qui attendit la mort de tous les protagonistes de l'histoire pour le publier dans le cadre d'un « panégyrique » du mariage de ses parents. Mais ce faisant, il a trahi l'acte de vérité de sa mère en l'intitulant *Portrait d'un mariage*. Car pourquoi Vita Sackville-West voulait-elle faire le récit de sa passion pour Violet Trefusis ? Parce que, écrit-elle, « j'ai la conviction qu'avec le temps, au cours des siècles, comme les sexes se confondront plus ou moins en raison de leur ressemblance croissante, de telles liaisons cesseront dans une très large mesure d'être considérées comme simplement anormales ; et qu'elles seront bien mieux comprises, sinon dans leur aspect physique, du moins dans leur aspect intellectuel ».

63. Cité par N. Nicolson, *op. cit.*, p. 146-147.

Mais surtout, elle écrit pour poser sa propre légitimité face au savoir de l'homme de science : « [...] je revendique le fait d'être capable d'en parler avec la connaissance intime qu'un homme de science professionnel n'obtiendrait qu'après des années d'études et d'informations indirectes, car j'ai, moi, sous la main, en permanence, l'objet de cette étude, dans mon propre cœur, et je puis jauger l'exacte véracité de ce que m'enseigne ma propre expérience [64]. »

Le pouvoir des conventions sociales fut cependant le plus fort, puisqu'elle enfouit son journal dans une malle. Mais deux ans plus tard, la rencontre d'une autre femme va en quelque sorte justifier son premier effort d'authenticité. Elle s'appelle Virginia Woolf, elle est écrivain, elle a quarante ans. Vita Sackville-West en a trente, elle aussi est écrivain, issue de la haute aristocratie anglaise. Pendant deux ans, l'amour va mûrir paisiblement, le temps pour Virginia Woolf d'apprécier cette femme « dure, belle, virile » et surtout de se faire à l'idée que Vita est « une lesbienne déclarée, et il se peut [...] qu'elle ait des visées sur moi en dépit de mon âge avancé [65] ».

Mais un jour elle doit se rendre à l'évidence : « Ces lesbiennes *aiment* les femmes ; leur amitié ne va jamais sans un certain érotisme. » Et s'abandonnant enfin à l'attraction, elle s'écrie : « J'aime Vita, j'aime être avec elle, j'aime son opulence – dans l'épicerie de Sevenoaks, elle resplendit, elle diffuse une clarté de bougie, plantée sur ses jambes élancées comme des hêtres ; elle est baignée de rose, a l'éclat raffiné d'un raisin généreux, porte des perles autour du cou. C'est le secret de sa séduction, j'imagine. Toujours est-il qu'elle me trouve incroyablement fagotée : aucune femme ne se soucie aussi peu que moi de son apparence ; personne ne porte des choses comme les miennes. Et si belle pourtant, etc. Quel effet me produit tout cela ? Très mélangé. Il y a sa maturité et sa poitrine avantageuse ; le fait qu'elle navigue ainsi toutes voiles dehors, en haute mer, alors que je louvoie le long des côtes ; [...] bref, elle est ce que

64. *Ibid.*, p. 146.
65. Cité par Mitchell A. Leaska dans son introduction à Vita Sackville-West-Virginia Woolf, *Correspondance*, traduit de l'anglais par R. Las Vergnas, Paris, Stock, 1985, p. 37.

je n'ai jamais été : une vraie femme. Et puis une certaine sensualité se dégage de sa personne (les raisins sont mûrs) mais pas délibérée [66]. »

Leur liaison commença quelques jours après et à un mari qui craint les mêmes désordres passionnels qu'avec Violet Trefusis, Vita Sackville-West avoue : « J'aime Virginia, qui ne l'aimerait pas ? Mais sincèrement, mon chéri, l'amour qu'on a pour Virginia est quelque chose de très différent : quelque chose de mental ; de spirituel, si vous voulez, quelque chose d'intellectuel. [...] J'ai une peur épouvantable d'éveiller en elle des sensations physiques, à cause de la folie. J'ignore quel effet cela pourrait avoir, vous comprenez : c'est un feu avec lequel je n'ai pas envie de jouer. J'ai trop d'affection et de respect sincères pour elle [...]. Virginia, au surplus, n'est pas le genre de personne à qui l'on pense sous cet angle. Il y a quelque chose d'incongru et de presque indécent dans cette idée. J'ai, *c'est exact*, couché avec elle (deux fois), mais c'est tout. À présent vous savez tout ce qu'il faut savoir, et j'espère que je ne vous ai pas choqué [67]. »

Or cet amour va engendrer le roman le plus singulier de l'œuvre de Virginia Woolf et peut-être aussi de la littérature anglaise. Le 5 octobre 1927, elle note dans son *Journal* les idées qui lui arrivent : « Des possibilités passionnantes me viennent aussitôt à l'esprit ; une biographie commençant en l'an 1500 pour se poursuivre jusqu'à notre époque intitulée *Orlando* : Vita ; mais avec un changement de sexe en cours de route [68]. » Elle commence bientôt la rédaction de cette « lettre d'amour à Vita », qui sera pour elle l'occasion d'explorer un espace sans limite, c'est-à-dire non limité par le sexe ; un espace où elle peut être deux, elle et autre chose, un homme et une femme, dans le passé et dans le présent.

Le passage d'Orlando d'un sexe à l'autre lui permet ainsi d'exposer sa conception de l'identité sexuelle : « Notre affirmation de naguère – Orlando, disions-nous, n'avait pas changé en devenant

66. Virginia Woolf, *Journal*, traduit de l'anglais par C.-M. Huet, Stock, 1981, tome III, p. 239.
67. Lettre de Vita à Harold, citée par M. A. Leaska, *op. cit.*, p. 42.
68. Virginia Woolf, *Journal*, tome III, p. 398.

femme – cessait d'être absolument vraie. Orlando devenait, comme les femmes, un peu moins vaine de son cerveau ; comme les femmes un peu plus vaine de sa personne. Sa sensibilité augmentait ici, diminuait là. Le changement d'habits, diront quelques philosophes, était pour beaucoup dans cette transformation. Le rôle des habits, disent-ils, ne se borne pas à nous tenir chaud. Ils changent le monde à nos yeux et nous changent aux yeux du monde [...]. Ainsi, comme on le soutiendrait avec quelque raison, ce sont peut-être les habits qui nous portent et non pas nous qui les portons ; nous pouvons leur faire mouler notre bras ou notre poitrine, eux moulent à leur gré nos cœurs, nos cerveaux et nos langues [...].

« Tel est l'avis de quelques philosophes – des plus sages philosophes ; mais, tout compte fait, nous penchons pour l'avis contraire. La différence entre les sexes est, par bonheur, des plus profondes. Les habits ne sont qu'un symbole de la réalité enfouie au-dessous. Si différents que soient les sexes, pourtant ils se combinent. Tout être humain oscille ainsi d'un pôle à l'autre, bien souvent, tandis que les habits conservent seuls une apparence mâle ou femelle, au-dessous le sexe profond dément le sexe superficiel. Nul n'ignore les complications et les confusions qui en résultent [69]. »

Avec *Orlando*, la question de l'identité sexuelle change complètement de registre. Ce n'est plus le sexe qui explique et justifie l'amour entre deux personnes, mais l'être, sa conscience et sa profondeur. Si la bipolarité est la condition même de la vie, l'unité profonde de l'être en est sa permanence. C'est un moment important qui survient ici, un moment de rupture avec le passé qui marque l'entrée dans la littérature de la crise des modèles sexuels.

Il ne s'agit pas seulement de repérer ce qui « trébuche et verse du sexe officiel dans le sexe clandestin », comme le dira Colette dans *Ces Plaisirs*... Ni même d'être reconnue dans son identité de genre par l'aimée, comme elle l'écrit aussi : « Que j'étais donc timorée, que j'étais femme sous ma chevelure sacrifiée, quand je singeais le gar-

69. Virginia Woolf, *Orlando* (1928), Paris, Stock, 1957, p. 151-152.

çon... ! Qui nous tiendra pour femme ? Mais les femmes. Elles étaient les seules à ne pas s'y tromper [70]. »

Il s'agit de « traverser les apparences », de quitter la surface des choses et des images dans lesquelles sont piégées les femmes ; de se déprendre du jeu social des masques et des apparences, pour s'enraciner dans l'être. À ce niveau-là, l'image de la femme n'a plus aucune espèce d'importance. Car ce n'est plus le paraître qui détermine notre présence au monde, mais l'être, et ce que nous allons devenir avec ce que nous sommes.

Avec *Orlando*, Virginia Woolf nous fait passer de l'affirmation sociale de la femme à la quête de l'unité profonde de son être, laquelle se conquiert dans la création et, comme elle l'écrira plus tard dans *Une chambre à soi*, la liberté d'incarner l'amour de la femme pour la femme dans la création : « Nous sommes entre femmes, vous me le garantissez ? Alors je puis vous dire que les mots que je viens de lire sont : " Chloé aimait Olivia... " Ne bondissez, ne rougissez pas. Admettons, dans l'intimité de notre propre compagnie, que ce sont là des choses qui, parfois, arrivent. Des femmes parfois aiment des femmes.

« Chloé aimait Olivia, ai-je lu. Et je fus alors frappée de l'immense changement que ce fait représente. Pour la première fois peut-être dans la littérature, Chloé aime Olivia [71]. »

70. Colette, *Ces plaisirs...*, J. Ferenczy, 1932. Réédité en livre de poche sous le titre *Le Pur et l'Impur*. « C'est selon mon vœu personnel que le volume intitulé *Ces plaisirs* s'appellera désormais *Le Pur et l'Impur*. S'il me fallait justifier un tel changement, je ne trouverais qu'un goût vif des sonorités cristallines, une certaine antipathie pour les points de suspension bornant un titre inachevé – des raisons, en somme, de fort peu d'importance. » Introduction à l'édition de 1941.

71. Virginia Woolf, *Une chambre à soi*, traduit de l'anglais par Clara Malraux, Paris, Gonthier, 1951, p. 111.

CHAPITRE 3

De l'émancipation à la libération ?

Le succès, les passions, le scandale déclenchés en 1922 par le roman de Victor Margueritte nous étonnent aujourd'hui quand on songe aux vrais sujets d'indignation qui auraient dû soulever la France après la guerre. Le refus d'accorder le droit de vote aux Françaises par exemple, véritable humiliation infligée par les vainqueurs aux femmes des vainqueurs alors qu'ils l'accordaient aux Allemandes vaincues. Mais personne n'a protesté. On a donc poussé plus loin l'humiliation en votant en 1920 une loi interdisant la contraception et l'avortement. Il faut repeupler la France, et c'est le devoir national des Françaises de le faire.

Trois cent mille exemplaires de *La Garçonne* sont vendus dans l'année 1922, plus d'un million d'exemplaires en 1929... Est-ce dans ce domaine controversé des mœurs que la révolte couve et s'exprime ?

Les motivations de Victor Margueritte sont claires : « *La Garçonne* n'est qu'une étape dans cette marche inévitable du féminisme vers le but magnifique qu'il atteindra [1]. » Une étape ambiguë cependant, qui manipule les images et les peurs d'une bourgeoisie française pas du tout disposée à reconnaître l'égalité entre les sexes, malgré la remarquable contribution des femmes à l'effort de guerre.

1. Victor Margueritte, préface à la réédition de *La Garçonne*, Flammarion, 1922.

Elles ont fait tourner les usines, labouré la terre, pris des décisions engageant l'avenir des entreprises, des commerces, des fermes ; elles ont prouvé que la machine économique et sociale pouvait fonctionner sans les hommes. Et l'État les renvoie à leurs berceaux ! À première vue, la garçonne incarne les rêves d'émancipation nés de la participation massive des femmes à la vie collective. Monique Lherbier travaille, elle gagne sa vie, elle est célibataire, a les cheveux coupés, libère son corps et... a des aventures avec les femmes. Que l'on se rassure cependant : le roman finit convenablement, puisque après avoir brûlé la chandelle par les deux bouts notre héroïne tombe amoureuse d'un jeune homme avec lequel elle se marie. Mais le portrait de femme émancipée dressé par Victor Margueritte est si choquant aux yeux des corps institués qu'ils réagissent en lui retirant sa Légion d'honneur. Anatole France prend sa défense en minimisant la portée subversive de ses aventures avec les femmes. Car le vice ne trouve-t-il pas sa rédemption dans le mariage ? Dans une lettre envoyée à la Légion d'honneur, il résume ainsi le roman : « Une jeune fille bien douée et d'un caractère énergique trouve avec raison le monde bien laid. Par une erreur que Victor Margueritte n'approuve nullement, cette jeune fille désespérée s'égare dans des vices pour lesquels elle n'était pas faite. Après quelques années d'erreur, qu'elle aime trop peu elle-même pour les faire aimer, elle rentre dans une vie honnête et régulière où elle trouve la paix du cœur et le consentement qu'elle cherchait vainement ailleurs. [...] Avant de le condamner voyez de quel crayon vigoureux d'Aubigné peint en son temps ceux qu'il nomme les hermaphrodites[2]. »

Les lesbiennes... une déviation de l'émancipation des femmes ? Si Victor Margueritte se trouve visiblement dépassé par son sujet, la réaction des féministes au roman prouve néanmoins qu'il a touché un point sensible du problème qui ne risque pas d'être intégré de sitôt. Au lieu de s'élever contre les accusations de pornographie lancées contre *La Garçonne*, les féministes vont en

2. Anatole France, « Lettre ouverte de Monsieur Anatole France à la Légion d'honneur », publiée dans *La Garçonne*, J'ai Lu, p. 246.

quelque sorte les valider dans l'espoir qu'en se montrant vertueuses, elles seront jugées dignes d'exercer le droit de vote. « Les émancipées de l'ancienne morale [...] vivent en hommes parce qu'elles aiment trop les hommes, écrit Marcelle Tinayre, ou – quelquefois – parce qu'elles ne les aiment pas assez et que leur vie, littérairement glorifiée, leur paraît une élégance. Le féminisme n'a rien à voir dans ces affaires intimes [3]. » Cécile Brunschvicg est encore plus explicite : « Les hommes peuvent être rassurés. Avec ou sans leurs droits politiques, les femmes ne renonceront jamais à leur plaire [4]. » Nous voilà donc éclairés sur les causes psychologiques de l'échec du féminisme français à obtenir le droit de vote entre les deux guerres. Que le patriarcat se rassure donc, le syndrome de Lysistrata ne menace pas les Françaises, prêtes à tous les renoncements pour lui donner des gages de leur féminité. Un patriarcat ravi certes, mais qui n'en demande peut-être pas tant. En effet, le statut de la célibataire s'est considérablement amélioré après la guerre et, si l'on plaint les « laissées-pour-compte », on envie les émancipées qui peuvent vivre leur vie de par le monde sans passer pour des parias comme au temps de Flora Tristan. Mais ni le décalage entre les mentalités repopulationnistes et les pratiques malthusiennes, ni les romans de Colette, ni l'énorme adhésion de la jeunesse au mythe de la garçonne ne mettent les militantes à l'abri de la peur de la « virilisation » des femmes qui va devenir une hantise partagée par les féministes « réformistes »... et les psychiatres.

Certes, toutes ne la partagent pas. Certaines même en prennent l'exact contrepied, comme la doctoresse Madeleine Pelletier qui prône la « virilisation de la femme » en nouveau modèle d'émancipation. La femme ne pourra « s'affranchir qu'en se virilisant », écrit-elle, car « au sens social rester femme, c'est rester esclave, c'est garder des attitudes et des habitudes qui, créées pour le servage, ne sauraient convenir pour la liberté [5] ». Logique avec ses idées,

3. Marcelle Tinayre, *La Femme émancipée*, Paris, Montaigne, 1927, p. 41. Pour l'histoire des féministes entre les deux guerres, voir la récente thèse de Christine Bard, *Les Filles de Marianne*, Paris, Fayard, 1995.

4. Cité par M. Tinayre, *op. cit.*, p. 20.

5. Madeleine Pelletier (1876-1942), *La République portugaise et le vote des femmes*, Bibliothèque Marguerite-Durand.

elle pratique « l'affichage vestimentaire de [ses] convictions féministes » en se coupant les cheveux et portant le costume tailleur. « Si je m'habille comme je le fais, écrit-elle en 1919, c'est parce que c'est commode, mais c'est surtout parce que je suis féministe, mon costume dit à l'homme : “ je suis ton égale ”. Les hommes le comprenaient bien et c'est pourquoi ils ne voulaient pas l'admettre [6]. » Son erreur est de penser que l'image sociale, le vêtement, est le reflet de l'être, qu'elle le révèle et l'exprime. Mais pourquoi en vient-elle à confondre la femme et son image ? Par refus d'aller à la femme précisément, car aller à la femme c'est aller à l'être et non à l'image. Madeleine Pelletier confond la protestation sociale et l'affirmation identitaire ; c'est pourquoi elle accorde une si grande importance aux apparences. Ce refus d'aller à l'être, cette peur cachée de la femme apparaît particulièrement bien dans un de ses romans rédigé dans les années 1930, *Une vie nouvelle*, où elle écrit naïvement que la virilisation ne peut que conduire à l'extinction du saphisme : « La société nouvelle avait donné droit de cité aux homosexuels hommes et femmes. Elle reconnaissait que l'homosexualité n'était pas normale, néanmoins elle trouvait archaïque et arbitraire de réglementer les caresses, de désigner ce qui est permis de ce qui est défendu. Seul le scandale public était réprimé, et on le punissait également lorsqu'il s'agissait de sexualité naturelle. Chose inattendue, l'inversion sexuelle, au lieu d'augmenter, diminua. Une bonne part de sa force tenait à l'importance donnée à la sexualité en général. [...] Chez la femme, l'homosexualité avait toujours été moins répandue et sa grande pourvoyeuse avait été la continence forcée des femmes qui, n'ayant pu se marier, n'avaient pu prendre un amant. Des femmes mariées recherchaient dans le lesbianisme un amour moins brutal enjolivé de tendresse. La liberté sexuelle de la femme fit disparaître le saphisme à peu près complètement [7]. »

C'est le contraire qui se passa, comme nous le verrons plus loin... car la liberté génère la liberté et elle aspire à intégrer toutes les

6. Madeleine Pelletier, « Du costume », *La Suffragiste*, juillet 1919.
7. Madeleine Pelletier, *Une vie nouvelle*, Paris, Figuière, 1932, p. 205-206. Voir aussi *La Femme vierge*, Bresle, 1933.

composantes humaines, comme l'a bien développé Fourier dans son *Nouveau Monde amoureux*. Madeleine Pelletier n'était pas visionnaire. Elle était une idéologue qui n'avait pas peur de pousser ses idées jusque dans leurs derniers retranchements, aux dépens même d'Éros, de cet amour de soi élémentaire dont le manque augmente, si l'on peut dire, en proportion de la résistance déployée par le patriarcat à reconnaître socialement les femmes sortant de l'ordinaire. Mais si Madeleine Pelletier fut encouragée dans cette voie par un patriarcat gêné par ses dons, cela ne l'empêcha pas d'être arrêtée en 1939 pour avoir pratiqué illégalement des avortements, jugée irresponsable et enfermée à l'asile de Perray-Vaucluse, où elle mourut si mois plus tard, quelque temps avant Camille Claudel [8].

Des radicales aux réformistes, les féministes se désolidarisent de *La Garçonne* avec une unanimité peu gratifiante pour les lesbiennes et plus généralement la cause de la liberté sexuelle. Piégées par les apparences (bourgeoises), elles resteront longtemps prisonnières d'une idéologie qui façonne des images de femmes acceptables, reconnues socialement par leur lien à l'Autre masculin, le mari, et ses enfants. Pour cette raison peut-être, elles n'ont pas vu que le point faible de la garçonne n'était pas dans la peinture du « vice », mais dans le modèle identitaire construit par Victor Margueritte. Car un modèle d'émancipation n'est valable, c'est-à-dire n'est capable de structurer l'individualité de la femme, que s'il est construit à partir de la femme, non en référence à l'homme. Après tout, en quoi la garçonne serait-elle plus émancipée qu'une Marie Curie, par exemple, dont les deux prix Nobel arrivaient à peine à fléchir la résistance des institutions de recherche scientifique françaises ?

La réaction d'indifférence avec laquelle les lesbiennes accueillirent *La Garçonne* montre en tout cas qu'elles n'étaient pas dupes de l'impasse identitaire dans laquelle Victor Margueritte engageait

8. Pour sa biographie et le féminisme de l'entre-deux-guerres, voir Christine Bard (sous la direction de) : *Madeleine Pelletier (1878-1939). Logique et infortunes d'un combat pour l'égalité,* Éditions Côté-Femmes, 1992.

le féminisme. De quel poids pouvait bien peser l'image de la garçonne face à l'archétype de l'amazone investi dès 1912 par Natalie Clifford Barney ? « Il est temps que les Amazones ne se fassent plus féconder par " l'ennemi ", écrit-elle, et l'ennemi n'est-il pas celui qui prendra à la femme son enfant, pour l'élever ou le tuer à sa guise [9] ? » Plus loin, elle dit fort à propos : « Quand je sort de mon élément c'est armée en amazone. » Et ceci encore : « La femme qui prend conscience d'elle-même s'impose ses propres lois que la société ne peut isolément lui dicter. » Nous sommes loin de la morale bourgeoise et bien plus près d'un saint Augustin, dont le célèbre aphorisme « Aime et fais ce que tu veux » aurait pu servir de devise à l'Amazone. L'amour libère de la morale et l'art des apparences, aussi paradoxal que cela soit. Plusieurs artistes, d'ailleurs, s'étaient déjà emparés de la figure de l'amazone avant la guerre et l'avaient représentée en femme seule qui a intégré la liberté sexuelle, à la différence des « Deux Amies » qui la conquièrent. Modigliani peint en 1909 une splendide *Amazone* en veston-cravate, la main sur la hanche et le regard espiègle fixant fièrement le spectateur. Un peu plus tard, Chana Orloff sculpte une *Amazone* sur son cheval [10] qui donne une représentation différente de la liberté sexuelle en ce qu'ici la femme maîtrise l'animal et les deux ne font qu'un.

Le travestissement de l'amazone en garçonne, son affadissement et sa récupération au service du patriarcat est un des résultats de la Première Guerre mondiale, qui a provoqué un éclatement sans précédent des repères et des identités. Éclatement du socialisme en communisme et SFIO sous l'effet de la révolution soviétique de 1917 ; éclatement de la peinture en abstraction, cubisme et figuration sous l'effet d'un changement radical du regard sur le monde ; de la gamme musicale ; découverte de l'atome, de l'uranium, de la radioactivité, et, du côté du féminisme, éclatement entre le politique, réservé au suffragisme et aux épouses, l'économique, réservé

9. Natalie Clifford Barney, *Pensées d'une amazone*, Émile Paul, 1918, p. 9.

10. Chana Orloff (1888-1968). Voir son catalogue par Félix Marcilhac, Éditions de l'Amateur, 1991. L'*Amazone* de 1916 fut exposée au Salon des Indépendants de 1920. Il en existe plusieurs versions, en plâtre, bois et bronze.

aux syndicalistes, institutrices célibataires dans leur majorité, et le culturel qui va prendre en charge ce que le féminisme se refuse à assumer : la libération sexuelle.

Les lesbiennes vont ainsi rejoindre le courant porteur de toutes les idées neuves qui ne trouvent pas place dans le politique : l'art et la littérature. Elles vont pouvoir s'exprimer, s'affirmer dans une vie culturelle nouvelle qui a pignon sur rue et, fait nouveau, donner la mesure de leur potentiel révolutionnaire en participant aux mouvements d'avant-garde.

La cinéaste Germaine Dulac, qui commença à tourner pendant la guerre, s'impose dans l'avant-garde avec *La Fête espagnole,* sur un scénario de Louis Delluc, *La Coquille et le Clergyman*, sur un scénario d'Antonin Artaud, et, en 1928, trois films expérimentaux – *Arabesque, Thèmes et variations, Disque 957* – qui explorent les ressources visuelles du cinéma au moyen du rythme et du mouvement sur des musiques de Debussy, Chopin et des airs classiques. Certes, Germaine Saisset-Schneider épouse Dulac en 1908, mais elle divorcera après la guerre, non sans avoir formé avec Stacia de Napierkowska, la grande vedette du muet qui lui fit découvrir le cinéma en l'emmenant assister à Rome au tournage de *Caligula* en 1907, un curieux trio. Elle travaille avec Hélène Hillel-Erlanger, romancière et scénariste de ses quatre premiers films, puis avec Marianne Malleville, « assistante » tendrement aimée dont le mariage sera ressenti comme une trahison. Germaine Dulac écrit également ; elle collabore à *La Fronde,* le journal féministe de Marguerite Durand, à *La Française,* et publie de nombreux articles sur le cinéma. Mais c'est peut-être *La Souriante Madame Beudet,* tourné en 1923, qui fait d'elle la première cinéaste « lesbienne-féministe » d'avant-garde. Car il faut avoir vécu soi-même une alternative au mariage pour être capable, comme elle le fait, de filmer « l'asphyxie quotidienne ; le duel intime d'un mari, banal comme tous les maris [...] et de sa jeune femme, cérébrale, que la lecture des poètes laboure et élève [11] ». Il faut aussi posséder un regard distancié sur la réalité

11. Germaine Dulac, page inédite retrouvée dans son dossier, bibliothèque Marguerite-Durand. Voir aussi la récente publication de ses écrits aux Éditions Expérimental.

pour rendre perceptible la vie intérieure des personnages en recourant uniquement à des moyens visuels. En 1927, elle tourne *La Coquille et le Clergyman* qui la classe dans l'avant-garde surréaliste parce qu'elle « cherche à réaliser cette idée de cinéma visuel où la psychologie est dévorée par les actes [12] ». Bien qu'Artaud se soit estimé trahi et que les surréalistes aient organisé un chahut formidable lors de la sortie du film au Studio des Ursulines [13], il tint l'affiche et classa Germaine Dulac aux côtés d'Abel Gance, Jean Epstein et Delluc, parmi les metteurs en scène importants de l'avant-garde. À l'apparition du parlant, elle abandonne la fiction, préférant s'occuper de l'éducation du public en fondant les premiers ciné-clubs, et filmer les actualités en devenant la fondatrice et directrice de France-Actualité-Gaumont, poste qu'elle occupera jusqu'à la guerre.

Il faudrait évoquer également la danseuse Loïe Fuller qui, bien avant les Ballets russes, révolutionna la danse et la mise en scène par l'utilisation de lumières et de filtres qui créaient un espace nouveau. Elle dansait avec des voiles et fut si importante qu'on lui consacra un pavillon à l'Exposition universelle de 1900, sans parler des nombreux pieds de lampes et objets décoratifs inspirés par son art [14]. Citons aussi l'Irlandaise Eileen Gray, arrivée à Paris en 1913 et qui s'impose dans l'art décoratif pendant cinquante ans. Les sculptrices France Raphael et surtout Jane Poupelet (1874-1932), qui adhère à l'Association of Women Paintors and Sculptors en 1914 et crée, avec l'Américaine Janet Scudder, un réseau de solidarité entre artistes, organisant des expositions d'artistes français aux États-Unis pendant la guerre. Stylistiquement située entre Rodin et Bourdelle, elle représente aux côtés de Maillol, Pompon, Schnegg et Wlérick la sculpture indépendante. Ses animaux de ferme, traités par plans lisses, la rapprochent de la sculpture

12. Voir Antonin Artaud, *Œuvres complètes*, Paris, Gallimard, tome III.

13. Voir Marie-Jo Bonnet, « Germaine Dulac, l'audace des années 20 », *Gai Pied Hebdo* n° 57, 19 février 1983 ; et Fabienne Worth, qui prépare actuellement la biographie de G. Dulac.

14. Voir Giovanni Lista, *Loïe Fuller, danseuse de la Belle Époque*, Paris, Smoggy-Stock-Édition d'Art, 1995.

antique animalière. Il y aurait aussi la dessinatrice Gerda Wegener, les peintres Valentine Penrose, Véra de Landchevsky, Genia Minache ; la photographe Claude Cahun et les écrivains qui, dans les années 1930, entreprirent des recherches plus « ésotériques » avec Gurdjieff : Georgette Leblanc (écrivaine et actrice), Margaret Anderson (co-fondatrice de *The Little Review*, à New York), Kathrin Hulme (auteur de *The Nun's Story*) et Jane Heap. « Pendant deux années, écrit son disciple John Bennet, Gurdjieff réalisa avec ces femmes une série d'expériences particulièrement intenses et sortant de l'ordinaire, en employant des méthodes qui les mettaient dans des états psychiques étonnants, et développaient leurs pouvoirs beaucoup plus rapidement que ne le firent ses élèves des années antérieures. Chacune de ces femmes fit, par la suite, une brillante carrière notamment dans la littérature [15]. » Signalons d'ailleurs que Gertrude Stein rencontra Gurdjieff plusieurs fois à Paris.

Un autre fait remarquable de ces années 1920 est la façon dont les femmes artistes vont affronter le tabou de la représentation de l'érotisme lesbien. Pour la seule année 1923, soit l'année qui suit la publication de *La Garçonne*, Tamara de Lempicka peint les *Deux Amies*, Louise Janin *Sapho, la Dixième Muse*, entourée de ses compagnes, où elle cherche à représenter « l'écho de l'esprit à travers les rythmes de la vie [16] » ; Chana Orloff sculpte le portrait de Romaine Brooks, qui a peint elle-même deux ans auparavant une *Natalie Clifford Barney en Amazone* (musée Carnavalet, Paris) et peindra en 1924 ceux d'Élisabeth de Gramont et Lady Troubridge [17], sans oublier Marie Laurencin qui peint le rideau de fond de scène pour le ballet *Les Biches*, créé à Monte-Carlo le 6 janvier 1924, sur une idée de Cocteau, une musique de Francis Poulenc et une chorégraphie de Bronislava Nijinska. Spectacle des fameux

15. John G. Bennet, *Gurdjieff, artisan d'un monde nouveau*, Paris, Le Courrier du Livre, 1977, p. 255. Voir aussi les travaux de Frances Doughty (New York) et son article « Margaret Anderson's Family of Friends : Spanning Half a Century », *Womanews*, septembre 1981, à consulter au Lesbian History Archives de New York.

16. Voir *Louise Janin, témoin du siècle*, ouvrage réalisé par Nicole Lamothe et Monique Marmatcheva, 1993, p. 174, et l'article de M. Félix dans *La Peinture*, juin 1924.

17. Voir le catalogue *Romaine Brooks (1874-1970)*, par Blandine Chavanne et Bruno Gaudichon, Poitiers, musée Sainte-Croix, 27 juin-30 septembre 1987.

Ballets russes, *Les Biches* seront jouées à Paris l'année suivante, associant Marie Laurencin (1883-1956) à la représentation sur scène d'un érotisme lesbien imaginé par Francis Poulenc. Car c'est lui qui eut l'idée de ces « fêtes galantes 1923, où l'on pouvait, comme dans certains tableaux de Watteau, ne rien voir ou imaginer le pire. Une vingtaine de femmes, ravissantes et coquettes, trois solides beaux gars en costume de rameurs réunis par une chaude après-midi de juillet dans un énorme salon blanc, ayant comme seul meuble un immense canapé bleu-Laurencin. J'estimais que cela suffisait à créer l'atmosphère érotique que je souhaitais, l'atmosphère de mes vingt ans [18] ». Plus loin, Poulenc précise les limites de la transgression des tabous : « Dans *Les Biches* il n'est pas question d'amour, mais de plaisir, [...] dans ce ballet on ne s'aime pas pour la vie, on couche. »

Le tableau peint par Marie Laurencin (musée de l'Orangerie, Paris) donne toutefois une faible idée de « l'atmosphère érotique » conçue par Poulenc et ainsi décrite par Cocteau : « [...] paraissent les deux pigeons. Deux jeunes filles en gris, côte à côte, de face. L'une tient l'autre par le cou. L'autre appuie la main de l'une sur son cœur. Une amitié singulière les machine profondément. Elles exécutent ensemble leur danse dédaigneuse [...] et elles se quittent, non sans se lancer [...] un regard bref, hautain, complice, inoubliable. Le regard des jeunes filles de Proust [19]. » Dans une lettre à Diaghilev, Poulenc se fait encore plus précis : « Les Biches alors, se servant du canapé comme d'un observatoire passent la tête au-dessus du dossier, puis se cachent, et quand le jeu reprend, écoutez-moi bien, les deux hommes retournent vivement le canapé et on voit couchées deux dames, dans une position que je qualifierai de tête-à-queue en pensant à Barbette [20]. »

La transgression devait être importante pour que Cocteau éprouve une telle émotion à la description d'une scène qui nous paraît bien innocente. Nous remarquerons malgré tout que Proust constitue pour ces hommes « émancipés » une référence universelle

18. Cité dans *Diaghilev et les ballets russes*, par Boris Kochno, Fayard, 1973.
19. *Ibid.*, p. 120.
20. *Ibid.*

qui comble très certainement un vide de la culture des femmes, vide que Marie Laurencin ne souhaitait ni occuper ni révéler. Dans ses *Biches* qui ressemblent plus à des demi-mondaines issues de la tradition libertine du XVIIIe siècle qu'à des amazones, ou même à ces femmes modernes que Tamara de Lempicka inscrit dans l'espace urbain comme son autoportrait au volant d'une voiture, Marie Laurencin reste fidèle à elle-même, justifiant les propos de Roger Allard : « Marie Laurencin n'a jamais cherché qu'elle-même, des reflets inconnus ou égarés de sa propre image [21]. »

Cette offensive du lesbianisme dans la culture se perçoit particulièrement bien à l'Exposition internationale des Arts décoratifs et industriels modernes de 1925 où les visiteurs du Pavillon du livre sont accueillis par l'immense statue de Bourdelle représentant Sappho avec sa lyre. Ce n'est plus l'amante délaissée par Phaon qui est montrée, mais la créatrice, dont personne n'ignore plus les mœurs après les travaux de Théodore Reinach et Mario Meunier.

Un autre élément à remarquer dans cet entre-deux-guerres est l'arrivée de Suzy Solidor, qui marqua profondément son époque en imposant un nouveau type de lesbienne. La chanteuse de cabaret à la voix envoûtante, au corps superbe, mais aussi la jeune femme pauvre, partie de rien, qui acquiert son influence par une vie dure et dont la liberté de pensée et la gouaille attireront dans son cabaret, *La Vie parisienne*, les poètes, artistes, écrivains célèbres comme les lesbiennes anonymes. Avec elle, nous sortons pour la première fois du cadre aristocratique bourgeois dans lequel Lesbos s'était exprimée. Et c'est peut-être sa liberté vécue à tous les niveaux, même sexuel, sans qu'elle fût prostituée, qui explique l'attraction qu'elle exerça sur les nombreux artistes qui firent son portrait, contribuant à sa popularité [22] et, à travers elle, à la reconnaissance

21. Roger Allard, *Marie Laurencin*, Paris, 1921. Dossier du Centre de documentation peinture du Centre Georges-Pompidou.

22. Suzy Solidor fut peinte par Van Dongen, Foujita, Marie Laurencin, Tamara de Lempicka, Mariette Lydis, Kisling, Picabia, etc. Sa donation au château-musée de Cagnes comprend deux cent vingt-quatre œuvres dont une quarantaine sont exposées. Voir M.-J. Bonnet, « Portrait de Suzy Solidor par Tamara de Lempicka », *Lesbia Magazine*, septembre 1994. Notons également que Suzy Solidor joua dans la première version cinématographique de *La Garçonne* (1935) aux côtés de Marie Bell et d'Édith Piaf.

du fait lesbien comme une composante constitutive du mouvement culturel des années vingt.

Ce qu'il faut retenir de cette période d'entre-deux-guerres, et qui est véritablement neuf, c'est que le désir de la femme pour la femme sort du secret, se donne à voir et exerce une véritable fascination sur les artistes femmes et hommes qui, de Foujita à Pascin, en passant par Bourdelle, Chemiot et tant d'autres, ne se lassent pas de représenter les « Deux Amies ». Cette expression de la liberté sexuelle se déploie dans tous les registres – du « morbide » au sentimental, de l'Amazone aux « Deux Amies » – et n'a pas d'équivalent masculin, le désir homosexuel de l'homme ayant investi la littérature plutôt que la peinture. Or cette spécificité répond à bien d'autres motivations que celle d'une mode lancée par *La Garçonne* et relayée par des artistes en mal de sujets à sensations. C'est d'abord une réaction de compensation face au discours nataliste tenu par les autorités politiques et morales désireuses de repeupler la France. C'est aussi, et peut-être surtout, une forme de résistance à la montée des totalitarismes qui exaltent les valeurs viriles à travers la mystique du chef présenté comme le sauveur de la crise économique et le restaurateur de la toute-puissance. Face à la politisation de la virilité, au développement de l'industrie de guerre et des idéologies de puissances nationales, l'art demeure un espace protégé, le seul peut-être où chacun peut librement explorer les matériaux, les couleurs, les formes, les sons, les idées, les pulsions sexuelles, la matière, le fabuleux et les rêves qui tissent le génie de chaque peuple.

Le nombre important de femmes à participer aux mouvements artistiques *sur leur propre terrain* est le signe, là aussi, que les autres terrains d'action leur sont interdits. Le politique, fermé, comme nous l'avons vu, à toute intégration des femmes dans « l'universel » masculin, se fige dans l'opposition des contraires (fascisme/révolution) en laissant croire que les femmes sont du parti des curés. La grande espérance du Front populaire ne fait que renforcer les oppositions et l'exclusion des femmes. La montée des périls transforme bientôt la menace guerrière en réalité totalitaire à deux visages (fascisme/communisme) qui organise massacres et génocides à grande échelle. Les « lois de la guerre », garde-fous à la démence virile, ne fonctionnent plus. On écrase l'humain dans les camps. On interne les homosexuels. C'est la destruction aveugle, le mépris pour la faiblesse, celle du prisonnier, du juif, de la femme et de l'enfant. La Deuxième Guerre mondiale ne démontre-t-elle pas l'échec d'un certain pouvoir masculin à prévenir la polarisation des extrêmes ? Parvenu à son maximum de virilité, le Un de l'universalité se transforme en domination totalitaire des êtres (un seul chef, un seul parti, un seul État, disaient les nazis) dans un patriarcat incapable de semer autre chose que mort et destruction absolues.

Conclusion

La grande fracture de 1945 et le droit de vote accordé aux femmes par le général de Gaulle en 1944 représentent assurément la fin d'une époque pour le féminisme français, celle du rêve de l'intégration des femmes dans la société patriarcale telle qu'elle est. Si cette fracture mettra plus de vingt ans à faire son chemin dans la conscience collective, un premier réveil a lieu en 1949 grâce à Simone de Beauvoir, dont *Le Deuxième Sexe* provoque un véritable électrochoc dans une société aux prises avec les tickets d'alimentation et le baby-boom.

Les bien-pensants sont stupéfaits, horrifiés, mais l'espoir renaît chez les femmes car, pour une fois, la question de leur émancipation est repensée dans sa globalité, comme l'indique le titre du livre. Elle embrasse tous les sujets, toutes les situations, y compris celle de la lesbienne, et explore aussi bien l'histoire que la psychologie et les mythes. Rarement le « deuxième sexe » avait suscité un tel effort de pensée de la part d'une discipline habituée à philosopher sur des sujets plus « nobles ». De plus, le livre prenait à contre-pied les idées dominantes en reposant entièrement le problème des femmes dans son contexte social grâce à un constat simple et efficace comme un slogan : « On ne naît pas femme, on le devient [1]. »

1. Simone de Beauvoir, *Le Deuxième Sexe*, Paris, Gallimard, coll. Idées, tome I, p. 285.

La gauche se trouvait pour ainsi dire obligée de reprendre la question de l'oppression des femmes à son compte en reconsidérant les rapports entre la lutte des classes et la lutte des sexes. Il lui fallait admettre l'existence d'une oppression spécifique des femmes, de nature sociale, et cesser de se retrancher sur le terrain de la biologie ou de la « gauloiserie ». Quant aux philosophes, ils ne pouvaient plus se prendre pour l'Un de l'Autre, puisqu'ils avaient trouvé en Simone de Beauvoir une partenaire à la hauteur capable de relever le défi.

Pourtant, beaucoup de choses restaient dans l'ombre. Des choses essentielles, dont l'importance allait s'affirmer avec le temps. La question de l'amour, par exemple. Il est admis que les femmes aiment les hommes, qu'elles aiment les enfants, la nature, les bêtes. Mais pourquoi n'aiment-elles pas les femmes ? Pourquoi cet amour-là est-il exclu de ce que toutes reconnaissent comme leur universel de femmes ? La question était-elle trop épineuse pour faire l'objet d'une réflexion approfondie ?

Simone de Beauvoir consacrait pourtant un chapitre à la lesbienne. Mais le fait même de le placer dans la partie « Formation », alors qu'il s'insérerait tout naturellement dans la dernière partie, qui traite de la « femme indépendante », montre dès l'abord ses limites. Pourquoi élude-t-elle la question de leur indépendance, quand on sait qu'elle alarma tant de psychiatres ? À cause du tabou social frappant les lesbiennes, un tabou s'avérant plus fort qu'avant la guerre au point de dissuader Simone de Beauvoir de transgresser le consensus philosophique hétérosexuel ?

Un autre moyen d'aborder la question eût été de s'appuyer sur la thèse centrale du *Deuxième Sexe* pour demander : « Naît-on lesbienne ou le devient-on ? » Question originale, riche en rebondissements, qui aurait au moins l'avantage de nous entraîner vers d'autres questions peu abordées : qu'est-ce qui relie positivement les femmes entre elles ? Partagent-elles quelque chose de constructif dans le plaisir et l'amour ? au lieu de les vouer à l'oppression commune, la contingence et la passivité ? L'oppression sociale, le conditionnement à « devenir » une femme sont-ils les seuls points communs entre les femmes, ce qui les relie et structure une identité de « deuxième sexe » ?

De ces questions découlerait un nouveau regard sur l'hétérosexualité, envisagée comme un système social qui a pour but la transmission du patrimoine et l'appropriation du corps des femmes, non l'amour. Hétérosexuelles et lesbiennes subissant le même conditionnement à la normalité, pourquoi certaines y résistent-elles plus que d'autres ? Cette question a-t-elle un sens dans une perspective libératrice ? Pourquoi demeure-t-elle taboue et pourquoi l'individue femme a-t-elle plus de difficultés que l'homme à se solidariser avec son sexe ?

Finalement, c'est la psychanalyse qui va donner à Simone de Beauvoir l'axe d'attaque du problème en lui fournissant les références et le fil conducteur. Non qu'elle veuille contester ses prétentions à détenir un savoir « scientifique » sur la sexualité de la femme, mais parce que certaines de ses affirmations méritent d'être rectifiées. Celle-ci par exemple : « La femme dite " virile " est souvent une franche hétérosexuelle [2]. » Ou celle-ci : « [...] pour la femme qui a le culte de sa féminité, c'est l'étreinte saphique qui s'avère la plus satisfaisante. » Et quand Simone de Beauvoir sort du contexte sexuel pour aborder le contexte social, c'est pour éviter à nouveau d'être confrontée au seul problème que pose la lesbienne : que signifie aimer une femme dans une société dominée par les hommes ? « Ce qui donne aux femmes enfermées dans l'homosexualité un caractère viril, ce n'est pas leur vie érotique qui, au contraire, les confine dans un univers féminin : c'est l'ensemble des responsabilités qu'elles sont obligées d'assumer du fait qu'elles se passent des hommes. » Elle ne donne ainsi aucune chance aux femmes « enfermées dans l'homosexualité » de se relier aux femmes enfermées dans la maternité ou dans la philosophie. Pire, elle les élimine comme modèle d'émancipation en expliquant quelques lignes plus loin : « Rien ne donne une pire impression d'étroitesse d'esprit et de mutilation que ces clans de femmes affranchies. »

Un tel mépris pour les femmes affranchies est un comble pour

2. *Ibid.*, p. 481-510.

celle que l'on présente comme la grande féministe de l'après-guerre [3]. Même les artistes, qui ont pourtant tant donné à l'affranchissement du deuxième sexe, ne trouvent guère plus d'indulgence à ses yeux puisqu'elles sont lesbiennes pour gagner du temps, et non parce qu'elles aiment une femme : « Parmi les artistes et écrivains féminins, on compte de nombreuses lesbiennes. Ce n'est pas que leur singularité sexuelle soit source d'énergie supérieure ; c'est plutôt qu'absorbées par un sérieux travail elles n'entendent pas perdre leur temps à jouer un rôle de femme ni à lutter contre les hommes [4]. »

Simone de Beauvoir n'écrit pourtant pas les pires choses sur la lesbienne après la guerre. On peut même dire qu'elle tente une timide réhabilitation de ce personnage ostracisé par une intelligentsia parisienne qui ne jure plus que par l'existentialisme, la lutte de classes et la psychanalyse. C'est pourquoi l'élément sensible et sain va devoir une nouvelle fois se réfugier dans le mouvement culturel pour s'exprimer. En 1950, la cinéaste Jacqueline Audry (1908-1977) prend le relais des peintres et tourne *Olivia* avec Edwige Feuillère, d'après le roman de Dorothy Bussy, sur une adaptation de sa sœur, la romancière Colette Audry [5]. En 1956, elle tourne *La Garçonne* avec Andrée Debar [6], et en 1958 Geza Radvanyi tourne un remake de *Jeunes Filles en uniforme* de Léontine Sagan, avec cette fois-ci Romy Schneider dans le rôle de Manuela. Du côté de la littérature, Violette Leduc, soutenue par Simone de Beauvoir,

3. Nous avons laissé de côté la question de la « vie privée », l'amour physique et les témoignages des anciennes amantes de Simone de Beauvoir, telle Bianca Lamblin, dans *Mémoires d'une jeune fille dérangée*, Paris, Balland, 1993, qui raconte de quelles trahisons et de quel mépris elle fut la victime. Voir aussi le *Journal de guerre* de Simone de Beauvoir et ses *Lettres à Sartre*, publiés après sa mort par sa fille adoptive, Sylvie Le Bon. Voir aussi Deirdre Bair, *Simone de Beauvoir*, Paris, Fayard, 1991, le chapitre sur « L'amitié des femmes » où la question des relations physiques est désamorcée.

4. Simone de Beauvoir, *op. cit.*, p. 506.

5. À sa sortie, le film fut très violemment critiqué parce que ses héroïnes revendiquaient une position de sujet dans le champ érotique, ce qui n'empêcha pas *Olivia* d'accomplir une carrière commerciale honorable. Signalons que Colette Audry est la fondatrice de la collection « Femmes » aux Éditions Denoël-Gonthier, la première du genre, où furent publiés des auteurs prestigieux (Virginia Woolf, Alexandra David-Neel, etc.) et qui joua un rôle important dans les années 1970 avant d'être supprimée en 1989.

6. Voir Paule Lejeune, *Le Cinéma des femmes*, Paris, Atlas Lherminier, 1987.

publie *L'Affamée* (1948), Françoise Mallet-Joris *Le Rempart des Béguines* (1951), Christiane Rochefort *Les Stances à Sophie* (1963), sans oublier *La Bâtarde* de Violette Leduc (1964) et *Thérèse et Isabelle*. En 1964, Monique Wittig publie *L'Opoponax* qui obtient le prix Médicis, puis *Les Guérillères* (1969) et en 1973 *Le Corps lesbien*, qui fera date.

Mais il faut bien admettre que c'est peu comparé à la vitalité de l'entre-deux-guerres. Les peintres ont abandonné le terrain de la libération sexuelle aux cinéastes. De plus, les lesbiennes ne sont plus ces riches héritières libres de consacrer leur fortune à l'édification d'un Temple à l'Amitié ou à la publication des ouvrages qui ne passent pas chez les éditeurs officiels. Les temps ont vraiment changé et le renforcement des structures et mentalités patriarcales, consécutif à la guerre, oblige l'amour qui n'ose pas dire son nom (F. Porché) à rentrer dans la clandestinité.

Ce qui frappe dans cette période dite de reconstruction, c'est l'étonnante rupture avec l'avant-guerre. Rupture dans la mémoire des acquis, mais aussi dans la dynamique émancipatrice qui ne trouve pas dans *Le Deuxième Sexe* l'élan nécessaire au passage à l'acte. Les jeunes filles grandissent avec pour toute référence le mariage ou *Le Puits de solitude, Jeunes filles en uniforme* et *Le pur et l'impur*... On se cache. On se tait, on a peur des parents, des voisins, des camarades ou des patrons. Une étrange réaction de survie pousse au silence. La norme et la marge prennent leurs marques. Un vide bouleversant se creuse dans le secret des existences. Mais tandis que l'industrie met au point les appareils ménagers qui libèrent la femme, une énergie fantastique s'accumule en sourdine, attendant le moment propice, la première brèche dans l'édifice patriarcal, le grand cri de révolte, le rêve, l'utopie partagée par tous en ce printemps 1968 : celle enfin de « changer la vie ».

Tout ce qui avait été refoulé, jugé antirévolutionnaire, réprimé, retenu, comprimé, se dilate soudain, dans un absolu tout à fait inattendu, et se répand dans l'espace social comme une traînée de poudre. Quel beau printemps ce fut ! Ensoleillé, inoubliable, indescriptible ! Ce qui en fit toute la valeur ne fut pas tant l'événement lui-même que ce qu'il a ouvert comme possible avènement d'une nouvelle conscience de femme dans l'histoire. Car à peine commençait-on à se remettre de ces événements que jaillit, dans une société qui croyait avoir tout dit en mai 68, le nouveau cri de ralliement des femmes : « Libération des femmes année zéro. »

Cette impression de tout reprendre à zéro ne venait pas forcément d'une ignorance du passé. Beaucoup avaient lu *Le Deuxième Sexe*. D'autres, souvent les mêmes, avaient fait l'expérience, durant les événements, de la domination masculine dans les assemblées générales et les organisations gauchistes. Elles avaient senti le poids de la théorie révolutionnaire, qui hiérarchise les luttes, le poids des pratiques militantes, qui confinent les femmes dans le secrétariat tandis que les chefs rencontrent le gouvernement et passent à la télévision. Voilà des femmes qui se pensaient les égales des hommes et qui prennent soudainement conscience qu'elles sont traitées en inférieures. Simplement parce qu'elles sont des femmes. C'est alors que de ce point aveugle de Mai 68, de ce trou noir du féminisme du XXe siècle émergea un nouveau « nous les femmes » désireux de prendre en charge le spécifique des femmes, c'est-à-dire leur universel au sein d'un mouvement qui se voulait désormais non mixte.

« Maintenant il s'agit de lutter pour la maîtrise de sa vie, il s'agit de mouvements de lutte contre la contingence, écrit une anonyme dans *Le Torchon brûle*, n° 0. C'est aujourd'hui que se développe un mouvement de libération des femmes (comme il s'est développé un des Noirs) parce qu'il s'agit de ressaisir ce qu'il y a de plus contingent (le sexe, la peau...) et que la société capitaliste a transformé en moyen d'oppression. [...]

« Ce qui est posé c'est la position de dignité. Sinon on tombe dans la revendication, le quantitatif. C'est une révolte contre l'essence même de la vie, telle qu'elle est faite, à elles, mais aussi à leurs mecs, ce qui implique que cette révolte spécifique n'est pas étroite [7]. »

7. *Le Torchon brûle*, n° 0, supplément à *L'Idiot Liberté*, décembre 1970. On peut le trouver à la bibliothèque Marguerite-Durand, à Paris. Destiné à lutter contre le culte de la personnalité et le « nom du père », l'anonymat des textes publiés dans *Le Torchon brûle* fut une des règles importantes et unanimement respectées durant les premières années. Dans ce

Nous étions à l'automne 1970. Au printemps suivant, une action est menée en faveur de la liberté de la contraception et de l'avortement. Trois cent quarante-trois femmes signent un manifeste dans lequel elles déclarent avoir avorté illégalement. Parmi ces femmes on trouve des célébrités, des anonymes, des hétérosexuelles et des lesbiennes, mais toutes ont signé le même texte revendiquant « la libre disposition de notre corps ». La nouveauté de cet acte public est inouïe. C'est d'abord une transgression collective d'une loi votée en 1920, considérée comme désuette, certes, mais qui ne sera abrogée qu'après un long combat auquel Simone Veil prendra une part décisive. C'est aussi la fin de la séparation entre le public et le privé, et, à travers la politisation de la vie privée des femmes, la réappropriation de leur corps par toutes, quelles que soient leurs pratiques sexuelles, en une sorte d'*Habeas corpus* des femmes autoproclamé qui constitue une des dates les plus importantes de la libération des femmes. C'est enfin une dynamique libératrice tout à fait neuve, celle d'un mouvement intégrant toutes les femmes et qui renverse la dynamique féministe précédente en refusant toute forme d'intégration dans la société mâle, comme l'exprime le texte *Notre ventre nous appartient* publié en préambule du manifeste :

« Au Mouvement de libération des femmes, nous ne sommes ni un parti, ni une organisation, ni une association, et encore moins leur filiale féminine. Il s'agit là d'un mouvement historique qui ne regroupe pas seulement les femmes qui viennent au MLF, c'est le mouvement de toutes les femmes qui, là où elles vivent, là où elles travaillent, ont décidé de prendre en main leur vie et leur libération.

« Lutter contre notre oppression c'est faire éclater toutes les structures de la société et, en particulier, les plus quotidiennes. Nous ne voulons aucune part ni aucune place dans cette société qui s'est édifiée sans nous et sur notre dos. Quand le peuple des

« nous les femmes » anonyme, chacune put se reconnaître, s'y relier, tout en prenant le temps de reprendre son souffle avant de passer à l'étape suivante : s'individualiser à l'intérieur du collectif, puis à l'intérieur du groupe préféré.

femmes, la partie à l'ombre de l'humanité prendra son destin en main, c'est alors qu'on pourra parler d'une révolution [8]. »

Rarement des femmes avaient allié une telle modestie militante à une vision si absolue de leur libération. Est-ce la revanche des sorcières, le retour des amazones, la colère des êtres confinés dans le relatif qui tout à coup voient s'ouvrir l'immense arc-en-ciel des possibles ? Le sérieux avec lequel elles investirent la démesure est le signe, en tout cas, d'une révolte qui dépassait largement un cadre social trop étroit pour la contenir.

« Il faudrait fêter cet avènement d'une possibilité, qui d'elle-même et de force s'inscrit dans la lutte des femmes, des noces entre la pensée et la vie, écrit une autre anonyme dans *Le Torchon brûle*. Ne pas résister à cette fusion est notre chance de participer activement à la mise en place d'une révolution humaine – et irréversible. [...] Cette fusion fait mal. Elle instaure un désordre, qui est la destruction de l'ordre inauthentique, de l'ordre de mort. On a le droit d'avoir peur. On a le droit de n'avoir pas la force. On n'a pas le droit de juger [9]. »

Et de fait, la possibilité d'introduire quelque chose de vraiment neuf dans la société était à ce prix. Véritable creuset identitaire où s'effectua une refonte des images et identités fragmentées, le Mouvement de libération des femmes a vraiment fait mal ; il a fissuré les carapaces, jeté bas les masques et obligé chacune à devenir soi-même, c'est-à-dire une individue plus ou moins autonome mais structurée à partir de ses propres repères.

« Soyons chacune, aujourd'hui, maintenant, un individu entier, écrit une autre anonyme en 1970 : plus de fragments, plus d'essence de femmes (la féminité), plus de merveilleux petits animaux incompréhensibles mais en fait très bien compris puisque créés de toutes pièces par eux : qu'ils ne rencontrent que des blocs. Je suis venue créer avec vous un bloc. Je suis venue me changer en pierre [10]. »

On ne peut mieux dire à quel point ce mouvement sans structure

8. *Notre ventre nous appartient. Le Manifeste des 343* fut publié dans *Le Nouvel Observateur* le 5 avril 1971.

9. *Le Torchon brûle*, n° 0, p. 15.

10. *Ibid.*, p. 19.

ni hiérarchie, sans chef ni lieu fixe ouvrait une voie initiatique nouvelle à la libération des femmes : celle qui révèle l'être à sa véritable identité à partir d'un renversement, d'un retournement de la conscience sur elle-même. C'est cette intériorisation du regard qui ouvre en même temps sur un autre monde, qui marque la différence avec la dynamique féministe précédente, et l'intègre. Depuis le XIXe siècle, en effet, toutes les énergies étaient alors poussées vers le dehors dans une dynamique de conquête des droits sociaux et politiques qui a marqué des points. Elles sont maintenant orientées vers le dedans, motivées par un désir de voir, d'explorer et de connaître les femmes de l'intérieur. Si la conscience est l'énergie de l'être, cette expérience inattendue explique comment le point de vue sur le monde a pu se renverser si brusquement, acquérant un pouvoir de contagion si grand que la révolte des femmes s'est répandue comme une traînée de poudre sans l'appui des moyens de communication de masses considérés alors comme indispensables.

La non-mixité a joué un rôle décisif dans ce retournement de la conscience des femmes. Vécue comme un choc, une nécessité politique imposée de haute lutte, et surtout un impératif catégorique, elle a dévoilé l'oppression des femmes plus radicalement qu'aucun discours ne l'avait encore fait. C'est en se séparant volontairement des hommes et des groupes prétendus mixtes que l'égalité a éclaté comme un mythe. Non seulement très peu de femmes occupaient des postes de pouvoir, non seulement elles gagnaient 40 % de moins que les hommes pour un travail identique, mais de nombreux secteurs de la vie collective leur étaient pratiquement fermés comme l'École polytechnique, la présidence de la République, la Science, sans parler de l'Académie française et de toutes ces institutions qui forment la colonne vertébrale de l'État.

Pour beaucoup de femmes issues des mouvements gauchistes, cette entrée dans la non-mixité dans un but politiquement argumenté et autovalorisant provoqua une véritable révolution mentale, émotionnelle et spirituelle. Le mépris amusé et condescendant qui entourait les atmosphères spécifiquement féminines du type gynécée, couvent, pensionnat, se trouvait subitement battu en brèche par ces femmes du MLF qui n'avaient vraiment rien de bonnes sœurs. Dans sa préface à l'*Histoire du* MLF, Simone de Beauvoir évoque la très mauvaise image de marque qu'elles donnaient à un extérieur médusé par une telle démesure de la colère, en rappelant qu'on les traitait de « mégères hystériques et de lesbiennes [11] ». Et c'est vrai ! Les « avortées, les avorteuses, les lesbiennes et les mal baisées [12] » du MLF, dans un authentique geste iconoclaste, faisaient voler en éclats les images les plus sacrées du patriarcat : la Mère aimante, l'Épouse attentive, la femme-objet, en un mot, l'éternel féminin de l'homme enfin épuisé d'avoir servi si longtemps une cause qui n'était pas la sienne.

Plus personne ne put alors empêcher que dans cette brèche ouverte ne revienne en force le refoulé patriarcal.

Qu'il se nomme « amour de la femme pour la femme », « désir nomade », « passion », « dictature de l'homosexualité », il est là, bien vivant, mais trop nouveau peut-être pour se passer d'une confrontation entre lesbiennes et hétérosexuelles. Partie prenante de toutes les actions, les lesbiennes attendent beaucoup du MLF qui représente pour elles la possibilité de sortir de la clandestinité ; et surtout d'être reconnues comme une composante intégrale de la libération des femmes, présente dès l'origine du mouvement et, pour Monique Wittig, anticipant même la révolte dans *Les Guérillères*, livre visionnaire où elle écrivait dès 1969 : « Elles disent qu'elles partent de zéro. Elles disent que c'est un nouveau monde qui commence [13]. »

Mais pour les hétérosexuelles, ce nouveau monde commençait par la découverte de leur peur des femmes, et c'est presque à leur corps défendant qu'elles acceptent d'y faire face. Personne n'envisageait alors de quitter les lieux, tant l'intérêt pour ce qui s'y déroulait primait sur toutes les appréhensions. On s'observe de loin ; on cherche des références dans les premiers textes parus dans le numéro de *Partisans*, « Libération des femmes année zéro », de juil-

11. Anne de Pisan et Anne Tristan, *Histoire du MLF*, préface de S. de Beauvoir, Paris, Calmann-Lévy, 1977.

12. Paroles d'une chanson écrite à cette époque. Voir *Le Mouvement de libération des femmes en chansons*, Paris, Éd. Tierce, 1981.

13. Monique Wittig, *Les Guérillères*, Paris, Éd. de Minuit, 1969, p. 121.

let-octobre 1970. Anne Koedt y a écrit un texte sur le mythe de l'orgasme vaginal déculpabilisant plus d'une, où elle dit notamment : « Si le clitoris détrône le vagin comme centre de jouissance féminine, les hommes peuvent craindre de cesser d'être sexuellement indispensables [14]. » Dans ce même numéro, Christiane Rochefort dénonce la prétendue frigidité des femmes. Mais cela ne suffit pas à désocculter la question. On fait alors des réunions entre homosexuelles ; les unes se sentent exclues, les autres rejetées, mais toutes ont le courage de regarder les choses en face, de dresser un bilan sans concession de l'hétérosexualité, des comportements de soumission, d'identification à l'homme ou aux modèles féminins. Rien n'échappe au regard accusateur de la femme qui se réveille d'un long sommeil. Tout est mis à plat, à nu, peaux et masques arrachés. Qui a peur du désir de la femme pour la femme ? Qui le réprime ? Aimer une femme est-il un choix politique ou un désir profond, secret, inaudible pour celle qui ne le partage pas ? Bientôt les lesbiennes figurent ce désir aux yeux des hétérosexuelles qui se trouvent interpellées là où elles n'ont pas l'habitude de l'être. Car le désir reconnaît l'autre comme importante, lui donne corps et existence. Et c'est alors que surgit la possibilité de rompre avec les anciennes solidarités féminines fondées sur le partage de la souffrance, en se donnant mutuellement, à travers l'amour, une nouvelle forme de reconnaissance.

La fascination augmente d'autant plus que le désir impose son évidence. Qui sommes-nous ? des êtres de désir ou des désirs d'être ? demande une poète [15]. Peut-être les deux, ou sa demeure, ou cet élan vers l'individue, comme le définit le biologiste Jean-Didier Vincent dans sa *Biologie des passions* : « La première caractéristique d'un comportement désirant est l'individuation [...]. Le désir traduit le génie particulier de chaque homme ou de chaque rat et fait ainsi la différence entre les individus. La deuxième carac-

14. « Libération des femmes année zéro », *Partisans*, n° 54-55, juillet-octobre 1970.

15. Charlotte Calmis (Alep, Syrie, 1913-Paris, 1982), peintre, poète et mystique, dans un tract présentant La Spirale, association qu'elle a fondée en 1972 pour être un lieu d'écoute apte à aider chacune à renouer avec son potentiel créateur. Elle a aussi organisé à Paris l'exposition « Utopie et féminisme » en février 1977.

téristique du désir est la faculté d'anticipation dont l'instinct est dépourvu [...]. La dernière caractéristique est l'association d'une composante affective et émotionnelle à l'anticipation et au déroulement de l'action. Il s'agit de manifestations viscérales et de sécrétions hormonales qui offrent une véritable traduction somatique de l'émotion. Le paysage émotionnel qui accompagne un comportement est la marque du désir ; il se différencie du désert affectif qui caractérise l'instinct [16]. »

Cette émotion partagée, ces déserts traversés, ce brutal déconditionnement des automatismes affectifs, en un mot cette révélation du pouvoir agissant du désir soudera le collectif féministe de l'intérieur mieux que les « idéologies », qui agiront au contraire comme des facteurs de dissociation. Certes, ne manquent ni la cruauté, ni l'amour, vécu comme une aspiration et surtout comme un manque, ni l'intransigeance, ni l'absolu... mais une chose est acquise : la découverte qu'existe en soi la possibilité de désirer son propre sexe sans que cela n'ait rien d'anormal. La nature elle-même ne donne-t-elle pas généreusement la preuve que cette « déviation sexuelle » n'est pas un fait spécifiquement humain, comme le constate Jean-Didier Vincent : « Le règne animal offre de nombreux exemples de comportements sexuels hétérotypiques. Ils se produisent spontanément surtout chez la femelle. Beach a recensé treize espèces " coupables " de pratique hétérotypique, allant des lionnes, chiennes et chattes aux indolentes vaches, tribades de nos prairies [17]. »

La révolte des femmes révélerait-elle l'existence d'un potentiel d'amour inexploré, dynamique subversive qui fait brusquement intrusion dans l'Histoire en posant l'amour comme principe unificateur et lien positif entre les femmes ?

La confrontation avec le Front homosexuel d'action révolutionnaire, créé au printemps 1971 dans le sillage de la révolte des femmes et dans le contexte de la révolution sexuelle qui suivit

16. Jean-Didier Vincent, *Biologie des passions*, Paris, Éd. Odile Jacob, coll. Opus, 1994, p. 167-168.
17. *Ibid.*, p. 326.

mai 1968, va puissamment aider à clarifier cette question. Aussi drôle et inventif que le mouvement, le FHAR était cependant amorcé par une répression sexuelle tellement anachronique que, tel un couvercle sur une marmite en ébullition, il fit en explosant trois fois plus de bruit que le MLF.

« L'avalanche de lettres qu'on a reçues après avoir jeté le pavé de l'homosexualité dans la mare gauchiste, c'est vraiment pas croyable », écrit l'un d'eux après la publication du n° 12 de *Tout* où, pour la première fois, des homosexuels revendiquaient dans le journal du groupe Vive la Révolution la « libre disposition de leur corps ». « Enfin le silence a été rompu sur le sujet brûlant, trop brûlant du corps, du plaisir et de la normalité [18] . » Cinquante mille exemplaires du journal sont vendus avant qu'il ne soit saisi par les pouvoirs publics pour outrage aux bonnes mœurs. Le 1er mai 1971, le FHAR défile derrière le MLF sous une banderole où est inscrit : « À bas la dictature des normaux. »

« La qualité et la fraîcheur de la chose tenaient à la présence brutale, tout simplement un phénomène de présence », écrira Guy Hocquenghem dix ans plus tard [19].

Mais si les hommes du FHAR s'estiment « directement concernés par la lutte des femmes contre la société mâle et phallocrate », s'ils dénoncent publiquement « la virilité fasciste », s'ils sont de toutes les manifestations du MLF, n'hésitant pas à prêter main forte dans les situations difficiles, comme lors du boycott d'un meeting organisé le 5 mars à la Mutualité par l'association Laissez-les vivre, au cours duquel plusieurs d'entre eux furent matraqués par le service d'ordre d'extrême droite, « le sujet trop brûlant » du plaisir ne tarda pas à faire la différence entre les deux mouvements.

À la fin du printemps 1971, des hétérosexuelles du Mouvement de libération des femmes liées au groupe Vive la Révolution ouvrent

18. « Le pavé de l'homosexualité dans la mare gauchiste », *Tout*, n° 13, 17 mai 1971. Le n° 12 est daté du 13 avril 1971. Sur les origines du FHAR, voir « Rapport contre la normalité. Le Front homosexuel d'action révolutionnaire rassemble les pièces de son dossier d'accusation. Simple révolte ou début de révolution ? », *Symptôme,* 3, Paris, Éd. Champ Libre, 1971.

19. Guy Hocquenghem, *Masques,* été 1981.

publiquement le feu sur le thème : « Votre libération sexuelle n'est pas la nôtre. » Dans *Tout,* elles entreprennent une critique serrée de l'idéologie de la jouissance qui se développe au FHAR et dans les milieux gauchistes. Car à la suite de l'échec politique des événements, ces derniers accédaient avec un enthousiasme non dissimulé à l'insaisissable « principe du plaisir » défendu par Reich et Herbert Marcuse. Gagnés par le libertinage, ces fils de Marx, de Trotski et de Mao avaient même trouvé dans les slogans comme « le pouvoir est au bout du phallus » ou « jouir sans entrave » un contrepoint à peine provocateur à celui de « libre disposition de notre corps » lancé par les femmes du MLF. Mais de nouvelles exigences étaient nées chez les hétérosexuelles et c'est le regard aiguisé par l'expérience qu'elles dévoilaient le fossé séparant non pas l'hétérosexualité de l'homosexualité, mais le mode d'expression de la sexualité masculine des nouvelles motivations du désir des femmes.

« Les numéros 12 et suivants de *Tout* donnent une certaine image de la " révolution sexuelle " en prenant pour critère de base la jouissance, le plus de jouir. Or la jouissance ne peut être posée comme une valeur en soi étant donné qu'elle est l'expression des structures économiques, sociales et culturelles. Il peut parfaitement y avoir jouissance dans des rapports complètement sado-masochistes. C'est essentiellement le type de jouissance qu'ont éprouvé la plupart des femmes jusqu'à présent. [...]

« Les rapports socio-économiques et culturels actuels sont essentiellement des rapports de pouvoir. Il en va de même des rapports sexuels et affectifs. Actuellement toute relation entre un homme et une femme est un rapport de force dans lequel la femme a nécessairement le dessous.

« [...] Dès qu'il l'a fallu, les hommes ont même cru en une nouvelle image, celle de la femme libérée, la fille du " MLF " et notre tendance à nous est souvent de répondre à cette image comme ils l'attendent. Ils s'en servent pour revendiquer ouvertement un comportement en fait très traditionnel de mâle et s'appuient sur la révolution des femmes pour ériger en principe ledit comportement. [...]

« Ce que nous voulons actuellement, ce n'est pas le renversement du pouvoir, mais la déconstruction du pouvoir à tous les niveaux, économique, politique, idéologique, social, affectif, sexuel... En déconstruisant le pouvoir, nous voulons découvrir enfin notre totalité d'être humain, en rejetant les images quelles qu'elles soient. Le fait que nous puissions établir entre nous des relations qui soient fondées sur la déconstruction quotidienne du pouvoir, nous permet d'acquérir une identité et une existence plus autonome par rapport à ce pouvoir [20]. »

Le mot est lâché : pouvoir, déconstruire le pouvoir. Quelque chose est vraiment fissuré dans le consensus entre les sexes, que l'anecdotique partage des tâches n'est pas près de résorber. Car il ne s'agit plus de ruser avec les prétentions du désir masculin. Il s'agit de changer radicalement les mœurs sexuelles, c'est-à-dire subvertir la relation des femmes à l'amour. Au nom de la jouissance ? Même pas, ou pas encore. Au nom de la recherche de sa « totalité d'être humain ». On comprend que ce nouveau langage pouvait difficilement être entendu par des hommes du FHAR qui vivaient l'ivresse de la transgression sexuelle. Et c'est au nom de cette ivresse qu'« un du FHAR et de *Tout* » rédigea cette réponse « au texte des femmes » :

« [...] des camarades ont pu dire que nous parlions beaucoup de sexe et pas beaucoup d'amour. Mais il reste qu'en ce qui concerne l'idéologie du FHAR, j'en arrive à la conclusion qu'elle est effectivement assez différente de celle du MLF, même si nous sommes des alliés naturels. La sexualité occupe dans la révolte des homosexuels la place principale [...]. Le rapport sexuel entre hommes reste un tabou majeur de la société [21]. »

Effectivement ! Les hommes étaient confrontés à un tabou, les femmes à une mutation. Difficile alliance, forgée sur un malentendu, qui eut la révolution sexuelle pour terrain et l'impact de la révolte des femmes pour déclic. Leur libération aura au moins permis de prendre conscience de la véritable dimension de celle des

20. Des militantes du MLF, « Votre libération sexuelle n'est pas la nôtre », *Tout*, nº 15, juin 1971. Pour plus de détails, voir Françoise Picq, *Les Années mouvement*, Paris, Éd. du Seuil, 1993.

21. *Tout*, nº 16.

femmes, comme l'indiquent ces militantes à la fin de leur texte : « En ne cherchant plus à se conformer à notre image, nous entrevoyons la possibilité d'exister et du même coup d'établir des relations radicalement différentes de celles que nous vivions jusqu'à présent, des relations que nous oserions appeler vraiment amour. Il se trouve que ce n'est pas un hasard que cela n'a été possible jusqu'ici qu'entre femmes. D'ores et déjà entre nous, il y a de l'amour : une tentative d'amour fondée sur la mort de la concurrence et sur la mort de l'image. Nous ne sommes pas désaliénées. Nous ne sommes pas libérées. Nous sommes en voie de libération. Ce n'est qu'après que nous pourrons parler d'amour. »

Pourquoi « après » ? Parce que pour parler d'amour, il faut être deux – deux sujets conscients de ce qu'ils désirent et capables de le défendre. Cela dit, il n'est pas étonnant que la jouissance ait alors été vécue comme un obstacle à l'amour, car ce qu'elles refusaient dans la jouissance, c'était la possession, et ce qu'elles disaient dans ce refus, c'était l'impossibilité de jouir d'un corps qui ne s'appartient pas.

Assez logiquement d'ailleurs, les lesbiennes du FHAR tiendront le même langage que les hétéros du MLF en répondant à leurs « frères homosexuels » : « Nous, lesbiennes, nous voulons parler de notre *amour* car nous en avons assez de voir l'homme étaler le *sexe* et lui seul [22]. »

Entre les nouvelles exigences des femmes, happées par le devenir, et la quête impérieuse des hommes du FHAR, enracinée dans l'instant, a surgi ainsi tout ce qui différencie une pratique de la subversion d'une expérience de la transgression ; tout ce qui distingue un processus de libération d'une conquête de liberté. Que l'amour en marque ici la frontière n'est pas pour nous surprendre. Le militantisme des femmes s'appuie sur un potentiel de transformation intérieure qui cherche à travers l'amour des femmes retrouvé une nouvelle forme d'inscription dans la société. Si celui des hommes lance son défi à la société « bourgeoise et phallocrate » au cri de

22. « Réponse des lesbiennes à leurs frères homosexuels », dans « Rapport contre la normalité », *op. cit.*, p. 81.

« jouir sans entrave », il a tôt fait de s'y aménager des « zones libérées », commercialement rentables comme le montrera l'évolution du mouvement gay, sans arriver toutefois à trouver d'autres motivations à son désir de libération qu'érotiques. « Nous sommes des machines à jouir[23] », dira courageusement Guy Hocquenghem en 1972.

Cette clarification des enjeux, rendue possible par l'existence même de ce chaos sexuel où les énergies sont fondues et polarisées, puis différenciées en révélant la spécificité de chacune, a apporté quelque chose d'essentiel aux femmes : l'amorce au niveau symbolique d'un deuxième pôle, celui du « féminin » ou des femmes, un pôle capable de se définir de l'intérieur et de se constituer en force face à l'universel masculin qui prétend depuis la Révolution représenter les deux sexes. C'est peut-être à ce moment-là, dans cette opposition assumée aux hommes, que la possibilité de réaliser l'égalité entre les sexes est née. Car l'égalité suppose la reconnaissance de l'autre. C'est même en lui donnant des droits identiques qu'on le reconnaît comme autre. Tout le problème du patriarcat gît dans cette quasi-impossibilité de penser l'autre comme égal et de respecter le dualisme de la vie ; sa conception de l'universel consistant trop souvent à faire disparaître l'Autre dans l'Un et à croire que l'unité est réalisée.

De manière très éloquente, c'est sur ce terrain de l'égalité que les lesbiennes vont s'inscrire publiquement dans le débat sur la révolution sexuelle. « Amour sans égalité = abjection », écrit « Une du FHAR » dans le n° 12 de *Tout*. « Non, les femmes ne sont pas des êtres faibles, intuitifs et subjectifs. Nous, lesbiennes, avons-nous besoin d'être protégées, guidées comme d'éternelles mineures ? Certes, non ! Alors... pourquoi en serait-il autrement pour les autres femmes ? Même décriée ou tournée en dérision, une lesbienne est

23. « Dès le début le FHAR se signalait comme un mouvement sexuel : nous parlions sexe, nous ne parlions même que de sexe, à croire, nous disaient certaines femmes, que l'amour et les relations humaines nous intéressaient peu. [...] S'il existe un mouvement antihumaniste, c'est bien celui-là, où le sexe machine, les organes branchés occupent presque tout le désir exprimé. Nous sommes des machines à jouir », *Partisans*, n° 66-67, juillet-octobre 1972, p. 157.

toujours heureuse de ne pas être dominée par un mâle phallocrate, mari ou amant. Le fait que cette domination soit acceptée par amour constitue l'aspect le plus abject de l'aliénation des femmes. [...]

« Certains nous objecteront que les lesbiennes sont bien " acceptées ". Nous en avons marre du paternalisme et de la curiosité louche que les hommes manifestent à notre égard. Ils nous réduisent, nous aussi, à l'état d'objet parce qu'ils sont incapables de concevoir qu'on puisse leur échapper. Ce sont eux qui ont inventé l'opposition hétérosexualité/homosexualité, ce fondement chancelant d'une prétendue normalité qui n'est jamais que l'expression dans le domaine de la sexualité de la loi du plus grand nombre d'imbéciles. [...]

« En dépit du chauvinisme mâle, l'existence des lesbiennes prouve, s'il en est besoin, qu'une femme peut vivre en dehors du système des valeurs masculines sans devenir pour cela un objet de pitié. Ainsi, notre place est actuellement à l'intersection des mouvements qui libéreront les femmes et les homosexuels. Le pouvoir que nous revendiquons est celui de nous réaliser. Elles sont puissantes les filles qui s'embrassent [24]. »

Cette place se révélera intenable par faiblesse de motivations, pourrait-on dire, des deux pôles en présence. Du côté du FHAR, les lesbiennes font vite l'expérience de leur négation comme femme, découvrant avec stupéfaction que ces hommes qui se disent « solidaires des femmes du MLF » se comportent avec les homosexuelles exactement comme les républicains avec les femmes : ils les font disparaître dans leur Universel, sans admettre qu'ils prennent la partie pour le tout.

Du côté du mouvement, le groupe des Gouines rouges, créé en mai 1971 pour faire la jonction entre le MLF et le FHAR, ne réussit pas à définir les bases d'une identité lesbienne qui eût donné l'impulsion à un militantisme spécifique. De plus, le recensement des différences n'étant pas encore à l'ordre du jour, on voyait mal

24. « Notre alliance », *Tout*, n° 12, 23 avril 1971, p. 6. Ce texte a été écrit par Anne-Marie G., une des fondatrices du FHAR avec Françoise d'Eaubonne, Maryse, Pierre Hahn, Guy C. et Guy Hocquenghem.

l'utilité d'un groupe qui avait pour effet de fixer l'interdit, rendant celui-ci moins dangereux et par conséquent moins inquiétant. La force subversive de l'amour entre femmes ne vient-elle pas justement de ce qu'il est insaisissable ? De ce qu'il peut surgir n'importe où, n'importe quand, sans crier gare, créant un état d'ouverture au merveilleux, véritable élixir de jouvence dont chacune avait tant besoin ? On vivait un conte de fées collectif, l'histoire de la Belle au Bois dormant réveillée par une femme, l'ailleurs, l'inimaginable à portée de main. La répugnance à étiqueter quoi que ce fût était à la mesure des attentes suscitées par le mouvement. On inaugurait quelque chose de vraiment autre et de définitivement nouveau.

Cette disponibilité à l'étrange et à l'inattendu, propre à l'état amoureux, fut un état quasi permanent durant les trois premières années du mouvement. C'est elle qui rendit possible la libération de ce potentiel de transformation individuelle drainé par l'amour qui survint à plusieurs reprises aux Journées de dénonciation des crimes contre les femmes, organisées à la Mutualité les 13 et 14 mai 1972. Quand ce fut au tour des Gouines rouges de parler, elles avaient seulement écrit un tract... ! Elles ne pouvaient tenir une heure avec un tract ! Que faire ? On lut le tract au micro, on chanta une chanson accompagnée à la guitare et... dans un acte de pure spontanéité, l'une d'entre elles demanda aux homosexuelles de monter sur scène. Tolé, refus, gêne. On se regarda dans la salle... Qui allait avoir le courage de se désigner publiquement aux regards des autres ? Quelques-unes se décident, montent sur la scène, s'y assoient en tailleur. D'autres les suivent et bientôt un débat comme il n'y en avait jamais eu dans le mouvement s'engagea entre la salle et la scène sur l'homosexualité qui déboucha sur une fête improvisée aux sons des chants et des danses, dans un moment de fusion du collectif qui restera ineffaçable.

C'était cela, le mouvement. Des moments fulgurants qui dissolvent les identités sociales et familiales. La spontanéité, l'initiative, la poésie, des instants de coïncidence entre les êtres et les événements, secret de leur impact sur l'Histoire. Et en prime, la liberté pour les groupes de s'autodissoudre quand ils ont rempli leur tâche d'éveilleurs. Il est vrai que les Gouines rouges étaient, pour les « lesbiennes de toujours », le seul lieu d'écoute officiel du mouvement. Mais il est vrai également qu'elles ne trouvèrent pas de justifications suffisantes pour résister à leur marginalisation, préférant rejoindre les réunions des Féministes révolutionnaires plutôt que de maintenir leur adhésion à un groupe de lesbiennes. Après deux ans de fonctionnement, il devint clair que la pratique sexuelle ne constituait pas une motivation suffisante pour fonder un groupe à part, comme l'expliquera Monique Wittig en 1974 : « Le lesbianisme n'est pas seulement une pratique sexuelle, c'est aussi un comportement culturel : vivre par soi et pour soi, une indépendance totale par rapport au regard des hommes, à la mise en forme du monde qu'ils ont construit. [...] La prétendue " libération sexuelle ", " révolution sexuelle " n'est qu'un leurre quand il s'agit des femmes, car la sexualité dans ce cas c'est l'hétérosexualité aménagée. [...] Je crois que les catégories hétérosexuelles-homosexuelles fonctionnent comme des manœuvres de division et de diversion sur un problème qui nous est commun : qu'est-ce que notre sexualité [25] ? »

On pourrait croire, à la lecture de ces textes inspirés par la « révolution sexuelle », que la division hétérosexualité/homosexualité avait été dépassée par un Mouvement de libération des femmes qui tournait sauvagement une nouvelle page de l'histoire de la sexualité. Et ce, contrairement au FHAR qui renforçait cette division du fait qu'elle était la condition nécessaire de sa visibilité.

Or non seulement ce dépassement de la division sexuelle resta à l'état d'une aspiration, d'un souhait collectif, mais avec le déclin du militantisme, la sexualité revint en force définir les femmes, structurer les groupes, les discours, les analyses de l'oppression, et surtout occulter une question qui avait été laissée de côté parce que jugée « résolue », celle de la sororité, c'est-à-dire de la nature du nouveau lien unissant les femmes en lutte contre le patriarcat.

La sororité est-elle une forme d'amour entre femmes ? L'amour peut-il déboucher sur un lien social, une solidarité à mettre en place dans la société, l'économie, le politique ? Le défaut de réflexion col-

25. « Monique Wittig et les lesbiennes barbues », *Actuel*, n° 38, janvier 1974, p. 12.

lective sur ces questions, lié à la peur de l'homosexualité, favorisa les conflits de tendances sans apporter aux sœurs d'autres moyens de défense contre le pouvoir de la mère « symbolique » que l'éclatement du mouvement, suivi bientôt de sa récupération. En 1977 on a pu voir ainsi cette chose inouïe : Antoinette Fouque et son groupe Psychanalyse et Politique s'appropriant le sigle MLF au nom de son « pouvoir d'engendrement » (elle aurait fondé le MLF avec Monique Wittig), tout en affirmant qu'elle n'était pas féministe [26].

On se demande finalement si le choix du mot « sororité » n'est pas révélateur du problème posé par l'amour entre femmes depuis le début du siècle. Construit sur le modèle de « fraternité », « sororité » renvoie en effet à des liens de type familiaux qui ont le double inconvénient de ne reposer sur aucune tradition – on cherche en vain dans l'histoire des exemples de solidarité entre sœurs ayant fondé une résistance au patriarcat – et de valoriser l'identique sur le différent. On sait malheureusement que la sœur n'est pas toujours une alliée contre le pouvoir du frère, de la mère ou du père.

L'amitié, en revanche, a le grand avantage d'être un choix, donc un plus pour l'identité, et de se situer hors du contexte familial, dans le partage entre individues d'une culture, d'un mode de vie, d'une autonomie, d'une vision du monde semblable, mais si différente de celle de la majorité dominante.

La sororité repose sur le respect de l'identique, l'amitié sur la nostalgie platonicienne du semblable, qu'il ne faut pas confondre avec le refus de l'autre, en l'occurrence de l'homme, car elle s'inscrit, contrairement à la sororité, dans un processus d'individuation rendu nécessaire par la fermeture de l'homme-société à la richesse de la femme.

Et c'est précisément au moment où la question de l'intégration

26. Antoinette Fouque occupe toujours les mêmes positions, puisqu'elle déclarait en 1994, dans une conversation avec Isabelle Huppert, que pour elle « le féminisme, c'est une forme de stérilité, d'hystérie », *Cahiers du Cinéma*, n° 477, mars 1994, p. 45. On ne saurait mieux définir les femmes par le rapport qu'elles entretiennent à la sexualité dominante et... à la maternité. « Je pense que le féminisme a voulu dissocier la création de la procréation », dit-elle aussi avec reproche. C'est pourtant ce qu'il a fait de mieux, obligeant ainsi les femmes à se définir autrement qu'à partir de leur fonction biologique. C'est peut-être là que se situe une des révolutions du siècle à venir.

sociale s'est posée, quand il a fallu inscrire les acquis de la sororité dans un quotidien, une carrière, une législation, une année de la femme, une gauche au pouvoir, que l'impossibilité de nouer des relations sociales entre sœurs s'est révélée dans toute son ampleur. Au grand soulagement de certaines, d'ailleurs, heureuses de pouvoir enfin cueillir les fruits du féminisme dans la paix des sexes négociée contre les lesbiennes.

Sisterhood is not powerfull, parce que les sœurs ont peur des amies qui les mettent socialement en danger. S'il existe une ligne de démarcation entre les femmes aujourd'hui, c'est là qu'elle se situe, entre les sœurs et les amies, comme le prouve un livre récent sur *Le Féminisme et ses enjeux* [27] où les lesbiennes sont complètement occultées. L'amour entre femmes n'est-il plus un enjeu du féminisme ? C'est ce qu'on pourrait croire en voyant comment, après avoir vivement affirmé dans les années 1970 que « le privé est politique », certaines ténors lesbiennes du féminisme s'excluent elles-mêmes du champ politique dans l'espoir probable de rester crédibles aux yeux des autres femmes, car le lesbianisme crée toujours la suspicion sur la validité du propos.

Le privé n'est plus politique... La révolte a fait long feu. Les héroïnes sont fatiguées et depuis que le rapport de forces s'est inversé, l'in-différence succède à la sororité, acculant les lesbiennes à un isolement préjudiciable pour toutes. Qu'aurait été le MLF sans les lesbiennes ? Et que seraient les lesbiennes sans le féminisme, sans cet ancrage dans une révolte, un mouvement, une demeure identitaire qui constitue toujours leur vecteur privilégié de visibilité et d'intégration sociale ?

Cet isolement politique favorisé par la démission des sœurs

27. *Le Féminisme et ses enjeux. Vingt-sept femmes parlent* (Paris, Centre fédéral FEN-Édilig, 1988). Livre courageux, commandé par Yannick Simbron à vingt-sept personnalités du féminisme, dont pas une n'aborde la question. Par exemple, dans sa chronologie du MLF, Martine Storti ne parle pas des Gouines rouges, ni des relations du MLF avec le FHAR. La question est donc purement et simplement évacuée. Quant à la sororité, elle est « conflictuelle » et dissociée de l'amour. De son côté, Christine Delphy réussit à parler de la sexualité non coïtale sans prononcer le mot « lesbienne » ; de même, quand elle évoque l'homosexualité, c'est pour la placer au niveau de « l'auto-érotisme » et des « rapports hétérosexuels non coïtaux », sans toutefois préciser s'il s'agit de l'homosexualité masculine ou féminine (p. 145).

envers les amies a poussé certaines lesbiennes dans un « radicalisme absolu », voire un séparatisme dont on se sert pour les isoler encore plus. Ainsi, Monique Wittig a choisi d'échapper à l'isolement en s'exilant aux États-Unis où son œuvre est connue, respectée et enseignée dans les universités. Mais ce départ l'a aussi menée vers des positions désespérées, comme celle d'un « matérialisme féministe » qui s'appuie sur les concepts de sexe et genre [28] (développé principalement aux États-Unis) pour affirmer que « la lesbienne n'est pas une femme ». Dans le même esprit, l'écrivaine Michèle Causse, qui s'exile elle aussi régulièrement à l'étranger, restaure la division entre femmes basée sur la pratique sexuelle : « Une femme ne naît pas femme, écrit-elle, elle le devient à travers l'expérience de la sexualité. Et c'est la sexualité qui détermine le genre et non pas le contraire [29]. » Dans *Dé/générée*, elle écrit : « Le mot lesbienne a été parlé mais il n'a jamais été élaboré. On ne peut en effet le " construire " que dans le moment où l'on déconstruit le concept de femme. La lesbienne est celle qui a exercé – sa vie durant – la plus grande résistance à l'embrigadement dans le genre. [...] En fait, la lesbienne est, pour l'heure, la seule dé/générée [30]. »

Le processus de dissociation de la femme et de la lesbienne, conjointement mené par des hétérosexuelles qui le pratiquent et des lesbiennes qui le théorisent, entérine un état de fait plus qu'il ne représente une solution d'avenir. L'immobilisme dont est frappé le féminisme depuis une bonne dizaine d'années en est la preuve et l'arrivée de la gauche au pouvoir en 1981 a figé un peu plus le phénomène, puisqu'on a vu des personnalités du féminisme envisager la parité comme solution de repli honorable

28. Voir pour la France les travaux de Colette Guillaumin, Nicole-Claude Mathieu, Christine Delphy et la revue *Nouvelles Questions féministes*. Pour l'article de Monique Wittig, « On ne naît pas femme », voir *Questions féministes*, mai 1980.

29. Michèle Causse, « Sexualité et pouvoir. Femme versus lesbienne », *La Parole métèque*, Québec, 1991, p. 20.

30. Michèle Causse, *Dé/générée*, Montréal, Éd. Trois, 1991, p. 48. Voir aussi l'article de Françoise Armengaud consacré à *Voyage de la Grande Naine en Androssie*, de Michèle Causse, paru dans *Nouvelles Questions féministes*, 1993, vol. 15, n° 1.

alors que l'égalité n'était même plus exigée comme un dû minimal à demander à la gauche.

L'égalité est-elle le point d'aboutissement politique d'un processus de libération individuelle plus qu'un point de départ collectif ? On se le demande en constatant la tiédeur avec laquelle le féminisme investit cette nécessité qui constitue pourtant la clé d'une reconnaissance de la femme comme sujet politique, créateur et amoureux.

Élisabeth Badinter s'est attaquée à cette question en cherchant dans la figure de l'androgyne le moyen d'étayer l'égalité. Comme elle l'écrit dans *L'Un est l'Autre* : « Nous avons voulu l'égalité des sexes, sans mesurer à quel point elle révélerait notre structure androgynale, née dans la nuit des mythes [31]. »

Les recherches récentes de la biologie comme celles de la psychologie des profondeurs menées par Jung [32], entre autres, confirment la bissexualité structurelle de l'être humain. Devant la difficulté à reconnaître l'autre comme son égal, on se demande si l'androgyne ne représente pas une voie inévitable à explorer, en ce qu'elle oblige chacune et chacun à reconnaître l'autre en soi-même pour être en mesure de lui donner sa place dans la société. Cette reconnaissance n'est pas de tout repos et passe souvent par le mystère de la conjonction, comme l'appellent certains, c'est-à-dire la confrontation avec un dynamisme des contraires qui vise à la synthèse des opposés à travers l'assimilation de l'ombre, la reconnaissance de notre double composante femme et homme, et l'intégration des dynamismes autonomes qui rejoignent alors l'unité profonde de l'être.

Comme l'écrivait Charlotte Calmis en 1972 : « Si le MLF, la femme révoltée, réalise que le temps de la parole est aussi l'action, sa révolte ne sera pas que clitoridienne. L'orgasme, la frigidité, la jouissance ne sont pas les seules garanties de " l'identité féminine ". Je jouis, tu jouis, nous jouissons... La libido a d'autres sources, une autre réalité et d'autres conquêtes. Elle est aussi cerveau, transcen-

31. Élisabeth Badinter, *L'Un est l'Autre*, Paris, Éd. Odile Jacob, 1986.
32. Voir Carl Gustav Jung, *Psychologie du transfert*, *op. cit.*, et le numéro des *Cahiers jungiens de Psychanalyse* consacré au « Sexe de l'androgyne », n° 81, hiver 1994.

dance, métamorphose, transfiguration et communion [...]. L'oriflamme liberté demande une conscience con-centrée... de la connaissance... de la communion et le sourire retrouvé du nouveau-né [33]. »

Nous vivons une époque de transition qui clôt un cycle (celui de la Révolution française) et ouvre un nouveau cycle dont les femmes vont constituer un élément moteur peut-être aussi décisif que le retour au spirituel prédit par Malraux. Il est certain que face à cet inconnu, les lesbiennes incarnent aux yeux de ceux qui en ont peur tout ce qu'ils redoutent : une forme de liberté féminine, la possibilité d'une vie autonome qui rendrait caduque la division sexuelle des tâches sur laquelle notre société s'appuie toujours. Comme le disait Anne-Marie G. dans *Tout* : « Nous les lesbiennes, avons-nous besoin d'être protégées, guidées comme d'éternelles mineures ? Certes non ! Alors, pourquoi en serait-il autrement pour les autres femmes ? »

C'est précisément dans ce « pourquoi »-là que gît le problème... du patriarcat. Pourquoi les lesbiennes sont-elles un terreau révolutionnaire plus fertile que d'autres ? Parce qu'elles ont en elles un désir d'autonomie qui en fait des éléments naturels de bouleversement social et de contestation de la domination masculine. Vecteurs d'avant-gardes politiques et culturelles, elles n'en sont pas moins occultées par l'Histoire du fait qu'elles sont des femmes, c'est-à-dire un collectif privé de poids politique et de statut social propre.

Ce n'est pas un hasard si l'émancipation des lesbiennes est la plus difficile à obtenir dans notre société [34]. Plus difficile que celle des

33. *Petit exercice mystique à l'usage du MLF*, Bibliothèque Marguerite-Durand, dossier La Spirale.

34. Voir la campagne menée par Amnesty International en 1995 sur « les violations des droits fondamentaux dont sont victimes les femmes ». Dans une brochure consacrée aux lesbiennes, Amnesty International affirme que « les violations dont sont victimes les lesbiennes ne doivent plus être passées sous silence ». On y apprend ainsi que « dans certains pays les lesbiennes sont punies de mort ». Amnesty International dénonce « la loi du silence. Bien souvent les lesbiennes n'ont pas les moyens d'attirer l'attention sur les mauvais traitements dont elles font l'objet [...]. Certaines femmes ont peur de parler publiquement car elles craignent alors d'être mises au ban de la société et savent qu'elles ne pourront pas compter sur le soutien de l'opinion. [...] Amnesty International demande à tous les gouvernements de respecter et faire respecter les droits fondamentaux des lesbiennes ».

homosexuels qui ont opté pour le ghetto et disposent, par conséquent, d'un réseau social, économique et politique solidaire, donc efficace. Les lesbiennes ne veulent pas du ghetto à cause du poids patriarcal et parce qu'il est un signe de faiblesse pour les femmes plus qu'un élément de contre-pouvoir identitaire.

L'émancipation des lesbiennes implique l'égalité entre les sexes et une libération de concepts multimillénaires liés à la fonction reproductrice de la femme. Aujourd'hui encore, la maternité légitime l'existence sociale des femmes ; et si les lesbiennes sentent toujours le soufre, c'est parce qu'elles sont stériles et trahissent une société dont le désir fondamental est de se reproduire pour durer, transmettre le « nom du père » et donner une forme d'éternité au corps social.

L'émancipation des lesbiennes implique une révolution « viscérale », un changement des mentalités aussi important que celui réalisé par la Révolution française en reconnaissant à l'individu ses « Droits de l'Homme ».

Le mouvement homosexuel s'est structuré autour d'objectifs et d'intérêts presque exclusivement masculins. La gauche a raté le rendez-vous. Le Mouvement de libération des femmes n'a pas réussi, ou pas voulu, légitimer politiquement l'amour entre femmes. Actuellement, une lesbienne qui se déclare demeure un fait indivivuel, non un fait social, et elle risque toujours d'être mise au ban de la société en vivant dans la transparence.

Le Contrat d'union civile récemment élaboré [35] pourrait cependant constituer un pas en avant important vers la visibilité et la mise en place d'un nouveau statut social qui donnerait à la « femme sans époux » comme à l'homosexuel ou aux ami(e)s non sexuellement étiquetés, un autre statut que celui de célibataire. En ce qui concerne les femmes, ce serait un changement considérable puisque la différenciation entre la célibataire et la vierge est loin d'être entrée dans les mentalités, révélant la difficulté rencontrée par toute civilisation patriarcale à définir la femme à la fois comme

35. Voir Jean-Paul Pouliquen, « Contrat d'union civile : le dossier, ou la volonté de faire aboutir le contrat d'union civile », *Humœurs*, hors série, 1994.

individue autoréférencée et comme être social amoureusement liée à d'autres femmes.

Les choix de vie des lesbiennes ont toujours dépassé le domaine sexuel auquel le patriarcat veut les cantonner pour désamorcer la bombe identitaire contenue dans le fait d'être une femme « sexuellement indomptée », comme le disait Georges Devereux, c'est-à-dire qui s'appartient à elle-même.

Dans ces temps de gestation du troisième millénaire, le monde des femmes constitue un potentiel de transformation presque intact qui devra, pour agir dans l'Histoire, s'investir socialement, c'est-à-dire s'incarner dans un nouveau statut social donnant aux couples de femmes, et plus généralement à l'amour entre femmes, sa pleine réalité existentielle et spirituelle.

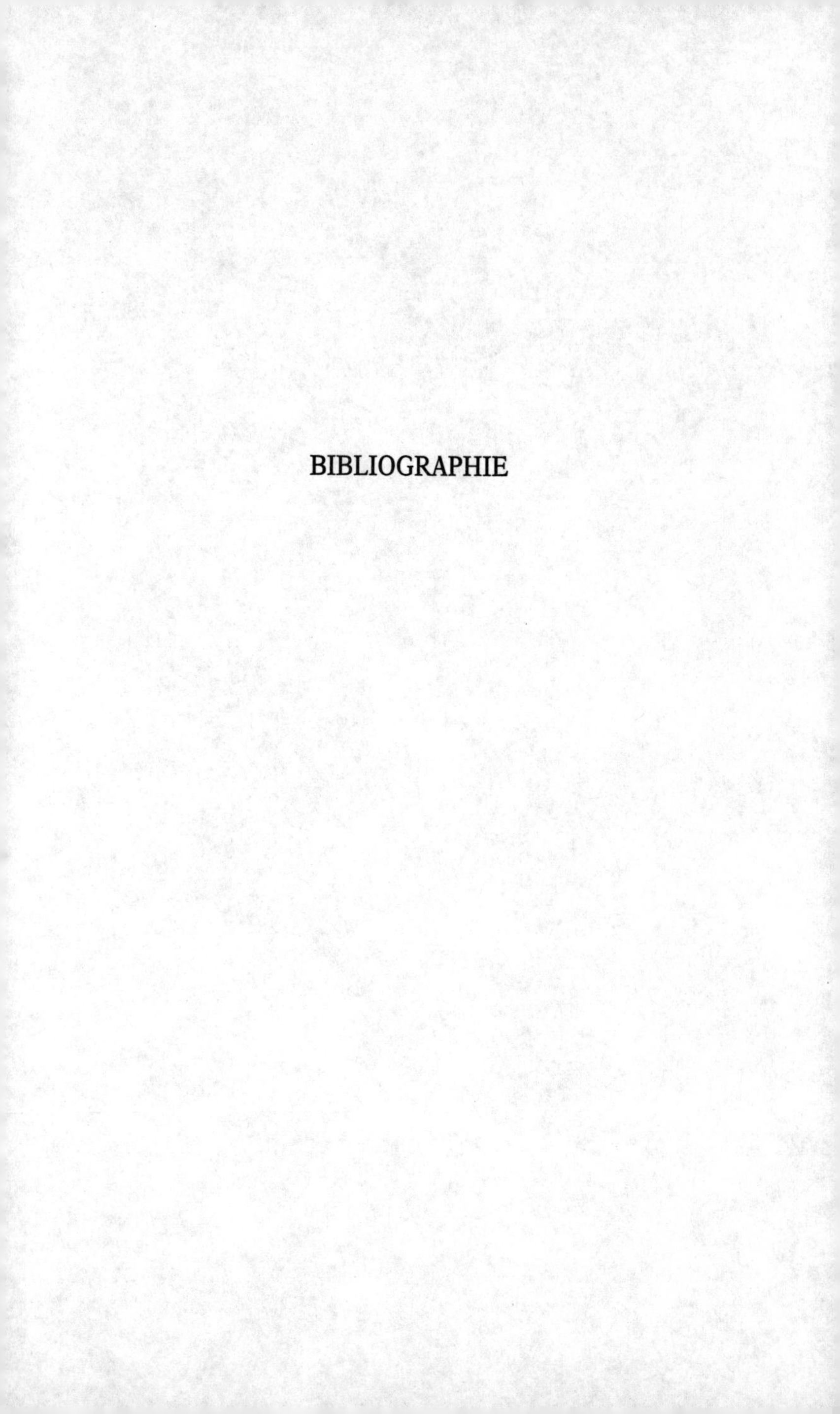

BIBLIOGRAPHIE

Avertissement

Dans la mesure où la majorité des ouvrages consultés ne consacre que quelques pages, voire quelques lignes, aux femmes, nous avons choisi, pour faciliter l'utilisation de cette bibliographie, une double méthode de classement :

– Pour la partie proprement historique, un ordre thématique et chronologique.

– Pour les écrits des femmes sur les femmes, un ordre alphabétique.

La cote de la Bibliothèque nationale pour les livres les plus rares ou importants est indiquée entre parenthèses.

Les écrits féministes sont rassemblés à la Bibliothèque Marguerite-Durand (79, rue Nationale, 75013 Paris). On peut aussi consulter au Centre d'archives lesbiennes de la Maison des femmes (ARCL, BP 362, 75526 Paris Cedex 11).

SAPPHO

Horace, *Épîtres et Satires*. Texte établi et traduit par François Villeneuve. Paris, Les Belles Lettres, 1967.

Ovide, *Héroïdes*. Texte établi par H. Bornecque et traduit par Marcel Prévost. Paris, Les Belles Lettres, 1965.

Ovide, *L'Art d'aimer*. Texte établi et traduit par Jacques André. Paris, Les Belles Lettres, 1968.

Ovide, *Tristes*. Texte établi et traduit par Jacques André. Paris, Les Belles Lettres, 1968.

Œuvres morales et meslées de Plutarque translatées du grec en françois par Messire Jacques Amyot, à présent Évesque d'Auxerre, Conseiller du Roy en son privé conseil, et grand Aumosnier de France. À Paris, de l'imprimerie de Michel de Vascosan, 1572.

Plutarque, *Dialogue sur l'Amour*. Édité par Robert Flacelière. Texte et traduction avec une introduction et des notes par R. Flacelière. Annales de l'université de Lyon. 3e série, lettres, fasc. 21. Paris, Les Belles Lettres, 1953. Une autre édition du *Dialogue sur l'Amour* a été publiée récemment sous le titre *Erotikos*. Traduit du grec par Christian Zielinski. Paris, Arléa, 1995.

Moreri Louis, *Le Grand Dictionnaire historique ou Mélange curieux de l'histoire sacrée et profane*. Lyon, 1681, in-f°.

Boileau, *Traité du sublime ou du merveilleux*. Paris, 1694, in-12.

Bayle Pierre, *Dictionnaire historique et critique*. 3e éd. revue, corrigée et augmentée. À Rotterdam, 1720, in-f°.

Deschanel Émile, « Études sur l'Antiquité : Sapho et les lesbiennes ». *Revue des Deux Mondes*, 15 juin 1847, t. XVIII.

Reinach Théodore, « Pour mieux connaître Sapho ». *Comptes rendus de l'Académie des Inscriptions et des Belles-Lettres*. Paris, 1911.

Meunier Mario, *Sapho* Paris, Grasset, 1932.

Larnac Jean, Salmon Robert, *Sapho*. Paris, Éd. Rieder, 1934.

Weigall Arthur, *Sapho de Lesbos*. Trad. Théo Varlet. Payot, 1951.

Aulotte Robert, « Sur quelques traductions d'une ode de Sappho au XVIe siècle », in *Bulletin de l'Association Guillaume Budé*, déc. 1958.

Morrison Mary, « Henri Estienne et Sappho », in *Bibliothèque d'Humanisme et Renaissance*, t. XXIV, Genève, 1962.

Thomas Édith, *Sappho*. Histoire d'un poète et traduction intégrale de l'œuvre. Paris, Flammarion, 1966.

Yourcenar Marguerite, *La Couronne et la Lyre*. Paris, Gallimard, 1979.

Dejean Joan, *Sapho. Les fictions du désir : 1546-1937*. Traduit de l'anglais (américain) par François Lecercle, Paris, Hachette Supérieur, 1994.

Ledwige Bernard, *Sappho. La première voix de femme*. Paris, Mercure de France, 1994.

Œuvres de Sappho

Les Poésies d'Anacréon et de Sapho, traduites du grec en françois avec des remarques, par Mademoiselle Le Fevre. Paris, 1681, in-12 (Yb 1489).

Les Poésies d'Anacréon et de Sapho, traduites du grec en vers françois avec des remarques. (Par le baron de Longepierre.) Paris, 1684, in-12 (Yb 1493).

Les Poésies de Sapho, traduites en entier pour la première fois par André Lebey. Paris, Mercure de France, 1895.

Muses grecques ou Traduction en vers françois de Plutus, comédie d'Aristophane, suivie de la troisième édition d'Anacréon, Sapho, Moschus, Bion, Tyrphée, par M. Ponsinet de Sivry, Aux Deux Ponts, Paris, 1771 [4b 2305].

Poésies d'Anacréon et de Sapho, traduction nouvelle en prose par M*** C*** (Moutonnet Clairfond), Paris, 1773.

Reinach Théodore, « Nouveaux fragments de Sapho ». *La Revue des Études grecques*. Paris, É. Leroux, 1901.

Vivien Renée, *Sapho*. Traduction nouvelle (d'après l'édition allemande Bergk de 1882) grec-français. Paris, Lemerre, 1903.

Sapho. Traduction nouvelle de tous les fragments connus... par Mario Meunier. Paris, 1911.

Alcée, Sapho. Texte établi et traduit par Théodore Reinach avec la collaboration d'Aimé Puech. Paris, Les Belles Lettres, 1937.

Sappho, *Poésies*. Édition bilingue, texte établi et traduit du grec par Philippe Brunet. Genève, L'Âge d'Homme, 1991.

Sappho, *Le Cycle des amies*. Édition bilingue. Traduit du grec par Yves Battistini. Paris, Michel Chandeigne, 1991.

Sappho, *Le Désir. Œuvres complètes*. Présentées et traduites du grec par Frédéric Vervliet. Paris, Arléa, 1992.

Sappho, *La Cité des dieux*. Traduit du grec et présenté par Yves Battistini. Paris, Michel de Chandeigne, 1994.

Éditions illustrées

Sappho. Ode à la bien-aimée et autres poèmes, paraphrases françaises de René Puaux, avec les vignettes gravées sur bois par Carlègle. Paris, imp. de L. Pichon, 1926.

Sappho. Quinze eaux-fortes de Mariette Lydis, illustrant seize brefs fragments sur une traduction de Théodore Reinach. Paris, aux frais d'un groupe d'amateurs, 1933.

Espérance, *Sappho*. Quatorze burins sur une traduction de Roland Canudo. Paris, Éd. du Raisin, 1944.

Poèmes de Sappho, illustrés de vingt-trois eaux-fortes par Marie Laurencin. Paris, Compagnie des Arts graphiques, 1950.

Sappho, *Poèmes et fragments*. Traduit du grec par Pascal Charvet. Dessins de Paoli Vallorz. La Délirante, 1989.

LES ANCIENS

Platon, *Le Banquet* (discours d'Aristophane). Texte établi et traduit par Paul Vicaire, avec le concours de Jean Laborderie, Paris, Les Belles Lettres, 1992.

Phèdre, *Fables*. Texte établi et traduit par Alice Brenot. Paris, Les Belles Lettres, 1969.

Toutes les épigrammes de Martial en latin et en françois (par M. de Marolles) avec des petites notes *(sic)*... À Paris, chez Guillaume de Luyne, 1655. in-8° .

Martial, *Épigrammes*, t. I. Texte établi et traduit par H. J. Izaac. Paris, Les Belles Lettres, 1969.

Les Œuvres de Lucien de Samosate, philosophe excellent, non moins utiles que plaisantes, traduites du grec par Filbert Bretin Aussonois, docteur en médecine. Répurgées de paroles impudiques et profanes. À Paris pour Abel L'Angelier, libraire, 1582. 2 vol. in-f°.

Lucien de la traduction de Nicolas Perrot, sieur d'Ablancourt, Paris, A. Courbé, 1654. 2 vol. in-40.

Louÿs Pierre, « Mimes des courtisanes », dans *Œuvres complètes* t. I. Slatkine Reprints, Genève, 1973 (éd. originale : 1894).

Juvénal, *Satires*. Texte établi et traduit par P. de Labriolle et F. de Villeneuve. Paris, Les Belles Lettres, 1971.

Euripide, *Les Bacchantes*. Texte établi et traduit par H. Grégoire. Paris, Les Belles Lettres, 1975.

Aristophane, *Lysistrata*. Texte établi par V. Coulon et traduit par Hilaire Van Daele. Paris, Les Belles Lettres, 1940.

Forberg F. K., *De figuris veneris*. Manuel d'érotologie classique, texte latin et traduction littérale par Alcide Bonneau. Paris, 1882,

2 vol. in-8° . Nouvelle édition présentée par Pascal Pia. Paris, La Bibliothèque privée, s.d.
Flacière Robert, *L'Amour en Grèce*. Paris, Hachette, 1961.
Dictionnaire étymologique de la langue latine. Histoire des mots, par A. Ernout et A. Meillet. 4e éd., Paris, Klincksieck, 1967.
Dictionnaire étymologique de la langue grecque, Paris, 1968.
Détienne Marcel, *Les Jardins d'Adonis*, Paris, Gallimard, 1972.
Higgins R.A., *Greek Terracotta Figures*. London, The British Museum, 1979.
Devereux Georges, *Femme et mythe*. Paris, Flammarion, 1982.
Sergent Bernard, *L'Homosexualité initiatique dans l'Europe ancienne*. Paris, Payot, 1986.
Quignard Pascal, *Le Sexe et l'Effroi*. Paris, Gallimard, 1994.

XVIe-XVIIe SIÈCLE

Sexualité d'« autrefois »

Saint Paul, Épître aux Romains, I, 26, Nouveau Testament.
Gerson Jean, *Confessionnal ou Directoire des confesseurs*. (Poitiers, s.d.) vers 1470 (Res. D 11579).
Recueil d'Arrests notables des cours souveraines de France, ordonnez par tiltres, en 24 livres par Jean Papon Conseiller du Roy et Lieutenant général au baillage de Forest. À Paris, chez N. Chesneau, 1565.
Le Doctrinal de sapience jadis composé par Mgr Guy de Roy, Archevêque de Sens, et maintenant revu et corrigé en beaucoup d'endroits, au profit de tout bon chrétien. À Lyon par Jean Pillehotte, 1585 (D 50934).
Paré Ambroise, *Des monstres et des prodiges*. Genève, Droz, 1971.
La Somme des péchés et le remède d'iceux. Par feu Benedicti, professeur en théologie de l'ordre des Frères mineurs. À Rouen chez J. Osmont, 1602 (D 25650).

Dictionnaire des Arrests ou Jurispreudence universelle des parlements de France et autres tribunaux... par Me Pierre-Jacques Brillon avocat au Parlement. À Paris, chez G. Cavalier, 1711. 3 vol.

Michaud & Poujoulat, Nouvelle collection des *Mémoires pour servir à l'histoire de France depuis le* XIIIe *siècle jusqu'à la fin du* XVIIIe *siècle*, t. III : *Mémoires sur Jeanne d'Arc et Charles VII (Journal d'un bourgeois de Paris sous Charles VIII)*. Paris, chez l'éditeur du *Commentaire analytique du Code civil*. 1837.

Bouchet Guillaume, *Les Serrées*. Paris, Lemerre, 1873.

Sinistrari d'Ameno R.P. Louis-Marie, *De la sodomie et particulièrement de la sodomie des femmes distinguées du tribadisme (*XVIIe *siècle)*. Traduit du latin par A. Bonneau. Paris, Isodore Liseux, 1883 (Enfer 97). Le livre fut mis à l'Index par Rome probablement parce qu'il utilisait les découvertes de Bartholin sur le clitoris pour prouver la culpabilité sodomitique des femmes.

Vacant A., Mangenot E., Amann E., *Dictionnaire de théologie catholique contenant l'exposé des doctrines de la théologie catholique, leurs preuves et leur histoire*. T. IX, article « Luxure », 1926.

Maes L. T., « Les délits de mœurs dans le droit coutumier de Malines », *Revue du Nord*, t. XXX, n° 117, Lille, 1948.

Maes L. T., « La peine de mort dans le droit criminel de Malines », *Revue historique de droit français et étranger*, 1950.

Noonan John T., *Contraception et Mariage. Histoire de son traitement par les théologiens catholiques et canonistes* (1966). Paris, Éd. du Cerf, 1969.

Imbert Jean, *La Peine de mort. Histoire, actualité*. Paris, Armand Colin, 1967.

Flandrin Jean-Louis, « Contraception, mariage et relations amoureuses dans l'Occident chrétien », *Annales* ESC, novembre-décembre 1969.

Flandrin Jean-Louis, « Mariage tardif et vie sexuelle », *Annales* ESC, novembre-décembre 1972.

Bissexualité et différence de sexe. Numéro spécial de la *Nouvelle Revue de Psychanalyse*, n° 7, printemps 1973. Paris, Gallimard. Voir l'article de Marie-Christine Pouchelle, « L'hybride ».

Flandrin Jean-Louis, *Les Amours paysannes (XVIe-XIXe)*. Paris, Julliard-Gallimard, Coll. Archives, 1975.

Flandrin Jean-Louis, *Familles. Parenté, maisons, sexualité dans l'ancienne société*. Paris, Hachette, 1976.

Ariès Philippe, « La contraception autrefois », *L'Histoire* n° 1, mai 1978.

Lever Maurice, *Les Bûchers de Sodome. Histoire des « infâmes »*. Paris, Fayard, 1985.

Moutet Josiane, *Femmes, droit et changement social : enjeux et stratégies dans la Normandie coutumière, XVIe-XVIIIe siècle*. Thèse de IIIe cycle d'Histoire et Civilisation. Paris, EHESS, 1986.

Haase-Dubosc Danielle, Viennot Éliane (sous la direction de), *Femmes et pouvoirs sous l'Ancien Régime*. Paris, Rivages, 1991.

Nicole Pellegrin : « L'androgyne au XVIe siècle : pour une relecture des savoirs », in *Femmes et pouvoirs sous l'Ancien Régime*, Paris, Rivages, 1991.

Poètes, écrivains. Correspondances, biographies.

Labé Louise, *Œuvres complètes* (1555). Édition, préface et notes par François Rigolot. Paris, Garnier-Flammarion, 1986.

Les Dialogues de Jacques Tahureaux, gentilhomme du Mans, *non moins profitables que facétieux, où les vices de chacun sont repris fort âprement pour nous animer davantage à les fuir et suivre la vertu*. Paris, 1565, in-8° (Res. Z 2445).

Introduction au traité de la conformité des merveilles anciennes avec les modernes ou Traité préparatif à l'apologie pour Hérodote, composée en latin par Henri Estienne et ici continuée par lui-même. Genève, 1566 in-8° (Z 17172).

Montaigne Michel de, *Journal de voyage en Italie (1580-1581)*. Édition Maurice Rat. Paris, Classiques Garnier.

Les Vies des dames galantes tirées des *Mémoires* de Messire Pierre de Bourdeille, Seigneur de Brantôme (éd. originale 1666). Texte établi et annoté par Maurice Rat. Paris, Le Livre de Poche.

Rat Maurice, *Dames et bourgeoises amoureuses ou galantes du XVIe siècle*. Paris, Plon, 1955.

Tyard Pontus de, *Recueil des nouvelles poésies*. Paris, Lemerre, 1875, in-8° (8Ye 862 [5]).

Ronsard, *Œuvres complètes*. Nouvelle édition P. Laumonier. Paris, Lemerre, 1914-1919, 8 vol., in-8°, t. IV. Pièces retranchées par Ronsard de 1553 à 1584 : « Amour je me plains de l'orgueil endurcy. »

Le Cabinet secret du Parnasse. Recueil de poésies libres, rares ou peu connues, pour servir de complément aux œuvres dites complètes des poètes français. Paris, Cabinet du Livre, 1928-1935, éd. Louis Perceau, 4 vol. (Res. Ye 708 [2-3...]). Voir le vol. II, *Mathurin Régnier et les satyriques. Le Sieur de Sigogne. Godemichy des filles* et le vol. III, *François de Malesherbes et ses escoliers. Le président Maynard : Tribades Seu Lesbia*.

Lachèvre des Barreaux Frédéric, Saint-Pavin, *Le Libertinage au XVIIe siècle. Disciples et successeurs de Théophile de Viau (1595-1670)*. Paris, 1911 (Ln9 293).

Bensérade, *Poésies*, publiées par O. Uzanne. Paris, Librairie des Bibliophiles, 1875 (Ye 15231).

Rapports inédits du lieutenant de police René d'Argenson (1697-1715) publiés d'après les manuscrits conservés à la Bibliothèque nationale. Introduction, notes et index par Paul Cottin. Paris, Plon, 1891.

Saint-Réal abbé, *Traités de philosophie, de morale et de politique. Œuvres*. La Haye, 1722, t. V.

Des Réaux Tallement, *Historiettes*. Édition établie et annotée par Antoine Adam. Paris, Gallimard, Bibliothèque de La Pléiade, 1960.

Princesse Palatine, *Correspondance*. Paris, Éd. Brunet, 1857.

Saint-Simon, *Mémoires*. Paris, Éd. des Grands Écrivains, t. XXXVI.

Maurepas Comte de, *Mémoires*. Anecdotes sur madame d'Orléans, abbesse de Chelles jusqu'en 1732. Paris, 1792, t. I.

Soulavie J.-L., *Pièces inédites sur les règnes de Louis XIV, Louis XV et Louis XVI*. Paris, L. Collin, 1809, 2 vol., in-8°.

Rigolot François, « Louise Labé et la redécouverte de Sappho », in *Nouvelle Revue du XVIe siècle*, 1, 1983.

Rigolot François, « Quel “ genre ” d'amour pour Louise Labé ? » in *Poétique*, 55, sept. 1983.

Sur Mlle de Maupin

Houssaye A., *Mlle de Maupin*. Paris, 1860, in-8° .

Lacome P., *Étoiles du passé*. Paris, 1897, in-18.

Letainturier-Fradin G., *La Maupin, sa vie, ses duels, ses aventures*. Paris, 1904.

Dhauteville Anne-France : *Julie, chevalier de Maupin*. Paris, J.-C. Lattès, 1995.

Sur les « anticonformistes »

Hernandez Dr Louis, *Les Procès de sodomie aux XVIe, XVIIe, XVIIIe siècles*, publiés d'après les documents judiciaires conservés à la Bibliothèque nationale. Paris, Bibliothèque des Curieux, 1920 (ResF. 2369).

Barbier, *Journal anecdotique d'un Parisien sous Louis XV*. 1727-1751. Textes choisis par Hubert Juin. Le Livre Club du Libraire.

Rabutin Bussy, *Histoire amoureuse des Gaulles*. Liège s.d., in-12, t. III : « La France devenue italienne » (débuts du règne de Louis XIV). Paris, Coll. elzévirienne, 1858.

Gaiffre Félix, *L'Envers du Grand Siècle*. Paris, 1924.

Adam A., *Théophile de Viau et la libre pensée française vers 1620*. Paris, 1935.

Daniel Marc, *Hommes du Grand Siècle. Étude sur l'homosexualité sous les règnes de Louis XIII et Louis XIV*. Paris, Arcadie, 1957.

LUMIÈRES, LIBERTINAGE

Clairambault-Maurepas, *Recueil*. Chansonnier historique du XVIIIe siècle. Publié par E. Raunié. Paris, 1880, 10 vol., in-12 (8Ye 86).

Hamilton Antoine, *Mémoires de la vie du comte de Gramont*. Cologne, P. Marteau, 1713, in-12.

La Vénus dans le cloître ou la Religieuse en chemise. Nouvelle éd., 1746. (Abbé Barrin avec le pseudonyme de l'abbé Du Prat) (Enfer 674).

Histoire de Dom Bougre... portier des Chartreux, écrite par lui-même. À Rome chez Philotanus, s.d. (Gervaise de La Touche, 1745) (Enfer 326).

Argens Marquis d', *Thérèse philosophe ou Mémoires pour servir à l'histoire de P. Dirrag et de Mlle Eradice*. La Haye, 1748, 2 parties en 1 vol.

L'Encyclopédie ou Dictionnaire raisonné des sciences et des arts. Mis en ordre et publié par M. Diderot... et quant à la partie mathématique par M. d'Alembert... À Neufchastel (1751-1766), 35 vol., in-f°.

Rousseau Jean-Jacques, *Julie ou la Nouvelle Héloïse* (1761). Chronologie et introduction par Michel Launey. Paris, Garnier-Flammarion, 1967.

Plaisirs du cloître. Comédie en 3 actes par M.D.L.C.A.P., 1773.

Diderot Denis, *Œuvres complètes*. Édition Assezat-Tourneux. Paris, Garnier (1875-1876), 20 vol.

Diderot Denis, *La Religieuse*. Chronologie et introduction par R. Desné. Paris, Garnier-Flammarion, 1968.

Diderot Denis, « Le Rêve de D'Alembert. La suite de l'Entretien », dans *Œuvres philosophiques* de Diderot. Édition Vernière. Paris, Classiques Garnier, 1956.

Diderot Denis, *Lettres à Sophie Volland*. Introduction d'André Babelon. Paris, Gallimard, 1938. 2 vol.

Diderot et Catherine II, Paris, Éd. Tourneux, 1899.

Diderot Denis, *Correspondance*. Édition Roth et Varloot. Paris, Éd. de Minuit, 1953-1969, 14 vol.

Correspondance littéraire, philosophique et critique par Grimm, Diderot Raynal, Meister, etc., revue sur les textes originaux comprenant outre ce qui a été publié à diverses époques les fragments supprimés en 1813 par la censure, les parties inédites conservées à la Bibliothèque ducale de Gotha et à l'Arsenal de Paris. Opuscules, appendices, table générale par Maurice Tourneux. Paris, Garnier frères, 16 vol. (1877-1882).

Mémoires secrets pour servir à l'histoire de la République des lettres en France, depuis 1762 jusqu'à nos jours, ou Journal d'un observateur, contenant les analyses des pièces de théâtre qui ont paru durant cet intervalle ; les relations des assemblées littéraires ; les notices des livres nouveaux, clandestins, prohibés ; les pièces fugitives, rares ou manuscrites, en prose ou en vers ; les vaudevilles sur la cour ; les anecdotes et bons mots ; les éloges des savants, des artistes, des hommes de lettres morts, etc. À Londres, chez J. Adamson (1777-1789), 36 vol., in-12 (Z 16780-16815).

Le Désœuvré ou l'Espion du boulevard du Temple. À Londres, 1781. Attribué à Mayeur de Saint-Paul (Li3 48).

Journal intime de l'abbé Mulot, bibliothécaire et grand prieur de l'abbaye de Saint-Victor (1777-1782), publié par Maurice Tourneux. Paris, 1902 (Ln27 49782).

Mirabeau, *Erotika Biblion*. À Rome, de l'imprimerie du Vatican, 1783.

Mirabeau, *Lettres écrites au donjon de Vincennes de 1778 à 1780*. Paris, 1820, 3 vol., in-8° (Z 55304).

Mirabeau, *Œuvres érotiques*. Paris, Fayard, coll. L'Enfer de la Bibliothèque nationale, 1984.

L'Espion anglais ou Correspondance secrète entre Mylord All Eye et Mylord All Ear. À Londres, chez J. Adamson (1779-1784), 10 vol., in-12 (8Lb39 219).

La Bretonne Restif de, *Le Paysan perverti* (1776 et 1784). Avec des gravures de Binet. Édition critique par François Jost. Genève, L'Âge d'Homme, 1977, 2 vol.

La Bretonne Restif de, *Les Contemporaines par gradation ou Aventures des jolies femmes de l'âge actuel, suivant la gradation des principaux états de la société*, t. XXXI : « Les Femmes titrées ». À Leipsick, 1783, 42 vol.

Laclos Choderlos de, *Les liaisons dangereuses ou lettres recueillies dans une Société et publiées pour l'instruction de quelques autres*, Gallimard Folio, 1972.

Laclos Choderlos de, « Discours sur la question posée par l'académie de Châlons-sur-Marne : Quels seraient les meilleurs moyens de perfectionner l'éducation des femmes ? » dans *Œuvres complètes*. Paris, Gallimard, Bibliothèque La Pléiade, 1943.

Sade, *Augustine de Villeblanche ou les Stratagèmes de l'amour*, dans *Historiettes, contes et fabliaux* (1787). Paris, coll. 10/18.

Chronique arétine ou Recherches pour servir à l'histoire des mœurs du XVIIIe siècle. 1re livraison. À Caprée, 1789.

Chronique scandaleuse des théâtres ou les Aventures des plus célèbres actrices, chanteuses, danseuses. S.l.n.d. in-8°.

Anandria ou Confession de Mlle Sapho, contenant tous les détails de sa réception dans la secte anandryne sous la présidence de Mlle Raucourt et ses diverses aventures. En Grèce, 1789.

L'Almanach des honnêtes femmes pour l'année 1790.

Les Enfants de Sodome à l'Assemblée nationale ou Députation de l'ordre de la manchette aux représentants de tous les ordres pris dans les 60 districts de Paris et de Versailles réunis. À Paris et se trouve chez le marquis de Vilette grand commandeur de l'ordre, 1790.

La Liberté ou Mlle Raucourt. À toute la secte anandryne assemblée au foyer de la Comédie-Française. À lèche-con et se trouve dans les coulisses de tous les théâtres, même chez Audinos, 1791.

Les Fureurs utérines de Marie-Antoinette femme de Louis XVI. Au Manège et dans tous les bordels de Paris, 1792, in-12.

Nougaret P. J. B., *Anecdotes du règne de Louis XVI*. Paris, 1791, 6 vol., in-12.

Sade, *La Philosophie dans le boudoir*, 1796.

Sade, *La Nouvelle Justine ou les Malheurs de la vertu... suivie de l'histoire de Juliette sa sœur*. En Hollande, avec figures, 1797, 10 vol., in-16.

Polignac Comtesse Diane de, *Mémoires sur la vie et le caractère de Mme la duchesse de Polignac avec des particularités sur sa liaison avec Marie-Antoinette reine de France*. Hambourg, 1796 (8Ln27 16455).

Clairon Hippolyte, *Mémoires et réflexions sur l'art dramatique publiées par elle-même*. Paris, Buisson, an VII in-8°.

Dumesnil Marie-Françoise, *Mémoires en réponse aux Mémoires d'Hippolyte Clairon*. Paris, chez Dentu, an VII (8Ln27 6662).

Henrion, *Encore un tableau de Paris*. Paris, Favre, an VIII, in-12 (8Li3 76).

Naigeon, *Mémoires historiques sur la vie et les ouvrages de D. Diderot*. Paris, Brière, 1821.

Collection officielle des ordonnances de police imprimées par ordre de M. le Préfet de Police (1800-1848). Paris, 1880.

Mémoires sur la vie privée de Marie-Antoinette, reine de France et de Navarre, suivis de souvenirs et anecdotes historiques sur les règnes de Louis XIV, de Louis XV et de Louis XVI par Mme Campan. Paris, Baudouin frères, 1822, 3 vol., in-8° . Extraits choisis par C. Lalloué dans *La Cour de Marie-Antoinette*. Paris, 10/18.

Mémoires sur Voltaire et sur ses ouvrages par Longchamp et Wagnière ses secrétaires. Paris, 1826, 2 vol. (Ln27 20833).

Vigée-Lebrun Élisabeth, *Souvenirs*. Une édition féministe de Claudine Herrmann. Paris, Éd. Des femmes, 1984, 2 vol.

Récits d'une tante. Mémoires de Mme la comtesse de Boigne née d'Osmond publiés d'après le manuscrit original par M. Charles Nicoullaud. Paris, Plon, 1907, 3 vol. (8Ln27 53437A).

Mémoires inédits de Mlle George dictés à Mme Desbordes Valmore, publiés d'après le manuscrit original par P. A. Chéramy. Paris, Plon, 1908, in-18 (8Ln27 53594).

Études

Barbier A. A., *Dictionnaire des ouvrages anonymes*. 3e éd. revue et augmentée par MM. O. Barbier, R. et P. Billard. Paris, Paul Daffis, 1872, 4 vol.

Cioranescu Alexandre, *Bibliographie de la littérature française du XVIIIe siècle*. Paris, Éd. du CNRS, 1969, 3 vol.

Dulaure J. A., *Histoire physique, civique et morale de Paris*. Paris, 1821-1825, 8 vol., in-8°.

Dessens A., *Les Revendications des droits de la femme au point de vue politique, civil et économique pendant la Révolution*. Thèse de droit. Toulouse, 1905.

Reiset Vicomte de, *Joséphine de Savoie, comtesse de Provence, 1753-1810. D'après des documents inédits*. Paris, É. Paul, 1913.

Glotz Marguerite, Maire Madeleine, *Salons du XVIIIe siècle*. Paris, Nouvelles Éditions Latines, 1949.

May Georges, *Diderot et la Religieuse*. Paris, PUF, 1954.

May Georges, « Diderot, Baudelaire et les femmes damnées », dans *Modern Language Note*, XLV (1950), t. LXV.

Proust Jacques, *Diderot et L'Encyclopédie*. Paris, Armand Colin, 1962.

Ehrard Jean, *L'Idée de nature en France dans la première moitié du XVIIIe siècle*. Chambéry, 1963, 2 vol.

Booy T. de, Freer A. S., « *La Religieuse* et *Jacques le fataliste* devant la critique révolutionnaire », *Studies on Voltaire and the XVIIIe Century*, Genève, 1965.

Flaissier Sabine, *Marie-Antoinette en accusation*. Paris, Julliard, 1967.

Benot Yves, *Diderot. De l'athéisme à l'anticolonialisme*. Paris, Maspero, 1970.

Duhet Paule-Marie, *Les Femmes et la Révolution (1789-1794)*. Paris, Julliard, coll. Archives, 1971.

Duchet Michèle, *Anthropologie et Histoire au siècle des Lumières*. Paris, Maspero, 1971.

Demoriane Hélène, « Les pervertis », *Connaissance des arts*, n° 255, mai 1973. Étude consacrée à Binet.

Herrmann Claudine, *Les Voleuses de langue*. Paris, Éd. Des femmes, 1976.

Alexandrian, *Les Libérateurs de l'amour*. Paris, Éd. du Seuil, coll. Points, 1977.

Darmon Pierre, *Le Mythe de la procréation à l'âge baroque*. Paris, J.-J. Pauvert, 1977.

Didier Béatrice, « Juliette, femme forte de l'écriture sadienne », *Oblique* n° 14-15 : « La Femme surréaliste. »

« Sade ». Numéro spécial d'*Oblique*.

Thomas Chantal, « Juliette, ô Juliette », *Tel Quel*, automne 1977.

Thomas Chantal, *Sade, l'œil et la lettre*. Paris, Payot, 1978.

Chartier Roger, « Livres sous le manteau », *L'Histoire*, n° 3, 1978.

Decker Michel de, *La Princesse de Lamballe. Mourir pour la reine*. Préface d'André Castelot. Paris, Librairie Académique Perrin, 1979.

Rey Michel, *Les Sodomites parisiens au XVIIIe siècle* (en grande partie d'après les rapports de police). Maîtrise d'histoire à Paris-VIII, 1980.

Badinter Élisabeth, *Émilie, Émilie. L'ambition féminine au XVIIIe siècle*. Paris, Flammarion, 1983.

Lipton Eunice, « Women, Pleasure and Painting (e.g. Boucher) », *Gender*, 7, Spring 1990.

D'Estrée Paul, « Les infâmes sous l'Ancien Régime », Lille, *Cahiers GKC*, n° 27.

Capitan Colette, *La Nature à l'ordre du jour, 1789-1793*. Paris, Kimé, 1993.

Dupêchez Charles, *La Reine velue. Marie-Joséphine-Louise de Savoie (1715-1810), dernière reine de France*. Paris, Grasset, 1993.

DU LIBERTINAGE À LA SEXOLOGIE
ou comment s'écrit l'histoire de la secte anandryne, celle de Françoise Raucourt, Sophie Arnould, Marie-Antoinette et quelques autres...

Deville A., *Arnoldia ou Sophie Arnould et ses contemporaines.* Recueil choisi d'anecdotes piquantes, de reparties et de bons mots de Mlle Arnould ; précédé d'une notice sur sa vie et sur l'Académie impériale de musique. Paris, 1813, Gérard, in-16 (8Ln27 665).

Lapierre de Châteauneuf A., *Les Dix Mélanges ou Mémoires secrets.* Mémoires curieux, anecdotes secrètes, histoires inédites. Chez Levasseur, Paris, 1829 (8L46 19[1]). Paraphrasant allégrement les *Mémoires secrets* sans jamais les citer en référence, il est le premier biographe de F. Raucourt qui reconstitue sur un ton badin sa « vie si abandonnée ». Mais il est précieux pour la période révolutionnaire et napoléonienne car il fut contemporain des événements. Et c'est peut-être pour cette raison que ce livre constitue la base biographique de tout ce qui sera écrit sur les mœurs de Françoise Raucourt. Il ne mentionne pas du tout l'existence d'une secte anandryne, ce qui se conçoit dans la mesure où les *Mémoires secrets* n'en ont jamais parlé. En revanche, il reproduit un texte de *L'Espion anglais,* « Beautés célèbres », paru cependant dans la première livraison de 1778.

Erotika Biblion, Paris, chez les frères Girodet avec des notes du Chevalier Pierrugues, 1833.

Couture, *Soixante Ans du Théâtre-Français*. Paris, 1842, in-12. Hommage à « la grande tragédienne » dans ses plus grands rôles.

Dumas Alexandre, *Louis XV*. Paris, 1849, 5 vol., in-8° (8Lb38 28). Réédition dans le t. V, sans aucune note, référence ou commentaire de « l'Apologie de la secte anandryne... tirée de *L'Espion anglais* ».

Goncourt Edmond et Jules de, *Sophie Arnould d'après sa correspondance et ses Mémoires inédits*. Paris, Poulet-Malassis et de Brosse, 1857, in-12. Le premier livre à parler du « goût contre nature des chanteuses » et à illustrer les « liaisons amoureuses de Sophie avec F. Raucourt ou Virginie » de citations des *Mémoires secrets*.

Histoire de Marie-Antoinette. Paris, Firmin-Didot frères 1858, in-8° .

Landes Louis de, *Glossaire érotique de la langue française depuis son origine jusqu'à nos jours, contenant l'explication de tous les mots consacrés à l'amour*. Bruxelles, 1861, in-18 (Res p X 300). Très laconique et banal. Il recopie la définition du *Dictionnaire* de l'Académie pour « Tribade » en ajoutant simplement une citation de Brantôme.

Le Bulletin du Bibliophile, Paris, 1863. Au n° 44 Paul Lacroix mentionne *La Nouvelle Sapho ou Histoire de la secte anandryne,* publié par la C... R... orné de 6 figures. Paris, de l'imprimerie Firmin-Didot, 1793. Concluant une citation de Mayeur de Saint-Paul sur « la tribaderie » il précise : « Les figures sont fort jolies : la première représente le couronnement de Sapho et pourrait bien faire allusion à la malheureuse Marie-Antoinette qui était alors en butte aux plus infâmes calomnies. » De quoi mettre la puce à l'oreille aux futurs biographes de Marie-Antoinette qui bénéficieront d'un renouveau des études historiques sur le XVIIIe siècle et d'un goût grandissant du public pour les lettres autographes, les Mémoires et la bibliophilie.

Gaboriau Émile, *Les Comédiennes adorées*. Paris, chez Dentu, 1863, in-8° (8Ln17 66). « F. Raucourt était une Amazone égarée au XVIIIe siècle, redoutable virago qui battait ses amants après les avoir ruinés [...]. Elle eut tous les égarements et tous les délires des sens, de la tête et du cœur. Elle vida jusqu'à la lie toutes les coupes et souilla comme à plaisir sa vie et ses talents [...]. Enfin, toute sa vie ne fut qu'un long scandale, un roman licencieux à la manière de Restif de la Bretonne, mauvais livre qu'on ne peut qu'entrouvrir » (p. 74).

Lescure Mathurin de, *La Vraie Vie de Marie-Antoinette.* Étude historique, politique et morale suivie du recueil réuni pour la première fois de toutes les lettres de la reine connues jusqu'à ce jour dont plusieurs inédites et de divers documents. Paris, 1863, 2e éd. (8Lb39 6214).

Lescure Mathurin de, *La Princesse* de Lamballe. Paris, Plon, 1864.

Delvau A., *Dictionnaire érotique moderne* par un professeur de langue verte. Freetown, imprimerie de la Bibliomaniac Society (Bruxelles, J. Gay), 1864. Cette édition ayant été condamnée à être détruite, elle fut suivie d'une nouvelle édition revue, corrigée, considérablement augmentée par l'auteur et enrichie de nombreuses citations (par Jules Choux). À Bâle, s.d. (Bruxelles, Gay, Doucé). C'est le plus complet des dictionnaires érotiques qui paraîtront au XIXe siècle, bien qu'il recopie lui aussi la définition de l'Académie pour « Tribade ». On y lit : « Anandryne : Femme qui n'aime pas les hommes ou au moins leur préfère les femmes pour se livrer au libertinage et à la foutrerie. Sapho était anandryne ; elle avait un long clitoris et s'en servait comme un homme de son vit avec les femmes. Horace appelait Sapho Mascula, femme mâle, femme hommesse, comme le dit Mirabeau dans son *Erotika Biblion*. Les vestales à Rome, les gymnopédistes à Sparte, instituées par Lycurge, étaient anandrynes. »

Gay Jules, *Bibliographie des principaux ouvrages relatifs à l'amour, aux femmes et au mariage, indiquant les auteurs de ces ouvrages, leurs éditions, leur valeur et les prohibitions ou condamnations dont certains d'entre eux ont été l'objet*, par M. le C. d'I—, chez J. Gay, 1861. Cette première édition a été rapidement revue, corrigée et considérablement augmentée en 1864, puis en 1871-1873 pour aboutir à une *Bibliographie des principaux ouvrages... et des livres facétieux, pantagruéliques, scatologiques, satyriques*, etc., entièrement refondue, augmentée et mise à jour par J. Lemonnyer. Lille (1894-1900), 4 vol. Bien que Louis Perceau y ait trouvé de nombreuses erreurs, cette bibliographie demeure un merveilleux instrument de travail pour tous les livres publiés avant le XIXe siècle.

Gay Jules, *Table alphabétique des auteurs et personnages cités dans les Mémoires secrets...* rédigés par Bachaumont. Bruxelles et Paris, 1866. Cet incomparable instrument de travail permet de retrouver dans les 36 tomes tous les personnages, de Diderot à

Françoise Raucourt, qui ont eu un rôle, quel qu'il fût, au XVIIIe siècle.

Anandria ou Confessions de Mlle Sapho, avec la clé. Réimpression à Bruxelles par Poulet-Malassis dans la Petite Bibliothèque de la Curiosité Érotique et Galante, 1866.

Marie-Antoinette, Louis XVI et la famille royale. Journal anecdotique tiré des *Mémoires secrets* ; mars 1763-février 1782. Publié par Ludovic Lalanne, Paris, 1866.

Correspondance secrète inédite sur Louis XVI, Marie-Antoinette, la cour et la ville de 1777 à 1792. Publiée par M. de Lescure. Paris, 1866. Le manuscrit se trouvait à la Bibliothèque impériale de Saint-Pétersbourg. Écrites par un familier de la cour de Versailles mal identifié, les lettres étaient envoyées au chancelier de Woronzof ou à Stanislas Poniatowski.

Mirabeau, *Erotika Biblion.* Édition revue et corrigée sur l'édition originale de 1783 et sur l'édition de l'an IX avec des notes de l'édition de 1833, attribuée au chevalier de Pierruges. Bruxelles, Poulet-Malassis 1867.

Dinaux Arthur, *Les Sociétés badines, bacchiques, littéraires et chantantes.* Paris, 1867, 2 vol. (Z 47208). « La secte anandryne, 1793. Au plus fort de la Révolution francaise, lorsqu'il n'y avait plus de règles établies, il pût être permis d'insulter publiquement à la morale et à la pudeur. Ce fut alors qu'on imprima sous le titre de *La Nouvelle Sapho ou Histoire de la secte anandryne,* publiée par la C... R..., l'histoire d'une prétendue société de femmes présidée par Mlle Raucourt et qui prenait le nom de secte anandryne, et qui avait ses statuts, ses assemblées et ses honteux mystères [...]. Le texte de l'ouvrage imprimé en 1793 avait d'ailleurs été publié quelques années avant le dizième volume de *L'Espion anglais.* Livre scandaleux... » (p. 647).

Mirabeau, *Erotika Biblion.* Autre édition, toujours à Bruxelles, mais par Gay-Doucé, 1881.

Goncourt Edmond et Jules de, *La Maison d'un artiste.* Paris, 1881, 2 vol. Note sur les Lettres de F. Raucourt.

Manuel d'érotologie classique. Texte latin et traduction littérale par A. Bonneau. Paris, 1882, 2 vol. « Vous vous demandez s'il y a encore aujourd'hui des tribades. S'il n'y en a plus, il y en avait encore assurément à Paris peu de temps avant la Révolution, d'après l'auteur de *Gynoeologie III*, p. 428 [introuvable à la Bibliothèque nationale]. Un véritable collège de tribades y existait, sous le nom de Vestales : des séances régulières se tenaient dans des locaux particuliers... sur les quatre autels du temple splendidement décoré des statues de Sapho, des lesbiennes qu'elle avait aimées, du chevalier d'Éon... brûlait un feu perpétuel. »

Uzanne Octave, *Les Mœurs secrètes du XVIIIe siècle*. Édition et adaptation de Pidansat de Mairobert avec notes et index. Paris, H. Quantin, 1883, in-8°. Extraits de *L'Espion anglais* largement remaniés par O. Uzanne mais sans aucune allusion à Françoise Raucourt.

Blondeau Nicolas, *Dictionnaire érotique latin-français (XVIIe s.)*. Édité pour la première fois sur le manuscrit original avec des notes et additions de François Noël... précédé d'un « Essai sur la langue érotique » par le traducteur du *Manuel d'érotologie* de Forberg (A. Bonneau). Paris, I. Lisieux, 1885, in-8°.

Uzanne Octave, *Le Livre moderne. Revue du monde littéraire*. Paris, 1891, in-8°, t. IV (8Q 1610 [1-4]). « Lettre de Mlle Raucourt à Mme de Ponty. » Cet « extraordinaire document » fera les délices d'Antoine Reschal qui interrogera le lecteur en disant : « [...] on peut récuser Pidansat de Mairobert [...] mais le moyen s'il vous plaît de faire fi de l'aveu de Raucourt elle-même. »

Leroy P. A., *Mlle Raucourt, artiste dramatique,* Orléans, 1893, in-8°.

Duehrem É. (pseudonyme d'Iwan Bloch), *Le Marquis de Sade et son temps. Études relatives à l'histoire de la civilisation et des mœurs du XVIIIe siècle*. Traduit de l'allemand par le Dr A. Weber-Riga avec une préface d'Octave Uzanne, « L'idée du sadisme et l'érotologie scientifique ». Paris, 1901, in-8° (8Ln27 54491).

Lambeau Lucien, *Essai sur la mort de Madame la Princesse de Lamballe*. Lille, 1902.

Caufeynon Dr (pseudonyme de Jean Fauconney), *Scènes d'amour morbide. Observations psycho-physiologiques*. Paris, P. Fort, 1903, in-18. Chapitre X : « Étiennette, sa vie lesbienne. Scènes et observations du tribadisme. Mœurs des tribades. Confession d'une jeune fille. Le temple de Vesta. Examens et tribades » : « O. Uzanne a recueilli sur ce sujet de fort curieuses anecdotes parmi lesquelles la confession d'une jeune tribade, Mlle Sapho [...]. La demoiselle qui présidait la secte de tribades était le célèbre de Beaucourt *(sic),* actrice de la Comédie-Française » (p. 103). Se situant au point de rencontre du libertinage et de la vulgarisation psychiatrique, Caufeynon inaugure ici un genre qui va considérablement se développer au XXe siècle : la sexologie.

Veze Raoul, *La Galanterie parisienne au XVIIIe siècle*. Paris, Bibliothèque du Vieux Paris, 1905 (8Li2 1102). Première tentative de synthèse. D'une part, il parle des rapports entre Marie-Antoinette et la duchesse de Polignac, et dans son chapitre sur « L'amour dépravé et pervers », de *L'Espion anglais* et de « Mlle Raucourt [qui] a épousé Mlle Arnould ».

Hervez Jean (pseudonyme de R. Veze), *Les Sociétés d'amour au XVIIIe siècle d'après les Mémoires, chroniques et chansons, libelles et pamphlets.* Pièces inédites. Paris, Bibliothèque du Vieux Paris, 1906 (Res. p 8 Li2 162). Réédition de *L'Espion anglais* avec un portrait de F. Raucourt.

Reuilly Jean de, *La Raucourt et ses amies.* Étude historique des mœurs saphiques du XVIIIe siècle. Les lesbiennes du théâtre et de la ville. Melpomène et Sapho. Lesbos à Paris. Courtisanes. Filles galantes et « honnêtes dames ». D'après les documents inédits des archives judiciaires, les mémoires secrets, la chronique scandaleuse. Paris, Bibliothèque du Vieux Paris, 1909, in-8° (8Ln27 54119). Première étude un peu « sérieuse » et complète sur le XVIIIe siècle, mais qui ne fait aucune analyse ni étude approfondie de F. Raucourt. Pot-pourri de textes du XVIIIe où il manque souvent les guillemets. Cependant il écrit, et c'est tellement rare que nous devons le signaler : « [...] on persiflait les lesbiennes, on se moquait de leurs mœurs, mais personne n'invoquait la rigueur des lois pour les flétrir. Société bien près de finir, qui ne trouve pas un Juvénal pour vaticiner les " anandrynes ". Le ton est indifférent. Il se maintiendra toujours sur le diapason railleur, et les plus sévères philosophes ne semblent pas choqués par l'impudeur de la reine des inverties. Heureuse époque, qui fut vraiment celle de la tolérance » (p. 213).

Reschal Antonin, *La Névrose galante au XVIIIe siècle. Aventures, portraits d'amoureuses*. Paris, 1909. Il cite la lettre de F. Raucourt à Mme de Ponty sans dire d'où il la tient. « Mais ce qu'il faut remarquer c'est la précision d'un tel document et son importance absolument incontestable au point de vue de la haute débauche d'avant et d'après la Révolution. »

Reschal Antonin, *Vénus damnées*. Paris, A. Michel, 1910 (8Li2 185). Chapitre V : « Une tribade fameuse : Mme de Fleury. » Cite la lettre 9 de *L'Espion anglais* en entier en oubliant aussi les guillemets. Chapitre VI : « La Raucourt, reine de Lesbos. » Chapitre VII : « Marie-Antoinette fut-elle lesbienne ? » S'appuie exclusivement sur les pamphlets obscènes.

L'Œuvre du comte de Mirabeau. Introduction, essai bibliographique et notes par G. Apollinaire. Paris, Bibliothèque des Curieux, 1910, in-18.

Fleischmann Hector, *Les Maîtresses de Marie-Antoinette. Histoire licencieuse*. Éd. des Bibliophiles, Paris, 1910, in-16 (8Lb39 11972). Il a trouvé ici une mine qu'il exploitera jusqu'à l'usure. Sa caractéristique est de mettre sur le même plan les pamphlets obscènes, les Mémoires et les correspondances secrètes. Se servant des uns pour prouver les autres, il peut ainsi justifier son titre. C'est la démarche typique du voyeur.

Fleischmann Hector, *Mme de Polignac et la cour galante de Marie-Antoinette*, d'après les libelles obscènes, suivi de la réédition de plusieurs libelles rares et curieux et d'une bibliographie critique des pamphlets. Paris, Bibliothèque des Curieux, 1910 (Res. Ln27 54354). Même principe que précédemment mais en mettant l'accent sur Mme de Polignac.

Fleischmann Hector, *L'Enfer de la galanterie à la fin de l'Ancien Régime. Le Cénacle libertin de Mlle Raucourt*. Paris, Bibliothèque des Curieux, 1912 (8Ln27 58496). Première grande synthèse biographique de tout ce qui est paru sur F. Raucourt, mais comme son propos est de décrire « l'enfer de la galanterie » avec force indignations, il ne fait aucun lien entre « l'anandryne » de Mirabeau et celle de *L'Espion anglais* : « [...] Omphale, laquelle, à en croire Mirabeau, faisait tribader ses femmes ensemble. » Quant à « l'histoire de Mlle Sapho, le propotype même des idylles lesbiennes, que P. de Mairobert publia », il s'appuie sur « un spécialiste de la névropathie » qu'il ne nomme pas, pour « admettre que Mairobert, initié en qualité de censeur royal à tous les mystères de la société parisienne, a enchaîné, dans les confessions d'une jeune fille, ses propres expériences ». À aucun moment il ne met en doute la paternité de Mairobert, ni le caractère fictif de la secte anandryne.

La Secte des anandrynes. Confessions de Mlle Sapho. Introduction et notes par Jean Hervez. Paris, Bibliothèque des Curieux, 1920.

Caufeynon Dr, *L'Amour lesbien.* Coll. populaire illustrée des connaissances médicales. Paris, 1932, in-16 (8T31 349). « Chapitre I : L'amour lesbien à travers les siècles. Les sociétés lesbiennes au XVIIIe siècle. Les anandrynes, c'est-à-dire antihomme, étaient la plus célèbre. Elle avait pour présidente la célèbre actrice Mlle Raucourt, et parmi les sociétaires on comptait les grandes dames du temps. » C'est en lisant ce livre que nous avons découvert l'existence des anandrynes, mais comme il ne donne aucune référence il nous a fallu chercher longtemps avant de débrouiller les fils.

Princesses courtisanes. Lesbiennes. D'après les textes originaux réunis par Mme M. L. Laurent Tailhade. Les chefs-d'œuvre galants du XVIIIe siècle. Paris, Librairie Astra, 1929 (Res p Z 806 [3]). Digest de ce qui est paru depuis vingt ans sur les susnommées.

Perceau Louis, *Bibliographie du roman érotique au XIXe siècle.* Paris, 1930, 2 vol.

Apollinaire Guillaume, Fleuret Fernand, Perceau Louis, *L'Enfer de la Bibliothèque nationale.* Paris, Mercure de France, 1913. Premier catalogue des pamphlets, libelles, romans, etc., de l'Enfer.

Dictionnaire de sexologie sous la direction de Lo Duca. Paris, J.-J. Pauvert, 1962. Anandryne n'y figure pas, mais on peut lire dans le supplément paru en 1965, un petit article sur les « Vestales de Vénus » : « Société saphique fort répandue en France au XVIIIe siècle ayant des sections actives dans toutes les provinces et déployant ses exploits dans des " temples de Vesta " [...]. Les exégètes des " Vestales de Vénus " soulignaient aux adeptes les joies de l'homosexualité en leur opposant les douleurs de l'hétérosexualité. Ce thème a particulièrement été développé dans la littérature érotique (Sade, Balz. A. Daudet, T. Hardy, Colette, R. Hall, Diana Frédérics, S. de Beauvoir, Lillian Hellman, Caro Hales, V. Leduc, etc.) et surtout dans la littérature pornographique (Mairobert, G. Sand, Charles Bordes, Le Nismois) du XVIIIe siècle à nos jours. » Le moins que l'on puisse dire est que l'auteur de cet article n'a pas tellement approfondi son sujet... d'autant plus qu'on trouve à l'article « Saphisme » un exposé sexologique parfait de cette « déviation sexuelle, extension de l'autoérotisme, symptôme de névrose profondément ancrée (F. Caprio) et nullement entité pathologique ». Tout cela pour dire que ce n'est pas inné mais guérissable avant d'arriver aux « techniques du lesbianisme » exposées en « n » points selon le rapport Kinsey. Par exemple : a) labiales (95 à 98 %) ; b) linguales (77 %)... n) variante bissexuelle. On pourrait en rire si le *Nouveau Dictionnaire de sexologie* (1972), « seul outil de connaissance sexologique dont nous disposons », ne reproduisait textuellement cet article mais au mot « Lesbianisme » cette fois-ci. Pour être complet, précisons que tout l'agrément du dictionnaire réside dans l'iconographie (qui en occupe les trois quarts) puisée dans les archives de Pauvert. Cela prouve s'il en était besoin que la sexologie est la version culpabilisée et médicalisée de l'érotisme du XIXe siècle.

Flaissier Sabine, *Marie-Antoinette en accusation*. Paris, Julliard, 1967.

Guiraud Pierre, *Le Langage de la sexualité. Dictionnaire historique, stylistique, rhétorique, étymologique de la littérature érotique*. Paris, Payot, 1978. Malgré le titre alléchant, c'est un remake de quelques dictionnaires érotiques du XIXe siècle (pas tous), de livres sur l'argot contemporain, et de deux dictionnaires étymologiques du français, le Wartbourg et le *Vocabula amatoria*, glossaire anglais-français paru à Londres en 1896. Inutile de dire qu'il n'expose ni « l'histoire du mot » tribade ni son origine et sa valeur stylistique. Il eût peut-être été préférable de rééditer le *Dictionnaire érotique* de Delvau plutôt que de donner ces 700 pages qui ont peu d'intérêt historique ou sémantique, et ce, malgré l'avis de Jacques Cellard qui lui a consacré dans sa rubrique du *Monde* un article enthousiaste. Le « tribadisme » est de ce point de vue le modèle de la platitude. Mais Pierre Guiraud a peut-être mieux soigné les mots consacrés à l'hétérosexualité qui se révèlent être, dans « les structures étymologiques », le modèle de « l'acte sexuel ». Le tribadisme est traité dans le chapitre VI, « Les détours de l'acte sexuel », et précède le coït anal. Pierre Guiraud a tout de même réussi à trouver 45 mots ayant un sens similaire dont la plupart sont dérivés de gouine et tribade. Ce lexique est l'un des plus pauvres du dictionnaire. Le « coït anal » en compte 138, et nous avons renoncé à compter ceux qui se rapportent à l'acte (hétéro)sexuel et à la femme. Nous avons quand même appris quelque chose que nous ignorions : une « réflexion que l'on fait au sujet de deux femmes lorsqu'on soupçonne qu'il existe entre elles des relations lesbiennes ; on dit (manger, vendre, marchande) AIL ». Et Guiraud ajoute très sérieusement que c'est sans doute par métonymie de gousse (d'ail ?) formé lui-même sur le vieux mot gousser, « manger ». Il paraît que le mot « ail » est employé dans l'argot moderne. Le mot « tribade » est, sauf pour la définition, la copie certifiée conforme du *Dictionnaire* de Delvau avec les citations exactes. Cette méthode de travail a amené Guiraud à commettre des erreurs historiques, en particulier lorsqu'il situe J. Duflot au XVIIIe siècle alors qu'il était un ami de Delvau. Passons sur les anachronismes pour arriver à « anandryne », qu'il a trouvé dans le *Vocabula amatoria* et même pas chez Mirabeau, dont il ignore l'*Erotika Biblion.*

Pia Pascal, *Dictionnaire des œuvres érotiques*. Paris, Mercure de France, 1971.

Pia Pascal, *Les Livres de l'Enfer du XVIe siècle à nos jours*. Coulet et Faure, 1978. 2 vol.

DISCOURS MÉDICAUX DE LA SEXUALITÉ

Les Portraits anatomiques de toutes les parties du corps humain gravées en taille douce par le commandement de feu Henry VIII Roy d'Angleterre par Jacques Grevin de Clermont en Beauvoisis. L'abrégé d'André Vésale. À Paris, 1569, in-f° (Res fol. Ta9 26).

Leçons anatomiques et chirurgicales de feu M. Germain Courtin, Docteur régent en la faculté de médecine de Paris dictées à ses escholiers estudiants en chirurgie depuis 1578 jusqu'à 1587 recueillies par Estienne Binet. Paris, 1612, in-f° (8Ta9 47).

Institutions anatomiques de Gaspar Bartholin docteur et professeur du roy de Dannemarck, augmentées et enrichies pour la seconde fois tant des opinions et observations nouvelles des Modernes dont la plus grande partie n'a jamais été mise en lumière que de plusieurs figures en taille douce par Thomas Bartholin, Docteur en médecine, fils de l'auteur et traduites en françois par Abr du Prat. Paris, 1647, in-4° (Ta9 93).

L'Anatomie de l'homme suivant la circulation du sang et ses dernières découvertes démontrées au Jardin-Royal par M. Dionis, Premier Chirurgien de Madame la Dauphine. À Paris, 1690 (Ta9 136).

Venette Nicolas, *Tableau de l'amour considéré comme l'estat du mariage.* À Amsterdam, 1697, in-12 (8Tb68 51).

L'Anatomie d'Heister avec des essais de physique sur l'usage des parties du corps humain et sur les mécanismes de leurs mouvements. Enrichie de nouvelles figures en taille douce par J. E — de la faculté de Montpellier. À Paris, chez Jacques Vincent, 1724 (8Ta9 164).

Dictionnaire universel de médecine, traduit de l'anglais de M. James par Diderot, Eidous et Toussaint. Paris, 1747, 6 vol., in-f° (Fol T26 2).

Éléments de physiologie ou Traité de la structure et des usages des différentes parties du corps humain. Traduit du latin de M. Haller. Paris, 1752 (Tb7 54).

L'Onanisme ou Dissertation physique sur les maladies produites par la masturbation par M. Tissot. Paris, 1764, 3e éd. (Td124 1).

Heister, *Institutions de chirurgie.* Paris, 1770, 3 vol., in-4° (4Td73 103).

La Génération ou Exposition des phénomènes relatifs à cette fonction naturelle. De leurs mécanismes et leurs causes respectives, et des effets immédiats qui en résultent. Traduit de la physiologie de M. Haller. Paris, 1774, 2 vol. (Tb68 75).

Moreau de la Sarthe J.-L., *Histoire naturelle de la femme suivi d'un traité d'hygiène appliquée à son régime physique et moral aux différentes époques de sa vie.* Paris, 1803, 3 vol., in-8°.

Dictionnaire des sciences médicales par une société de médecins et de chirurgiens. Paris, Éd. Panckoucke (1812-1822), 67 vol., in-8° (8T265).

Des habitudes secrètes ou des maladies produites par l'onanisme chez les femmes ; lettres médicales, anecdotiques et morales à une jeune malade et à une mère, dédiées aux mères de famille et aux maîtresses de pension par feu M. le Dr Rozier. 2e éd., Paris, Peytieux, 1825, in-8°.

Douddin-Dubreuil J.-L., *Des égarements secrets ou De l'onanisme chez les personnes du sexe.* Paris, Audin, 1828, in-18.

Parent-Duchâtelet, *De la prostitution dans la ville de Paris.* Paris, Baillère, 1836, 2 vol., in-16.

Archiv für Psychiatrie und nerven Krankheiten, Berlin (1868-1890). *Die Conträre Sexualempfindung, Symptom eines neuropathischen (psychopathischen) Zustandes.* Von Professor C. Westphal. 1870.

Pouillet T. Dr, *Essai médico-philosophique sur les formes, les causes, les signes, les conséquences et le traitement de l'onanisme chez la femme.* Paris, Vve A. Delahay, 1876, in-8°.

Dictionnaire encyclopédique des sciences médicales publié sous la direction de MM. les Drs Lereboullet et A. Dechambre. Paris, Masson (1864-1889), 100 vol. en 5 séries (Onanisme, t. XV, 2e série, 1881).

Journal des sages-femmes. 16 août 1880. « Déformations vulvaires produites par la défloration, la masturbation, le saphisme et la prostitution », par X. (L. Martineau).

Archives de neurologie. Revue des maladies nerveuses et mentales publiée sous la direction de J.-M. Charcot. Paris (1880-1893), in-8°. « Pathologie mentale. Inversion du sens génital » par MM. Charcot et Magnan, tome III, 1882.

Krafft-Ebing Richard von, *Psychopatia sexualis.* Étude médico-légale à l'usage des médecins et des juristes (paraît en Allemagne en 1882). 16e et 17e éd. allemandes refondues par le Dr Albert Moll. Préface de P. Janet. Payot, 1931.

Zambaco Demetrius, « Onanisme avec troubles nerveux chez deux petites filles », *L'Encéphale,* journal des maladies mentales et nerveuses, 1882. Réédité chez Solin, Petite Bibliothèque des Étonnements, 1978.

Leçons sur les déformations vulvaires produites par la masturbation, le saphisme, la défloration et la sodomie par M. le Dr L. Martineau, recueillies par M. Lormand, hôpital de Lourcine. Paris, 1884.

Sérieux Paul, *Les Anomalies de l'instinct sexuel.* Paris, 1888.

Chevalier J., *L'Inversion sexuelle.* Paris, 1893.

Moll Albert, *Les Perversions de l'instinct génital. Étude sur l'inversion sexuelle.* Paris, 1893.

Fere C., *L'Instinct sexuel, évolution, dissolution.* Paris, 1899.

La Question sexuelle exposée aux adultes cultivés par A. Forel, ancien professeur de psychiatrie à l'université de Zürich. Paris, G. Steinheil, 1906.

Ellis Havelock, *Études de psychologie sexuelle,* tome II : *L'Inversion sexuelle.* Paris, Mercure de France (1908-1909).

Porché F. (Chagrin F.), *L'Amour qui n'ose pas dire son nom.* Paris, Grasset, 1927.

Freud Sigmund, « Sur la psychogenèse d'un cas d'homosexualité féminine » (1920), *Névrose, psychose et perversion,* traduit de l'allemand sous la direction de Jean Laplanche, Paris, PUF, 1973.

Freud Sigmund, « La féminité », *Nouvelles conférences d'introduction à la psychanalyse,* traduit de l'allemand par Rose-Marie Zeitlin. Paris, Gallimard, coll. Folio Essais, 1984.

Caufeynon Dr, *La Masturbation et la sodomie féminine. Clitorisme. Saphisme. Tribadisme. Déformation des organes*. Saint-Amand, 1925.

Deutsch Hélène, *La Psychologie des femmes*. Paris, Presses Universitaires de France, 1945.

Jung Carl Gustav, *Métamorphoses de l'âme et ses symboles* (1912). Préface et introduction d'Yves Le Lay. Genève, Georg & Cie, 1953.

Droui Henri, *Femmes damnées. Essai sur les carences sexuelles féminines dans la littérature et dans la vie*. Paris, 1945.

Fouque C. Dr, *L'Amour qui n'ose pas dire son nom*. Coll. Études psychosexuelles, Paris, 1947.

Bonaparte Marie, *La Sexualité de la femme*. Paris, Presses Universitaires de France, 1951, 2 vol.

Deutsch Hélène, « De l'homosexualité féminine », *Journal international de la psychanalyse*, vol. 14, 1953.

Kinsey A., *Le Comportement sexuel de la femme*. Paris, Amlot-Dumont, 1954.

Caprio Franck, *L'Homosexualité de la femme*. Paris, Payot, 1959.

MacDougall Joyce, « De l'homosexualité féminine », *La Sexualité féminine. Recherches psychanalytiques nouvelles*, sous la direction de Jeanne Chasseguet-Smirgel. Paris, Payot, 1964.

Master William H., Johnson Virginia E., *Les Réactions sexuelles*. Paris, Laffont, 1968.

Corrase J. Dr, *Les Dimensions de l'homosexualité*. Toulouse, Privat, 1968.

Irigaray Luce, *Speculum. De l'autre femme*. Paris, Éd. de Minuit, 1975.

Franz Marie-Louise von, « Le processus d'individuation », *L'Homme et ses symboles*. Paris, Laffont, 1975.

Sherfey Mary Jeanne, *Nature et évolution de la sexualité féminine*. Paris, Presses Universitaires de France, 1976.

Safouan Moustapha, *La Sexualité féminine dans la doctrine freudienne*. Paris, Éd. du Seuil, 1976.

Paramelle France, Lago Maria, *La Femme homosexuelle*. Paris, Casterman, 1977.

Franz Marie-Louise von, *L'Âne d'or, interprétation d'un conte*. Préface et traduction de Francine Saint-René Taillandier. Paris, La Fontaine de Pierre, 1978.

Franz Marie-Louise von, *La Voie de l'individuation dans les contes de fées*. Préface et traduction de Francine Saint-René Taillandier. Paris, La Fontaine de Pierre, 1978.

Franz Marie-Louise von, *La Femme dans les contes de fées*. Préface et traduction de Francine Saint-René Taillandier. Paris, La Fontaine de Pierre, 1979.

Jung Carl Gustav, *Psychologie du transfert*. Traduit par Étienne Perrot. Paris, Albin Michel, 1980.

« L'Androgyne ». Numéro spécial des *Cahiers de l'Hermétisme*. Paris, Albin Michel, 1986.

Brinton-Perera Sylvia, *Retour vers la déesse*. Traduit de l'américain par Françoise La Varenne Saint-Hilaire, Séveyrat, 1990.

Hamon Marie-Christine, *Pourquoi les femmes aiment les hommes, et non pas plutôt leur mère. Essai sur Freud et la féminité*. Paris, Éd. du Seuil, 1992.

« Les Filiations féminines. » Numéro spécial de la *Revue française de psychanalyse*, 1, t. LVIII, janvier-mars 1994.

« Le Sexe de l'androgyne. » Numéro spécial des *Cahiers jungiens de psychanalyse*, n° 81, hiver 1994.

La société de tolérance – Révoltes

Reboux Paul, *Sens interdit. Sodome et Gomorrhe*. Monaco, R. Solas, 1951.

Arcadie, revue littéraire et scientifique du mouvement « homophile », paraît tous les mois depuis 1954.

Guérin Daniel, *La Répression de l'homosexualité en France*. Brochure. 1958. Concerne l'homosexualité masculine.

Eck Marcel, *Les Parents et les Éducateurs devant le péril homosexuel*. Éditions familiales, Centre catholique, 1960.

Alen Clifford, Berc, *Le Problème de l'homosexualité*. Éd. Les Yeux ouverts, 1962.

Becker, Raymond de, *L'Érotisme d'en face*. Paris, J.-J. Pauvert, 1963.
Magge Bryan, *Un sur vingt. L'homme et la femme*. Paris, Laffont, 1967.
Demeron Pierre, *Lettre ouverte aux hétérosexuels*. Paris, Albin Michel, 1969.
Dallayrac Dominique, *Dossier Homosexualité*. Paris, Laffont, 1967.
Chardans J.-L., *Histoire et anthologie de l'homosexualité.* British group of sexological research. Éd. du Centre de documentation pédagogique, 1970.
Hahn Pierre, *Français, encore un effort. L'homosexualité et sa répression*. Éd. J. Martineau, 1970.
Front homosexuel d'action révolutionnaire. Rapport contre la normalité. Éd. Champ Libre, 1971.
Hocquenghem Guy, *Le Désir homosexuel*. Paris, Éd. Universitaires, 1972.
Zwang Gérard, *La Fonction érotique,* tome II : *Les Entraves à l'épanouissement sexuel*. Paris, Laffont, 1972, 2 vol.
« Trois milliards de pervers. Encyclopédie des homosexualités », n° spécial de *Recherches,* printemps 1973. La revue fut saisie pour « outrage aux bonnes mœurs ».
Daniel Marc, Baudry Jean-Louis, *Les Homosexuels*. Paris, Castermann, 1973.
Amado-Lévy-Valensi Éliane, *Le Grand Désarroi aux racines de l'énigme sexuelle*. Paris, Éd. Universitaires, 1973.
« Les Homosexualités », *La Quinzaine Littéraire,* août 1975.
Oraison Marc, *La Question homosexuelle*. Paris, Éd. du Seuil, 1975.
Les Homosexuels aux « Dossiers de l'écran ». Paris, Laffont, 1975. Concerne les hommes.
Katz Jonathan, *Gay American History. Lesbians and Gay Men in the USA. A Pionnering Collection of Turbulent Chronicles. A Starting New Perspective on the Nation's Parts*. New York, Thomas Y. Crowel Company, 1976.
Hite Shere, *Le Rapport Hite.* Traduit de l'américain par Théo Carlier. Paris, Laffont, 1977.
Mendes-Leite Rommel (sous la direction de), *Sodomites, invertis,*

homosexuels : perspectives historiques. Préface de Paulette l'Hermite-Leclercq. Lille, *Cahiers GKC*, n° 27.
Courouve Claude, *Bibliographie des homosexualités*. 1978. Cette brochure couvre les XIXe et XXe siècles, mélangeant hommes et femmes et n'indiquant pas les prénoms.
Florand et Achoui, *Homosexuels : 101 réponses pratiques*. Librairie Générale de Droit et Jurisprudence.
Badinter Élisabeth, *L'Un est l'Autre*. Paris, Éd. Odile Jacob, 1986.
Badinter Élisabeth, *XY. De l'identité masculine*. Paris, Éd. Odile Jacob, 1992.
Pouliquen Jean-Paul, « Contrat d'union civile, le dossier ou la volonté de faire aboutir le Contrat d'union civile », *Humœurs* hors-série, 1994.
Martel Frédéric, *Les Homosexuel(le)s*. Paris, Éd. du Seuil, 1995.

XIXe-XXe SIÈCLE

Études historiques

Dufour Pierre (pseudonyme de P. Lacroix), *Histoire de la prostitution chez tous les peuples du monde depuis l'Antiquité la plus reculée jusqu'à nos jours*. Paris (1851-1853), 6 vol.
Billy André, *L'Époque 1900*. Paris, Tallandier, 1951.
Lacroux Armand, *Amour 1900*. Paris, Hachette, 1961.
Waldberg Patrick, *Éros modern style*. Paris, J.-J. Pauvert/BIE, 1964.
Sullerot Évelyne, *Droit de regard*. Paris, Denoël-Gonthier, 1970.
Deslandres Yvonne, *Le Costume, image de l'homme*. Paris, Albin Michel, 1970.
« Les Garçonnes. Suffragettes, MLF, bas rouges, panthères roses, lesbiennes, etc. », numéro spécial du *Crapouillot*, décembre 1972.
Sohn Anne-Marie, « La Garçonne face à l'opinion publique : type littéraire ou type social des années 20 ? », *Le Mouvement social*, juillet-septembre 1972.

Jullian Philip, *Jean Lorrain ou le « Satiricon » 1900.* Paris, Fayard, 1974.

Chalon Jean, *Portrait d'une séductrice*. Paris, Stock, 1976.

Lorenz Paul, *Sapho 1900. Renée Vivien*. Paris, Julliard, 1977.

Samuel Pierre, *Amazones, guerrières et gaillardes*. Bruxelles, Complexe/Presses Universitaires de Grenoble, 1975.

Steakley James D., *The Homosexual Emancipation Movement in Germany*. New York, Arno Press, 1975.

Foucault Michel, *Histoire de la sexualité,* tome I : *La Volonté de savoir*. Paris, Gallimard, 1976.

Knibiehler Yvonne, « Les médecins et la nature féminine au temps du Code civil », *Annales* ESC, juillet-août 1976.

Herculine Barbin dite Alexandrine B., présenté par Michel Foucault. Paris, Gallimard, 1978.

Aron Jean-Pierre, Kempf Roger, *Le Pénis et la Démocratisation de l'Occident*. Paris, Grasset, 1978.

Corbin Alain, *Les Filles de noces. Misère sexuelle et prostitution aux* XIXe *et* XXe *siècles*. Paris, Aubier, 1978.

Hocquenghem Guy, « Naissance de l'homosexualité », *Libération*, 8, 9 et 11 septembre 1978.

Hann Pierre, *Nos ancêtres les pervers*. Paris, Olivier Orban, 1979.

Bonello Christian, *Discours médical sur l'homosexualité en France au* XIXe *siècle*. Thèse de IIIe cycle. Université de Paris-VII, octobre 1984.

Duby Georges, Ariès Philippe (sous la direction de), *Histoire de la vie privée*. Paris, Éd. du Seuil, 1987, 5 vol.

Plante Christine, *La Petite Sœur de Balzac. Essai sur la femme auteur*. Paris, Éd. du Seuil, 1989.

Haddad Michèle, « Des origines littéraires pour des " Demoiselles " bien réalistes. Courbet et George Sand », *Bulletin de la société de l'histoire et de l'art français*, 1989.

Duby Georges, Perrot Michelle (sous la direction de), *Histoire des femmes*. Paris, Plon, 1990-1992, 5 vol.

Bonnet Marie-Jo, « Les premiers autoportraits de femmes peintres à leur travail sont-ils des manifestes politiques ? », *Actes du colloque Identité*, Rouen, École régionale des Beaux-Arts, 1991.

Lipton Eunice, *Alias Olympia*, A Meridian Book, New York, 1994.
Droin Olivia, *Louise Abbéma*. Mémoire de DEA. Université de Paris-I, octobre 1993.
Bard Christine, *Les Filles de Marianne. Histoire des féminismes, 1914-1940*. Paris, Fayard, 1995.

Prisons de femmes

Carco Francis, *Prisons de femmes*. Paris, Éd. de France, 1931.
Humbert Jeanne, *Le Pourrissoire. Saint-Lazare*. Paris, Éd. Prima, 1932. Voir le chapitre VI : « L'Amour à Saint-Lago. »
Boucard Robert, *Les Dessous des prisons de femmes. Comment elles vivent, se pervertissent, expient*. Paris, Éd. de France, 1934.

Regards des écrivains, romanciers, poètes, critiques, essayistes, peintres des XIXe et XXe siècles sur les lesbiennes

Fourier Charles, *Le Nouveau Monde amoureux* (rédigé vers 1820). Extraits présentés par Simone Debout-Oleszkiecwicz. Paris, J.-J. Pauvert, 1967.
Cuisin P., *Clémentine, orpheline et androgyne ou les Caprices de la nature et de la fortune*. Paris, Davi et Locard, 1820, 2 vol., in-12.
Girodet Anne-Louis, Coupin P. A., *Recueil de compositions dessinées par Girodet et gravées par M. Chatillon, son élève ; avec la traduction en vers par Girodet de quelques-unes des poésies de Sappho et une notice sur la vie et l'œuvre de Sappho par M. P.A. Coupin*. Chatillou-Portelle, 1829 (1re éd. 1827).
Gamiani ou Deux nuits d'excès par Alcide, Baron de M***. Bruxelles, 1833. Nombreuses rééditions. Attribué à Alfred de Musset pour la première partie et quelquefois à George Sand pour la deuxième.
Balzac Honoré de, *La Fille aux yeux d'or* (1835), *Œuvres complètes*, tome IX : « Scènes de la vie parisienne. » P. Furne, 1842-1848, 17 vol., in-8°.

Gautier Théophile, *Mademoiselle de Maupin, double amour.* Paris, E. Renduel, 1835-1836, 2 vol., in-8°.
La Touche H. de, *Fragoletta. Naples et Paris en 1799*. Paris, H.L. Delloye, 1840, 2 vol., in-16.
Baudelaire Charles, *Les Fleurs du Mal*. Paris, Poulet-Malassis et de Broise, 1857, in-12.
Vieil Castel comte Horace de, *Mémoires sur le règne de Napoléon III (1851-1864)* publiés d'après le manuscrit original, avec une préface par L. Leouzon Le Duc. Paris, 1883, 6 vol., in-8°. Réédité en 1979 par Guy le Prat.
Deux Gougnottes, sténographie de Joseph Prud'homme (Henri Monnier) élève de Brard... Partout et nulle part, l'an de joie 1864 (Bruxelles, Poulet-Malassis).
Goncourt Edmond et Jules de, *Journal.* Mémoires de la vie littéraire. Paris, Fasquelle-Flammarion, 1956.
Verlaine Paul, *Œuvres libres,* agrémentées de 50 pointes-sèches et eaux-fortes par R. Descombes, sous le nom du licencié Pablo de Herlaguez à Segovia, 1868.
Belot Adolphe, *Mademoiselle Giraud, ma femme*. Paris, É. Dentu, 1870. Réédité par Garnier, coll. Les Classiques populaires, 1979.
Barbey d'Aurevilly Jules, *Les Diaboliques*. Paris, Dentu, 1874.
Zola Émile, *Nana*. Paris, Charpentier, 1879-1880.
Houssaye Arsène, *Les Confessions. Souvenirs d'un demi-siècle (1830-1880)*. Paris, Dentu.
Maupassant Guy de, « La Femme de Paul », *La Maison Tellier.* Paris, V. Havard, 1881.
Sylvestre Armand, *Sapho,* drame. Paris, 1881.
Richepin Jean, « Sapho », *Les Grandes Amoureuses*. Paris, Éd. Marpon-Flammarion, 1884.
Daudet Alphonse, *Sapho, mœurs parisiennes*. Paris, 1884.
Augier Émile, *Sapho,* drame. Paris, 1884.
Bourget Paul, *Un crime d'amour*. Paris, Lemerre, 1886.
Rodin Auguste, *Femmes damnées, 1886-1888*. Illustration des *Fleurs du Mal* pour P. Gallimard, 1888.
Vimaire Charles, *Paris impur*. Paris, C. Dalou, 1889, in-18.
D'Argis Henri, *Gomorrhe*. Paris, Charles, 1889.

Mendes Catulle, *Mephistophela,* roman contemporain. Paris, Dentu, 1890.

Stendhal, *Vie de Henri Brulard.* Autobiographie. Paris, Charpentier, 1890.

Cim Albert, *Les Bas bleus. Adolphine la lesbienne*. Paris, A. Savine, 1891.

Péladan Joséphin, *La Décadence latine,* éthopée VIII : *L'Androgyne,* Paris, E. Dentu, 1891. Éthopée IX : *La Gynandre,* Paris, Dentu, 1891.

Proust Marcel, « Avant la nuit », nouvelle parue dans *La Revue blanche,* décembre 1893.

Joze Victor, *La Ménagerie sociale. Paris Gomorrhe, mœurs du jour*. Paris, Anthony, 1894.

Les Chansons de Bilitis, traduites du grec pour la première fois par Pierre Louÿs. Paris, Librairie de l'Art indépendant, 1895.

Louÿs Pierre, *Aphrodite, mœurs antiques*. Paris, Mercure de France, 1896.

Gourmont Rémy de, *Le Songe d'une femme,* roman familier. Paris, Mercure de France, 1899.

Monfort Charles, *Le Journal d'une saphiste*. Paris, Offenstadt, 1902.

Hirsch C. H., « De Mlle de Maupin à Claudine », *Mercure de France,* nº 42, 1902.

Maurras Charles, « Le romantisme féminin », *L'Avenir de l'intelligence,* Fontemoing, 1905.

Lorrain Jean, *Maisons pour dames*. Paris, Ollendorf, 1908.

Gourmont Rémy de, *Lettres à l'Amazone*. Paris, G. Crés, 1914.

Germain André, *Renée Vivien*. Paris, G. Crés, 1917.

Estienne Charles, *Notre-Dame de Lesbos*. Paris, Librairie des Lettres, 1919.

Uzanne Octave, « Du saphisme en poésie » et « Femmes damnées. Bensérade et Baudelaire », *Les Marges,* 15 mars 1921.

Proust Marcel, *Sodome et Gomorrhe*. Paris, Éd. de la NRF, 1921.

Marguerite Victor, *La Garçonne*. Paris, Flammarion, 1922.

Lacretelle Jacques de, *La Bonifas*. Paris, Gallimard, 1925.

Bourdet É., *La Prisonnière,* pièce en 3 actes représentée pour la première fois au théâtre Fémina en 1926.

Gourmont Remy de, *Lettres intimes à l'Amazone*. Paris, Mercure de France, 1927.

Hugues Pierre d', « Renée Vivien, la fille de Baudelaire », *La Muse française*, 10 août 1927.

Magre M., Chimot Édouard, *Les Belles de nuit*. Vingt-deux eaux-fortes. Éditions d'Art Devambez, 1927.

Binet-Valner Jean, *Sur le sable couchées*. Paris, Flammarion, 1929.

Le Dantec Yves-Gérard, *Renée Vivien, femme damnée, femme sauvée*. Aix-en-Provence, Éd. Du Feu, 1930.

Desthieux Jean, *Femmes damnées (Renée Vivien, Sapho, Autour d'Elle, X, etc.)*. Paris, Ophrys, 1937.

Montherland Henri de, *Mariette Lydis*. Paris, 1938.

Giraudoux Jean, *Sodome et Gomorrhe*. Pièce en deux actes représentée pour la première fois au théâtre Hébertot le 11 octobre 1943. Paris, Grasset, 1943.

Courbet raconté par lui-même et par ses amis. Sa vie et ses œuvres. Genève, Pierre Cailler Éditeur, 1944. Lausanne, La Guilde du Livre, 1948.

Maurois André, *Lélia ou la vie de George Sand*. Paris, Hachette, 1952.

Peyrefitte Roger, *L'Exilé de Capri*. Paris, Flammarion, 1959.

Lacretelle Jacques de, *L'Amour sur la place*. Paris, Librairie Académique Perrin, 1964.

Sollers, Philippe, *Une étrange solitude*. Paris, Éd. du Seuil, 1958 (disponible en édition de poche).

Bataille Georges, *Ma mère*. Paris, Éd. J.-J. Pauvert, 1966 (disponible en 10/18).

Brassaï, *Le Paris secret des années 30*. Paris, Gallimard, 1976.

Courbet Gustave – 1819-1877 – Catalogue par Hélène Toussaint, galeries nationales du Grand Palais, Paris RMN, 1977.

Fernier Robert, *Courbet*, tome I, 1819-1865, Paris, la Bibliothèque des arts, 1977.

Judrin Claudie, *Inventaire des dessins de Rodin*. Paris, Éd. du musée Rodin, 1983-1989, 4 vol.

Toulouse-Lautrec. Catalogue de l'exposition au Grand Palais. Paris, Réunion des Musées nationaux, 1992.

ÉCRITS PAR DES FEMMES SUR l'AMOUR ENTRE FEMMES

Romans, auto- et biographies,
lettres et essais, revues et journaux,
en France, Allemagne, Angleterre,
États-Unis, Italie.

Plusieurs bibliographies existent déjà. Elles ont été rédigées surtout par des Américaines :

Forster Jeannette H., *Sex Variant Women in Literature*. New York, Ventage Press, 1956.

Damon Gene, Watson Jan, Jordan Robin, *The Lesbian in Literature. A Bibliography*. 2e éd., Reno (Nevada), The Ladder, 1975.

Kuda Mary J., *Women Loving Women. A Select and Annoted Bibliography of Women Loving Women in Literature*. Chicago, Lavender Press, 1974.

Shapiro Lynn, *Write on, Woman ! A Writer's Guide to Women's/Feminist/Lesbian Alternative Press Periodicals*. New York.

Abbot Sydney, Love Barbara, *Sapho was a Right on Woman*. New York, Stein and Day, 1972.

Acosta Mercedes, *Here Lies the Heart*. New York, Reynal, 1960.

Actuel. Voir « À bas la société mâle » (nº 25, novembre 1972). « Le quatrième sexe » (nº 38, janvier 1974). « Monique Wittig et les lesbiennes barbues », entretien (nº 38, janvier 1974).

Adam Peter, *Eileen Gray, une biographie*. Paris, Adam Biro, 1989.

Akerman Chantal, *Les Rendez-vous d'Anna* (scénario du film).

Aldridge Sarah, *The Latecomer*. Q.p.b.o. Bates City, The Naiad Press, 1974.

Alençon Émilienne d', *Sous le masque*. Paris, Sansot, 1918.

Alexandre Arsène, *Louise Catherine Breslau*. Soixante planches hors texte. Éd. Reider, 1928.

Amado-Lévy-Valensi Eliane, *Le Grand Désarroi aux racines de l'énigme sexuelle*. Paris, Éditions Universitaires, 1973.

Anderson Margaret C., *The Strange Necessity*. New York, Horizon Press, 1970.

Anonyme, *Chansons pour elles*. Saint-Raphaël, Éd. Les Tablettes, 1923.

Armengaud Françoise, « *Voyages de la Grande Naine en Androssie* de Michèle Causse », *Nouvelles Questions féministes*, 1993, vol. 15, nº 1.

Armengaud Françoise, « Anne-Marie Schwarzenbach », *Lesbia Magazine*, juin 1994.

Armengaud Françoise, « Violette Leduc, la passion de l'impossible », *Lesbia Magazine*, décembre 1994.

Arnot Camille, *Des violettes pour Renée Vivien*. Paris, Sansot, 1910.

Arsan Emmanuelle, *Emmanuelle*. Paris, Le Terrain Vague, 1967.

Atkinson Ti Grace, *Odyssée d'une amazone* (1974). Paris, Éd. Des femmes, 1975.

Audry Colette, *La Statue*. Paris, Gallimard, 1986.

Aurivel Rolande, *Dans l'ombre et au soleil de Lesbos*, Paris, Walter Rauchenbusch, 1988.

Autour de Natalie Clifford Barney. Recueil établi sous la direction de G. Blin par François Chapon, Nicole Prévot et Richard Sieburth. Bibliothèque littéraire Jacques-Doucet, 1976.

Azenor Hélène, *Histoire d'Une*, Paris, Les Octaviennes, 1988.

Bachmann Ingeborg, *La Trentième Année*. Trad. de l'allemand par Marie-Simone Rollin. Paris, Éd. du Seuil, 1964.

Bair Deirdre, *Simone de Beauvoir*, Paris, Fayard, 1991.

Bard Christine (sous la direction de), *Madeleine Pelletier (1878-1939), logique et infortunes d'un combat pour l'égalité*, Paris, Éd. Côté Femmes, 1992.

Barnes Djuna, *Le Bois de la nuit*. Trad. de l'américain par Pierre Leyris. Paris, Éd. du Seuil, 1957 et 1979.

Barnes Djuna, *La Passion*. Traduction et préface de Monique Wittig. Paris, Flammarion, 1982.

Barnes Djuna, *Ryder*, traduit de l'anglais par Jean-Pierre Richard, Paris, Christian Bourgois, 1982.

Barnes Djuna, *L'Almanach des dames* (1928). Traduit de l'américain et postfacé par Michèle Causse. Paris, Flammarion, 1982.

Beach Sylvia, *Shakespeare and Company*. Paris, Mercure de France, 1962.

Beauvoir Simone de, *L'Invitée*. Paris, Gallimard, 1943.

Beauvoir Simone de, *Le Deuxième Sexe*. 2 vol. Paris, Gallimard, 1949. La IVe partie du tome I est consacrée à « La Lesbienne ».

Beauvoir Simone de, *Journal de guerre, 1939-janvier 1941*. Paris, Gallimard, 1990.

Beauvoir Simone de, *Lettres à Sartre*. Paris, Galllimard, 1990.

Bechdel Alison, *Lesbiennes à suivre*, suivi de *Variations monogames*. Paris, Prune Janvier, 1992.

Beck Béatrice, *Noli*. Paris, Le Sagittaire, 1978.

Benstock Shari, *Femmes de la rive gauche : Paris, 1900-1940*. Paris, Éd. Des femmes, 1987.

Bernheim Cathy, *Perturbation ma sœur*. Paris, Éd. du Seuil, 1983.

Bernheim Cathy, *L'Amour presque parfait*. Paris, Le Félin, 1991.

Bernheim Nicole-Lise, Cardot Mireille, *Personne ne m'aime*. Romance policière. Paris, Éd. des Autres, 1978.

Bertin Célia, *La Parade des impies*. Paris, Grasset.

Best Mireille, *Les Mots de hasard*. Paris, Gallimard, 1980.

Best Mireille, *Le Méchant Jeune Homme*. Paris, Gallimard, 1983.

Best Mireille, *Il n'y a pas d'hommes au Paradis*, Paris, Gallimard, 1995.

Bienne Gisèle, *Douce-amère*. Paris, Éd. Des femmes, 1977.

Birkby Phylis, Harris Bertha, Johnston Jill, and col., *Amazon Expedition. A Lesbian Feminist Anthology*. New York, Times Change Press, 1973.

Blais Marie-Claire, *Les Nuits de l'underground*. Paris, Éd. Stanké.

Blais Marie-Claire, *Une saison de la vie d'Emmanuel*. Paris, Grasset.

Boigne Comtesse de, née d'Osmond, *Mémoires*. 3 vol., t. I : « Du règne de Louis XIV à 1828. » Paris, Mercure de France, 1979.

Bonnet Marie-Jo, « Adieux à l'histoire », dans *Stratégie des femmes*, Paris, Éd. Tierce, 1984.

Bonnet Marie-Jo, « Le musée de l'atelier de Rosa Bonheur », *Lesbia Magazine*, 1994.

Bonnet Marie-Jo, « Louise Janin », *Lesbia Magazine*, mai 1994.

Bonnet Marie-Jo, « Louise Breslau », *Lesbia Magazine*, juin 1994.

Bonnet Marie-Jo, « Tamara de Lempicka », *Lesbia Magazine*, septembre 1994.

Borg Agnès, *Purgatoires étincelants*. Paris, H. Veyrier.

Bowles Jane, *Deux Dames sérieuses*. Paris, Gallimard, 1969.

Brecourt-Vilars Claudine, *Petit glossaire de l'érotisme saphique (1880-1930)*. Paris, J.-J. Pauvert, 1980.

Brecourt-Vilars Claudine, *Écrire d'amour. Anthologie de textes érotiques féminins, 1799-1984*. Paris, Ramsay, 1985.

Breeskin Adelyn, *Thiefs of Souls*. Washington, Smithsonian Institution Press, 1971. Catalogue des principales expositions.

Brion Hélène, *La Voie féministe (1917)*. Préface, notes et commentaires d'Huguette Bouchardeau. Paris, Syros, 1978.

Brion Hélène, *La Lutte féministe*, organe rigoureusement indépendant du féminisme intégral. Mensuel (1919-1921).

Brion Hélène, *Lettres*. Dossier Hélène Brion à la bibliothèque Marguerite-Durand.

Brooks Romaine. Numéro spécial de la revue *Bizarre* du 27 mars 1968.

Brooks Romaine (1874-1970), catalogue de l'exposition au musée Sainte-Croix de Poitiers, commissaires : Blandine Chavanne, Bruno Gaudichon, 27 juin-30 septembre 1987.

Brossard Nicole, *Amantes*. Montréal, Éd. Quinze, 1980.

Brossard Nicole, *Le Sens apparent*. Paris, Flammarion, 1980.

Brown Judith C., *Sœur Benedetta, entre sainte et lesbienne*. Paris, Gallimard, 1988.

Brown Rita Mae. *The Han that cradles the Rock*. New York University Press, 1971.

Brown Rita Mae, *Molly Melo* (*Rubyfruit Jungle*, 1973). Roman traduit de l'américain par Dominique Marion. Paris, Albin Michel, 1977.

Bryher, *The Heart of Artemis*. Autobiographie. New York, Harcourt, 1962.

Butler Eleanor, Ponsoby Sarah, *The Hamwood Papers of the Ladies of Llangollen and Caroline Hamilton.* Édité par Mrs. G. H. Bell. London, 1930.

Cahun Claude, *Aveux non avenus.* Paris, Éd. du Carrefour, 1930.

Cahun Claude, *Les Paris sont ouverts.* Paris, José Corti, 1934.

Cahun Claude, Catalogue de l'exposition du Musée d'Art moderne de la Ville de Paris, été 1995. Textes d'Élisabeth Lebovici et François Leperlier. Paris, Paris-Musées/Jean-Michel Place, 1995.

Calmis Charlotte, « Gaia. » Poèmes. *Le Nouveau Commerce,* n° 36-37, printemps 1977.

Casal Mary, *The Stone Wall : an Autobiography.* Chicago, Eyncourt Press, 1930. Arno Press, 1976.

Causse Michèle, *L'Encontre.* Paris, Éd. Des femmes, 1975.

Causse Michèle, Lapouge Maryvonne, *Écrits, voix d'Italie,* Paris, Éd. Des femmes, 1977.

Causse Michèle, *Lesbiana. Seven Portraits.* Paris, Éd. du Nouveau Commerce, 1980.

Causse Michèle, Préface à *Berthe ou un demi-siècle auprès de l'amazone.* Souvenirs de Berthe Cleyrergue recueillis et précédés d'une étude sur Natalie C. Barney (et suivis d'un *Dramatis personae).* Paris, Éd. Tierces, 1980.

Causse Michèle, *Lettres à Omphales.* Paris, Denoël-Gonthier, 1984.

Causse Michèle, *À quelle heure est la levée dans le désert ?* Laval (Québec), Éd. Trois, 1990.

Causse Michèle, *L'Interloquée – Les Oubliées de l'oubli – Dé/générée.* Essais. Laval (Québec), Éd. Trois.

Causse Michèle, *Voyages de la grande naine en Androssie.* Laval (Québec), Éd. Trois, 1993.

Ceccaty René de, *Violette Le Duc. Éloge de la Bâtarde.* Paris, Stock, 1994.

Chaix Marie, *Barbara,* Paris, Calmann-Lévy.

Chansons pour mon ombre. Choix de poèmes de Renée Vivien par Pauline M. Tarn. Paris, Lemerre, 1907.

Chesler Phyllis, *Les Femmes et la folie.* Préface d'Hélène Cixous. Traduit de l'américain par J.-P. Cottereau. Paris, Payot, 1975.

Choisy Maryse, « Dames seules. Dessins de Marcel Vertés », *Le Rire,*

21 mai 1932. Réimpression avec présentation de Nicole Albert, *Cahiers GKC* n° 23, Lille, 1994.

Choisy Maryse, *La Guerre des sexes*. Paris, Éd. Publications Premières, 1970.

Choisy Maryse, *Sur le chemin de Dieu on rencontre d'abord le diable. Mémoires (1925-1939)*. Paris, Émile Paul, 1977.

Cixous Hélène, *Souffles*. Paris, Éd. Des femmes, 1977.

Cixous Hélène, *Ananké*. Paris, Éd. Des femmes, 1979.

Cixous Hélène, *Le Livre de Prométhéa*. Paris, Gallimard, 1983.

Clifford Barney Natalie, *Quelques portraits sonnets de Femmes*. Paris, Ollendorf, 1900.

Clifford Barney Natalie, *Tryphê : Cinq petits dialogues grecs*. Paris, Éd. de La Plume, 1902.

Clifford Barney Natalie, *Actes et Entractes*. Vers. Paris Émile Sansot, 1910.

Clifford Barney Natalie, *Éparpillements. Petit livre de pensées*. Paris, Éd. Sansot, 1910.

Clifford Barney Natalie, *Je me souviens. À Renée Vivien*. Paris, Éd. Sansot, 1910.

Clifford Barney Natalie, *Pensées d'une Amazone*. Paris, Émile Paul, 1918.

Clifford Barney Natalie, *Poems – Poèmes. Autres Alliances*. Émile Paul, 1920.

Clifford Barney Natalie, *Aventures de l'esprit*. Paris, Émile Paul, 1929.

Clifford Barney Natalie, *Nouvelles Pensées d'une Amazone*. Paris, Mercure de France, 1939.

Clifford Barney Natalie, *In Memory of Dorothy Ierne Wilde* (vers 1950).

Clifford Barney Natalie, *Souvenirs indiscrets*. Paris, Flammarion, 1960.

Clifford Barney Natalie, *Traits et Portraits* suivi de *L'Amour défendu*. Paris, Mercure de France, 1963.

Clifford Barney Natalie, « Les Êtres doubles ou les Mystères de la psyché. » Pièce en 3 actes écrite vers 1925 et parue dans *Les Cahiers des saisons*, été 1966.

Clifford Barney Natalie, « Dormir ensemble. » Dans *Les Cahiers des saisons*, hiver 1966.

Clifford Barney Natalie, *Un panier de framboises*. Paris, Mercure de France, 1979. Extraits choisis par Jean Chalon dans *Éparpillements*, *Pensées d'une Amazone* et *Nouvelles Pensées d'une Amazone*.

Clifford Barney Natalie, *Nos secrètes amours ou l'Amant féminin ou Mémoires secrets*. N.C.B. Vérité, Passion, Poésie, Pureté. Commencé à Florence en automne 1948. Ce manuscrit dactylographié se trouve à la Bibliothèque littéraire Jacques-Doucet à laquelle Natalie Clifford Barney a légué tous ses manuscrits, lettres, photos, etc. Jean Chalon s'est beaucoup inspiré de ce texte pour écrire son *Portrait d'une séductrice*.

Clifford Barney Natalie, *The City of the Flower*. Poèmes avec enluminures. Un seul exemplaire.

Clifford Barney Natalie, *The One who is Legion or A.D.'s after life*. Londres, E. Partridge Ltd., 1930.

Clifford Barney Natalie, *The Woman who Lives with me*. Roman abrégé, hors commerce, 17 p.

Colette, *Claudine à l'école*, par Willy. Paris, Ollendorf, 1900.

Colette, *Claudine à Paris*, par Willy. Paris, Ollendorf, 1901.

Colette, *Aventures quotidiennes*. Paris, Flammarion, 1924.

Colette, « L'Habitude. » Nouvelle dans *La Femme cachée*. Paris, Flammarion, 1924.

Colette, *Renée Vivien*. Abbeville, coll. « Les amis d'Édouard ». 1928. Tirage limité à 216 ex. hors commerce.

Colette, *Mes apprentissages*. Ferenczi, 1936.

Colette, *Ces plaisirs...*, Ferenczi, 1932. *Le Pur et l'Impur*. Aux Armes de France, 1941.

Colette, *Julie de Carneilhan*. Paris, Fayard, 1941.

Colette, *Lettres à Marguerite Moreno*. Paris, Flammarion, 1959.

Colette, *Lettres de la vagabonde*. Paris, Flammarion, 1961.

Coquillat Michelle, *Entre elles*. Paris, Albin Michel, 1995.

Cossard Michael de, *Une Américaine à Paris. La princesse Edmond de Polignac et son salon (1865-1943)*. Paris, Plon, 1978 *(The Food of Love)*.

Crachat Catherine, « Z et les lesbiennes respectueuses » (à propos du *Droit de vivre autrement* de C. Valabrègue), *Les Temps Modernes*, nº 347, 1975.

Daly Mary, *Notes pour une ontologie du féminisme radical*. Trad. par Michèle Causse. L'Intégrale Éditrice, 1982.

Deforges Régine, *Le Cahier volé*. Paris, Fayard, 1978.

Deforges Régine, *Pour l'amour de Marie Salat*. Paris, Albin Michel, 1986.

Delarue-Mardus Lucie, *Sapho désespérée*. Pièce inédite, 1914.

Delarue-Mardus Lucie, *L'Ange et les Pervers*. Paris, Ferenczi, 1930.

Delarue-Mardus Lucie, *Passions américaines et autres*. Paris, 1934.

Delarue-Mardus Lucie, *Mes mémoires*. Paris, Gallimard, 1938.

Delarue-Mardus Lucie, *Nos secrètes amours*. Poèmes. Paris, Les Isles, 1951 (anonyme).

Démar Claire, *L'Affranchissement des femmes (1832-1833)*. Paris, Payot, 1976.

Des femmes en mouvements hebdo. Éd. Des femmes, groupe Psychanalyse et Politique. Décembre 1978 à janvier 1979. Voir surtout le dernier numéro : « Homosexuelles, des femmes » (septembre 1980).

Desanti Dominique, *La Banquière des années folles : Marthe Hanau*, Paris, Fayard, 1968.

Desanti Dominique, *Flora Tristan, vie, œuvres mêlés*. Paris, 10/18, 1973.

Désormais, magazine lesbien. Ce mensuel a cessé de paraître.

Di Nola Laurai, *Da donna a denna, Antologia a cura*. Éd. Belle Dona.

Digne Danielle, *Rosa Bonheur ou l'insolence. Histoire d'une vie*. Paris, Denoël-Gonthier, 1980.

Dire nos homosexualités. Brochure faite par le groupe des femmes homosexuelles de Lille, 1978.

Doolittle Hilda, *Collected Poems*. New York, Boni and Liveright, 1925.

Doolittle Hilda, *Tribute to Freud*. New York, Panthéon, 1956. Paru en français sous le titre *Visage de Freud*. Paris, Denoël, 1977.

Du Deffand Louise Honorine, *Correspondance avec la duchesse de Choiseul*. 3 vol., Paris, 1866.

Duc Aimée, *Sind es Frauen*. Berlin, Echstein, 1903. Berlin, Amazonen Verlag, 1976.

Duffy Maureen, *Evesong, Sapho*. London, Publications Ltd, 1975.

Dufrenoy Adèle, « Élégie adressée à Adèle de Fréville : l'Amitié », dans *Almanach des dames* pour l'an 1808. À Tubinge, chez J. Cotta.

Dulac Germaine, *Écrits sur le cinéma. 1919-1937*. Paris, Expérimental, 1994.

Duppont Irma, *Le Cheroub*. Paris, Julliard, 1962.

Eaubonne Françoise d', *Éros minoritaire*. Paris, Balland, 1970.

Eaubonne Françoise d', *Moi, Khristine de Suède*, Paris, Encre.

Eaubonne Françoise d', *Le féminisme ou la mort*, Pierre Horay.

Éverard Myriam, « La tribade, l'amie intime et la naissance de la lesbienne », *Cahiers Gai Kitsch Camp*. Université Lille-V, 1993.

Faderman Lilan, *Surpassing the Love of Men. Romantic Friendship and Love between Women from the Renaissance to the Present*. London, Junction Book, 1981.

Fauret Anne-Marie, « Sarah. » Nouvelle parue dans *La Revue littéraire et scientifique d'Arcadie* nº 205, janvier 1971.

« Femmes entre elles. Lesbianisme », *Cahiers du* GRIF nº 20, avril 1978.

Ferrier Françoise, *L'Accident d'amour*. Éd. Le Hameau, 1975.

Finas Lucette, *Les Chaînes éclatées*, roman. Paris, Mercure de France, 1955.

Finocchi Mathilde, Foncillo Rosette, Valentini Alice, *Et la mère, entre autres, est artiste peintre*. Roma, Éditrice Felina, 1980.

Fischer Erica, *Aimée et Jaqum. Une histoire d'amour*. Berlin, 1943. Paris, Stock, 1994.

Flanner Janet, *Paris was Yesterday (1925-1939)*. New York, Viking, 1972.

Frances Hariette, *Sapho 71*. Donahune/Arlington, 1971.

Francillon Clarice, *La Lettre*. Paris, P. Horay.

François Jocelyne, *Les Bonheurs*. Paris, Mercure de France, 1970.

François Jocelyne, *Les Amantes*. Paris, Mercure de France, 1978.

François Jocelyne, *Joue-nous Espana*. Paris, Mercure de France, 1980.

François Jocelyne, *Signes d'air*. Poèmes. Paris, Mercure de France, 1982.
François Jocelyne, *Histoire de Volubilis*. Paris, Mercure de France, 1986.
François Jocelyne, *Éloge du jaune*. Sérigraphie de Bertrand Canard. Paris, Michel Chandeigne, 1990.
François Jocelyne, *Le Cahier vert. Journal 1961-1989*. Paris, Mercure de France, 1990.
François Jocelyne, *Savoir de Vulcain*. Fata-Morgana.
Frederics Diana, *Diana*. Traduit de l'anglais par J. Gourpel. Paris, Éd. des Deux Rives, 1947 (New York, 1939).
French Marilyn, *Toilettes pour femmes*. Paris, Laffont, 1978.
Gagey Yvonne, *Lesbos. Le culte de Sapho et les amours féminines*. Paris, Éd. Esprit et Joie, 1963.
Galzy Jeanne, *Jeunes Filles en serres chaudes*. Paris, Gallimard.
Garcia Sandrine, *Le Féminisme, une révolution symbolique ? Étude des luttes symboliques autour de la condition féminine*. Thèse de sociologie, EHESS, 1993.
Gauthier Xavière, *Dire nos sexualités*. Paris, Galilée, 1976.
« Gertrude Stein. » Numéro spécial des *Cahiers du Grif*. Bruxelles, 1978.
Gilot Marguerite, *Amours en marge*. Paris, La Table Ronde, 1966.
Gonnard Catherine, « Loïe Fuller, la femme de lumière », *Lesbia Magazine*, juillet-août 1995 (voir ses nombreux articles dans le même magazine).
Gordon Mary, *Chase of the Wild Goose : The Story of Lady Eleanor Butler and Miss Sarah Ponsonby, known as the Ladies of Llangollen*, London, 1936. New York, Arno Press, 1976.
Gramont Élisabeth de, *Mémoires*. Paris, Grasset, 1929.
Grente Dominique, Müller Nicole, *L'Ange inconsolable. Une biographie d'Annemarie Schwarzenbach*. Paris, Lieu Commun, 1989.
Grier Barbara, Reid Colette, *The Lavender Herring. Lesbian Essays from the Ladder*. Baltimore, Diana Press, 1976. *Lesbian Lives, Biographies of Women from the Ladder*. Baltimore, Diana Press, 1976.
Grumbach Doris, *Petite musique de chambre*. Traduit de l'anglais par Élisabeth Charbonnel. Paris, Balland/France Adel, 1979.

Guillaumin Colette, *Sexe, race et pratique du pouvoir. L'idée de nature*. Paris, Côté Femmes, 1992.
Hacker Marilyn, *Fleuves et retours*. Traduit de l'américain par Jean Migrenne. Préface de Marie-Christine Lemardeley-Cunci. Frontispice de Marie-Geneviève Havel-Troarn. Amiot-Lengeney, 1993.
Hall Radclyffe, *Le Puits de solitude*. Paris, Gallimard, 1932 (Londres, 1928). Réédité en édition de poche.
Harry Myriam, *Mon amie Lucie Delarue-Mardrus*. Paris, Éd. Ariane, 1946.
Hellman Lilian, *The Children's Hour* (1934). Théâtre.
Heresies. Lesbian Art and Artist. A Feminist Publication on Art and Politics, n° 3, New York, 1977.
Heron Stockton Christine, *Témoignages de lesbiennes*, Guy Saint-Jean, 1986.
Heymann Lida Gustava, Augspurg Anita, *Erlebtes – Erschantes (Choses vues – Choses vécues)*. Mémoires de L. G. Heymann, avec la collaboration de A. Augspurg. Des femmes allemandes se battent pour la liberté, le droit, la paix (1850-1940). Meisenheim am Glan, Anton Hain, 1972.
Highsmith Patricia, *Small G*. Paris, Calmann-Lévy, 1994.
Hollander Paul d', *Colette, ses apprentissages*. Presses de l'Université de Montréal/Éd. Klincksieck, 1979.
Huré Anne, *Les Deux Moniales*. Paris, Julliard, 1962.
Hyvrard Jeanne, *Mère la Mort ou la Meurtritude*. Paris, Éd. de Minuit.
Irigaray Luce, *Spéculum. De l'autre femme*. Paris, Éd. de Minuit, 1975.
Irigaray Luce, « Quand nos lèvres se parlent », dans *Cahiers du GRIF :* « Parlez-vous Française ? ». Bruxelles, juin 1976.
Irigaray Luce, *Ce sexe qui n'en est pas un*. Paris, Éd. de Minuit, 1977.
Irigaray Luce, *Passions élémentaires*. Paris, Éd. de Minuit, 1982.
Irigaray Luce, *Éloge de la différence sexuelle*. Paris, Éd. de Minuit, 1984.
Jaguar Dorothée, *Un linceul de peinture bleue*. Clichy, Cavalières, 1994.

Johnston Jill, *Lesbian Nation*, New York, Simon & Schuster, 1973.

Kelen Jacqueline, *Aimer d'amitié*. Paris, Laffont, 1992.

Klaich Dolores, *Femme et femme. Attitudes envers l'homosexualité féminine*. Traduit de l'américain par Martine Laroche. Paris, Éd. Des femmes, 1976.

Klumpke Anna, *Rosa Bonheur, sa vie son œuvre*, Paris, Flammarion, 1908.

L'Italie au féminisme. De l'intérieur du mouvement. Paris, Éd. Tierce, 1978.

Labarraque-Reyssac Claude, *Lesbos à Poitiers*. Paris, Éd. L'Amitié par les Livres, 1978.

Lamblin Bianca. *Mémoires d'une jeune fille dérangée*. Paris, Balland, 1993.

Lamothe Nicole, Marnatcheva Monique, *Louise Janin, témoin du siècle*. Éd. L. Janin et Marnatcheva Monique, 1993.

L'Annuaire des lieux, groupes, activités lesbiennes féministes et homosexuelles en France. Archives, Recherches, Cultures lesbiennes. Paris, 1995-1996.

Lapercerie Marie, *Isabelle et Beatrix*. Roman du 3e sexe.

Laurencin Marie. *Le Carnet des nuits*. Genève, P. Cailler, 1956.

Cent œuvres des collections du musée Marie-Laurencin au Japon. Commissaire et auteur du catalogue : Daniel Marchesseau. Martigny (Suisse), Fondation Pierre-Gianadda, 1994.

Le Féminisme et ses enjeux. Vingt-sept femmes parlent. Paris, Centre fédéral FEN/Édilig, 1988.

Le Garrec Évelyne, *Des femmes qui s'aiment*. Paris, Éd. du Seuil, 1984.

Le Grief des femmes. Anthologie de textes féministes rassemblés par Maïté Albistur et Daniel Armogathe. Éd. Hier et Demain, 1978, 2 vol.

Le Livre de l'oppression des femmes. Paris, Belfond, poche-club, 1972. Témoignages.

Le Quotidien des femmes. Neuf numéros de novembre 1974 à mars 1976. Éd. Librairie Des femmes, groupe Psychanalyse et Politique.

Le Sexisme ordinaire. Paris, Éd. du Seuil, 1979. Chroniques des

Temps Modernes par Catherine Crachat, Annie-Elm, Catherine Glaviot, Rose Prudence. Préface de Simone de Beauvoir.

Le Torchon brûle (1971-1973). Six numéros plus le n° 0.

Leduc Violette, *Ravages*. Paris, Gallimard, 1955.

Leduc Violette, *La Bâtarde*. Paris, Gallimard, 1964.

Leduc Violette, *Thérèse et Isabelle*. Paris, Gallimard, 1966.

Leduc Violette, *La Folie en tête*. Paris, Gallimard, 1967.

Lehmann Rosamond, *Poussière*. Traduit de l'anglais par J. Talva. Paris, Plon, 1929 (Londres, 1927).

Leland Goldsmith Margaret, *Christina of Sweden*. Garden City, New York, Doubleday, 1933.

Lemercier d'Erm Camille, *La Muse aux violettes*. Paris, Sansot, 1910.

Lempicka-Foxhall Kizette de, *Tamara de Lempicka*. Paris, Belfond, 1987.

Leperlier François, *Claude Cahun, l'écart et la métamorphose*. Paris, Éd. Jean-Michel Place, 1992.

Les Femmes s'entêtent. Journal, 2 numéros. 1975.

« Les femmes s'entêtent », *Les Temps Modernes*, avril-mai 1974 (réédité dans la coll. Idées, Gallimard).

Lesben Press. Journal rédigé par des groupes de lesbiennes de différentes villes d'Allemagne. Premier numéro en avril 1975.

Lesbia Magazine. Mensuel vendu dans les kiosques. Existe depuis novembre 1982.

Lesbian Lives. Biographies of Women from the Ladder. Edited by Barbara Brier and Colette Reid. Oakland (California), Diana Press.

Lesbianism and Feminism in Germany (1895-1910). Cette anthologie de textes publiée à New York par Arno Press en 1975 comprend : TROSSE, « Der Kontrarsexualismus in bezug aufeheund Frauenfrage », Leipzig, 1895. – ARDUIN, « Die Frauenfrage und die sexuellen Zwischenstufen », dans *Jahrbuch für sexuelle Zwischenstufen*, vol. II, Leipzig, 1900. – ANONYME, « Die Wahrheit uber mich », dans *Jahrbuch für sexuelle Zwischenstufen*, vol. III, 1901. – FRAU M. F., « Wie ich es sehe », *Jahr. fiir S. Z.*, vol. III, 1901. – BAD, Edwin, « Frauenbewegung und Frauendesliebe : Versuch einer Lösung des geschlechtlichen Problems », Berlin 1904. – RULING, Anna, « Welches interesse hat die Frauenbewegung an der Lösung des Homosexuellen Problems ? », dans *Jahrbuch für sexuelle Zwischenstufen*, vol. VII, Leipzig 1905. – DAUTHENDEY, Elisabeth, « Die urnische Frage und die Frau », dans *Jahrbuch für sexuelle Zwischenstufen*, vol. VIII, Leipzig, 1906. – DEN EKEN, Anne von, « Mannweiber-Weibmanner und der Paragraph 175 : eine Schrift für denkende Frauen », Leipzig, 1906. – HAMMER-BERLIN, Wilhelm, « Die Tribadie Berlins », Leipzig, Berlin, 1906. – « Uber gleichgeschlechtliche Frauenliebe mit besonderer Berücksichtigung der Frauenbewegung », dans *Monatsschrift für Harnkrankheiten und sexuelle Hygiene*, vol. IV, Leipzig, 1907. – HARTUNG, « Homosexualität und Frauenemanzipation », Leipzig, 1910.

Lesguillon Hermance, *Les Femmes dans cent ans*. Devresse, 1859.

Lesselier Claudie, *Recherches sur l'homosexualité féminine en France. 1930-1960*. Rapport de recherche ATP. Paris, 1988.

Lesselier Claudie, « Le regroupement de lesbiennes dans le mouvement féministe parisien : position et problèmes, 1970-1982. » Dans *Crise de la société, féminisme et changement*. Paris, Éd. Tierce, 1990.

Levaillant Maurice, *Une amitié amoureuse. Mme de Staël et Mme Récamier*. Lettres, documents inédits. Paris, Hachette, 1956.

« Libération des femmes année zéro », *Partisans*, n° 54-55, juillet-août 1970 (réédité dans la petite collection Maspero).

Linnhoff Ursula, *Weibliche Homosexualität*. Köln, Kiepenheuer und Wirsch, 1976.

Lisa, Liu, Gro, *Toutes trois*. Paris, Éd. du Seuil, 1975.

Loriot Noëlle, *Les Méchantes Dames*. Paris, Julliard, 1995.

Louvier Nicole, *Qui, Quand grogne*. Paris, La Table Ronde, 1952.

Louvier Nicole, *Chansons interdites*. Paris, La Table Ronde, 1953.

Louvier Nicole, *Poèmes de l'Alliance*. Paris, La Table Ronde, 1962.

Louÿs Pierre, Clifford Barney Natalie, Vivien Renée, *Correspondances croisées*. À l'Écart, rue de la gare, 51140 Muizon.

Lydis Mariette, *Lesbiennes*. Album de vingt-cinq eaux-fortes. Chez l'auteur. Paris, 1926.

Lydis Mariette, *Dialogue des courtisanes de Lucien*. Douze lithographies. Paris, Govone, 1929.

Lydis Mariette, *Le Chant des amazones*. Huit lithographies. Paris, Govone, 1931.

Lydis Mariette, *Chansons de Bilitis* (illustrations). Paris, Genève, 1934.

Mahyères Éveline, *Je jure de m'éblouir*. Buchet-Chastel.

Maillart Ella, *La Voie cruelle. Deux femmes, une Ford vers l'Afghanistan*. Paris, Payot, 1989.

Mallet-Joris Françoise, *Le Rempart des béguines*. Paris, Julliard, 1951.

Mansour Joyce, *Carré blanc*. Paris, Le Soleil noir, 1965.

Mansour Joyce, *Rapaces*. Paris, Seghers.

Marchessault Jovette, *Alice et Gertrude, Natalie et Renée et ce cher Ernest*. Éd. de la Lume, 1984.

Marion Dominique, *La Chasse à l'orchidée*. Paris, Laffont, 1977.

Marvor Elisabeth, *The Ladies of Llangollen. A Study in Romantic Friendship*. London, Penguin Books, 1971.

Masques, revue des homosexualités. Quatre numéros par an depuis mai 1979. Nombreux textes de femmes. (Ne paraît plus.)

Mathieu Nicole-Claude, *L'Anatomie politique, catégorisations et idéologies du sexe*, Paris, Côté-femmes, 1991.

Mellow James R., *Charmed Circle : Gertrude Stein and Company*. New York, Praeger, 1973.

Menteau Odette, *Un chemin semé de graviers mauves*. Éd. Geneviève Pastre, 1994.

Miller Isabel, *Patience et Sarah*. Paris, Grasset, 1973 (*A place for us*, 1969).

Miller Lee, *Photographe et correspondante de guerre, 1944-1945*. Préface d'Edmonde Charles-Roux. Paris, Éd. Du May, 1994.

Millet Kate, *En vol*. Paris, Stock, 1975.

Millet Kate, *Sita*. Paris, Stock, 1978.

Min Anchee, *L'Azalée rouge*. Paris, Fixot, 1994.

Monesi Irène, *L'Amour et le Dédain*. Paris, Mercure de France.

Monesi Irène, *Une tragédie superflue*. Paris, Mercure de France, 1968.

Monesi Irène, *Les Mers profondes*. Paris, Mercure de France, 1977.
Montferrand Hélène de, *Les Amies d'Héloïse*. Paris, Éd. de Fallois, 1990.
Montferrand Hélène de, *Journal de Suzanne*. Paris, Éd. de Fallois, 1991.
Montreynaud Florence, *Le XXe siècle des femmes*. Paris, Nathan, 1989.
Moosdorf Johana, *Die Freundinnen*. München, Nymphenburger, 1977.
Mora Édith, *Sapho. Histoire d'un poète* et traduction intégrale de l'œuvre. Paris, Flammarion, 1966.
Morgan Claire (pseudonyme de P. Highsmith), *Les Eaux dérobées* (1952). Paris, Calmann-Lévy, 1980. Republié sous le titre *Carol*. Paris, Le Livre de Poche.
Mori Gioia, *Tamara de Lempicka. Paris 1920-1938*. Paris, Herscher, 1995.
Moulin Jeanne, *La Poésie féminine*. Paris, Seghers, 1963.
Murat Marie (Princesse Lucien...), *La Reine Christine de Suède, la reine androgyne*. Paris, Flammarion, coll. Hier et Aujourd'hui, 1930.
Nachmann Elena, *Frauen aus dem Fluss*. Berlin, Amazonen Frauenverlag, 1977.
Nicolson Nigel, *Portrait d'un mariage (Journal de Vita)*. Traduit de l'anglais par Viviane Forrester. Paris, Stock, 1974.
Nin Anaïs, *Journal (1931-1934)*. Traduit par Marie-Claire Van der Elst. Paris, Stock, 1936.
Nin Anaïs, *A Winter of Artifices*. Denver, Allan Swallow, 1961.
Nin Anaïs, *Ce que je voulais vous dire*. Paris, Stock, 1980.
Nin Anaïs, *La Maison de l'inceste*. Paris, Éd. Des femmes.
Nobili Nella, *La Jeune Fille à l'usine*. Paris, Caractère, 1978.
Nobili Nella, Zha Édith, *Les Femmes et l'amour homosexuel*. Paris, Hachette, 1980.
Notre corps, nous-même. Adapté de l'américain par un collectif de femmes (Collectif de Boston pour la santé des femmes). Paris, Albin Michel, 1977.

Nouvelles Questions féministes. Revue de sociologie, n° 1, mars 1981, en cours de parution.

Olivia (pseudonyme de Dorothy Bussy), *Olivia*. Préface à l'édition française par Rosamond Lehmann. Traduit de l'anglais par Roger Martin du Gard et l'auteur. Paris, Stock, 1951.

Paramelle France, Lago Maria, *La Femme homosexuelle*. Paris, Castermann, coll. Vie affective, 1977.

Pasquier Marie-Claire, « Gertrud Stein. Théâtre et théâtralité », thèse de doctorat d'État, Université Paris-IV-la Sorbonne, 1991.

Pastre Geneviève, *L'Espace du souffle*. Paris, Christian Bourgois, 1977.

Pastre Geneviève, *7 14 17 ou Architecture d'Éros*. Rodez, Subervie, 1978.

Pastre Geneviève, *De l'amour lesbien*. Paris, Pierre Horay, 1980.

Pastre Geneviève, *Octavie ou la deuxième mort du Minotaure*. Paris, Les Octaviennes, 1985.

Pastre Geneviève, *Fluvie ou le voyage à Delphes*. Paris, Les Octaviennes, 1986.

Pastre Geneviève, *Athènes et le péril saphique*. Paris, les Octaviennes, 1987.

Patterson Rebecca, *The Riddle of Emily Dickinson*. Boston, Houghton-Mifflin, 1951.

Peawer Jhabvala Ruth, *Angel et Lara*. Paris, Stock, 1995.

Pelissier Berthe, *D'Hélène à Sapho*. Poèmes. Éd. La Caravelle, 1934.

Pelletier Madeleine, *La Suffragiste*, revue féministe, 1909 à 1919.

Pelletier Madeleine, *L'Émancipation sexuelle de la femme*. Paris, Giard et Brière, 1911.

Pelletier Madeleine, *Le Célibat, état supérieur*. Caen, brochure, s.d.

Penrose Antony, *Les Vies de Lee Miller*. Paris, Arléa/Éd. du Seuil.

Penrose Valentine, *Erzebeth Bathory*. Paris, Mercure de France, 1962.

Perrin Elula, *Coup de gueule pour l'amour des femmes*. Paris, Ramsay, 1995.

Perrin Elula, *Les Femmes préfèrent les femmes*. Paris, Ramsay, 1977.

Perrin Elula, *Tant qu'il y aura des femmes*. Paris, Ramsay, 1978.

Picq Françoise, *Libération des femmes. Les années-mouvement*. Paris, Éd. du Seuil, 1993.

Pisan Anne de, Tristan Anne, *Histoires du MLF*. Préface de Simone de Beauvoir. Paris, Calmann-Lévy, 1977.

Plat Hélène, *Lucie Delarue Mardrus. Une femme de lettres des années folles*. Paris, Grasset, 1994.

Porquerol Élisabeth, « La Signification du saphisme à travers les âges », *Le Crapouillot*, n° 10, 1950.

Pougy Liane de, *Idylle saphique*. Paris, Librairie de La Plume, 1901.

Pougy Liane de, *Mes cahiers bleus*. Paris, Plon, 1977.

Princesse Palatine (Charlotte Élizabeth de Bavière, duchesse d'Orléans dite), *Correspondance*. Paris, Charpentier, 1857, 2 vol. et coll. 10/18.

Prou Suzanne, *L'Été jaune*. Paris, Calmann-Lévy, 1968.

Prou Suzanne, *La Terrasse des Bernardini*. Paris, Calmann-Lévy, 1973.

Prou Suzanne, *Mlle Savelli*. Paris, Calmann-Lévy.

Quand les femmes s'aiment... Groupe de lesbiennes de Lyon, centre des femmes, n° 1-2, bulletin ronéoté depuis avril 1978.

Querlin Maryse, *Femmes sans homme*. Paris, J. d'Halluin, 1953.

Questions féministes. Éd. Tierce. Huit numéros, 1977-1980. « La pensée Straight » par Monique Wittig (n° 7, février 1980). « Hétérosexualité et féminisme » par Emmanuelle de Lesseps (n° 8). « On ne naît pas femme » par Monique Wittig (mai 1980).

Rachilde, *Madame Adonis*. Paris, E. Monnier, 1888.

Rachilde, *Monsieur Vénus*. Préface de Maurice Barrès. Paris, F. Brossier, 1889.

Rachilde, *Pourquoi je ne suis pas féministe*. Paris, Éd. de France, 1928.

Reinig Christa, *Mussigang ist aller Liebe Anfang*. Verlag Eremiten Presse, 1979.

Rigal Muriel, *L'Envers des choses*. Paris, Éd. L'Athanor, 1977.

Rinser Luise, *Les Anneaux transparents*. Traduit de l'allemand par Clara Malraux. Paris, Éd. du Seuil, 1956 (Berlin, 1941).

Riversdale Paule (pseudonyme collectif de Renée Vivien et Hélène

de Zuylen de Nievelt), *Vers l'amour*. Poèmes. Paris, La Maison des Poètes, 1903.
Riversdale Paule (pseudonyme collectif de Renée Vivien et Hélène de Zuylen de Nievelt), *Échos et reflets*. Poèmes. Paris, Lemerre, 1903.
Riversdale Paule (pseudonyme collectif de Renée Vivien et Hélène de Zuylen de Nievelt), *L'Être double*. Poèmes. Paris, Lemerre, 1904.
Riversdale Paule (pseudonyme collectif de Renée Vivien et Hélène de Zuylen de Nievelt), *Netsuké*. Poèmes. Paris, Lemerre, 1904.
Rochefort Christiane, *Les Stances à Sophie*. Paris, Grasset, 1963.
Roellig Ruth Margarete, « Berlin 1928 », *Cahiers GKC*, Lille, 1993.
Roland-Manuel Suzanne, *La Vrille du diable*. Paris, Les Deux Rives, 1946.
Romans Biéris de, Poème publié dans *Les Femmes troubadours* de Meg Bodin. Paris, Denoël-Gonthier, 1978.
Rule Jane, *Lesbian Images*. New York, Doubleday, 1975.
Sackville-West Vita, *The Dark Island*. New York, Garden City, Doubleday, 1934.
Sackville-West Vita, *Daughter of France*. London, M. Joseph, Garden City, 1959.
Sackville-West Vita, Woolf Virginia, *Correspondance*. Traduit de l'anglais par Raymond Las Vergnas. Paris, Stock, 1985.
Saint-Agen Adrienne, *Amants féminins*. Paris, Offenstadt, 1904.
Saint-Ys Andrée, *Au bord des eaux dormantes*. Paris, Sansot, 1919.
Sand George, *Lélia* (1833). Version de 1839 illustrée par Maurice Sand en 1854, dans *Œuvres illustrées*, Tony Johannnot et Maurice Sand. Paris, Hertzel, 1854.
Sand George, *Lélia* (1833). Édition de Pierre Reboul. Paris, Classiques Garnier.
Sand George, Dorval Marie, *Correspondance inédite* publiée avec une introduction et des notes par Simone André Maurois. Paris, Gallimard, 1953.
Sand George, *Correspondance*, t. II. Édition de Georges Lubin. Paris, Garnier, 1966.

Sand George, « Histoire de ma vie. » *Œuvres complètes*. Paris, Gallimard, Bibliothèque de La Pléiade, 1971, 2 vol.

Sanders Virginie, *La Poésie de Renée Vivien*. Rodopi, Amsterdam-Atlanta, Ga. 1991.

Sarde Michèle, *Colette, libre et entravée*. Paris, Stock, 1978.

Sarde Michèle, *Vous, Marguerite Yourcenar. La passion et ses masques*. Paris, Laffont, 1995.

Sarrazin Albertine, *L'Astragale*. Paris, J.-J. Pauvert, 1965.

Savigneau Josyane, *Marguerite Yourcenar*. Paris, Gallimard, 1990.

Schwarz Gudrun, « L'invention de la Lesbienne par les psychiatres allemands », *Stratégie des femmes*, Paris, Éd. Tierce, 1984.

Schwarzenbach Anne-Marie, *Nouvelle lyrique* (1933). Éd. Verdier Lagrasse, 1994.

Schwarzenbach Anne-Marie, *Orient Exils*. Paris, Éd. Autrement, 1994.

Schwarzer Alice, *La Petite Différence et ses grandes conséquences*. Paris, Éd. Des femmes, 1977 (Fischer, 1975).

Secrest Meryle, *Between me and Life. A Biography of Romaine Brooks*. London, MacDonald and Jane's, 1974.

Smith-Rosenberg Caroll, « Amours et rites : le monde des femmes dans l'Amérique du XIXe siècle », *Les Temps modernes*, février 1978.

Smith-Rosenberg Caroll et Newton Esther, « Le mythe de la Lesbienne et la Femme nouvelle », *Stratégie des femmes*, Paris, Éd. Tierce, 1984.

Solanas Valérie, *Scum Manifesto* (épuisé).

Solidor Suzy. Donation au château de Cagnes-sur-Mer, 1973.

Stanton Théodore, *Reminiscences of Rosa Bonheur*. Edited by Theodore Stanton. New York, Apleton, 1910.

Stefan Verena, *Mues*. Traduit de l'allemand par Leslie Gaspard. Paris, Éd. Des femmes.

Stein Gertrude, *Autobiographie d'Alice Toklas*. Traduit de l'anglais par Bernard Fay. Paris, Gallimard, 1934.

Stein Gertrude, *Fernhurst, Q.E.D., and other Early Writings*. London, Peter Owen, 1972 (1950).

Stein Gertrude, *Le Monde est rond*. Paris, Éd. Tierce-littérales, 1984.

Stein Gertrude, *Les Guerres que j'ai vues*. Paris, Christian Bourgois.

Stratégies des femmes, livre collectif, Paris, Éd. Tierce, 1984.

Sturgeon Marie C. (pseudonyme de Katherine Bradley et Edith Cooper), *Michael Field*. Londres, 1921. New York, Arno Press, 1976.

Sullerot Évelyne, *Histoire et mythologie de l'amour. Huit siècles d'écrits féminins*. Paris, Hachette, 1974.

Suyin Han, *Amour d'hiver*. 1962. Paris, Le Livre de Poche, 1974.

Tabachnik Maud, *Un été pourri*. Paris, Viviane Hamy, 1994.

The Daughters of Bilitis. The Ladder, vol. I-XVI, avec un index par Gene Damon. New York, Arno Press, 1976 (San Francisco, 1956-1972).

The Ladder Magazine est la source d'information la plus importante sur le Mouvement de libération des lesbiennes aux États-Unis depuis 1956. Phyllis Lyon (pseud. Ann Fergusson), Del Martin, Barbara Gittings, Helen Sanders, Gene Damon (Barbara Grier) en ont été successivement les éditrices.

Therame Victoria, *Trans-viscère-express*. Poésie de poche. Éd. Saint-Germain-des-Prés, 1970.

Toklas Alice, *What is Remembered*. New York, Holt, Rinehart and Winston, 1963.

Toklas Alice, *Staying on alone. Letters of A. B. Toklas*. Edited by Edward Burns. New York, Liveright, 1973.

Tout, ce que nous voulons, tout. Bihebdomadaire. Voir les numéros 12, 16 et 23 notamment.

Trefusis Violet, *Sortie de secours*. Paris, Éd. Argo, 1929.

Trefusis Violet, *Broderie anglaise* (1935). Paris, Christian Bourgois, 1986.

Trefusis Violet, *Les Causes perdues*. Paris, Gallimard, 1941.

Trefusis Violet, *Lettres à Vita*. Présenté par Mitchell A. Leaska et John Phillips. Trad. de l'anglais par Raymond la Vergnas. Paris, Stock, 1991.

Tristan Anne, *Histoires d'amour*. Paris, 1979.

Tristan Flora, *Le Tour de France. Journal inédit (1843-1844)*. Paris, Éd. Tête de Feuilles, 1973 (réédité par Maspero).

Troubridge Una, *The Life and Death of Radclyffe Hall*. Londres, Hammond, 1961.
Unsere kleine zeitung. Journal der Gruppe L 74, Berlin. Paraît depuis 1974.
V. Cécile, *Frédérique*. Paris, J'ai Lu, 1994.
Valabrègue Catherine, *Le Droit de vivre autrement*. Paris, Denoël-Gonthier, 1975.
Vergne Anne, *La Somnanbule*. Paris, Lattès, 1977.
Vilmont Anne, *Les Drosères*. Paris, Tchou, 1968.
Vivien Renée, *Études et préludes*. Poèmes. Paris, A. Lemerre, 1901 (réédité par Régine Deforges, 1977).
Vivien Renée, *Brumes de fjords*. Paris, Lemerre, 1902.
Vivien Renée, *Cendres et poussières*. Poèmes. Paris, Lemerre, 1902 (réédité par Régine Deforges, 1977).
Vivien Renée, *Du vert au violet*. Paris, Lemerre, 1903.
Vivien Renée, *Évocations*. Poèmes. Paris, Lemerre, 1903.
Vivien Renée, *Sapho*. Édition et traduction. Paris, 1903.
Vivien Renée, *La Dame à la louve*. Paris, Lemerre, 1904 (rééd. Deforges, 1977).
Vivien Renée, *La Vénus des aveugles*. Poèmes. Paris, Lemerre, 1904.
Vivien Renée, *Les Kitharèdes*. Traduction nouvelle avec le texte grec. Paris, Lemerre, 1904.
Vivien Renée, *Une femme m'apparut*... Paris, Lemerre, 1904 (réédité par R. Deforges, 1977).
Vivien Renée, *À l'heure des mains jointes*. Poèmes. Paris, Lemerre, 1906.
Vivien Renée, *Flambeaux éteints*. Poèmes. Paris, E. Sansot, 1907.
Vivien Renée, *Le Christ, Aphrodite et M. Pépin*. Paris, E. Sansot, 1907.
Vivien Renée, *L'Album de Sylvestre*. Paris, E. Sansot 1908.
Vivien Renée, *Sillages*. Poèmes. Paris, E. Sansot, 1908.
Vivien Renée, *Édition et traduction de Sapho et huit poétesses grecques* (Korinna, Télésilla Erranna, Mossis, Praxilla, Anyté de Tégée ou Anyta de Mytilène, Moïtô, Kléobulina...). Paris, 1909 (traduction en prose).

Vivien Renée, *Poèmes en prose*. Paris, E. Sansot, 1909 (nouvelle version).

Vivien Renée, *Poèmes*. Édition groupant tous les recueils parus du vivant de Renée Vivien. Paris, Lemerre, 1909, in-8°, 179 p.

Vivien Renée, *Dans un coin de violettes*. Précédé d'un avertissement des éditeurs et d'une préface par Paul Flat. Paris, E. Sansot, 1910 (publication posthume).

Vivien Renée, *Haillons*. Paris, E. Sansot, 1910 (publication posthume).

Vivien Renée, *Le Vent des vaisseaux*. Paris, E. Sansot, 1910 (publication posthume).

Vivien Renée, *Vagabondages*. Poèmes en prose. Paris, E. Sansot (s.d.), 1917 (publication posthume).

Vivien Renée, *Poèmes*. Paris, Lemerre, 1923-1924, 2 vol. (publication posthume).

Vivien Renée (études sur), *Le Bulletin du Bibliophile*, n° 11, 1977, « Fête son centenaire ». – « Renée Vivien et ses masques », *À l'écart*, n° 2, 1980 (nombreux inédits). On se reportera utilement à la bibliographie établie par Paul Lorenz dans son *Renée Vivien*.

Vlasta, « Fictions / utopies amazoniennes », *Littératures lesbiennes*, n° 1, printemps 1983. Cette revue cessera de paraître au n° 4 (juin 1985), consacré à Monique Wittig.

Wagner Elin, *Selma Lagerlöf*. Paris, Stock, 1950.

Wajsbrot Cécile, *Violet Trefusis*. Paris, Mercure de France, 1989.

Weirauch Anne-Elisabeth, *Der Skorpion*. Berlin, Askanischer Verlag, 1930. Berlin, Amazonen Frauenverlag, 1977.

Werner Françoise, *Romaine Brooks*. Paris, Plon, 1990.

Willette Henriette, *La Femme et la Faunesse*. Paris, E. Sansot, 1910.

Willette Henriette, *Le Livre d'or de Renée Vivien*. Paris, Le Livre d'or, 1927.

Winsloe Christa, *Jeunes Filles en uniforme*. Paris, Stock, 1959. Scénario du film de Léontine Sagan, *Mädchen in Uniform*, Allemagne, 1931. Christa Winsloe a dû émigrer aux États-Unis en 1933.

Winsloe Christa, *The Child Manuela*. New York, Farrar & Strauss, 1933.

Wittig Monique, *Les Guerillères*. Paris, Éd. de Minuit, 1969.
Wittig Monique, *Le Corps lesbien*. Paris, Éd. de Minuit, 1973.
Wittig Monique, Zeig Sande, *Brouillon pour un dictionnaire des amantes*. Paris, Grasset, 1976.
Wittig Monique, *Virgile, no*. Paris, Éd. de Minuit, 1985.
Wolff Christa, *L'Ombre d'un rêve.* Essai précédant les poèmes, la prose et les lettres de Karoline von Gunderode, RDA.
Wolff Charlotte, *On the Way to Myself.* Londres, 1969. Ce livre est son autobiographie. Charlotte Woolf était psychiatre, juive et allemande ; elle fut contrainte d'émigrer en Angleterre en 1933.
Wolff Charlotte, *Love between Women*. Londres, Duckworth, 1971.
Wolff Charlotte, *An Older Love*. Londres, Virago Ltd, 1976.
Woolf Virginia, « Geraldine and Jane », dans *Bookman Magazine,* 1928.
Woolf Virginia, *A Haunted House. Moment of being*. Londres, Hogarth Press, 1944. Paris, Éd. Charlot, 1946.
Woolf Virginia, *Une chambre à soi*. Trad. de l'anglais par Clara Malraux. Paris, Gonthier, 1950.
Woolf Virginia, *Orlando.* Traduction et préface de C. Mauron. Paris, Stock, 1957.
Woolf Virginia, *Journal*. Version intégrale. Trad. de l'anglais par Colette-Marie Huet. Paris, Stock, 1981, 7 vol.
Woolf Virginia, *Lettres*. Paris, Éd. du Seuil, 1993.
Woolf Virginia, *Quatre lettres cachées*. Paris, Christian Bourgois, 1995.
Worth Fabienne, « Toward Alternative Film Histories : Lesbian Films, Spectators, Filmmakers and the French Cinematic/Cultural Apparatus », *Quaterly Review of Film and Video*, vol. 15 (1), p. 55-77, 1993.
Wuilmet Marielle, *Dio ou ce qu'un corps ne peut dire.* Frontiscipe de Marie-Josée Baudoin. Paris, Éd. Saint-Germain-des-Prés, 1976.
Yourcenar Marguerite, *Alexis ou le Traité du vain combat* (1929). Paris, Gallimard, 1971.
Yourcenar Marguerite, *Feux.* Poèmes en prose. Paris, Gallimard, 1936.

Yourcenar Marguerite, *La Couronne et la Lyre*. Paris, Gallimard, 1979.

Yourcenar Marguerite, *Quoi ? L'Éternité*. Paris, Gallimard, 1988.

Yourcenar Marguerite, *Lettres à ses amis et quelques autres*. Paris, Gallimard, 1995.

Zaza, *Correspondance et carnets d'Élisabeth Lacoin, 1914-1929*. Paris, Éd. du Seuil, 1991.

Zillhardt Madeleine, *Louise Catherine Breslau et ses amis*. Paris, Éd. des Portiques, 1932.

Zvetaieva Marina, *Mon frère féminin. Lettre à l'amazone*. Paris, Mercure de France, 1979. Manuscrit écrit dans les années 1930 et retrouvé par Gislaine Limont.

Table

Troisième partie

BRÈCHES DANS LA CITÉ DES HOMMES
(XIXe-XXe SIÈCLE)

Dans la même collection

Nouveautés

N° 15 Nathalie ZAJDE :
Enfants de survivants
Nouvelle édition / Série Sciences humaines

Après la guerre, les survivants de la Shoah ont presque tous fondé ou refondé une famille. Ils ont eu des enfants. Bien que n'ayant pas eux-mêmes été confrontés au traumatisme de la persécution, ces derniers souffrent aujourd'hui d'angoisses qu'ils relient à celles de leurs parents. Comment se constituent de telles souffrances ? Pourquoi se transmettent-elles ? Comment peuvent-elles être enrayées ?

N° 17 Marie-Frédérique BACQUÉ :
Le Deuil à vivre
Nouvelle édition / Série Sciences humaines

Toutes les civilisations ont apporté des réponses qui

aidaient au deuil. Toutes, sauf la nôtre. Dans une société qui refuse la douleur, qui valorise plaisir, jeunesse et performance, les mourants et leurs proches restent le plus souvent seuls, désorientés, désarmés. Marie-Frédérique Bacqué propose ici un nouvel art d'apprivoiser la mort.

N° 18 Claude OLIEVENSTEIN :
Le Non-dit des émotions
Série Sciences humaines

Par nature insaisissable, indéfinissable, imprévisible, le non-dit est la vie même, la réponse que chacun de nous, par la parole furtive ou le silence, apporte aux mille situations de l'existence. En lui consacrant ce livre, Claude Olievenstein éclaire d'un jour nouveau bien des aspects de nos comportements individuels et collectifs, des mythes et des rites, du sacré de la vie quotidienne.

N° 19 Stephen HAWKING :
Trous noirs et bébés univers
Série Sciences

Reconnu dans le monde entier comme l'un des plus brillants théoriciens depuis Einstein, Hawking a rendu accessible au plus grand nombre les idées modernes sur la nature et l'évolution du cosmos. Il présente ici le dernier état de sa pensée sur le temps, la structure de la matière, l'avenir de l'univers.

N° 20 Robert DARNTON :
La Fin des Lumières
Série Sciences humaines

En 1778, à Paris, un médecin viennois, Franz-Anton Mesmer, suscite un engouement extraordinaire grâce à une théorie selon laquelle l'univers baigne dans un fluide qui est source de phénomènes comme la chaleur, la lumière, l'électricité et le magnétisme. Pour rétablir la santé, il entreprend d'étranges séances de guérison... Une contribution décisive à l'étude de la mentalité des Français lettrés et de leurs aspirations à la veille de la Révolution.

Déjà parus

N° 1 Claude HAGÈGE :
Le Souffle de la langue,
Voies et destins des parlers d'Europe
Série Sciences humaines

N° 2 Caroline ELIACHEFF :
À corps et à cris,
Être psychanalyste avec les tout-petits
Série Sciences humaines

N° 3 Jean-Didier VINCENT :
Biologie des passions
Série Sciences

N° 4 Yves POULIQUEN :
La Transparence de l'œil
Série Médecine

N° 5 Édouard ZARIFIAN :
Les Jardiniers de la folie
Série Sciences humaines

N° 6 Françoise Héritier, Boris Cyrulnik
Aldo Naouri, & al. :
De l'inceste
Série Sciences humaines

N° 7 Hervé Le Bras :
Les Trois France
Série Sciences humaines

N° 8 Jacques Mehler & Emmanuel Dupoux :
Naître humain
Série Sciences humaines

N° 9 Michel Cassé :
Du vide et de la création
Série Sciences

N° 10 Frans de Waal :
La Politique du chimpanzé
Série Sciences humaines

N° 11 Tobie Nathan :
Psychanalyse païenne
Série Sciences humaines

N° 12 Jean-Marie Bourre :
La Diététique du cerveau
Série Sciences

N° 13 François Lelord :
Les Contes d'un psychiatre ordinaire
Série Sciences humaines

N° 14 Jacques Ruffié :
Le Sexe et la Mort
Série Sciences

Impression réalisée sur CAMERON par BRODARD ET TAUPIN La Flèche
en septembre 1995
Dépôt légal : septembre 1995 – N° d'édition : 7381-0319-1 – N° d'impression : 1947M-5
Imprimé en France